SCHMIDT-SCHEEDER · REPORTER DER HÖLLE

DIE PROPAGANDA-KOMPANIEN IM 2. WELTKRIEG
ERLEBNIS UND DOKUMENTATION

GEORG SCHMIDT-SCHEEDER

Reporter der Hölle

MOTORBUCH VERLAG STUTTGART

Einband und Schutzumschlag: Siegfried Horn.
Das Titelbild zeigt den Filmberichter Kurt Katzke.

FOTOS:
Archiv Schmidt-Scheeder, 66
Flugblattsammlung Josef Beyer, Bergisch Gladbach, 4
Archiv Franz Freckmann, Hannover, 2
Archiv Heinz Rudolf Fritsche, Ulm, 1
Archiv Ernst Grunwald, 5
Archiv Kurt Katzke, 2
The Associated Press, Frankfurt/M., 1
Deutsche Presse-Agentur, Frankfurt/M., 2
Ullstein-Bilderdienst, Berlin, 11
Bundesarchiv, Koblenz, 12

ZEICHNUNGEN:
Kriegszeichner Heinz Raebiger, 5
Kriegszeichner Kurt Krohne, 1

D
810
.P7
G 3685
1977

ISBN 3-87943-524-3

1. Auflage 1977
Copyright © by Motorbuch Verlag, Postfach 1370, 7000 Stuttgart.
Eine Abteilung des Buch- und Verlagshauses Paul Pietsch GmbH & Co. KG.
Sämtliche Rechte der Verbreitung – in jeglicher Form und Technik – sind vorbehalten.
Satz und Druck: Maisch & Queck, 7016 Gerlingen.
Bindung: Verlagsbuchbinderei Karl Dieringer, 7000 Stuttgart.
Printed in Germany.

INHALT

Einleitung

»Meine Herren Kriegsberichter«, sagte Dr. Joseph Goebbels im Berliner Propaganda-Ministerium zu uns, »noch nie hatte ein Volk *diese* Mittel in der Hand, für alle Zeiten festzuhalten, was geschah. Und in *Ihre* Hände ist es gelegt, zu berichten über dieses gewaltige Geschehen, das wir miterleben dürfen als Zeugen der größten Zeit unseres Volkes! Aus Ihren Berichten und Bildern wird dereinst die Geschichte geformt werden . . .«

Seine Zuhörer, das waren wir: Kriegsberichter aller Wehrmachtsgattungen – der Luftwaffe, bei der sie als MG-Schützen in Kampfflugzeugen saßen, Kriegsberichter der Marine, die auf Schlachtschiffen, Zerstörern, Minensuchbooten, ja sogar auf U-Booten die Meere durchkreuzten, Kriegsberichter des Heeres, die an allen Fronten eingesetzt waren, von Norwegen bis nach Afrika und von der Bretagne bis nach Stalingrad. Ich saß unter ihnen. Frisch entlaust von der Front in Rußland nach Berlin gekommen.

Sie alle – wer waren sie? Woher kamen sie?

Es waren ganz einfach Journalisten, Bildberichter, Kameramänner, Rundfunkreporter, die man in Uniform gesteckt hatte, die nun eine eigene neue Waffengattung bildeten: Die Propaganda-Kompanien, kurz PK genannt.

Neben den Presseleuten gehörten dazu auch Schriftsteller, Dichter, Theaterregisseure, Filmregisseure, Kunstmaler, Zeichner, Karikaturisten, Drucker, Schriftsetzer und sogar Professoren für Kunstgeschichte. Aber eines hatten allesamt gemeinsam: sie übten als Soldaten ihren Zivilberuf aus.

Nirgendwo in der Welt hatte es zuvor Einheiten dieser Art gegeben, und ihr überraschender Einsatz war eine der bedeutendsten Neuerungen des Zweiten Weltkrieges.

Man gab ihnen eine eigene Waffenfarbe. Wie die Artillerie das Rot hatte, die Infanterie das reine Weiß, so waren die Schulterstücke der PK-Männer hellgrau umrandet.

Im Verlauf des Krieges wuchs und wuchs die neue Waffengattung, die Kompanien vermehrten sich wie Einzeller durch Teilung, und die ausgewachsene Truppe besaß schließlich sogar einen eigenen General, den Generalmajor Hasso von Wedel. Unter seiner Führung erreichte sie im Sommer 1943, dem vierten Kriegsjahr, ihren personellen Höhepunkt mit einer Stärke von 15 000 PK-Soldaten, was einer kriegsstarken Division entsprach.

Und so unrecht hatte Dr. Goebbels zweifellos nicht mit seiner Prophezeiung. Das von den Kriegsberichtern erarbeitete Material in Wort, Film, Bild und Ton birgt eine so unermeßliche Fülle von Dokumenten, daß Historiker, Filmregisseure, Fernsehproduzenten und Verleger noch in ferner Zukunft davon zehren können.

Im letzten Kriegsjahr gingen wöchentlich im Durchschnitt 20 000 m belichtetes Filmmaterial von den Filmberichtern ein. (Rund 11 Stunden Vorführdauer.) Dieses Material wurde geschaffen von 219 Filmberichtern, und zwar 85 Filmberichtern des Heeres, 42 der Marine, 46 der Luftwaffe und 46 der Waffen-SS. Die Wochenschau, die eine Länge von 350 m (12 Minuten) hatte, erschien in 25 Sprachen. Es wurden hergestellt: 1493 Kopien für das Inland, 170 Kopien für das Ausland, 37 Kopien alle 14 Tage für die Marine und 480 Kopien alle 14 Tage für Wehrmachtszwecke.

Der letzte PK-Wortbericht hatte eine laufende Nummer von über 80 000, vom Anbeginn des Krieges bis zum 25. April 1945. So erinnert sich Otto August Ehlers, der als Angehöriger der Abteilung OKW/WPr III bis zwei

Stunden bevor die Russen in Berlin über die Avus marschierten in der Dienststelle des Fachprüfers »Wort« tätig war.

Mit der größten Zahl können die Bildberichter aufwarten. Von ihnen sind insgesamt mehr als zwei Millionen Einzelaufnahmen gemacht worden. Sämtliche Negative davon, die bis 1945 in bombensicheren Bunkern gelagert waren, sollten kurz vor Ende des Krieges auf höchsten Befehl verbrannt werden.

Zwei Stabsoffiziere (Obristen) bekamen den Auftrag, das gesamte in zwei Thermowagen verladene Material zu einem Steinbruch in der Uckermark zu fahren und dort die Vernichtung zu überwachen. Einer der beiden Wagen bekam jedoch – wahrscheinlich während eines Fliegerangriffs – eine Panne und fiel den amerikanischen Truppen in die Hände.

Nach dem Kriege gaben die Amerikaner die Negative zurück, – sie waren jedoch ihren Schutzhüllen entnommen worden und fast unentwirrbar durcheinandergeraten.

Im Bundesarchiv in Koblenz wurden sie in jahrelanger, mühevoller Arbeit bis auf einen kleinen Rest wieder nach Daten und Kriegsschauplätzen geordnet, – zum Teil unter Mithilfe ehemaliger Kriegsberichter, die sich unentgeltlich zur Verfügung stellten.

Somit sind heute rund eine Million Negative für Dokumentarzwecke vorhanden.

Die PK-Männer, die dieses ungeheure authentische Material schufen, hatten es sich am Anfang gefallen lassen müssen, von der kämpfenden Truppe belächelt zu werden. »Diese Goebbels-Soldaten! Was die da knipsen, sind ja alles nur gestellte Bilder!« wurden sie verspottet. Die PK-Männer mußten erst einmal beweisen, daß sie Soldaten waren und keine Salonlöwen.

Und sie bewiesen es. Als es die ersten Toten in ihren Reihen gab, begann man, sie ernst zu nehmen. Sie waren Soldaten geworden, erhielten Auszeichnungen wie diese und durften sterben wie diese.

Man begriff, was es bedeutete, wenn sie ihr Leben

aufs Spiel setzten – für ein paar Meter Film, für ein paar Zeilen Text, für ein Foto.

Zu ihnen zählten renommierte Pressefotografen, die in der Zeitungswelt bereits Rang und Namen hatten, u. a. der Top-Fotograf Max Ehlert, der nach Kriegsende zwanzig Jahre lang die Titelfotos für das größte Nachrichtenmagazin der Bundesrepublik, den »Spiegel«, schoß. Er gehörte zu denen, die trotz wiederholter Gefahrensituationen immer wieder das Glück hatten, alles zu überleben. Vier seiner Kollegen hatten den Tod gefunden, als der schwere Kreuzer «Blücher» in der Nacht vom 8. zum 9. April 1940 dicht vor der norwegischen Hauptstadt im Direktbeschuß von den Batterien der Festung Oskarsborg im Oslofjord versenkt wurde. Stundenlang war Max Ehlert im eiskalten Wasser dahingetrieben, seine Fotogeräte krampfhaft umklammert haltend – er hatte das Landemanöver in Oslo fotografieren sollen – bis er völlig erschöpft und nicht mehr an eine Rettung glaubend die felsigen Klippen einer winzigen Insel unter sich fühlte.

Max Ehlerts Fotoausrüstung war vom Salzwasser zerstört. Aber er hatte überlebt.

Doch etwa 30 Prozent aller PK-Männer (einschl. der Fahrer, des technischen Personals usw.) sind gefallen oder wurden schwer verwundet, was ungefähr den Verlusten der Infanterie entspricht.

Die meisten, die den Krieg überlebten, kehrten später in ihren Zivilberuf zurück. Und viele, die damals noch unbekannt waren, konnten sich danach einen Namen machen, wie Peter von Zahn (Fernsehproduzent), Karl Holzamer (Intendant des ZDF), der Luftwaffen-Kriegsberichter Henri Nannen (»Stern«-Chef), Werner Höfer, damals PK-Mann bei der Organisation Todt, heute als Frühschoppler beim WDR, Krimiautor Herbert Reinecker, die Dichter und Schriftsteller Ernst Jünger, Rudolf Hagelstange, Ernst Glaeser, Walter Kiaulehn, Hans Bayer (»Thaddäus Troll«), Kurt W. Marek (später als C. W. Ceram berühmt durch »Götter, Gräber und Gelehrte«), der im Kampfflugzeug mitfliegende Dr. Werner Keller

12

(»Und die Bibel hat doch recht«), der Verleger Ernst Rowohlt (rororo), Stahlnetz-Regisseur Jürgen Roland, um nur die bekanntesten zu nennen.

Und doch: Keine Truppe gibt über sich selbst heute noch so viele Rätsel auf wie die PK. Wie war die neue Waffengattung überhaupt entstanden? Waren sie wirklich Kriegspropagandisten gewesen, diese PK-Männer, wie ihr Name sagt? Wie waren sie zur PK gekommen? Freiwillig? Oder befohlen? –

Als der Krieg ausbrach, gab es sie plötzlich. Und als er zu Ende war, lösten sie sich wieder auf – in ein Nichts.

Sie schwiegen sich selbst tot. An dem Wort »Propaganda-Kompanie« haftete lange der Makel einer Nazi-Truppe. Das mag der Grund dafür sein, daß bisher so wenig über sie geschrieben wurde. Wer wollte auch schon über sich selbst berichten? So blieb das Thema tabu für fast alle, die etwas darüber aussagen könnten.

Inzwischen sind mehr als drei Jahrzehnte vergangen, und das Gras scheint hoch genug darüber gewachsen zu sein, so daß ein Augenzeuge noch davon berichten sollte, bevor er selbst darunter liegt. Die Kriegsgeneration braucht heute nicht mehr mit vorgehaltener Hand zu flüstern, daß sie auch dabei war. Der Begriff Krieg hat eine Wandlung erfahren. Er wurde zum historischen Ereignis, – zu einem Kapitel der Weltgeschichte.

Der Verfasser dieses Berichts – ursprünglich Bildreporter bei einer Tageszeitung – hat den Zweiten Weltkrieg als Kriegsberichter bis zum Ende miterlebt.

Als er schließlich daranging, über seinen Einsatz bei der PK zu schreiben, bot sich ihm inzwischen eine solche Fülle interessanten Materials über diese seinerzeit aus dem Nichts entstandene Waffengattung (– über ihre Entstehung, ihren Aufbau, ihre Ausrüstung und ihren Einsatz), daß er sich unversehens vor die Frage gestellt sah, welche Form eigentlich die gegebene sei, die eines Sachbuches oder – wie zuerst geplant – die eines rein persönlichen Erlebnisberichts.

Einerseits erschienen ihm die in weiten Kreisen noch völlig unbekannten Fakten allein schon interessant genug, ein ganzes Buch zu füllen; andererseits drängte es ihn, da er bei vielen historischen Ereignissen selbst als Reporter eingesetzt war und so die Arbeit der Goebbelsschen Elitetruppe aus eigener Anschauung kennengelernt hatte, darüber in der persönlichen Berichtsform zu schreiben.

Schließlich fragte er sich daher: Warum nicht beide Möglichkeiten vereinen? Denn das eine lebt vom anderen – wie in einer Symbiose. Und so entstand eine Synthese von objektivem Sachbuch und subjektiven Erlebnisberichten, um sowohl der Historie gerecht zu werden, als auch gleichzeitig die sachliche Materie mit Leben zu erfüllen.

Nur so glaubte er – bei aller Genauigkeit im sachlichen Detail – dem Leser ein vollkommenes Bild geben zu können von der neuen Waffengattung, die – noch während des Krieges! – sogar von Amerikanern und Russen zum Vorbild genommen wurde. Gleichzeitig mußte aber auch der damalige Zeitgeist dargestellt werden mit all den Begeisterungsausbrüchen und überschwenglichen Bekenntnissen zum Nationalsozialismus der einen und den hier und da bereits auftretenden warnenden Stimmen der anderen bis hin zu der endlich durchbrechenden Erkenntnis auch der Gutgläubigsten, daß sie alle, die sie ihre Aufgabe anfänglich mit so viel Elan und Berufsehrgeiz bis zur Todesverachtung (!) erfüllen zu müssen glaubten, nur als Werkzeug mißbraucht wurden und ihr Leben für eine zum Untergang verurteilte Ideologie eingesetzt hatten – als Reporter des Teufels.

Und so entstand dieses Buch – den Lebenden zur Mahnung und den gefallenen Kollegen-Kameraden zum Gedächtnis.

Erster Teil

1 JOSEPH GOEBBELS: EIN TEUFLISCHES GENIE?
WEISSE MÄUSE GEGEN REMARQUE
DIE TAKTIK DES TOTSCHWEIGENS

Die Entstehung der PK war eine zeitbedingte, logische Folgeerscheinung des technischen Fortschritts, wie der Entwicklung der psychologischen Erkenntnisse innerhalb der Propagandapolitik des Dritten Reiches. Sie lag sozusagen in der Luft. Ihr geistiger Vater: Dr. Paul Joseph Goebbels.

Wer war er – der Schöpfer der PK?

Aus heutiger Sicht für die einen womöglich ein Genie – für die anderen sicherlich ein wahrhaftiger Teufel.

Oder war er vielleicht beides?

Ausgerechnet er, dieser kleine, schmächtige Mann, der kaum hundert Pfund wog, dessen linkes Bein verkürzt war, der daher scheinbar einen Klumpfuß[1]) hatte und zudem alles andere als germanisch (nach damali-

---

[1]) Im Alter von sieben Jahren mußte er wegen einer Knochenmarkentzündung am linken Oberschenkel operiert werden. Als Folge davon blieb sein linkes Bein rund 8 Zentimeter kürzer, dünner und kraftlos. Er mußte sein Leben lang orthopädische Schuhe tragen, sprach aber niemals ein Wort darüber, so daß selbst prominente Parteigenossen glaubten, er habe einen »Klumpfuß«, und ihn – in der ersten Zeit – deswegen sogar gelegentlich diffamierten.

gem Sprachgebrauch sprich: ›rein arisch‹) wirkte, besaß alle Fähigkeiten, die ihn zu einer der zweifellos interessantesten Figuren im Kreise der NS-Größen machten.

Niemand neben ihm verfügte über eine so elementare, sich in entscheidenden Situationen bis zum Fanatismus steigernde Energie, über eine so starke emotionelle Überzeugungskraft, über so geschliffene Formulierungen, über eine so prägnante Aussprache.

Was für ein großartiger Jesuitenpater – der er ja nach dem Wunsche seiner Eltern eigentlich hatte werden sollen – hätte doch aus ihm werden können, kraft seiner Veranlagung, wenn er ein Anwalt Gottes geworden wäre, anstatt der des falschen Propheten!

Aber wie heißt es doch: ›Nach dem Gesetz, nach dem du angetreten, mußt du vollenden deine Bahn ...‹

Es wird noch zu schildern sein, wie er endete; jedoch zunächst hieß es für ihn in diesen Anfangsjahren erst einmal, die Reichshauptstadt zu erobern, den Auftrag zu erfüllen, den ihm sein Führer, der intuitiv früh seine besonderen Fähigkeiten erkannte, erteilt hatte. Und schon hier offenbaren sich alle die bestechenden Eigenschaften, die ihn später zum wohl wichtigsten Mann an Hitlers Seite machten: hohe Intelligenz, ein überragendes Organisationstalent, blitzschnelle Entschlußkraft und erstaunlicher Mut, verbunden mit einer unvergleichlichen Ausdauer und Zielstrebigkeit.

Bekleidet mit einer alten braunen Lederjacke, die ihm viel zu lang war, zog er unermüdlich von Veranstaltung zu Veranstaltung, inszenierte, allen Gefahren trotzend, Saalschlachten, setzte die SA (Sturmabteilungen) ein und redete – redete – redete – –.

Zuerst frozzelten die Berliner, wo er mit seinem weichen Schlapphut mit der riesigen breiten Krempe auftauchte: »Großer Rand – kleiner Kopf!«

Aber nicht lange. Bald hatten sie festgestellt, daß unter diesem Schlapphut ein verdammt kluger Kopf steckte, der politisch Uninteressierte aufrüttelte, ja, der es sogar verstand, politische Gegner umzudrehen!

Während die SA mit dem Schlachtruf »Deutschland erwache!«[1]) oder »Juda verrecke!« durch die Straßen zog, rief er den Berlinern in feinerem Ton zu: »Wir Nationalsozialisten – wir werden der Sauerteig sein, der revolutioniert und neues Leben bringt!« Die grobschlächtigen Aussprüche überließ er anderen. Ihm lagen mehr die sinnbildlichen Redewendungen, die er mühelos frei aus dem Augenblick heraus erfand.

Die Berliner nannten ihren Gauleiter bald nur noch respektvoll den »Doktor« und sagten ihm nach, er sei nicht »zimperlich« und gehe »unters Volk«, womit sie meinten, daß er besser als andere ihre täglichen kleinen Sorgen verstünde. Daß er ein Rheinländer war, nahmen ihm die Berliner in ihrer Weltoffenheit nie übel.

Es dauerte Jahre, aber er schaffte es, – bis er Hitler melden konnte: »Mein Führer, – Berlin steht hinter Ihnen!«

Eine weitere Aufgabe Goebbels' war es, die seit der Niederlage von 1918 kriegsmüden Deutschen wieder heroischem Gedankengut zugänglich zu machen.

Da flimmerte um die Zeit vor der Machtübernahme ausgerechnet ein harter Anti-Kriegsfilm über die deutschen Leinwände. Das Uraufführungskino am Nollendorfplatz in Berlin war täglich ausverkauft. Der Film, der alt und jung begeisterte, war nach Erich Maria Remarques Roman »Im Westen nichts Neues« gedreht worden. Schon das Buch mit seiner pazifistischen Tendenz, die letzten Endes auf die völlige Sinnlosigkeit *jedes* Krieges hinauslief und im Zuschauer die Überzeugung wachrufen mußte ›Nie wieder Krieg!‹, war Goebbels ein Dorn im Auge gewesen. Millionen hatten es verschlungen. Wer es zu lesen angefangen hatte, legte es erst nach der letzten Seite wieder aus der Hand. Und nun noch diese Verfilmung!

Das war in Goebbels' Sinne schlimmste Anti-Kriegspropaganda! Er konnte das Volk nicht auf heroische Taten vorbereiten, wenn in den Kinos provozierend gezeigt

---

[1]) Entnommen aus einem Gedicht Dietrich Eckarts.

wurde, wie in modernen Materialschlachten Menschen sinnlos hingeopfert werden.

Machtmittel, die Aufführung des Films einfach zu verbieten, standen ihm zu der Zeit noch in keiner Form zur Verfügung, – seine Partei saß noch auf den Bänken der Opposition.

Aber Goebbels war nicht der Mann, der tatenlos zusah. Das Wort ›unmöglich‹ gab es nicht für ihn, wenn es sich um die Lösung von Propagandaaufgaben handelte. Er mußte sich etwas einfallen lassen, sollte ihm dieser Film nicht die Linie verderben!

Und hier zeigte sich, daß er, der die feinsten Kunstgriffe der psychologischen Massenbeeinflussung beherrschte und in seinen Leitartikeln über den geschliffensten Stil der gesamten Presse verfügte (der später in der repräsentativen Wochenzeitung »Das Reich« Weltbeachtung fand), sich auch nicht scheute, gelegentlich einmal zu den primitivsten Mitteln zu greifen, um sein Ziel zu erreichen.

Er ruft die SA auf: Geht in den Remarque-Film und setzt weiße Mäuse aus!

Die SA-Männer rümpfen die Nase. Weiße Mäuse?

Doch der Sturmführer begreift, schmunzelt – und gehorcht.

Bei der nächsten Abendvorstellung fliegen einige Dutzend weißer Mäuse ins Parkett. Sie landen auf den Köpfen und Schultern der Zuschauer, kriechen den Damen in den Ausschnitt, – und schon springen die ersten entsetzt auf, Schreie erfüllen das Kino: »Mäuse! Mäuse!!«

Fluchtartig stürzt das Publikum zu den Ausgängen.

In den nächsten Tagen waren überall dort, wo der Film lief, die weißen Mäuse ausverkauft, – dank der Nachfrage der SA. Die Welle ging über ganz Deutschland – es wurde ein Gaudi daraus. Goebbels hatte eine Schlacht gewonnen.

Nach der Machtergreifung machte Hitler ihn zum Minister für Volksaufklärung und Propaganda. (Goebbels nannte die Dinge gern beim richtigen Namen und scheute sich später auch nicht, die Soldaten, die ihm Propagandamaterial von der Front liefern sollten, ganz offen Propaganda-Kompanien zu nennen.)

Der frisch gebackene Minister erfuhr von Hitler, daß nunmehr seine nächste Aufgabe darin bestand, einen möglichen Krieg propagandistisch vorzubereiten, ohne daß allerdings die deutsche Bevölkerung mit der Nase darauf gestoßen wurde!

Hitler hatte es in »Mein Kampf« zwar deutlich genug gesagt, daß der »deutsche Lebensraum« im Osten liege, und es war nicht schwer zu erraten, daß jegliche Gebietseroberungen wohl oder übel mit Krieg verbunden sein würden.

Aber – wer in Deutschland hatte schon »Mein Kampf« gelesen! Der dicke Band wurde jedem Brautpaar nach der Eheschließung vom Standesbeamten ausgehändigt, doch der Durchschnittsbürger begnügte sich damit, ihn an einem gut sichtbaren Platz im Bücherschrank aufzustellen.

Goebbels' neue Aufgabe war nicht einfach.

Aber jetzt standen ihm dafür alle Machtbefugnisse zur Verfügung. Er kontrollierte die Presse, den Rundfunk, das Filmschaffen und, als Präsident der Reichskulturkammer, alle übrigen Zweige des künstlerischen und literarischen Lebens – alles, bis zum Lesebuch der Schulkinder. Damit hatte er alle Mittel in der Hand.

Und wie verstand er sie einzusetzen!

Eines seiner bevorzugten Rezepte war: Ich muß die Menschen mit den Mitteln der Propaganda dahin bringen, daß sie selber wollen, was wir wollen!

Mit Vorliebe benutzte er dazu die Taktik des Einhämmerns einer bestimmten These. Als es die Volksverbundenheit der Massen mit Adolf Hitler zu konsolidieren galt, prägte er das Wort: »Ein Volk – ein Reich – ein Führer!« Auf Tausenden von Transparenten war es zu lesen. Von den Parteirednern hatte es dem Volk eingetrichtert zu werden, bis es festsaß.

»Gemeinnutz geht vor Eigennutz!« zielte auf die Gleichschaltung des Wirtschaftslebens.

Bald darauf folgte – später für den Krieg bestens brauchbar – die Parole:»Führer befiehl – wir folgen Dir!«

Und heute wissen wir: Diese Parole hielt durch – bis zum totalen Krieg! Und bis zum Untergang!

Goebbels machte nicht nur Propaganda für oder gegen etwas Vorhandenes, sondern schuf etwas ganz Neues: Er stellte das, was werden sollte, als Wirklichkeit dar, – so lange, bis es Wirklichkeit wurde.

Eine andere, eigentlich gegenteilige Goebbels-Methode war die Taktik des Totschweigens. (Prinz Louis Ferdinand von Preußen:»Das Schlimmste, was Goebbels mit uns gemacht hatte, war, daß er uns einfach totgeschwiegen hat!«)

Ein typisches Beispiel dafür ist die der Öffentlichkeit aus guten Gründen damals verschwiegene Affäre um den Horst-Wessel-Film, Drehbuch: Hanns Heinz Ewers.

Die Rolle, die Horst Wessel in der nationalsozialistischen Bewegung gespielt hat, ist bekannt: Auf der Suche nach einem Nationalhelden der Partei war Goebbels' Wahl auf den Studenten und SA-Sturmführer Horst Wessel gefallen, der»von Kommunisten« an seiner Wohnungstür erschossen worden war. Das rhythmisch nicht ganz einwandfreie Kampflied, das der Pastorensohn und Führer des SA-Sturms Nr. 5 in Berlin komponiert und getextet hatte, wurde von Goebbels zur zweiten Nationalhymne erklärt und an das Deutschlandlied angehängt. Millionen sangen es (offiziell bis Kriegsende) mit erhobenem rechtem Arm:

»Die Fahne hoch, die Reihen fest geschlossen . . .«

Über diesen Nationalhelden hatte der damals renommierte Schriftsteller Hanns Heinz Ewers (»Alraune«) ein Büchlein geschrieben.

Er hatte gründliche Arbeit geleistet. Monatelang hatte er Horst Wessels Eltern, eine still und bescheiden lebende Pastorenfamilie, in der Jüdenstraße, dicht neben dem Berliner Rathaus, aufgesucht und sich alles bis in alle Einzelheiten erzählen lassen.

Und das Ergebnis war: Ewers verschwieg auch nicht,

20

daß Horst Wessel eines Nachts eine Dirne[1]) aus der Gosse aufgelesen hatte, die aus einem Lokal am Alexanderplatz hinausgeflogen war. Horst Wessel hatte sie zunächst mit in seine Studentenbude genommen und wohnte dann bei ihr in einem möblierten Zimmer[2]) – sehr zum Unwillen ihres früheren Zuhälters[3]).

Hanns Heinz Ewers hatte dies sehr genau beschrieben. Und mancher Bürger wunderte sich schon damals, daß das gut ging. Allerdings konnte – wer wollte – zu Horst Wessels Rechtfertigung ja annehmen, er habe die Dirne natürlich nur aus reiner Menschlichkeit bei sich aufgenommen. Und schließlich war Hanns Heinz Ewers immerhin Parteigenosse der NSDAP – und zwar schon seit vor der Machtübernahme!

Da hatte Ewers den Einfall, den Stoff zu verfilmen.

Goebbels war sofort hell begeistert. Er erklärte sich sogar dazu bereit, die Rede, die er seinerzeit auf dem stillen, alten Friedhof am Prenzlauer Berg am offenen Grab Horst Wessels gehalten hatte, für die Filmleute zu wiederholen.

Die Filmarbeiten in den Ateliers der Jofa in Niederschöneweide-Johannistal, dicht vor den Toren Berlins, wo die Saalschlachten aus der Kampfzeit zwischen Nationalsozialisten und Kommunisten, wie sie sich im Saalbau »Friedrichshain« abgespielt hatten, in originalgetreu nachgebauten Kulissen nachgedreht wurden, gingen gut voran.

Die »Nazis« und die »Kommunisten« (letztere natürlich dargestellt von ausgewählten, kampferprobten SA-Schlägern!) waren während der Dreharbeiten allerdings wieder so in ihrem Element, daß sie alle Vorsicht vergaßen, und manches harte Bierglas, das gar nicht zu den eigens dafür ›präparierten‹ gehörte, wurde in der Rage ebenfalls auf irgendeinen Schädel geknallt, daß es eine Lust war!

»Mensch, det war wieder mal wie in alten Zeiten – – !«

---

[1]) Erna Jaenicke.
[2]) Bei Frau Salm, Gr. Frankfurter Str. 62.
[3]) Ali Hoehler; erschoß Horst Wessel.

riefen sie nachher, als die eilig herbeigeholten Ärzte ihnen die Köpfe verbanden.

Goebbels soll laut gelacht haben, als man ihm von den Vorfällen berichtete.

Mit großem Interesse verfolgte er den Fortgang der Filmarbeit, ließ sich laufend die ersten Kopien der jeweils abgedrehten Szenen vorführen und war außerordentlich zufrieden.

Doch dann kamen die Szenen mit der Dirne in der Studentenbude.

Ewers war bei der Probevorführung wie üblich dabei und wartete gespannt, was der Herr Minister dazu sagen würde. Aber es kam ganz anders, als er erwartet hatte.

Goebbels sprang mitten in der Vorführung entrüstet auf.

»So geht das nicht, meine Herren! Ich lasse mir die Figur des Horst Wessel nicht in den Dreck ziehen! Horst Wessel ist ein Nationalheld, ein Idol der Jugend, zu dem sie aufschaut! Nein, – so geht das wirklich nicht. Das ist ja eine Diffamierung, – eine glatte Schweinerei!!«

Er tobte.

Und am nächsten Morgen hatte es Hanns Heinz Ewers schriftlich vom Herrn Minister für Volksaufklärung und Propaganda:

»Der Film ›Horst Wessel‹ ist verboten.«

Aus!

Ewers versuchte zu retten, was zu retten war. Nach Monaten endlich erreichte er, daß Teile des vorhandenen Films verwendet werden durften (Saalschlachten und Straßenkämpfe), einige Szenen neu hinzugefügt werden konnten und das Ganze als die Geschichte eines unbekannten SA-Mannes aus der Kampfzeit laufen durfte.

Der Name Horst Wessel hatte ganz zu verschwinden. Dafür wurde ein anderer Name eingefügt, der im Tonfilm der Lippenbewegung bei der Aussprache nahekam: Hans Westmar.

Unter diesem Titel lief der Film in Berlin nur einige Tage. Denn niemand wurde aus dem völlig zusammenhanglosen Inhalt klug. Der Film verschwand. Goebbels brauchte gar nicht erst selber einzugreifen. Er zog eines seiner bewährten Register: Totschweigen!

Hanns Heinz Ewers – der einst von ihm geförderte, umjubelte, der ihm bei der Gründung der Reichsschrifttumskammer im Hotel Kaiserhof in Berlin die erste Hitler-Büste überreicht hatte – erhielt generelles Berufsverbot! So war er auf einfachste Weise mundtot gemacht.

Goebbels zeigte früh, daß er Alleinherrscher war. Nur *er* bestimmte, *was* geschrieben werden durfte, und wer überhaupt schreiben durfte und wer nicht.

Und niemand wagte die Stimme zu erheben gegen die bekannte, im Mai dieses Jahres 1933 so pathetisch inszenierte Bücherverbrennung aller Werke der als ›entartet‹ und ›unerwünscht‹ gebrandmarkten Schriftsteller vor der Berliner Universität. (Remarque, Zweig, Tucholsky, Gläser, Kästner usw.)

Auf seinem Sektor hatte er vollkommen freie Hand und spielte von nun an auf seinem Propagandainstrument wie auf einer Orgel, zog je nach Bedarf die verschiedensten Register, mixte nach Belieben Klangfarben und beherrschte meisterhaft alle Tonarten.

Ein Ausspruch des Hexenmeisters der Propaganda über seine Künste:

»Die Propaganda hat ebensowenig wie die Kunst die Aufgabe, objektiv wahr zu sein. ... In der Propaganda wie in der Liebe ist alles erlaubt, was zum Erfolg führt!«

2   ENTSTEHUNG DER PK
     GOEBBELS LÄSST REPORTER VERHAFTEN
     MACHTKAMPF MIT DER GENERALITÄT
     ABKOMMEN KEITEL – GOEBBELS

Die Fortsetzung der Goebbelsschen Propagandapolitik führte folgerichtig in gerader Linie zur Schaffung der PK, seiner sicherlich stärksten und wichtigsten Waffe in den nachfolgenden Jahren des Krieges.

Allerdings – der *erste* von Joseph Goebbels befohlene, jedoch noch zivile Einsatz von Reportern bei einem rein militärischen Unternehmen erfolgte bereits im Frieden, nämlich am Sonnabend, dem 7. März 1936. Er wurde zugleich sein erster gewagter Handstreich – sozusagen seine Feuertaufe – auf diesem für ihn neuen Gebiet. –

Es ist Freitagabend. Überall in den Berliner Redaktionen sitzen um diese Zeit die Journalisten an ihren Schreibmaschinen, um die Spalten der Sonnabendausgabe zu füllen. Die Bildreporter sind dabei, ihre aktuellen Tagesfotos fertigzumachen.

Da tauchen in den Verlagsgebäuden des Zeitungsviertels SS-Männer auf, Zettel mit Namen in den Händen. Sie lassen sich von niemandem aufhalten. Pförtner und Vorzimmermädchen schieben sie beiseite, dringen bis in die Redaktionsräume vor.

»Wo ist Neumann – Heinz Neumann? Und wo Schulz, Bruno –? Und wo ist – – –?«

Sekretärinnen erschrecken. Zeigen ängstlich den Weg – eilen über winklige Flure zu Paternosterfahrstühlen –

»Schnell, schnell!« treiben die SS-Männer.

In einem entlegenen Redaktionsraum entdecken sie noch einen, den sie ebenfalls auf der Liste haben.

»Los, kommen Sie mit!«

»Aber – was ist denn? Was soll das denn?«

»Keine Fragen! Keine Widerrede – los, machen Sie schnell – –!«

Der Reporter deutet auf die Schreibmaschine, auf die erst halb volle Seite.

»Mitten im Satz – –?«

»Gut, – drei Minuten geben wir Ihnen. Dann haben Sie den Satz fertig und übergeben den Rest einem Kollegen!«

Kurz darauf führen sie ihn ab, nehmen ihn in die Mitte, eilen weiter – zur Dunkelkammer, nehmen den Bildberichter mitsamt seiner griffbereiten Fototasche mit, hasten durch die Setzerei, fragen erstaunte Metteure, erwischen einen weiteren Gesuchten am Setztisch.

»Mitkommen! Keine Fragen! Hut und Mantel mitnehmen!«

So geschieht es beim Deutschen Verlag im alten Ullsteinhaus in der Kochstraße, beim Scherl-Verlag in der Zimmerstraße, bei Pressebild-Agenturen und später sogar in Gaststätten, Kneipen und Nachtbars, in denen man gesuchte Reporter anzutreffen hofft.

Zu widersprechen wagt niemand der Verhafteten. Alle haben Angst. Über jedem schwebt wie ein Damoklesschwert das eine Wort ›Berufsverbot‹.

Man schiebt sie in Autos, fährt sie zum Propaganda-Ministerium und sperrt sie in einen abgeschlossenen Konferenzraum. Immer mehr Journalisten kommen nach und nach hinzu, noch weitere Bildreporter und auch Kameramänner – alle mit ihrer Ausrüstung. Man hatte sie mitgenommen, wo und wie sie gerade waren.

»Da scheint ja ein ganzer Hornissenschwarm von der SS ausgeflogen zu sein, um uns hoppzunehmen – –« meint einer grimmig lächelnd.

Aber Humor kommt nicht auf.

Die Kollegen schweigen. Nur ihre Blicke wandern mißtrauisch herum. Jeder verdächtigt jeden. Da muß doch ein ganz tolles Ding passiert sein! Eine politische Sache natürlich – man war sich ja nie sicher – – da war doch im Scherl-Verlag mal ein Chefredakteur auf die Straße gesetzt worden, nur weil er eine »Negerin« auf die Titelseite der Funk-Illustrierten »Berlin hört und sieht« gesetzt hatte – anstatt ein Bild von Goebbels bei der Rede zur Eröffnung der Funkausstellung am Funkturm. Dabei war die »Negerin« ein bildhübsches Bali-Mädchen gewesen – aus dem Ufa-Kulturfilm »Insel der Dämonen«! Aber wer hatte bei Goebbels überhaupt noch ein ganz reines Gewissen?! Allein schon, was das heimliche Witzereißen über die hohen Herren der Partei betraf, besonders über Hermann Göring mit seinem Uniformfimmel – da hat doch jeder mal mitgelacht oder seinen Senf dazugegeben. Allerdings diesmal – dem ganzen Getue nach – muß es wohl um ganz besonders schwerwiegende Dinge gehen – –

Nun sitzen sie schon seit Stunden hier und grübeln daran herum, was sie ausgefressen haben könnten.

Einer geht zur Tür, versucht hinauszukommen.

Er prallt zurück. Vor der Tür stehen SS-Posten mit Pistolen am Koppel.

»Keiner darf den Raum verlassen!«

Einer, ein ganz mutiger, versucht, sich zu beschweren, recht höflich und bescheiden allerdings. Er habe eine dringende Reise anzutreten – sein Zug fahre – die Verhaftung müsse auf einem Irrtum beruhen. Kühn verlangt er Dr. Goebbels zu sprechen. Und – der kommt auch wirklich! Der Herr Minister persönlich!

Ein undurchsichtiges Lächeln um die schmalen Lippen, betritt er den kleinen Konferenzsaal, bleibt an der Tür stehen und betrachtet die lauernd herumstehenden Männer eine Weile wortlos. Die Art, wie er es tut, wirkt herausfordernd. Ist es Zynismus? Oder wie soll man das auslegen?

Die Spannung wächst ins Unerträgliche. Wenn er doch nur endlich sagen würde, was man ihnen vorwirft!

Langsam beginnt Goebbels zu sprechen, sachlich, ohne sein Lächeln dabei aufzugeben: Er werde ihnen belegte Brötchen und Kaffee und Tee bringen lassen. Und ihnen ein paar Sekretärinnen schicken, die gern bereit seien, eine kurze Nachricht für die Angehörigen aufzunehmen, aus der aber nicht hervorgehen dürfe, wo und mit wem sie sich zusammen befänden.

Allgemeiner Schock bei den Journalisten. Einer wagt eine Frage:

»Müssen wir damit rechnen, daß wir für längere Zeit hier – –«

Goebbels unterbricht ihn.

»Wer für heute abend Gäste eingeladen hat, tut gut daran, sie wieder auszuladen! Heil Hitler!«

Er hebt den rechten Arm zum Deutschen Gruß bis weit über die Schulter zurück, wie es seine Art ist, und geht.

»Uns allen war unheimlich zumute«, sagten Augenzeugen.

Kurz nach Mitternacht stopfte man einen Rundfunkre-

porter zu ihnen hinein, den die SS in einer Nachtbar auf-
gegabelt hatte und der völlig betrunken war.

Einige Ältere, die bereits müde waren, versuchten auf
den Sesseln eine Ruhestellung einzunehmen, – zum
Schlafen kam jedoch niemand.

Mitten in der Nacht wurden sie aufgeschreckt, hinaus-
geführt, in Polizeiautos gesteckt und quer durch Berlin
gefahren.

Es ging zum Flughaften Tempelhof, und dort mußten
alle in zwei bereitstehende Flugzeuge vom Typ Ju 52 ein-
steigen. Noch immer hatte niemand die geringste
Ahnung, was man mit ihnen vorhatte.

Als die Maschinen im Morgengrauen auf dem Flugplatz
von Köln landeten, stand Goebbels auch schon wieder
da.

»Meine Herren!« rief er ihnen zu, »Sie sind Zeugen
eines historischen Augenblicks! In dieser Minute werden
die entmilitarisierten Rheinlande von deutschen Truppen
besetzt, wird hier wieder die deutsche Wehrhoheit verkündet. Der Rhein ist wieder deutsch! Bitte – berichten
Sie!!«

Die Überraschung für die Journalisten war groß. Über-
nächtigt, unrasiert – stellten sie erleichtert fest: Ihre Verhaftung war also nur geschehen, um die strengste Geheimhaltung dieses politisch äußerst gewagten Unternehmens zu gewährleisten.

Durch den Versailler Vertrag und den Vertrag von
Locarno war das Rheinland nach dem Ersten Weltkrieg
zu einer von Frankreich besetzten und später zu einer
entmilitarisierten Zone erklärt worden. Nun aber, drei
Jahre nach der Machtergreifung, war Hitler bereits soweit, daß er es einfach riskierte, mit ganz geringen militärischen Kräften in diese neutrale Zone einzumarschie-
ren. Er setzte alles auf das Gelingen einer Überrumpe-
lung der Franzosen.

Die Bilder, die die Pressefotografen in den nächsten
Stunden schossen, waren eine Sensation und gingen um
die Welt: Strahlende, lachende deutsche Soldaten marschierten im Gleichschritt am Kölner Dom vorbei, von

der jubelnden Bevölkerung mit Blumen geschmückt, die rasch irgendwo gekauft oder in Vorgärten gepflückt worden waren. Seit 17 Jahren hatte man hier keine deutschen Soldaten mehr gesehen!

Kaum war der Marschtritt verhallt, eilten die Menschen nach Hause, um die Radioapparate einzuschalten. Eine Führer-Rede war angekündigt worden!

In ganz Deutschland, in den Schulen, Dienstgebäuden und Gemeinschaftsräumen der Betriebe hockten die Menschen vor den Volksempfängern und Lautsprechern. Jeder wollte wissen, was der Führer sagen würde.

Und als Hitler kurz vor ein Uhr mittags in Berlin die Rednertribüne in der Krolloper, die seit dem Reichstagsbrand als Tagungsstätte diente, betritt, verkündet er:

»Im Interesse des primitiven Rechts eines Volkes auf Sicherung seiner Grenzen und zur Wahrung seiner Verteidigungsmöglichkeiten hat die deutsche Reichsregierung mit dem heutigen Tage die volle uneingeschränkte Souveränität des Reiches in der entmilitarisierten Zone des Rheinlandes wiederhergestellt!«

Ein Poltern dringt aus den Lautsprechern, ein minutenlanges Gebrüll und Getöse folgt: »Heil! Heil! Heil! – –« bis Hitler in pastoralem Ton fortfährt: »Männer, Abgeordnete des Deutschen Reichstags! In dieser geschichtlichen Stunde, da in den westlichen Provinzen des Reichs deutsche Truppen soeben ihre künftigen Friedensgarnisonen beziehen, . . .«

Bei diesen Worten springen die in Begeisterungsstürme ausbrechenden Abgeordneten von den Sitzen, toben und schreien durcheinander. Sie erfahren erst in dieser Minute, ebenso wie Millionen Menschen an ihren Volksempfängern, was eine kleine Gruppe von Reportern unter Goebbels' Regie bereits im Morgengrauen filmte und fotografierte.

Für Hitler war das waghalsige Überrumpelungsunternehmen zu seinem ersten großen – unblutigen! – Erfolg auf militärischem Gebiet geworden[1]).

---

[1]) Hitler saß während seiner Rede die nackte Angst im Nacken. Zum erstenmal hatte er Soldaten marschieren lassen. Zum erstenmal

Und auch Goebbels konnte voll zufrieden sein!

Ihm war dabei die Propagandaaufgabe zugefallen, zwar einerseits eine schnelle und umfassende Berichterstattung zu gewährleisten, andererseits aber die Aktion unter allen Umständen bis zur letzten Minute geheimzuhalten.

Und darüber hinaus mußte er sogar – für den Fall, daß etwas schiefging – alle Fäden so in der Hand behalten, daß er nötigenfalls das ganze Unternehmen möglichst unauffällig wieder hätte abblasen können, sprich: totschweigen!

Es hatte also alles so eingefädelt werden müssen, daß zwar die besten Reporter für einen Großeinsatz zur Verfügung standen, aber im Notfall auch wieder hätten nach Hause geschickt werden können, ohne daß sie jemals erfuhren, wofür man sie eigentlich geholt hatte!

Nun, die Sache mit der Verhaftung der Reporter hatte ausgezeichnet geklappt. Doch – so etwas konnte man schließlich nur einmal machen!

Goebbels dachte weiter: Wie wäre es etwa möglich, bei einem künftigen Krieg die Berichterstattung als eine zusätzliche, mächtige Waffe fest in die Hand zu bekommen?

Aus dem Rheinland-Abenteuer hatte er gelernt: Er brauchte eine eigene Truppe, auf die er sich verlassen konnte!

Ihm schwebten zivile Reportereinheiten vor, die zwar der Wehrmacht zugeteilt werden sollten, aber doch wie-

---

einen Vertrag zerrissen. Zum erstenmal va banque gespielt. Seinem Chef-Dolmetscher, Dr. Paul Schmidt, hat er – Jahre später – anvertraut:
»Die 48 Stunden nach dem Einmarsch ins Rheinland sind die aufregendste Zeitspanne meines Lebens gewesen. Wären die Franzosen damals ins Rheinland eingerückt, hätten wir uns mit Schimpf und Schande zurückziehen müssen, denn die militärischen Kräfte, über die wir verfügten, hätten keineswegs auch nur zu einem mäßigen Widerstand ausgereicht!«
Schmidt erschien dies unerwartete Bekenntnis des Diktators so außergewöhnlich, daß er es sich sofort notierte.
Hätten die Franzosen damals die drei deutschen Bataillone zurückgejagt, wäre das vermutlich der politische Ruin Hitlers gewesen.

derum möglichst viel Bewegungsfreiheit haben müßten. Das Wichtigste für ihn war jedoch, daß sie ihre Berichte auf dem Dienstweg direkt an *sein* Ministerium abliefern müßten.

Doch das war zunächst nur ein Traumbild!

Von den alten Reichswehrgeneralen und ihren ebenso alten Generalstäblern konnte er dabei kein Entgegenkommen oder gar eine Unterstützung erwarten. Für sie war er nicht mehr als irgendein Werbefachmann, der für ein Waschmittel Reklame macht. In ihren Augen war psychologische Kriegsführung wie schon zu Hindenburgs Zeiten noch immer etwas zutiefst Unmoralisches und Ehrenrühriges, das man auf die gleiche Stufe wie etwa Falschspielerei stellen konnte.

Sie verkannten Goebbels, diesen Hexenmeister, und seine Kunst restlos. Sie begriffen nicht, oder wollten es nicht wahrhaben, wie geschickt er pausenlos seine gezielten propagandataktischen Hiebe nach allen Seiten austeilte und damit auf die Dauer erreichte, daß nicht nur die Massen in Deutschland, sondern selbst die mißtrauischsten Menschen im Ausland, die gegen seine raffiniert verpackten psychologischen Angriffe immun zu sein glaubten, von ihm allmählich hypnotisiert und fasziniert wurden. (Bei den Olympischen Spielen in Berlin 1936 hoben sogar die als Gäste anwesenden Staatsoberhäupter fast aller Nationen den rechten Arm zum Deutschen Gruß – dem Hitler-Gruß!)

Allerdings – so groß Goebbels' Macht auf seinem speziellen Gebiet auch war, bei seinem Verlangen nach Berichtereinheiten innerhalb der Wehrmacht stellte er plötzlich fest, daß ihm Grenzen gesetzt waren. Er mußte sich arrangieren – mit den alten Militärs!

Bei *ihnen* mußte er nun, als Propagandaminister (!), Propaganda treiben für seine Idee der Berichtereinheiten!

Es wurde ihm nicht leicht gemacht.

Auf dem militärischen Sektor war er nicht zu Hause.

Er selbst – alles andere als eine soldatische Erscheinung – war klug genug, keine Wehrmachtsuniform an-

30

zuziehen. Ein Greuel soll es ihm gewesen sein, bei feierlichen Anlässen ›die Front abzuschreiten‹, und seine Gedanken mögen dabei nur darum gekreist haben, das Hinken so gut wie möglich zu verbergen.

Und trotzdem mußte es ihm gelingen, die militärische Führung für seine ganz neuen Gedanken zu gewinnen.

Er führte stichhaltige Argumente an: Schlachtenbummler, die keiner strengen Kontrolle unterlagen wie im Ersten Weltkrieg, durfte es nicht wieder geben.

Derartige Filme, wie sie Kameramänner 1914–1918 auf eigene Rechnung mit primitiven Holzkameras unter Einsatz ihres Lebens in den vordersten Gräben gedreht und später an private Filmgesellschaften verkauft hatten, mit Szenen, die nie einer Zensur unterlagen und die besonders in ihrer schonungslosen Darstellung von Grausamkeiten nicht mehr zu überbieten waren, durften in Zukunft nicht mehr an die Öffentlichkeit gelangen. Szenen, wie sich Massen von Infanteristen im Sturmangriff in das mörderische Trommelfeuer stürzen, wie die Artillerieeinschläge mitten in die Menschenmassen hineinhauen, wie Soldaten zu Hunderten zusammensinken und sterben, wie Tanks (Panzer) auf sie zurasen und sie überrollen, wie Flammenwerfer ihren tödlichen Feuerstrahl auf sie richten und sie in Sekunden zu unförmigen, verkohlten Klumpen zusammenschmelzen.

Als solche Originalaufnahmen aus der »Somme-Schlacht« nach dem Ersten Weltkrieg in Berliner Kinos gezeigt wurden, bekamen Frauen Schreikrämpfe, weil sie an ihre eigenen gefallenen und vermißten Männer dachten. Mütter, die ihre Söhne verloren hatten, mußten hinausgetragen werden – –

So etwas dürfte nicht wieder geschehen, warnte Goebbels die Generalität. Und damit gewann er die erste Runde.

Die grundsätzliche Frage, ob überhaupt Kriegsberichter-Kompanien geschaffen werden sollten, wurde bejaht, und man war sich zwischen dem Reichsministerium für Volksaufklärung und Propaganda (RMVP) und dem Reichskriegsministerium (RKM) schnell einig, daß derartige Einheiten für den Fall eines Krieges vorhanden sein sollten.

Doch über die näheren Einzelheiten gingen die Meinungen sofort wieder weit auseinander.

Goebbels dachte an die Aufstellung ziviler Einheiten. Männer der Faust sind nicht zu Kämpfern des Geistes geeignet, war seine Ansicht. Und er wußte: Reporter lieben die Freiheit! Und er kannte ihren Ehrgeiz!

Das RKM dagegen vertrat die Ansicht, daß innerhalb der Wehrmacht nur vollgültige militärische Einheiten diese Aufgabe erfüllen könnten. Schon bei der Berichterstattung über Manöver der Reichswehr habe sich gezeigt – so wurde argumentiert – daß über soldatische Dinge nur soldatisch denkende Menschen wirklich gut berichten könnten.

Ein regelrechter Machtkampf entbrannte.

Schließlich erreichte Goebbels, daß bei den Herbstmanövern 1936 beim II. A.K. doch zunächst einmal ein Versuch mit *zivilen* Berichtertrupps gemacht wurde.

Das RMVP stellte anhand der Berufslisten des Reichsverbandes der deutschen Presse und der entsprechenden Stellen für Kameramänner und Rundfunkreporter die Namensliste der 60 Mann starken Einsatzgruppe auf, und so mancher Reporter, der sich bereits auf die Berichterstattung bei den Olympischen Spielen gefreut hatte, fand sich statt auf dem grünen Rasen des Berliner Olympia-Stadions im hintersten Winkel von Hinterpommern wieder! Auf einem abgelegenen Gelände neben dem Truppenübungsplatz Groß-Born, nahe der polnischen Grenze, robbten Reporter neben Soldaten über Stoppelfelder – als Versuchskaninchen. Sie selber wußten nicht einmal, daß ihr Einsatz nur einem Test diente!

Ihre Bekleidung bestand einheitlich aus braunen Fahreranzügen. Das Wichtigste war jedoch: Die Führung der braunen Kaninchen hatte ein Ministerialrat des RMVP! Und Goebbels frohlockte bereits!

Wie nicht anders zu erwarten war, fiel aber die Beurteilung dieses Probeeinsatzes durch die militärischen Stellen restlos negativ aus.

Schuld sei das gegenseitige Mißtrauen zwischen den braunen »Zivilisten« und den wirklich Uniformierten gewesen, hieß es. Die Soldaten hätten kein Verständnis für die Berichter gehabt, die schon rein äußerlich nicht zu ihnen gehörten.

Das Tauziehen ging weiter, ja, es begann jetzt erst richtig!

Goebbels erhob weiterhin Anspruch auf »seine« PK, die er unbedingt in Zivil sehen wollte, – offenbar wohl darum, weil er hoffte, sie dann leichter einzig und allein *seinem* Ministerium unterstellen zu können.

Ähnliche Gedanken mögen aber auch die entscheidenden Stellen im RKM gehabt haben, wenn sie die Berichter in Uniform stecken wollten, um sie damit voll und ganz der Wehrmacht zu unterstellen. Nur weg von Goebbels, dem Parteimenschen!

Die entscheidenden Fragen hingen nun völlig in der Luft:

Wer sollte endgültig für die Führung zuständig sein?

Wer bestimmte die personelle Zusammensetzung?

Sonderbarerweise griff Hitler in die Auseinandersetzungen um die Vormachtstellung bezüglich der Führung der neuen PK-Truppe nicht schlichtend ein. Offenbar wollte er keine der beiden Seiten verärgern. Vielleicht sah er sogar einen Machtkampf der Ressorts untereinander nicht ungern[1]).

Goebbels – in diesem Fall ganz auf sich allein gestellt – fühlte sich als geistiger Vater der neuen Idee. Sein Ministerium hatte bereits gute Vorarbeit geleistet. Man hatte die Registrierung von geeignetem Fachpersonal vorgenommen. (Die Gaupropagandaämter verfügten über genaue Namenslisten aller Personen, die nur irgendwie mit Presse oder Propaganda zu tun hatten). Goebbels hatte sogar schon brauchbare Spezialfahrzeuge entwickeln lassen (so konnten Filmberichter ihren Einsatzwagen mit wenigen Griffen so verwandeln, daß auf dem hinteren Teil eine Plattform entstand, von der

---

[1]) Ploetz, »Geschichte des Zweiten Weltkrieges«.

aus sie mit der Stativkamera Askania Z Fahraufnahmen machen konnten!), Geräte wurden für den Fronteinsatz getestet und beschafft – von der Schreibmaschine »Erika« bis zur Leica-Fernkamera mit einer Brennweite von 1000 mm. Goebbels hatte einfach an alles gedacht und jede Kleinigkeit organisiert, – bevor die schwerfälligen Wehrmachtsdienststellen überhaupt angefangen hatten, Pläne aufzustellen und Fragebogen und Anforderungsformulare zu drucken.

Es sah eine Zeitlang ganz so aus, als ob Goebbels sich durchsetzen würde.

Aber dann wurde die andere Seite plötzlich auch wach. Das RKM erkannte nämlich auf einmal die Gefahr, ein Kuckucksei ins Nest gelegt zu bekommen, aus dem eines Tages braune Horden in SA-Uniformen schlüpfen würden, angeführt von großkotzigen Parteibonzen, die sich in Stäben und Offizierskasinos einnisteten, auf Dinge Einfluß zu nehmen suchten, die sie nichts angingen, Gespräche belauschten und Spitzeldienste leisteten – – nein, nein! Man wollte doch lieber unter seinesgleichen bleiben!

So wurde die an sich so unbedeutende Frage der Uniformierung zum Angelpunkt eines geistigen Ringens um die Vormachtstellung.

Eine letzte Kraftprobe sollte schließlich die Entscheidung bringen.

Zu den Wehrmachtsmanövern im folgenden Jahr 1937 in Mecklenburg und Vorpommern entsandte Goebbels eine mehr als doppelt so große Streitmacht: 150 Mann stark, besser als im Vorjahr ausgerüstet mit Kübelwagen, verbessertem Gerät und sogar umfangreichen eigenen Einrichtungen für die Nachrichtenübermittlung.

Gleich zu Beginn schon kam es jedoch zu einem regelrechten Zerwürfnis – noch bevor die Berichter überhaupt zum Einsatz gekommen waren. Die Generalstäbler hatten der zivilen Übungsleitung Befehle erteilen wollen, – offensichtlich, um damit zu dokumentieren, daß die Berichter der Truppe unterstellt wären. Sozusagen »um Realitäten zu schaffen«.

Die Leute vom Propaganda-Ministerium wiederum wollten sich nicht beugen und überrumpeln lassen.

Was sollten sie tun?

Sie verharrten einfach in Untätigkeit – ignorierten die Befehle.

Befehlsverweigerung! Das war für die Militärs das willkommene Argument für *ihre* Ansprüche!

Unnachgiebig forderte das RKM von nun an die absolute Eingliederung der Berichter als Soldaten in die Wehrmacht.

In Uniform und militärisch voll ausgebildet sollten sie am Gefecht teilnehmen, und nicht anders!

Nun – Goebbels war klug genug, jetzt den Kampf scheinbar aufzugeben, indem er der Uniformierung ›seiner Truppe‹ keinen Widerstand mehr entgegensetzte. Ebenso willigte er ein, daß die militärische Führung der neuen ›Doppelwesen‹, wie ihr späterer General von Wedel selbst seine PK-Soldaten ironisch nannte, dem OKW zufiel. Was machte es dem ›Doktor‹ letzten Endes schon aus, in welcher ›Kluft‹ seine Leute ihre Arbeit verrichteten und wer auf dem Papier das ›Oberkommando‹ innehatte, wenn er nur alle Fäden in der Hand behielt und – als Äquivalent für sein Nachgeben – sich seine Mannschaft selbst aussuchen konnte und ihr erarbeitetes Material auf den Tisch bekam.

Und er schätzte die hohen Herren der Wehrmacht genau richtig ein; nämlich, daß sie großen Wert auf Äußerlichkeiten legten und in der Frage des Kommandoanspruchs hauptsächlich der Form nach recht behalten wollten. Wie aber die Praxis nachher aussehen würde, das stand auf einem anderen Blatt – das wußte Goebbels gut.

Und dies erwies sich dann auch als absolut richtig. Die Militärs schienen mit ihrem ›Sieg‹ vollauf zufrieden – und Goebbels erreichte dann letzten Endes durch seine geschickte und zähe Verhandlungstaktik doch noch alles, was er erstrebt hatte.

Als im folgenden Winter 1938/39 endgültig der Burgfrieden geschlossen wurde, unterzeichneten General Keitel (für das OKW) und Dr. Goebbels (für das Propaganda-Ministerium) ein grundlegendes ›Abkommen über die Durchführung der Propaganda im Kriege‹.

Der erste Punkt darin lautete überraschend:

»Der Propagandakrieg wird als wesentliches, dem Waffenkrieg gleichrangiges Kriegsmittel anerkannt.«

Des weiteren wurden die Rollen wie folgt verteilt:

»Das OKW verpflichtet sich, als Fachpersonal nur solche Leute einzusetzen, die auf einer vom RMVP zur Verfügung gestellten Fachliste aufgestellt sind.«

Damit hatte Goebbels die personelle Besetzung in der Hand.

Und auf der anderen Seite:

»Das RMVP wird im Kriegsfalle dem OKW allgemeine für alle PK bestimmte ... Propagandaanweisungen zustellen ...«

Der für Goebbels wichtigste Punkt in diesem Abkommen war jedoch der letzte:

»Über die Auswertung des von den PK erarbeiteten Materials entscheidet nach dessen Freigabe durch die militärische Zensur das Reichsministerium für Volksaufklärung und Propaganda.«

Damit war die Entscheidung gefallen, und Goebbels mochte wohl gedacht haben: Wer zuletzt lacht, lacht am besten!

Inzwischen war bereits die Sudetenkrise vorübergegangen. Kurzfristig hatte das OKW die mobilmachungsmäßige Aufstellung von vier Propaganda-Kompanien bis zum 16. 8. 38 angeordnet[1]). Wie unpopulär diese ersten versuchsweise aufgestellten PK-Einheiten noch waren, mußte jedoch der bekannte Berliner Rundfunksprecher Hugo Landgraf erfahren, als ein höherer Stabsoffizier ihn anbrüllte: »PK – was ist das? Ein fahrbarer Puff?« – ausgerechnet in dem Augenblick, als eine Tonaufnahme

---

[1]) Je eine Propaganda-Kompanie bei den Generalkommandos des IV., VIII., XIII. und XVII. A. K. zur Erprobung.

vom mitternächtlichen Glockenläuten einer ›befreiten‹ Stadt gemacht werden sollte –.

Das Donnergrollen am Himmel Europas erstarb jedoch noch einmal – es gab keine »Kriegs«-Berichterstattung beim Sudeteneinmarsch. Ebenso kampflos und ohne Pulverdampf verlief der Marsch nach Prag.

Und siehe da: die Militärs waren auf einmal mit der unauffälligen Rolle, die die PK dabei gespielt hatte, völlig zufrieden gewesen. Die neue Einrichtung hatte sich ihrer Meinung nach sogar bewährt – besonders, was die Musikübertragung von Militärmärschen durch Lautsprecherwagen anging! Nur das soldatische Auftreten der ›PK-Menschen‹ ließ, wie sie spotteten, noch viel zu wünschen übrig!

Als sich dann jedoch die politische Lage bedrohlich zuspitzte und Hitler am 3. April 1939 dem Oberkommando der Wehrmacht unter dem Decknamen »Weiß« den geheimen Befehl gab, den Aufmarsch gegen Polen vorzubereiten und sogar den 1. September als Termin nannte, ab wann die Wehrmacht mit einem Krieg rechnen müsse, erkannte Goebbels selbst, daß es höchste Zeit war, die neue Truppe in ihrer nunmehr endgültig festgelegten Form aufzubauen und einsatzbereit zu machen. 7 Propaganda-Kompanien sollten aufgestellt, besser gesagt, aus dem Boden gestampft werden!

Bestürzt stellte man nun fest: Es fehlte an allen Ecken und Enden an Fachpersonal, das gleichzeitig über eine militärische Ausbildung verfügte. Journalisten, die gleichzeitig auch Offiziere waren, gab es kaum!

Jetzt waren sich plötzlich Wehrmacht und Propaganda-Ministerium einig: Es mußte schnellstens etwas geschehen!

Hals über Kopf setzte man daher – ebenfalls streng geheim! – einen sechswöchigen Lehrgang für Soldaten der Propaganda-Kompanien in der Berliner Alexander-Kaserne an. Hauptmann Krause, einem Reservisten aus dem Ersten Weltkrieg, der bis dahin ein in keiner Weise seinen Fähigkeiten entsprechendes Dasein beim OKW in

der Bendlerstraße gefristet hatte, fiel die schwierige Aufgabe zu, diesen ersten Lehrgang aufzuziehen.
Beginn: 6. Mai 1939.

Auf dieses Datum fällt damit gewissermaßen – nach der Unterzeichnung des Abkommens zwischen Goebbels und Keitel – die Geburtsstunde der PK, in der zum erstenmal Journalisten im Rahmen der Wehrmacht für die kommende Aufgabe im Kriege ausgebildet wurden.

Mein Name stand schon auf der Einberufungsliste – doch ich ahnte noch nichts davon.

3 »DAS BETT DES REPORTERS STEHT NEBEN DER ROTATIONSMASCHINE«
ERSTER PK-LEHRGANG IN DER BERLINER ALEXANDER-KASERNE
HAUPTMANN KRAUSE CONTRA FELDWEBEL KEIL

Zeitungsreporter leben nach eigenen ungeschriebenen Gesetzen.

»Das Bett des Reporters steht neben der Rotationsmaschine!« Diese Worte pflegte mir mein Hauptschriftleiter damals entgegenzuschleudern, wenn ich einmal zu erwähnen wagte, daß ich so gut wie gar kein Privatleben mehr hätte.

Doch – was machte es schon, daß sechzehn Stunden des Tages der Zeitung gehörten. Man war ja ein Twen – mit Kamera und Presseausweis. Überall dabei – und immer auf den besten Plätzen! Wie Musik klang es jedesmal in meinen Ohren, wenn um Mitternacht die Rotationsmaschine zum ersten Andruck anlief – –

Und war es an einem Tage besonders heiß zugegangen, dann ging man nachts zum ›Abreagieren‹ in die Journalisten-Stammkneipe. Mit Sicherheit traf man dort Redakteure und Reporter der örtlichen Presse, die am Tage die härtesten Konkurrenten und nachts die besten

Freunde waren. Hier sagte man ›du‹ zueinander, hier wurden Dinge erzählt, die vor ein paar Stunden noch streng
gehütete Redaktionsgeheimnisse waren, – ob es sich
nun um eine echte Weltsensation handelte, wie den ersten Hubschrauber von Prof. Focke, der draußen auf
dem Bremer Flughafen eine Landung auf einem Bogen
Zeitungspapier vorgeführt hatte, oder nur um eine
Leiche im Stadtwald, von der die Kollegen von der Konkurrenz nichts mitbekommen hatten.

Aber – schade! – allmählich wurde an solchen Aben-
den (genauer gesagt: Nächten!) immer mehr über Politik
gesprochen. Sie nahm von Tag zu Tag einen breiteren
Raum ein. Neigte sich die Periode ungebundener, be-
schwingter Reporterzeit einem Ende zu?

Gewiß, – es war viel passiert in diesem Frühjahr 1939,
worüber einfach diskutiert werden mußte. Die Ereignisse
hatten sich geradezu überstürzt.

Am 15. März war Hitler an der Spitze seiner Truppen in
Prag eingezogen, in die Hauptstadt jenes Staates, dessen Bestehen er nach der Übernahme des Sudetenlan-
des (»Heim ins Reich!«) beim Münchener Abkommen
noch feierlich garantiert hatte.

Und nun, Mitte April, bildeten den Gesprächsstoff zwei
Botschaften Roosevelts an Hitler und Mussolini, in denen
er den beiden Diktatoren klarzumachen versuchte, daß
er weitere, neue Gewaltakte nicht mehr tatenlos hinnehmen würde.

Nächte hindurch wurde in der Stammkneipe darüber
diskutiert, und immer wieder wurden die raffinierten
Schachzüge Hitlers von allen Seiten beleuchtet, seine
›unblutigen Siege‹ gerühmt und seine ›unerschütterliche
Friedensbereitschaft‹ gepriesen. Man war von ihm begeistert. An Krieg – kein Gedanke!

Leichte Verwirrung löste daher eine plötzliche Einberufung zu einem merkwürdigen militärischen Lehrgang bei
mir aus, die mir mein Hauptschriftleiter eines Morgens
übergab.

›Cäsar‹, wie wir unseren in Ehren auf dem Redaktionsstuhl ergrauten, eigenwilligen Chef leicht spöttisch nannten, machte fast eine Staatsaktion daraus. Pathetisch las er mir aus dem für mich bestimmten Schriftstück einige Sätze vor: ».. . sind Sie zu einer Übung von sechs Wochen zur ersten Lehrkompanie für Propaganda als Bildberichter . . . nach Berlin, Alexander-Kaserne . . . einberufen.«

Seine Augen strahlten mich an. »Na, was sagen Sie nun, Sie Glückspilz? Eine militärische Grundausbildung haben Sie ja bereits – nun kann ich Ihnen von ganzem Herzen dazu gratulieren, daß Sie zum ersten Lehrgang *dieser* Art einberufen werden. Bedenken Sie: zum ersten Lehrgang für Kriegsberichter in der ganzen Welt!«

Ich wußte im Moment gar nicht, was ich dazu sagen sollte, nahm ihm das Schreiben aus der Hand und versuchte zu gehen.

Aber ›Cäsar‹ wollte den Augenblick auskosten.

»Stellen Sie sich doch das einmal vor: Bildberichter mit der Kamera in Uniform! So etwas hat es noch niemals gegeben! Und ausgerechnet *Sie* dürfen dabeisein. Ich bin ehrlich stolz auf Sie!«

Frühmorgens am 6. Mai 1939 fuhr ich mit dem Zug nach Berlin – in meine Heimatstadt. Sonderbar, – die Einberufung war über den Verlag gelaufen. Hatte das Propaganda-Ministerium sämtliche Unterlagen darüber in der Hand, wer was wo mit Journalismus zu tun hatte? Hatte das Gaupresseamt meinen Namen nach Berlin gemeldet?

Ich sollte stolz darauf sein – so hatte ›Cäsar‹ gesagt. Aber eigentlich war ich traurig. Ich liebte meine Arbeit bei der Zeitung zu sehr.

Je näher jedoch der Zug Berlin kam, desto neugieriger wurde ich. Bildberichter in Uniform? Was hatte man vor mit uns?

Vielleicht hatte ›Cäsar‹ nicht so ganz unrecht damit gehabt, daß die neu geschaffene PK-Truppe etwas ganz Exklusives werden sollte.

40

Als ich den Hof der Alexander-Kaserne in Berlin betrat, stand da schon eine Gruppe junger Männer. Haltung betont lässig. Zigaretten im Mund. Keine Pappkartons – wie sie sonst bei Rekruten üblich waren – sondern Lederkoffer.

Auch ich hatte einen – zum Glück!

Ich sah in lauter grinsende Gesichter.

Das waren sie also, die lieben Kollegen! Sogar ein paar Starfotografen von großen Verlagen waren dabei. Ich erkannte sofort Heinz Fremke[1]) wieder – vom Ullstein-Verlag. Da befand ich mich anscheinend tatsächlich in bester Gesellschaft!

Etwa 60 Mann waren wir, als der ›Spieß‹ die Liste verlas. In der Kleiderkammer bekamen wir nagelneue Klamotten an den Kopf geschmissen: »Paßt!« Und abends saßen wir bereits artig in unseren Stuben auf den Schemeln und schlürften Malzkaffee.

»Scheußliches Gesöff!« murmelte einer, »Café Kranzler ist das hier nicht – –«

»Ich finde das ja überhaupt überspitzt, uns als Berichter in Uniform zu stecken«, begann ein anderer, »was soll der Quatsch?«

Einige sahen ihn verdutzt an. Wagte er es so offen, ›dagegen‹ zu sein?

Ein Berliner, der bisher still zugehört hatte, griff das Thema auf. Es war Tammo St. ein junger Redakteur, einen halben Kopf größer als ich, blond, Frauentyp, straffe sportliche Figur.

»Laßt euch mal was erzählen, Jungs«, sagte er und rutschte mit seinem Schemel noch etwas näher an den Kreis, »es ist jetzt gut drei Jahre her, da wurde ich verhaftet!«

Alle horchten auf. Etwa noch einer, der ›dagegen‹ war?

»Tja«, fuhr er langsam fort, »eines Abends stand neben mir in der Setzerei plötzlich ein SS-Mann und forderte mich auf mitzukommen. Er brachte mich – –«

---

[1]) Heinz Fremke überlebte den Krieg als Bildberichter und gründete in Hamburg die Pressebild-Agentur Conti-Press und in Bad Sachsa die Bilder-Agentur Historia-Foto.

»Zum Propaganda-Ministerium, – stimmt's?« quakte ich dazwischen. »Ich kenne die Geschichte, – aber sprich ruhig weiter – –«

Und dann erzählte er ausführlich von der spannungsgeladenen Nacht mit der quälenden Ungewißheit, dem mysteriösen Flug nach Köln und der großen Überraschung, als es plötzlich hieß, sie sollten über den Einmarsch ins Rheinland berichten. Er war also dabei gewesen!

»Seht ihr, Herrschaften«, schloß er seinen Bericht, in Zukunft werden wir mit Stahlhelm und Bleistift und Kamera dabeisein! Und darum sind wir hier! Bereiten wir uns also seelisch darauf vor, was noch kommen kann – –«

Jetzt bekam *ich* einen Schreck.

»– – Krieg?«

Da stand das Schreckgespenst im Raum.

Alle schwiegen.

Nur Tammo schien in keiner Weise beunruhigt zu sein.

»Krieg! Wie das klingt! Kriege hat es schließlich schon immer gegeben. Aber, ehrlich gesagt: *ich* glaube nicht daran, daß wir einen erleben werden. Überlegt doch mal! Wir sind ein junger Staat, wir haben noch so viel vor, so viel aufzubauen – denkt doch bloß mal an die Autobahnen! An den Volkswagen, den Adolf jetzt konstruieren läßt! An die sozialen Errungenschaften, an ›Kraft durch Freude‹ und an die Schiffe, die er bauen ließ für die deutschen Arbeiter und mit denen sie bereits nach Norwegen und nach Italien fahren! Wo gab es das jemals zuvor? In der ganzen Welt nicht! Nein, – Krieg können wir gar nicht gebrauchen jetzt. Und spricht nicht Adolf selbst in jeder seiner Reden von der Erhaltung des Friedens?! Na also!«

»Gewiß«, sagte leise der, der zuerst schüchtern dagegen gewesen war, »wenn es aber keinen Krieg geben soll, – wozu brauchen wir dann eigentlich – – Kriegsberichter?«

Tammo wischte die Entgegnung einfach vom Tisch. »Warum! Warum! – Ganz einfach, weil wir die modernste

42

Wehrmacht der Welt haben wollen. Die Welt soll sehen, wie erstklassig wir ausgerüstet sind. Das gewährleistet den Frieden am besten!«

»Die Welt soll sehen! Und warum werden wir hier geheimgehalten?« Er winkte mit der Hand ab. »Also gut, werden wir Goebbels-Soldaten –«

Sie diskutierten noch lange. Ich sonderte mich ab, legte mich auf den Strohsack und zog die graue Decke über den Kopf. Wir werden's ja sehen! –

Hauptmann Krause, der für die nächsten sechs Wochen unser Chef sein sollte, begrüßte uns auffallend herzlich. Wir musterten ihn kritisch: rundlicher Typ, vielleicht Anfang vierzig, sachlich, aber anscheinend nicht ohne Humor.

Er gab sich jovial und sagte sogar »Meine Herren!« zu uns. Überhaupt schien er um unsere Sympathie bemüht zu sein. Darum deutete er wohl auch schon an diesem ersten Vormittag an, wie man sich das eigentlich so mit uns dachte:

Jeder Armee würde im Ernstfall eine Propaganda-Kompanie zugeteilt werden, von dort aus würden ›leichte Kriegsberichtertrupps‹ zu den Divisionen geschickt.

Das war interessant für uns!

Solch ein ›leichter Trupp‹ sollte aus einem Wortberichter und einem Bildberichter bestehen, die zusammen als Fahrzeug einen Mercedes V 170 bekommen sollten. Dazu einen Fahrer. Und sogar noch einen Kradmelder, der jederzeit mit Filmen und Berichten zurückgeschickt werden konnte!

Wir wurden hellwach!

Alle Achtung! Zu zwei Mann – mit Mercedes und eigenem Fahrer! Die PK sollte wohl wirklich eine feudale Einheit werden!

Doch damit nicht genug. Fast zwei Dutzend Offiziersstellen waren für jede Kompanie vorgesehen. Und etwa vier Dutzend Unteroffiziere!

Wir sahen uns schon mit silbernen Litzen im Mercedes sitzen.

Aber es kam erst einmal ganz anders!

Der Dienst begann morgens auf dem Kasernenhof – wie konnte es bei Preußens anders sein! Wir lernten: ›Vorbeigehen an Vorgesetzten in gerader Haltung‹ und ›Grüßen durch Wenden des Kopfes‹. Erst, wenn wir dies restlos beherrschten, so sagte man uns, würde man im Unterricht einen Schritt weiter gehen: ›Grüßen durch Anlegen der rechten Hand an die Kopfbedeckung‹! Und barhäuptig: ›Heben des rechten Armes bis Augenhöhe zum Deutschen Gruß‹!

Wir waren erschüttert. Sollte das sechs Wochen lang so bleiben? Einige wollten sich schon beschweren.

Doch dann kam Feldwebel Keil, ein robuster, resoluter Kommißhengst. Und der stellte sogar fest, daß wir noch nicht einmal *gehen* konnten! Wie ein Donnerwetter fuhr er mit seiner gewaltigen Stimme in unseren eifrigst marschierenden, mit und ohne Kopfbedeckung grüßenden Haufen hinein.

»Donnerkeil« – den Spitznamen bekam er in der ersten Stunde und behielt ihn bis zur letzten. Einer von uns, von dem wir bereits wußten, daß er ein ›höheres Tier‹ beim Rundfunk war, sagte ahnungsvoll: »Wenn es keiner schafft, – aber *der* kriegt uns klein!«

Eines Nachmittags stand auf dem Dienstplan: Fachunterricht für Bildberichter.

Endlich etwas Vernünftiges – dachten wir.

Die zwölf Bildberichter waren in Stube 8 versammelt.

Als Feldwebel Keil forsch die Tür öffnete, schob er einen kleinen, bescheiden aussehenden Herrn in Zivil vor sich her. Dann brüllte er: »Alles auf!«

Wir schnellten von den Schemeln.

»Will denn keiner die Tür zumachen?«

Einer sprang dienstbeflissen hin und schloß sie.

»Das Unterrichtsthema lautet: Die Leica. Setzen!«

Verlegen löste sich aus der Ecke der kleine Herr, – man hatte ihn offenbar aus Wetzlar, der Wiege der Kleinbildkameras, herbeigeholt, um uns etwas Besonderes zu bieten.

44

»Meine sehr geehrten Herren«, begann er, »ich habe die ehrenvolle Aufgabe, Sie mit der künftigen Kamera für Kriegsberichter bekanntzumachen. Es ist die Leica. Die Leica ist eine Kleinbildkamera mit einem außerordentlich stabilen Gehäuse, ausgerüstet mit einer sehr lichtstarken Optik 1 zu 2 – – –«

»Verzeihen Sie bitte«, unterbrach ihn einer von uns, »wir kennen alle die Leica recht gut. Vielleicht können wir gleich zu interessanteren Fragen kommen, – ich denke zum Beispiel – –«

Aber weiter kam er nicht!

Feldwebel Keil griff energisch ein.

»Sie haben hier nichts zu denken!«

Der Herr in Zivil wurde noch kleiner. Die Situation war ihm sichtlich peinlich. Aber was sollte er tun?

Feldwebel Keil wippte selbstgefällig auf den Zehenspitzen und klemmte die Daumen in die Achselhöhlen. Dann blickte er auf den Kleinen hinab. »Halten Sie man Ihren Vortrag so, wie Sie es gelernt haben. Ob die da« – er zeigte mit dem Finger zu uns hinüber – »das schon wissen oder nicht. Unterricht ist Unterricht! Die brauchen ja nicht hinzuhören. Nun mal weiter, bitte!«

Der Kleine gehorchte.

Schade. Wir hätten so schön mit ihm fachsimpeln können!

Nach der ersten Woche wäre es sogar fast zur Meuterei gekommen.

Der Kantinenpächter, der sich von Zeitungsleuten einen hohen Bierumsatz versprochen hatte, kam nicht auf seine Rechnung, weil wir nach Dienstschluß fast alle sofort flitzen gingen – in die Stadt. Darum rächte er sich an uns, indem er uns zum Mittagessen drei Tage hintereinander einen völlig verbrannten Bratfisch vorsetzte.

Demonstrativ ließen wir die Teller mit den undefinierbaren, übelriechenden Häufchen am vierten Tage unberührt auf den Kantinentischen stehen, trugen einen Teller auf die Schreibstube und stellten ihn dem Hauptfeldwebel vor die Nase.

Nach fünf Minuten kam Hauptmann Krause angesaust, mit hochrotem Kopf.

»Das ist Meuterei, meine Herren! Offene Meuterei! Einfach das Essen zu verweigern! Ich werde da hart durchgreifen – Sie wissen ja, welche Strafen auf Meuterei stehen! Ich lasse mir diesen Lehrgang nicht kaputtmachen – durch solche Nebensächlichkeiten.«

Sein Blick schweifte über die Teller mit den schwarzen Häufchen, dann sah er zögernd zum Boden, und nach einer Pause fuhr er ganz ruhig und fast in väterlichem Tone fort: »Meine Herren, ich weiß, Sie sind keine gewöhnlichen Rekruten, Sie alle sind Menschen, die im öffentlichen Leben stehen, einige bekleiden sogar wichtige Posten im Ministerium. Und Sie werden verstehen, wie schwierig es ist, eine so komplizierte Truppe wie eine Propaganda-Kompanie aufzubauen, was dabei alles bedacht sein will, und vor allem, was alles in Übereinstimmung gebracht werden muß – die Wünsche des Herrn Ministers für Volksaufklärung und Propaganda einerseits und die des Oberkommandos der Wehrmacht andererseits. Sie werden es bemerkt haben: Der Dienstplan hängt immer erst morgens am schwarzen Brett. Warum? Weil ich ihn dieser Schwierigkeiten wegen erst in der Nacht zuvor endgültig fertigstellen kann.«

Fast flehend sah er uns an.

»Ich bitte Sie, meine Herren, stehen Sie diese sechs Wochen durch – um der Sache willen! Um der Sache willen!«

Wir waren beeindruckt. So hatte bestimmt noch nie ein deutscher Hauptmann zu seiner Kompanie gesprochen.

Und plötzlich trat einer von uns vor, ein Kameramann, baute sich in strammer Haltung vor Hauptmann Krause auf.

»Ich bitte Herrn Hauptmann, dazu etwas sagen zu dürfen.«

Wir horchten auf. Was hatte er vor? Etwa gegen den Hauptmann angehen – nochmals wegen der Fische?

Hauptmann Krause nickte ihm zu.

»Bitte!«

»Ich glaube, im Namen aller Lehrgangsteilnehmer zu sprechen, wenn ich Herrn Hauptmann die Zusicherung gebe, daß wir in Zukunft Verständnis aufbringen werden für alle Schwierigkeiten und daß wir uns bemühen werden, dazu beizutragen, daß dieser erste PK-Lehrgang erfolgreich abgeschlossen wird.«

»Bravo!« sagte einer in den hinteren Reihen leise.

Hauptmann Krause schmunzelte.

»Danke!« rief er. Ihm schien ein Stein vom Herzen gefallen zu sein.

Erleichtert fuhr er fort: »Und noch ein Wort zum Exerzierdienst, meine Herren! Er gehört nun leider einmal dazu – wurde von ›oben‹ befohlen. Man hat die fähigsten Unteroffiziere und Feldwebel, die bewährtesten Ausbilder für Sie ausgesucht. Nach welchen Gesichtspunkten allerdings, das ist mir unbekannt. Sie sind hier nun einmal bei den Preußen. Bitte, machen Sie mit! Eines Tages werden Sie ja dann nichts mehr damit zu tun haben – – Übrigens werde ich Ihnen in wenigen Tagen schon persönlich berichten können, was an PK-Einrichtungen alles geplant ist. Sie werden erstaunt sein, meine Herren!«

Hauptmann Krause sah uns noch einen Augenblick lang der Reihe nach an, dann nickte er uns zu, »– um das Essen werde ich mich in Zukunft persönlich kümmern«. Lächelnd drehte er sich um und ging.

»Alle Achtung!« sagte Tammo, »so einen finden wir nicht alle Tage!«

Und der waschechte Berliner Heinz Fremke, Starfotograf vom Deutschen Verlag im früheren Ullstein-Haus, meinte trocken: »Wenn wir Hunger haben, gehen wir eben abends mal zu Aschinger und essen 'ne Bockwurscht!«

Der schwarzgebratene Fisch war nun nicht mehr das Kernproblem. Wir waren Soldaten, die man *bittet* – um der Sache willen! Wir waren Soldaten, mit denen man reden konnte. Das hatte es sicherlich noch nicht gegeben bei Preußens!

Doch der Vorfall hatte uns nachdenklich gestimmt. Sind wir nun in erster Linie Soldaten? Oder Reporter?

Diese Frage stellte sich uns auch später immer wieder. Sie verfolgte uns bis in den Krieg, bis nach Rußland hinein.

Eines Tages bekamen wir schwarze Ärmelstreifen, auf denen in silbernen Lettern das Wort »Propaganda-Kompanie« leuchtete.

Die meisten von uns waren stolz auf den Streifen, einige wiederum lehnten ihn ab: Wir wollen nicht damit angeben! Immerhin – eine allgemeine Eitelkeit ließ sich nicht leugnen. Militär war in Mode. Und eine Armbinde stellte etwas Besonderes dar, meist eine Auszeichnung.

Die Leute auf der Straße guckten. (Und die Mädchen ganz besonders!) Nun waren wir also nicht mehr ›geheim?‹ – Aber viele hielten uns gerade des Ärmelstreifens wegen einfach für eine Elitetruppe. Für eine Mustertruppe. Aber die waren wir nun ganz und gar nicht!

Ob diese Armbinde auf eine Idee von Goebbels zurückging, ließ sich für uns nicht ergründen.

Hauptmann Krause hielt Wort. Der Dienstplan wurde tatsächlich mit jedem Tag interessanter! Wir bekamen sowjetische Propagandafilme zu sehen, sogar den revolutionären Antikriegsfilm »Panzerkreuzer Potemkin«, den Goebbels nach der Machtergreifung sofort verboten hatte.

Das Interessanteste jedoch war, was uns Hauptmann Krause über die geplante PK-Truppe und ihre Ausrüstung erzählte:

Eine Propaganda-Kompanie (jeweils einer Armee zugeteilt) würde 250 Mann stark sein. Sie würde über rund 120 Fahrzeuge verfügen.

Die ›leichten Kriegsberichtertrupps‹ – der Wortberichter ein Offizier, der Bildberichter ein Unteroffizier – sollten auf die Divisionen verteilt, die ›schweren Kriegsberichterzüge‹ mit zusätzlichen Kameramännern und Filmwagen, wie ihn die Wochenschauleute hatten, – mit Rundfunkreportern, Technikern und Übertragungswagen bei den Armeekorps eingesetzt werden.

In unmittelbarer Nähe des Armeestabes sollte der gewaltige Troß der PK sein Quartier beziehen, dazu gehörten (neben den sonst üblichen Einrichtungen wie Schreibstube, Koch, Schneider, Schirrmeister usw.) ein komplettes Fotolabor, transportabel auf einem Mercedes-Dreiachser mit Zweiradanhänger eingerichtet, samt Laborleiter und Laboranten, eine große Arbeitsstaffel mit vielen Schreibern und Schreibmaschinen, ein technisches Lager mit Filmkameras, Fotoausrüstungen, Rundfunkaufnahmegeräten zum Schneiden von Wachsplatten (leichte Tonbandgeräte gab es damals noch nicht!), Verstärkeranlagen, – Lautsprecherwagen mit transportablen Großlautsprechern. Darüber hinaus waren geplant: ein kompletter Druckereizug auf Schienen zur Herstellung von Flugblättern und einer Frontzeitung und schließlich noch ein motorisiertes Kino zur Truppenbetreuung mit einem eigenen Aggregat zur Stromerzeugung. Nicht zu vergessen die entsprechenden Fahrer, Kradmelder, das Fachpersonal und eine Gruppe von Dolmetschern usw.

Insgesamt waren dafür 22 Offiziers- und mindestens 42 Unteroffiziersstellen vorgesehen.

Da es Fachleute mit entsprechenden Dienstgraden in dieser Anzahl nicht gab, wurde der Begriff des Sonderführers eingeführt.

›Sonderführer (Z)‹ (Zugführer) waren Fachkräfte im Leutnantsrang, die eine Offiziersuniform tragen durften und damit den Offizieren gleichgestellt wurden. (Nur wer genau hinsah, konnte sie an den leicht veränderten Schulterstücken und Spiegeln am Kragen noch von »echten« Offizieren unterscheiden.)

Das war eine Goebbels-Idee gewesen. Wie hätte schließlich ein einfacher Soldat einen General interviewen sollen, wenn er strammstehen mußte? Und im Offizierskasino wäre er in Mannschaftsuniform laufend angeeckt, – wenn er überhaupt hineingekommen wäre!

Und noch ein wichtiger Punkt wurde bereits damals geregelt: Die Kriegsberichter wurden den Einheiten, bei denen sie »arbeiteten« nicht *unterstellt,* sondern *zugeteilt.* Dadurch erhielten sie die von Goebbels angestrebte Bewegungsfreiheit und Selbständigkeit, ohne die ein Reportereinsatz nicht denkbar ist.

Unendlich viele Probleme mußten gelöst werden, wenn die Gepflogenheiten von so eigenwilligen Menschen wie Journalisten in ein seit Jahrhunderten gewachsenes Militärreglement eingefügt werden sollten. Wir sahen es ein und bemühten uns, Verständnis für alles aufzubringen, auch wenn es manchmal schwerfiel –

Eines sehr frühen Morgens – etwa um die Zeit, zu der ich sonst eigentlich erst die Journalistenkneipe zu verlassen pflegte – stand auf dem Kasernenhof eine seltsame Autokolonne für uns bereit. Lauter schwarze Wagen – wuchtige Maybach-Cabriolets, riesige 8-Zylinder-Horchwagen, lackglitzernde Mercedes-Modelle. Das waren unsere ›Geländewagen‹! Damit ging's in voller Kriegsbemalung – mit Stahlhelm und Gasmaske, mit Patronentaschen, Seitengewehr, Feldspaten, Kartentasche, Kochgeschirr und Feldflasche am Koppel, Karabiner 98 über der Schulter und die Leica vor der Brust – zum Truppenübungsplatz nach Döberitz!

In den tiefen Polstern versanken wir so, daß sich während der Fahrt eine gute Gelegenheit bot, den unterbrochenen Nachtschlaf fortzusetzen. Der Stahlhelm rutschte – zur Verdunkelung! – nach vorn auf die Nase, das Gewehr zwischen den Knien diente zum Aufstützen. Donnerkeil konnte dieses ›Bild für Götter‹ nicht sehen, er fuhr natürlich ganz vorn im ersten Wagen.

Erst draußen im Gelände hatte er wieder Macht über uns. Mit zynischem Grinsen scheuchte er uns über die Sandhügel. Ihm war bereits bekannt, daß einige ›hohe Tiere‹ unter uns waren, wie er sie selbst nannte, aber gerade das schien ihm eine besondere Freude zu bereiten. »Sprung auf, marsch, marsch in Richtung der vor uns liegenden Anhöhe!«

Irgendeiner hatte vorher geunkt, wir bekämen hölzerne Leica-Attrappen für den Geländedienst. Aber nun durften wir mit unseren eigenen Kameras durch den Dreck robben. (Im Sudeteneinsatz hatte Vater Staat jedem Bildberichter, der seine eigene Leica mitbrachte, wenigstens noch fünf Mark pro Tag dafür bezahlt!) Beim

Vorwärtsrobben fotografierte ich meine schwitzenden und fluchenden Kollegen aus der Froschperspektive, – und plötzlich kam mir der Gedanke, wie uns wohl zumute sein würde, wenn dieses Spiel jetzt der viel zitierte »Ernstfall« wäre, wenn Maschinengewehrgarben über uns hinwegzischten, Artillerie uns beharkte, Handgranaten detonierten, Verwundete schrien – – Nein! es wird keinen Krieg geben! Es darf keinen Krieg geben!

»Nehmen Sie den Arsch runter!« schrie Feldwebel Keil mich an. Ich war dabei, den Film zu wechseln. »Wenn Sie das im Ernstfall so machen – –«

Im Grunde hatte er sogar recht! Filmwechsel – auf dem Schlachtfeld – das war tatsächlich ein Problem, über das man nachdenken sollte!

Für jeden hatte Donnerkeil ein paar ›passende‹ Worte. Und jeden nannte er grundsätzlich nur »Sie Träne!«

Mittags waren wir ihm wohl matschig genug. Wir durften wieder aufrecht gehen, auf zwei Beinen. Gott sei Dank, er hatte uns im Kreis herumgejagt – da standen ja unsere Cabriolets!

In der gleichen Haltung wie wir gekommen waren, rollten wir zurück nach Berlin.

In weitem Bogen fuhren die Wagen auf den großen Kasernenhof. Vorn sprang Feldwebel Keil ab und gab Winkzeichen mit einem Kommandostab.

Wir quälten uns aus den tiefen Lederpolstern und stiegen aus.

Da stemmte Feldwebel Keil die Fäuste in die Hüften: »Nicht so lahmarschig, meine Herren! Alles noch einmal aufsitzen! Und sobald ich mit dem Stab winke, spritzt alles heraus, wie aus der Pistole geschossen, – verstanden?«

Wir stiegen wieder ein.

Wums! – versanken wir in den Polstern, die eigentlich wohl für Generaldirektoren gedacht waren.

Feldwebel Keil wartete eine Weile, bis alles schön still saß, dann winkte er.

60 Soldaten holten mit den Köpfen Schwung. 60 Stahlhelme rutschten von der Stirn auf die Nase. Gasmasken

klapperten gegen Gewehre, am Koppel verrutschten Spaten, Kartentaschen, Seitengewehre, Kochgeschirre und Brotbeutel, – klapp – klapp – klapperapapp schlugen die Wagentüren zu, und endlich stand alles wieder draußen und zupfte an den Uniformen herum.

Donnerkeil kochte. Das sah nicht nach Soldaten aus!

Zu allem Unglück kam auch noch ein Stabsoffizier gemütlich über den Kasernenhof geschlendert, blieb in einiger Entfernung stehen und sah belustigt zu.

Donnerkeil fühlte sich verpflichtet, das Spiel weiter zu üben.

»Das Ganze noch einmal! Alles aufsitzen!!«

Wir stiegen ein und versanken in den Polstern.

Keil winkte.

Wieder wurde Schwung geholt, wieder rutschten die Stahlhelme auf die Nasen, wieder machten die Türen klapperapapp und stand alles draußen und zupfte.

In diesem Augenblick passierte etwas Fürchterliches. Am Wagen vor mir fiel einem das Gewehr aus der Hand! Er wollte sich schnell bücken und es aufheben, aber schon war Donnerkeil zur Stelle!

»Wie heißen Sie?«

»Schütze Bernstorff[1]), Herr Feldwebel!«

Uns allen war dieser Name geläufig – Bernstorff war einer der hervorragendsten Männer in der Reichssendeleitung des deutschen Rundfunks. Nur Donnerkeil wußte das nicht. Wutschnaubend verdrehte er die Augen.

»Liegen Sie noch nicht daneben?«

Bernstorff legte sich neben seinem Gewehr flach auf den Boden.

»Ihr wollt Soldaten sein?« brüllte Keil. »Ihr seid in Uniform gesteckte Menschen, weiter nichts!«

Ich hörte, wie Bernstorff leise »Danke« sagte.

Prima! dachte ich.

Keil schien es auch gehört zu haben, aber wieviel Ironie in dem einen Wort lag, mit dem sich Bernstorff dafür

---

[1]) Name wurde geändert.

bedankte, daß er uns ›Menschen‹ genannt hatte, das bemerkte er natürlich nicht – Gott sei Dank nicht!

»Nun fangen Sie endlich an!« schrie Keil. »Los! Eins – zwei, eins – zwei!!!«

Bernstorff hob leicht den Kopf und schielte unter dem Stahlhelm hervor. Er verstand offensichtlich nicht, was Keil meinte.

»Nun! Pumpen Sie schon! – Ach, Sie kennen das wohl noch nicht? Also: Hände vor zum Liegestütz, und dann schön langsam die Arme strecken – beugen, strecken – beugen – –«

Bernstorff begann.

Einmal – zweimal – dreimal –

»Nehmen Sie ja den Arsch schön hoch dabei! Von wegen hier faul auf den Sack legen! Nicht bei mir, Sie Träne!«

Bernstorff pumpte weiter. Fünfmal – sechsmal – siebenmal – Er war nicht gerade der Stärkste. Und die Gasmaske und die anderen Sachen behinderten ihn zusätzlich stark.

Keil war ganz nahe an ihn herangetreten, fast berührten seine Stiefelspitzen Bernstorffs Stahlhelm.

Achtmal hatte Bernstorff es schon geschafft. Ich sah, wie er sich quälte. Zehnmal war wohl üblich. Aber er konnte nicht mehr.

Beim neunten Mal sackte er zusammen.

Feldwebel Keil standen Schweißperlen auf der Stirn. Vor Aufregung. Er hatte bemerkt, daß der Stabsoffizier auf ihn zukam.

»Was ist denn das für ein komischer Haufen?« fragte der wohlbeleibte Major mit abfälligem Ton.

Keil baute sein Männchen und meldete zackig: »Erster Lehrgang für Propaganda-Kompanien von der Übung in Döberitz zurück, Herr Major!«

»Ach so – die neuen Goebbels-Soldaten!« Der Major warf einen hämischen Blick auf Bernstorff, dann auf die schweren Privatwagen und ging schließlich kopfschüttelnd weiter.

Ich sah, wie Feldwebel Keil sich auf die Lippen biß.

»Komischer Haufen!« hatte der Major gesagt! Das war ihm wohl auf die Nerven gegangen.

»Auf! Eintreten!« befahl er Bernstorff kurz. »Wir sprechen uns später noch! Beim Waffenreinigen!«

Dann brach er das Spiel ab.

Alles stürmte polternd die steinernen Treppen zum zweiten Stockwerk hinauf. Zufällig war Keil auf einmal neben mir, und ich schnappte ein Wort auf, das er vor sich hinbrummelte: »Intelligenzhaufen!«

In den Stuben wurden die Stahlhelme auf die Schränke geknallt. Verschwitzte Uniformen flogen auf nicht sonderlich gut gebaute Betten. Dann wälzte sich der Strom in den Waschraum.

Mir gegenüber stand Bernstorff. Er sah völlig niedergeschlagen aus.

. »Mach dir nichts draus!« beruhigte ich ihn.

»So geht's ja nicht«, sagte er zerknirscht. »Ich soll heute nachmittag einen Vortrag halten – über Propaganda im Kriege – der Hauptmann hat alle möglichen Offiziere extra dazu eingeladen – sogar ein General soll kommen – aber du siehst ja, ich bin völlig fertig! Erst der Geländedienst – da gibt man sich noch Mühe, damit der Herr Feldwebel zufrieden ist – und dann läßt mich der blöde Kerl noch pumpen bis ich am zusammenbrechen bin!«

»Geh doch mal einfach zum Hauptmann und rede mit ihm. Wer weiß, was sonst dieser Keil noch beim Waffenreinigen mit dir anstellt!«

»Das kann man doch nicht machen, das ist doch ganz unmöglich –.«

»Doch! Du mußt! Um der Sache willen! Es geht doch hier um den Vortrag, und der ist wichtig!«

»Aber so was ist völlig unsoldatisch«, sinnierte er leise.

Er sah mich nachdenklich an.

»Aber du hast natürlich vollkommen recht, vielleicht sollte ich doch – um der Sache willen – – –«

In der Mittagspause legten wir uns in den Stuben auf die Strohsäcke. Der Geländedienst hatte uns doch verdammt mitgenommen. Nur Bernstorff fehlte noch. Sein Bett, schräg gegenüber von mir, war leer.

Erst als die anderen schon schliefen, kam er leise herein.

»Nun, was hat der Hauptmann gesagt?« fragte ich flüsternd.

»Alles in Ordnung! Er wird Keil Bescheid sagen, daß er das Waffenreinigen nachher nicht so preußisch machen soll. Er will ihn sogar bitten, sich meines Gewehres etwas anzunehmen! Damit ich noch einmal meinen Vortrag studieren kann. Stell dir vor: Donnerkeil soll mein Gewehr reinigen! – Ach, im Grunde tut mir der arme Kerl ja leid! Der würde selber lieber einfache Rekruten ausbilden als aus uns Soldaten machen!«

Er legte sich ebenfalls auf sein Bett, und wir schliefen sofort fest ein.

Punkt zwei Uhr hörte ich, wie der UvD auf dem Flur pfiff.

»Anfangen mit Waffenreinigen!« rief er draußen.

Aber alle schliefen übermüdet weiter. Anscheinend war ich der einzige, der es gehört hatte und wach geworden war. Erst wollte ich alle aufwecken, doch dann kam mir der fast diabolische Gedanke: warum eigentlich? Was wäre, wenn ich es auch nicht gehört hätte? Mal sehen, was passiert! Irgendetwas mußte ja passieren!

Eine ganze Weile blieb es still.

Dann vernahm ich Schritte auf dem Flur. Ich erkannte sie. Das war Donnerkeil!

Ich hörte, genau vor unserer Stubentür blieb er stehen. Ziemlich lange. Vielleicht überlegte er. Der Hauptmann hatte ja mit ihm gesprochen. Oder er zupfte seine Uniform zurecht. Ich hatte das öfter heimlich bei ihm beobachtet. Er tat es immer, bevor er eine Stube betrat.

Plötzlich ging die Tür auf. Er trat forsch herein.

Ich stellte mich schlafend und blinzelte nur vorsichtig durch die Wimpern.

Da stand er – der allgewaltige Feldwebel Donnerkeil!

Nichts rührte sich. Nur ein wohliges Schnarchen erfüllte die Stube.

Ich beobachtete, wie er den Oberkörper weit nach vorn beugte.

Er schien es nicht für möglich zu halten – da lagen seine Krieger auf ihren Säcken und pennten! In voller Uniform!

Keil sah vollkommen hilflos aus.

Die Kerle aufscheuchen und dreimal über den Kasernenhof jagen, wäre ein Kinderspiel für ihn gewesen. Aber er sollte es ja nicht so preußisch machen! Er schien nach einer anderen Tonart zu suchen, aber anscheinend fiel ihm nichts ein. Halbheiten gab es nun einmal nicht beim Kommiß.

Da öffnete neben ihm einer schlaftrunken die Augen. Ihre Blicke trafen sich. Es war Bernstorff! Der Mann, der sein Gewehr in den Dreck geschmissen hatte!

Ich hatte den Eindruck, Feldwebel Keil erschrak. Denn nun mußte sein großer Einsatz kommen! Nun mußte er irgendetwas hinausbrüllen, – er, der preußische Feldwebel mit dem furchterregenden Spitznamen ›Donnerkeil‹!

Aber er blieb immer noch stumm.

Verwirrt stand er da, wie ein Schauspieler, dessen Stichwort gefallen war und – der seinen Text vergessen hatte.

Ich versuchte, seine Gedanken zu erraten: Jetzt – in dieser Sekunde – verlierst du deine ganze Autorität – –

Da lächelte Bernstorff. Doch es war ein friedliches Lächeln – als wollte er ausdrücken: Was soll's! Bleiben wir Menschen – – in Uniform gesteckte –.

Aber Keil wußte damit nichts anzufangen. Für ihn stürzte die Welt unaufhaltsam zusammen! Auf solche Situationen war er nicht vorbereitet worden.

Ich empfand plötzlich mit ihm seine ganze Qual. Hätte er doch nur aus der Stube rennen können! Und diesen ›Intelligenzhaufen‹ nie wiedersehen!

Aber da stand er. Wie angewurzelt. Immer noch unentschlossen, was er tun sollte. Leicht vorgebeugt. Unbeweglich. Um seine Mundwinkel zuckte es.

Ich hielt es einfach nicht mehr aus. Ich öffnete die Augen und sagte leise: »Herr Feldwebel, – wenn Sie in fünf Minuten wiederkommen, sitzt hier alles beim Waffenreinigen! Ehrenwort!«

Seine Augen wanderten zu mir. Auch ich hatte ihn also beobachtet! Aber das war schließlich eine Lösung. Ein Angebot! Dann schien er auf meinen Vorschlag einzugehen. Er drehte sich um. Wortlos. Und ging.

Ich war gespannt, ob er die Tür laut oder leise hinter sich schließen würde.

Er schloß sie leise.

Ich war froh.

Bernstorffs Vortrag war gerettet.

4 »DIE NACHRICHT ALS WAFFE«
ODYSSEUS VERSTOPFTE SEINER MANNSCHAFT DIE OHREN
GOEBBELS WILL DIE RUNDFUNKGERÄTE EINZIEHEN!

Im Vortragssaal, einem schmucklosen, dunkel getäfelten Raum, herrschte erwartungsvolle Stille.

Hauptmann Krause ermahnte uns mit gedämpfter Stimme zur Geheimhaltung dessen, was wir nun hören würden. Gleich darauf kam der General, gefolgt von einer großen Schar weiterer Offiziere, in den Saal, nahm mit ihnen auf den freigelassenen Stühlen in der ersten Reihe Platz.

Und dann trat Bernstorff an das Rednerpult.

»Vortragsthema: Die Nachricht als Waffe.«

Er sprach frei. Nur einen Zettel mit Stichworten hatte er vor sich liegen.

»Die Nachricht als Waffe im Kriegsgeschehen ist im Grunde absolut nichts Neues, sondern so alt wie die Kriegsgeschichte selbst. Schon in Cäsars Berichten über den Gallischen Krieg, 58−51 vor Christus, finden wir wiederholt den Satz: ›Um den Gegner über unsere wahren

Absichten zu täuschen, streuten wir das Gerücht aus‹ – und so weiter. Also, schon damals arbeitete man in Ermangelung technischer Hilfsmittel zwar in primitiver, doch sicherlich schon recht wirksamer Form mit dieser unsichtbaren Waffe, die wir heute in der Fachsprache kurz ›Flüsterpropaganda‹ nennen.

Ebenso war es wohl einer der raffiniertesten Propagandatricks aller Zeiten, daß Kaiser Nero den Brand von Rom zur grausamen Verfolgung der Christen benutzte, indem er sie der Brandstiftung bezichtigte.«

Er machte eine kleine Pause, sah in seine Notizen. Weiß der Teufel, wie sich mir in diesem Moment ganz spontan das Wort ›Reichstagsbrand‹ aufdrängte. Es war – wenn auch nur sehr heimlich und im vertrautesten Kreise – darüber gemunkelt worden, *wie* willkommen in den entscheidenden Wochen 1933 Hitler diese in Wahrheit niemals restlos aufgeklärte Brandstiftung gekommen war, die er einfach den Kommunisten zugeschrieben hatte.

Doch da redete Bernstorff schon weiter: »Als Kriegs-Berichterstattung – mit einer handfest eingewebten Propaganda zur Teilnahme an den Kreuzzügen – läßt sich auch die Literatur des 12. und 13. Jahrhunderts deuten, – an der Spitze kein Geringerer als Walther von der Vogelweide, der Staufenpropagandist, wie ihn Historiker[1]) nennen, als er sein vielstrophiges Lied schrieb: ›Jetzt erst ist mir wert mein Leben . . .‹

Bitte glauben Sie nicht, meine Herren, daß ich hier nur einen Vortrag über die historische Entwicklung der Propagandawaffe vom Neandertaler bis zum Propagandaminister Joseph Goebbels halten werde . . .«

Bernstorff lächelte seine Zuhörer an.

». . . Sie werden noch genügend Neuigkeiten erfahren und darunter Pläne allerneuesten Datums, die Sie überraschen werden! Aber gestatten Sie mir bitte, noch einmal zurückzublenden in die Geschichte, und zwar zu Friedrich dem Großen und wie *er,* der aufgeklärte Preu-

---

[1]) Gemeint war der Literaturhistoriker Hermann Schneider.

ßenkönig, zum Entsetzen seines Offizierskorps die Nachricht als Waffe anwendete.

Als er am 27. Februar 1741 bei Baumgarten um ein Haar gefangengenommen worden wäre, stellte er fest, daß er in eine vom Wiener Hof hinterhältig geplante Falle gelockt worden war. Der König reagierte zum Erstaunen der Generale nicht preußisch – sondern mit der Feder: Er gab den Befehl, ›die indignen Prozeduren des wienerischen Hofes mit gehörigen Couleurs‹ in Flugschriften und Zeitungen bekannt zu machen.

Seine überraschenden Veröffentlichungen hatten einen durchschlagenden Erfolg. Die öffentliche Meinung in Europa war auf seiner Seite, zumal die ›indigne Prozedur‹ ja mißlungen war!

Der Federkrieg machte offensichtlich Schule, denn im April des gleichen Jahres schon schlugen die Österreicher zurück. Mit einer Flut von Flugblättern, Zeitungsmeldungen und sogar mit Flüsterpropaganda machten sie publik, daß der junge preußische König in der Schlacht bei Mollwitz in einer kritischen Situation das Schlachtfeld verlassen und das Kommando dem Feldmarschall Schwerin übertragen habe. Friedrich hatte zwar die Schlacht gewonnen, aber er wurde nun öffentlich als ›Läufer von Mollwitz‹ in Mißkredit gebracht. Somit stand der Propagandakrieg eins zu eins!

Man sieht daraus, daß schon zu Friedrichs des Großen Zeiten die Nachricht als Waffe nicht nur von einer Seite angewandt wurde, sondern von beiden.

Im Weltkrieg 1914–18 sind in dieser Hinsicht auf deutscher Seite unverzeihliche Unterlassungssünden begangen worden. Man überließ das Propagandafeld einfach dem Gegner!

Ich will mich kurz fassen, um schneller zum Thema selbst zu kommen, und nur noch *einen* der eklatantesten Fälle erwähnen, eine Propaganda-Aktion aus dem Weltkrieg 1914–18. Damals verbreiteten die Belgier und die Franzosen unter ihren Soldaten die folgende Nachricht – ich zitiere wörtlich: ›Die eindringenden deutschen Barbaren nageln eure Kinder mit den Zungen an Tischplatten fest und vergewaltigen eure Frauen. Schlagt daher die deutschen Hunde tot, wo ihr sie findet!‹ Um die Wirkung zu erhöhen, wurde daneben ein Bild gezeigt, das in bunten Farben eine derartige grausame Szene darstellte, – im Vordergrund groß, bluttriefend ein Tisch, an dem stehend Kinder mit den Zungen festgenagelt waren, dahinter deutsche Soldaten im Stahlhelm, die sich mit bestialischen Gesichtern auf die französischen Mütter stürzten.

Mit solchen verleumderischen, jeder Wahrheit entbehrenden Nachrichten sollte der Haß gegen die deutschen Soldaten geschürt und die Kampfmoral der eigenen Truppe bis zum Fanatismus gesteigert werden. Wir bezeichnen dieses Spezialgebiet in der Fachsprache kurz als ›Greuelpropaganda‹. Sie ist – so verdammenswert sie jedem anständigen Menschen erscheinen muß – ganz gewiß eine der gefährlichsten Waffen, weil sie an die niedrigsten Instinkte der Massen appelliert.

Von der deutschen Truppenführung wurde aus moralischen Gründen zu Beginn des Weltkrieges 1914 der Abwurf von Flugblättern strikt abgelehnt, und Hindenburg hat sogar noch 1918 geschrieben, daß es ihm zuwider sei, die Seele des Feindes zu vergiften. Er vertrat die Ansicht, der anständige Soldat müsse mit der Waffe in der Hand kämpfen – und nicht mit der Feder und der Kamera.

Erst Ludendorff erkannte schließlich im letzten Kriegsjahr den Wert und die Möglichkeiten einer psychologischen Kriegsführung. Der erste Abwurf deutscher Flugblätter aus einem Flugzeug erfolgte darauf im August 1918, also nur zwei Monate vor Kriegsende. Doch da war es leider zu spät!

Ich komme zur Sache.

Zweck jeder Propaganda im Kriege ist:

Erstens – militärisch und operativ gesehen – den Gegner über die Absichten der eigenen Heeresleitung zu täuschen, beziehungsweise ihn irrezuführen.

Zweitens – psychologisch gesehen – die Kampfmoral des Gegners zu schwächen und die des eigenen Volkes zu stärken.

Um dieses Ziel zu erreichen, stehen uns in einer künftigen Propaganda-Kompanie zwei Gruppen mit grundsätzlich verschiedenen Aufgabenbereichen zur Verfügung.

Da ist zunächst die Gruppe der Aktivpropagandisten. Sie haben ein riesiges, weitverzweigtes Arbeitsfeld. Ihre Schwierigkeit: Jeder Personenkreis will auf eine andere Art und Weise angesprochen werden! Teilen wir einmal auf, wer propagandistisch zu beeinflussen ist: Die feindliche Truppe, die feindliche Zivilbevölkerung, die Bevölkerung bereits eroberter, besetzter Gebiete, die Gefangenen in den Lagern, aber auch die eigene kämpfende Truppe an der Front, Reserveeinheiten, Urlauber, Auszubildende in der Heimat, arbeitswillige Gefangene und schließlich auch die eigene Zivilbevölkerung. Die technischen Möglichkeiten reichen vom Grabenlautsprecher über Flugblätter bis hin zur Stimmung machenden Musikberieselung.

Da ich Rundfunkmann bin, möchte ich hier eine kuriose Begebenheit einflechten, − und zwar handelt es sich um illegale Sendungen von Musik und Nachrichten eines Heeressenders im Weltkrieg, man könnte sie quasi als erstes Programm in der Geschichte des deutschen Rundfunks überhaupt bezeichnen.

Ein Offizier der Nachrichtentruppe, der spätere Staatssekretär im Reichspostministerium, Dr. Hans Bredow[1]) ließ vom Mai bis August 1917 auf eigene Verantwortung mit einem primitiven Röhrensender in einem größeren Frontabschnitt bei Rethel in Nordfrankreich ein Rundfunkprogramm ausstrahlen, in dem bereits Schallplatten abgespielt und Zeitungsartikel verlesen wurden. Das Abhören erfolgte an der Front in kleinen Gemeinschaften mittels Heeresfunkgeräten. Aber dieser erste Soldatensender der Welt erfuhr eines Tages ein jähes Ende, − nicht etwa durch Feindeinwirkung, nein!

---

[1]) Dr. Ing. e. h. Hans Bredow, geb. 26. 11. 1879 in Schlawe/Pommern, studierte Physik und Elektronik, wirkte ab 1904 mit in der neugegründeten Telefunken-Gesellschaft, war 1914 der erste, der von einem Flugzeug aus funkte. Nach dem Krieg leitete er den Aufbau des Fernmeldewesens und wurde der Vater und Organisator des deutschen Rundfunks, der am 29. 10. 1923 von Berlin und Königswusterhausen aus offiziell seinen Sendebetrieb aufnahm.

Heute schüttelt man den Kopf darüber: Eine höhere Kommandostelle hatte davon erfahren und der ›Sendebetrieb‹ wurde wegen ›Mißbrauchs von Heeresgerät‹ verboten! – Die Rundfunkidee lag in der Luft – aber von Truppenbetreuung wollte man damals noch nichts wissen!«

Bernstorff nickte ein paarmal nachdenklich dazu mit dem Kopf, als wollte er unausgesprochene Gedanken damit bekräftigen: so war das damals – und heute? Dann warf er einen kurzen Blick auf seinen Zettel und fuhr mit gehobener Stimme fort:

»Die Grundlage für jede Art der Propaganda ist jedoch eine gute Berichterstattung, und daher ist innerhalb der künftigen PK die wichtigste und auch die zahlenmäßig größte Gruppe die der Kriegsberichter. Das geht besonders uns an, meine Kollegen und Berichter aller Sparten, von Wort, Bild, Rundfunk und Film. Also: Positive Berichterstattung!

Sie werden schon jetzt erkannt haben, meine Herren, wie mannigfaltig die Möglichkeiten einer zielbewußten Propaganda im Kriege sind. Ich werde im Laufe meiner Ausführungen noch eingehend auf die einzelnen Punkte zurückkommen.

Zunächst aber einige Worte über den Unterschied zwischen den Mitteln vergangener Zeiten und den uns heute zur Verfügung stehenden Möglichkeiten durch die moderne Technik. Während man früher – ich meine jetzt Cäsar! – nur auf die direkte Form der persönlichen Beeinflussung von Mensch zu Mensch angewiesen war, dann später mit Flugblättern – wie im letzten Weltkrieg etwa durch Abwurf vom Flugzeug aus – den Gegner zu beeinflussen suchte, liegen heute die Dinge natürlich ganz anders. Uns ist erstmalig ein Instrument in die Hand gegeben, das geeignet sein dürfte, eine entscheidende Rolle als Propagandawaffe in einem künftigen Krieg zu spielen. Sie wissen alle, was ich meine: Es ist der Rundfunk!

Heute geht die Propaganda durch den Äther und erreicht den Gegner überall! Wir haben also die absolut

neue Möglichkeit, direkt auf die Massen des Feindes ein-
zuwirken, ihn durch geschickte Nachrichten zu verwir-
ren, zu entmutigen, seine Abwehrbereitschaft zu schwächen und ihn vielleicht sogar zur Aufgabe des Kampfes
zu bewegen. Hier hilft Propaganda Blut sparen!«

Bernstorff war jetzt in großer Fahrt.

Auf einmal aber wechselte er seine Sprechtechnik und
senkte die Stimme, um dadurch die Aufmerksamkeit seiner Zuhörer noch mehr herauszufordern.

»Doch – wie es schon bei Friedrich dem Großen der
Fall war – auch unsere Gegner werden selbstverständlich diese Chance nützen! Auch sie werden uns mit raffiniert ausgeklügelten Nachrichten aus dem Äther über-
häufen. Auf Grund der Erfolge unserer Feinde im letzten
Weltkrieg 1914–18 und des Mißerfolges der deutschen
Gegenpropaganda ist für uns in Zukunft größte Wach-
samkeit geboten. Ich erinnere nur an Lord Northcliffe –
übrigens als Journalist ursprünglich ein Kollege von
Ihnen, der allerdings dann unter die Verleger ging und in
London die Daily Mail gründete. Er war es, der in der entscheidenden Endphase des Krieges 1918 als Chef der
Propaganda den publizistischen Feldzug gegen das
Deutsche Reich leitete. Und wie Sie wissen, mit Erfolg.

Wir müssen also in Zukunft damit rechnen, daß man
mit allen zu Gebote stehenden Mitteln versuchen wird,
die psychische Widerstandskraft an Front und Heimat
systematisch zu untergraben.

Wie können wir unser Volk davor schützen? Wie können wir es vermeiden, daß der Feind dieses schleichen-
de Gift zu uns einsickern läßt? Täglich! Tropfenweise!
Frei Haus!

Schon der alte Odysseus muß die Gefahren einer psychologischen Kriegsführung erkannt haben! Vor der
Küste der betörenden Sirenen verstopfte er bekanntlich
seiner Mannschaft die Ohren und ließ sich selbst vorsorglich an den Mast binden, um nicht ihren verlocken-
den Tönen zu verfallen!

Was aber kann man tun, um ein ganzes Volk zu schützen? Wir können schließlich keine Wachskügelchen ver-

teilen wie Odysseus und anschließend kontrollieren, ob sich auch wirklich jeder die Ohren zugestopft hat!

Tja, – das sind in der Tat Probleme!

Es war zunächst daran gedacht worden, einen ›Drahtfunk‹ einzuführen – nach sowjetischem Vorbild. Dort hat in jeder Gemeinde ausschließlich ein politisch zuverlässiger Mann einen Empfänger, und alle anderen Genossen hängen nur mit Lautsprechern per Draht mit dran, – das heißt, sie können nur das hören, was *er* eingestellt hat. Zweifellos ein geniales Verfahren! Er kontrolliert alle – und alle kontrollieren ihn! Aber bei uns in Deutschland hat ja bereits fast jede Familie ein Empfangsgerät und kann damit jeden beliebigen Sender abhören. So geht es also nicht!

Bevor ich jetzt weiterspreche, möchte ich noch einmal ausdrücklich daran erinnern, daß die Dinge, die Sie nun von mir hören werden, strengster Geheimhaltungspflicht unterliegen. Sie werden gleich selbst einsehen, daß dies notwendig ist. Also: Das Reichsministerium für Volksaufklärung und Propaganda ist zu dem Entschluß gekommen, am ersten Tage eines künftigen Krieges sämtliche Rundfunkgeräte zu beschlagnahmen! Niemand in Deutschland soll die Möglichkeit haben, Feindsender zu hören!«

Bernstorff hielt kurz inne, offensichtlich, um die Wirkung abzuwarten, die diese überraschende Neuigkeit auslösen würde. Wenn vor ihm Zivilisten gesessen hätten, wäre jetzt zweifellos ein Geraune durch den Saal gegangen; doch unser ›Intelligenzhaufen‹ verhielt sich vorbildlich diszipliniert. In der ersten Reihe aber hatte sich einer der geladenen Gäste kurz umgedreht und den Blick über unsere Gesichter schweifen lassen. Er trug als einziger eine braune Uniform, und wie wir später erfuhren, war er von der Gauleitung entsandt worden. Hatte er unsere Reaktion auf die soeben gehörten Enthüllungen prüfen wollen?

»Man ist sich im Ministerium darüber im klaren«, fuhr Bernstorff fort, »daß diese Maßnahme bei der Bevölkerung einen Schock auslösen wird. Man muß sich das vor-

64

stellen: plötzlich keine Nachrichten mehr hören zu können, keine Musik, keine Unterhaltungssendungen – – Doch es geht offenbar nicht anders.

Der Herr Minister hat auch erwogen, einfach nur das Abhören feindlicher Sender zu verbieten. Aber – wie will man das überwachen? Dr. Goebbels selber befürchtet, ein solches Verbot könne in der Praxis auf eine gegenseitige Bespitzelung hinauslaufen. Jeder könnte seine Nachbarn anzeigen! Und die Strafen für das Abhören feindlicher Sender dürften dabei nicht einmal milde sein – – sonst würden sie ja nicht abschrecken. Man würde da notfalls sogar exemplarisch von der Todesstrafe Gebrauch machen müssen, um ein solches Verbot rigoros durchzusetzen.

Der augenblickliche Stand der Dinge[1]) ist also der: Einziehen sämtlicher Rundfunkgeräte bei Beginn eines Krieges!

Es kann allerdings noch sein, daß sich der Herr Minister in letzter Minute anders entschließt – die endgültige Entscheidung trifft Dr. Goebbels ganz allein und stets aus dem Augenblick heraus. Darin offenbart sich die Stärke des Führungsprinzips!

Übrigens: Die Durchführung einer solchen Maßnahme ist für uns kein Problem. Wir haben genügend Leute zur Verfügung, die die Rundfunkgeräte einsammeln können: wir setzen die SA ein und die Hitler-Jugend, und wenn das nicht reicht, den BDM und nötigenfalls noch die NS-Frauenschaft! So was klappt dann schon bei uns!«

Mir schwirrte das alles, was Bernstorff da vortrug, im Kopf herum. Was redete er da von Krieg und erstem Mobilmachungstag! Die Rundfunkgeräte einziehen! Dann wird er ja selber arbeitslos – witzig, was die alles so für Pläne und Ideen im Kopf haben. Als wenn es morgen schon losginge!

Unsinn! Draußen scheint die Sonne – die Kastanien vor den Fenstern haben schon lange die weißen Kerzen auf-

---

[1]) Zwei Monate vor Kriegsbeginn! Warum Goebbels dann diesen Plan doch nicht verwirklicht hat, blieb unbekannt.

gesteckt – und da redet der Mann vom Einziehen der Radioapparate!

Ich war mit meinen Gedanken nicht mehr ganz bei der Sache. Na, und wenn schon! Ein Kollege stenographierte ja die ganze Rede mit. »Für später einmal – –!«

Punkt fünf Uhr beendete Bernstorff seinen Vortrag und hob den Arm zum Deutschen Gruß. Hauptmann Krause strahlte und winkte ihn mit einer Kopfbewegung heran. Der Herr General wollte sich persönlich bei ihm bedanken.

Und Feldwebel Keil mußte es mitansehen, wie dieser ihm die Hand drückte. Verdammt – hatte er heute vormittag eigentlich »Arschloch« zu ihm gesagt, oder nur »Sie Träne«?

Tja, es war schon ein seltsames Soldatenspielen in diesem Lehrgang. Zum Abschluß gab es sogar ein richtiges, großes Kriegsspiel. Dort, wo uns Donnerkeil so schön über die Hügel gescheucht hatte. In Döberitz!

Zelte wurden aufgebaut, Berichtertrupps aufgestellt, Lageskizzen verteilt – blau die eigenen Linien und rot die des bösen Feindes.

Und dann ging's los! Bis auf die großen Cabriolets war alles restlos der Phantasie überlassen.

Wir preschten vor zu unsichtbaren Divisionsstäben, zu unsichtbaren Regimentsstäben, sprachen mit unsichtbaren Landsern, die sich gerade zum Angriff bereit machten, robbten vor, griffen einen unsichtbaren Feind an und fotografierten schließlich Geisterkolonnen von Gefangenen mit Leicas ohne Film.

Abends rasten alle zurück zur »Kompanie«. Die Wortberichter tippten mitreißende Berichte über Infanteristen im Nahkampf mit Kanonendonner und fliegenden Handgranaten, und ich selber schrieb auf leere Filmtaschen die Bildunterschriften: Infanteristen im Sprung über eine Bahnlinie, Parlamentarier des Feindes kommen mit einer weißen Flagge und bieten die Übergabe an! Ein Rundfunkreporter aber lieferte das Glanzstück: ein Interview mit einem »gefangengenommenen General« – samt Dolmetscher. Aufgenommen mit Schlachtenlärm im Hintergrund auf eine Wachsplatte. An Phantasie mangelte es nicht!

Als Tammo, mein »Truppführer«, in besonders strammer Haltung seinen Bericht und meine leere Filmtasche abgab, begriff ich auf einmal, warum das ganze Theater gespielt worden war: Hinter Hauptmann Krause stand ein Major. Er hieß Kratzer und war vom OKW. Man hatte ihn hierhergeschickt, um die »Goebbels-Soldaten« zu prüfen, – genauer gesagt: ob man die auch wirklich so frei herumlaufen lassen könnte – in einem Krieg – –

Das Ergebnis seiner Prüfung muß sehr zufriedenstellend gewesen sein. Auch Hauptmann Krause strahlte – er betrachtete die PK als sein Kind – –

Er wurde anschließend zum Major befördert und später im Kriege sogar zum Oberst. Ebenso wie sein damaliger Vorgesetzter, Major Kratzer.

In den »Zelten«, den Sommerlokalen am Rande des Berliner Tiergartens, wurde der große Tag mit viel Bockbier und Schnaps gefeiert und endete mit einem fürchterlichen Besäufnis. Feldwebel Keil trank zur Aussöhnung mit den hohen Tieren des »schwierigsten Ausbildungshaufens seines Lebens« Brüderschaft und ließ sich von ihnen sogar mit »Donnerkeil« anreden.

Am nächsten Morgen – wieder nüchtern – legten wir unsere schwarzen Ärmelstreifen mit der provozierenden Aufschrift in Silberbuchstaben »Propaganda-Kompanie« endgültig ab. Sie wurden niemals wieder getragen. Vielleicht hatte Dr. Goebbels selber eingesehen, daß sie zu überheblich wirkten.

Als wir uns voneinander verabschiedeten, glaubte niemand, daß wir damit die Generalprobe für den Krieg hinter uns gebracht hatten[1].

---

[1] Die Menschen – zumindest in ihrer überwiegenden Masse – glaubten damals einfach, es lasse sich auch weiterhin alles »unblutig« regeln. Goebbels verstand es meisterhaft, die Aufrüstung damit zu begründen, daß nur eine starke Wehrmacht den Frieden sichern könne.

Das Gelingen der absoluten Geheimhaltung der Kriegsvorbereitungen ist bezeichnend für die raffinierte Taktik, mit der es Goebbels verstand, die Dinge zu verschleiern, indem er den politisch Interessierten – in Deutschland wie in der Welt! – soviel ›Spielmaterial‹, wie man es in Agentenkreisen nennen würde, zuschob, daß sie zwar täglich neue Überlegungen und Spekulationen anstellen konnten, – nur nicht die den wahren Tatsachen entsprechenden.

So gesehen waren alle Diskussionen und klugen Prognosen – auch die in der Journalisten-Stammkneipe! – nicht mehr als ein interessantes Unterhaltungsspiel, das von Goebbels gelenkt und vorprogrammiert wurde und das ablief wie ein Film, der synchron neben den wirklichen Begebenheiten herlief.

Und Tausende ehrwürdiger Leitartikler bastelten an dem Puzzlespiel mit herum – –

Es erscheint heute geradezu unglaublich:

Erst sieben Jahre und sieben Monate nach Kriegsausbruch, und zwar am neunzigsten Verhandlungstage des Nürnberger Internationalen Militärtribunals im ›Prozeß gegen die Hauptkriegsverbrecher‹, erfuhr die Welt, daß es ein Komplott zwischen Stalin und Hitler gegeben hatte!

Seidl, der Verteidiger von Rudolf Heß, erläuterte es dem Gericht: Neben dem bekannten deutsch-sowjetischen Nichtangriffspakt vom 23. August 1939 hatte Ribbentrop in der anschließenden Nacht im Auftrage Hitlers mit Stalin ein Geheimabkommen geschlossen, das die vierte Teilung Polens vorsah. Polen sollte unter Stalin und Hitler aufgeteilt werden!

Zweiter Teil

1 WIE EIN PAUKENSCHLAG: KRIEG GEGEN POLEN! PK-AUFSTELLUNG IN WIEN FEUERTAUFE AM JABLUNKA-PASS

Und dann kam der Paukenschlag!

Ich hatte einfach eine Postkarte bekommen, und die bestimmte für die nächsten Jahre mein Leben. Eine dünne, unscheinbare Postkarte – sogar ohne Briefmarke: »Sie sind einberufen zu einer Übung vom ... bis ...«

An den Stellen, die für die Daten vorgesehen waren, stand mit Bleistift drübergeschrieben: »von unbestimmter Dauer«.

Das war sehr korrekt! Aber damals, auf den ersten Blick, fand ich es nur seltsam.

Und weiter: ich hätte mich sofort in Marsch zu setzen – nach Wien.

Ausgerechnet nach Wien!

Wien hatte bei mir immer die Vorstellung von Schrammelmusik und blitzsauberen Wäschermadln ausgelöst. Oder von gemütlichen Kaffeehäusern und Heurigenlokalen.

Nichts davon!

Ich bekam nur die Breitenbach-Kaserne zu sehen, wo es durcheinanderwimmelte wie in einem Ameisenhaufen: eine deutsche Propaganda-Kompanie rüstete sich für den Ernstfall!

69

Die sonst so gemütlichen »Weaner« schienen sich gegenseitig an Emsigkeit übertrumpfen zu wollen. Von den Preußen unterschieden sie sich höchstens durch etwas stärkere Beleibtheit und längeres Haar.

Mehrere Großlautsprecher, auf übergroße Personenwagen montiert, quakten gleichzeitig durcheinander. Aus einem ertönte eine Ansprache auf polnisch, aus dem andern auf deutsch, aus dem dritten dröhnte Marschmusik, und aus dem vierten erklang Rossita Seranos liebliche Stimme mit »Roter Mooohhnn – –«.

Die Fahrer brachten ihre Wagen auf Hochglanz. Lieferwagen, die von irgendwelchen Firmen stammten, erhielten noch schnell einen feldmäßigen Anstrich. Hier verschwand der Namenszug einer Brauerei, dort eine Seifenpulver-Reklame. »Rauch Abadie!« hatte soeben noch an einem großen roten Kastenwagen gestanden. Eine Stunde später war er grau und beherbergte ein Fotolabor.

Es ging alles Hals über Kopf.

Ich war kaum eingekleidet, da brach die Kompanie auch schon auf.

Es ginge nach Neutitschin, hieß es.

Wer kennt schon Neutitschin?

Tag und Nacht sind wir gefahren. Plötzlich stellten wir fest, daß wir in Schlesien waren!

Und am nächsten Morgen saß ich bereits hinten in einem offenen Steyr-Kübelwagen, das Gewehr 98 zwischen den Knien, die Leica vor der Brust. Ganz wie damals – in Berlin!

Nur – schade: Tammo war nicht dabei. Wer weiß, wo er jetzt steckte!

Dafür saß nun vorn rechts ein Österreicher als Wortberichter. Wir hatten noch gar nicht Zeit gehabt, uns näher kennenzulernen, aber er hatte von Anfang an einen recht guten Eindruck auf mich gemacht. Vor allem schien er sehr kameradschaftlich zu sein, – vielleicht allerdings noch mehr Soldat als Tammo. Ich sollte Toni zu ihm sagen, hatte er mich gebeten.

Neben ihm am Steuer saß Franzl, ein gemütlicher, etwas rundlicher Wiener. Ein bißchen still, aber sonst in Ordnung.

Dicht hinter uns folgte in einer Staubwolke mit seinem schweren Beiwagen-Krad Walterchen, der Kradmelder mit Abitur. Alle sagten nur Walterchen zu ihm, und dann schmunzelte er philosophisch. Wir kannten ihn kaum anders als mit dreckverschmiertem Gesicht und überlegen beobachtenden Augen hinter der dicken Motorradbrille.

Wir überholten endlose Kolonnen. Ohne Unterbrechung rollte der Strom gen Osten. Fahrzeuge – Geschütze – Fahrzeuge – Fahrzeuge – Geschütze – –

An den Tankstellen, die wir sahen, hingen Schilder: »Leer! Kein Benzin!«

Sollte es wirklich Krieg geben? Krieg wegen Danzig? Krieg mit Polen?

Ein Fünkchen Hoffnung, daß es nicht soweit kommen würde, glimmte trotz allem noch in mir. Vielleicht waren es nur Sicherungsmaßnahmen! Vielleicht würde Polen doch noch nachgeben? Vielleicht war alles nur ein großer Bluff von Hitler?!

Welch ein gutgläubiger Optimist war ich damals!

Je weiter wir kamen, um so ernster wurden die Blicke der Menschen, die wir hier und da im Vorbeifahren auffingen. Das Gesicht eines alten Mannes, der vor seinem Haus stand und uns nachsah. Die Augen einer Bauersfrau – –

Gegen Mittag erreichten wir den Divisionsgefechtsstand. Er lag schon ziemlich nahe an der Grenze.

»Propaganda-Kompanie?« sagte der Ic. »Sie kommen genau richtig! Gerade fährt der Regimentskommandeur nach Cadca ab – hängen Sie sich gleich dran!«

Wir jagten dem Wagen nach – die Bergstraße hinauf.

Toni hatte eine Karte.

»Richtung Jablunkapaß!« sagte er.

»Jablunkapaß – –? Noch nie gehört!«

»Liegt ja auch drüben!« rief er zurück und drehte mir dabei sein lachendes Gesicht zu.

Hinter einem Bauernhaus ließ der Kommandeur halten. Auf dem schwarz-weiß-schwarzen Fähnchen, das den

Regimentsgefechtsstand kennzeichnete, stand »IR 62« –
ein niederbayerisches Infanterie-Regiment.

Toni meldete sich überaus zackig bei ihm. Das schien
dem Oberst zu gefallen. Er machte ein wohlwollendes
Gesicht und nahm ihn mit ins Haus.

Als Toni wieder herauskam, trat er dicht an mich heran.
»Er hat mir ein Geheimnis anvertraut. Dir darf ich's sagen: morgen fünf Uhr dreißig geht's los! Die Vorkomman-
dos haben sogar schon um vier Uhr fünfundvierzig ihre
ersten Aufgaben zu lösen.«

Ich erschrak leicht. Eigentlich war es ja gar nichts
Überraschendes mehr. Aber diese präzisen Uhrzeiten –
nun war es also unabänderlich. Ich ließ mir jedoch nichts
anmerken.

»Ohne Kriegserklärung?« sagte ich nur.

»Natürlich ohne!« Er strahlte dabei.

Ich fühlte, er mußte sich Luft machen, und hörte ihm
zu.

»Endlich ist es soweit! In wenigen Stunden werden wir
die Lunte an das Pulverfaß halten, das Polen heißt! Unter
Krachen und Bersten wird es zusammenfallen. Herrgott –
wem jetzt das Herz nicht höher schlägt – hier an der
Grenze der Willkür – der hat stumpfsinnig vorbeigelebt
an einer großen Zeit! Was der Führer überhaupt nur zur
Verständigung zwischen zwei Völkern beitragen konnte,
das hat er wahrhaftig getan. Aber diese verblendeten
polnischen Tataren wagten es, ihm in ihrem Machtrausch
mit der Vernichtung Deutschlands zu drohen! Vor den
Toren Berlins!«

Ich schwieg.

Er war immer noch aufgebracht und entflammt. »Weißt
du, was ein Clausewitz vor mehr als hundert Jahren über
die Polen geschrieben hat? Es klingt, als ob er es erst
heute gesagt hätte: ›. . . ihr liederliches Staatsleben und
ihr unermeßlicher Leichtsinn gingen Hand in Hand, und
sie taumelten so in den Abgrund!‹«

»– – in den Abgrund –« wiederholte ich nachdenklich.
Er hatte also Clausewitz gelesen. Ich nicht. Ich hatte
mich nie dafür interessiert.

»Worum geht es eigentlich?« fragte ich naiv. »Ich denke, – nur um Danzig?«

Er sah mich fast böse an.

»*Nur* um Danzig?! Natürlich auch um den polnischen Korridor! Dieses von Polen unrechtmäßig besetzte Gebiet zwischen Deutschland und seiner Provinz Ostpreußen! Der letzte, ganz vernünftige Vorschlag deutscherseits bestand doch darin, im Korridor eine Volksabstimmung durchzuführen. Entscheidet sich die Bevölkerung für die Rückkehr zu Deutschland, dann soll Polen eine exterritoriale Verkehrsverbindung durch dieses Gebiet nach seinem Ostseehafen Gdingen erhalten. Entscheidet sich die Bevölkerung für Polen, dann soll Deutschland eine Verkehrsverbindung durch dieses Gebiet nach Ostpreußen erhalten. Und wie reagierten die Polen auf diesen loyalen Vorschlag Hitlers! Sie befahlen die Generalmobilmachung!!!«

Er hielt inne. Aus dem Haus trat ein junger Leutnant auf uns zu. Der Oberst hatte ihn geschickt mit dem Auftrag, uns das Gelände zu zeigen, auf dem morgen der Angriff vorgetragen werden sollte.

Geduckt schlichen wir mit ihm von Busch zu Busch, drückten uns in Erdfurchen, robbten zu einer kleinen Anhöhe.

Friedlich lag drüben die Landschaft im letzten Licht der untergehenden Sonne. Wir hielten die Köpfe eingezogen, um ja nicht von den polnischen Vorposten gesehen zu werden.

Mit verhaltener Stimme erklärte uns der Leutnant: »Dort sehen Sie die Jablunka-Paßhöhe, – sie ist durchzogen von einem vierhundert Meter langen Tunnel. Er bildet die kürzeste Bahnverbindung zwischen Wien und Warschau. Hoffentlich gelingt es uns, diesen Tunnel unzerstört in unsere Hände zu bekommen, wenn es morgen losgeht!«

Toni schob sich dicht neben den jungen Offizier. »Erst im vergangenen Jahr haben dies die Polen den Slowaken geraubt!« sagte er leise und nickte dem Leutnant dabei vielsagend zu.

Vorsichtig zogen wir uns wieder zurück.

Walterchen hatte inzwischen an der Feldküche unsere Kochgeschirre mit einem Schlag Erbsensuppe füllen lassen, – in den nächsten Tagen würde es sobald nichts Warmes wieder geben!

Ich machte meine Kamera schußfertig, legte einen hochempfindlichen Film ein – für alle Fälle.

Dann war es dunkel, und wir verkrochen uns in einer Scheune im Stroh.

Aber niemand konnte schlafen in dieser Nacht.

Toni wälzte sich von einer Seite auf die andere.

Ich hatte die Augen offen und lauschte in die Dunkelheit. Langsam krochen helle Lichtstreifen durch die morschen Bretter. Der Mond war aufgegangen.

Um fünf Uhr dreißig geht's los! – hämmert es in meinem Kopf. Werde ich Angst haben? Ich weiß es nicht. Ich bin so aufgewühlt – –

Kurz nach Mitternacht knarrt die Tür. Ein Melder ruft nach uns. Wir sollen zum Oberst hinüberkommen.

Sofort sind wir aus dem Stroh.

Drüben ist schon eine Anzahl Offiziere versammelt, meist junge, schneidig aussehende Kerle. Aber auch einige ältere sind dabei, vielleicht Weltkriegsteilnehmer.

Die Bauernstube ist eng. Wir bleiben im Hintergrund. Der Oberst nickt uns über die Köpfe hinweg zu. Wir dürfen die letzte Besprechung des Angriffsplanes mitanhören.

Zeiten werden genannt. Ortsnamen fallen. Uhren werden verglichen. Es geht alles ziemlich schnell und ohne jede Gegenfrage.

Dann stehen wir wieder draußen. Im Schein der abgeblendeten Taschenlampe studieren wir noch einmal die Karte. Dort ist die Grenze – der flache Sattel des Jablunka – der Tunnel – der Ort Mosty – –

Mit der Ruhe ist es nun endgültig vorbei.

Gegen drei Uhr brechen wir schon auf. Im Mondlicht schleichen wir dahin – von Stein zu Stein – leise, wie Katzen.

Für mich ist es unheimlich, zu wissen, daß zu einer genau festgesetzten Minute etwas geschehen wird, etwas Gewaltiges, – das vielleicht einen neuen Lebensabschnitt für uns alle einleitet – –

Wir erreichen einen Kompaniegefechtsstand. Ein junger Oberleutnant hatte uns schon erwartet und gibt uns einen Melder mit.

Geduckt geht es weiter. Zuletzt kriechen wir nur noch auf allen Vieren.

»Hier ist Schluß!« flüstert der Melder mir zu, »Dies ist die vorderste Gruppe.« Dann verschwindet er hinter uns in der Dunkelheit.

Ich sehe mich um. Toni ist neben mir. Aber sonst kann ich niemand erkennen.

Ein Blick auf die Uhr: gleich vier Uhr fünfundvierzig! Ich erinnere mich. Diese Zeit war bei der Kommandeursbesprechung auch wieder genannt worden.

Links und rechts neben mir erheben sich langsam Gestalten, schieben sich vor – – genau nach dem Plan. Kein Laut ist zu hören, nur ab und zu das Knacken eines Zweiges unter den vorsichtigen Schritten. Und hin und wieder das Piepsen eines erwachenden Vogels.

Das leicht bewaldete Gelände fällt sanft nach vorn ab und ist mit viel Buschwerk durchsetzt. Wir kommen gut vorwärts. Es wird auch allmählich heller.

Vor mir erkenne ich einen Unteroffizier. Er gibt ein Zeichen: liegen bleiben!

Unter uns windet sich eine Straße. Das Dach eines Zollhäuschens ist zu sehen. Die Grenze!

Rechts von uns huschen ein paar Schatten vorbei, verschwinden in einer Senke.

Ein paar Minuten herrscht Stille. Ich höre Toni neben mir schwer atmen.

Dann klirren Scheiben, splittert Holz, – ein Schrei – ein Fluch – – und schon ist es wieder ruhig um uns. Das war der Handstreich auf das Zollhäuschen.

Lautlos robben wir weiter.

Plötzlich bekommen wir einen freien Blick nach vorn: dort drüben liegt die Tunnelmündung! Zweigleisig ziehen sich die Schienenstränge hin.

Ich lege mich auf die Seite und schraube das Teleobjektiv in die Leica. Schnell noch ein Bild vom Gelände – wie es jetzt aussieht. Es war meine erste Aufnahme als Kriegsberichter – eine völlig belanglose, friedliche Herbstlandschaft.

Bis auf ein paar hundert Meter sind wir jetzt herangekommen. Aber es ist noch zu früh! Immer wieder schauen wir auf die Uhr. Immer wieder überprüfe ich meine Kamera: Ist der Verschluß auch gespannt? Soll ich das Teleobjektiv drinlassen? Oder ist das normale besser? Nein, ich lasse es doch drin – das Tele!

Fünf Uhr dreißig!

Endlich!

Schlagartig beginnen unsere Maschinengewehre auf der ganzen Frontbreite zu rattern. Es ist ein einziges Hämmern und Pfeifen. Sie schießen Leuchtspur! Wir beobachten, wie sich die Perlenschnüre hinüberziehen – hinüber zum Tunnel.

Aber vom Feind ist nichts zu sehen. Gar nichts!

Neben mir springen Infanteristen auf, machen ein paar Sätze nach vorn, werfen sich hin. Ich halte die Kamera hoch und drücke ab – halb aufgerichtet –

Da kommt von drüben die erste Antwort. Ein helles Tacken.

Direkt vor dem Tunnel muß das MG liegen. Man sieht das Mündungsfeuer. Es schießt langsamer als unsere. Etwa so, wie unsere alten MGs – die wassergekühlten!

Das klingt eigentlich ganz harmlos, denke ich.

Aber plötzlich ändert das MG drüben die Schußrichtung, und jetzt zirpen die Geschosse ganz nah an uns vorbei!

Blitzschnell werfen sich alle hin.

Ich presse mich an die Erde.

Piuhhh – piuhhh – pfeift es über meinen Kopf hinweg.

Ein widerliches Pfeifen!

An allen Ecken fängt es drüben an zu tackern.

Ich zerre die Kamera zur Seite, um mich noch flacher machen zu können.

Das Pfeifen der Kugeln jedoch wird immer heftiger,

kürzer, – kommt immer näher, ist fast nur noch ein hartes Zischen.

Auf einmal überfällt mich der Gedanke: ich liege im direkten Beschuß! *Ich* bin gemeint! Ich soll abgeschossen werden! Ich! Der nächste Schuß wird meinen Stahlhelm durchbohren – von vorn – genau in der Mitte!

Ich versuche mir einzureden, daß ich keine Angst habe, daß es keinen Zweck hat, Angst zu haben. Aber nur noch ein Gedanke beherrscht mich immer wieder: Wie groß ist noch der Abstand der Geschosse über meinem Kopf? Diese widerlich pfeifenden Dinger! Wie dicht streichen sie über mich hinweg? Eine Hand breit? Einen Zentimeter weit ab nur?

Meine Hände krallen sich in den Boden, in die Graswurzeln. Ich fühle mein Herz bis zum Halse schlagen, verwünsche die verdammten Patronentaschen am Koppel, auf denen ich liege.

Jeden Augenblick kann alles aus sein!

Unsinn!

›Das ist die Feuertaufe – einmal muß jeder durch‹, hatten die Älteren gesagt, die im Weltkrieg waren. Oder: ›Das ist die Prüfung, in der man den inneren Schweinehund überwinden muß!‹

Große Töne! Soll ich hier elendig krepieren – und das für ein paar Aufnahmen, für ein paar Fotografien vom Jablunkapaß?!

Sinnlos – völlig sinnlos! fährt es mir durch den Kopf. Und wieder hämmert das Maschinengewehr von drüben genau in meine Richtung. Wieder habe ich das scheußliche Gefühl, daß ich ganz allein hier liege und alle von drüben nur auf mich zielen – nur auf mich!

Nein! Ich werde mich nicht mehr rühren, denke ich. Keinen Schritt werde ich mehr tun, bis alles vorüber ist – –

Jetzt schiebt sich prustend und schnaubend einer neben mir vor.

Ein paar Flüche. Auf bayerisch.

Ich drehe den Kopf, sehe: ein kraftstrotzender Kerl! Er hat Handgranaten in den Stiefeln stecken. Sein braunge-

branntes, staubbedecktes Gesicht ist voll grimmiger Ent-
schlossenheit. Das Urbild eines bajuwarischen Kriegers.

Und da durchzuckt es mich: Das ist ein Bild – einmalig!
– Das muß ich auf meinem Film haben – aber schnell erst
noch das Objektiv gewechselt. –

Ich reiße die Kamera hoch, drücke ab.

Jetzt springt er auf – rennt – wirft sich hin – springt
wieder vorwärts –

Und – seltsam – ich springe ganz unbewußt mit – – fotografiere! Ich höre nicht mehr auf das Pfeifen und Rattern um mich – alle Angst ist vergessen – es ist alles wie
immer, wenn ich auf eine bestimmte Aufnahme verses-
sen bin – wie damals im Gerichtssaal oder in ähnlichen
schwierigen Situationen, – ich bin hindurch, habe meine
Kamera wieder fest in der Hand, – spanne, visiere,
drücke ab – spanne, visiere, drücke ab – –

Nun mischt sich ein neues Geräusch ein in das helle
Geknatter: unsere schweren Infanteriegeschütze und die
Artillerie ballern los. Ein Heulen und Jaulen erfüllt die
Luft. Und schon poltern drüben die ersten schweren Kof-
fer nieder. Irgendwie ein erlösendes, beruhigendes Ge-
fühl.

Ein deutsches MG prasselt ganz dicht neben mir seine
Garben aus dem Lauf.

Feuerschutz!

Und jetzt kommen die letzten, entscheidenden großen
Sprünge – bis an die Bahnlinie! Handgranaten fliegen.
Dumpfe Detonationen.

Zwei, drei Gestalten, Polen, springen nach der Seite
davon – fliehen – entkommen in den Tunnel.

Wir liegen flach auf dem Schienenstrang.

Gebannt starre ich in das schwarze Felsenloch der
Durchführung vor uns.

Hinein?

Wäre Wahnsinn!

Da erbebt die Erde von einer gewaltigen Explosion!
Eine riesige Staubwolke schießt aus dem Schlund.

Die Polen haben den Tunnel gesprengt!

Ich stehe wieder aufrecht und schieße Bild um Bild.

Unsere Landser springen, das Gewehr in der Hand, an der dramatischen Kulisse vorbei, verschwinden in dem schwarzen Qualm – immer neue Gruppen drängen nach – MGs werden vorgetragen – ein dumpfes Brausen Hunderter von Stimmen erfüllt die Luft – Hurrarufe steigen auf – – Kein Zweifel: der erste Widerstand der Polen ist gebrochen.

»Bravo, Schorsch!« höre ich unerwartet Tonis Stimme, der plötzlich wieder neben mir steht. »Immer mitten drin, wie ein alter Hase!«

Er nickt mir anerkennend zu, strahlt über das ganze Gesicht. Ich lasse die Kamera sinken, starre ihn an, erwidere nichts. Und erst jetzt wird mir bewußt, was ich in der letzten Viertelstunde erlebt habe. Also doch meine Feuertaufe als Kriegsberichter?! Gewiß, – allerdings ganz anders als das, was die ›alten Krieger‹ darunter verstanden. Denn was überwand meine Todesangst, was war es allein? Ich blicke auf die Leica in meinen Händen. Gott sei Dank, daß es kein Gewehr ist, denke ich. Ja, *sie* hat mich über den toten Punkt hinweggebracht, – ich konnte einfach nicht anders, ich mußte fotografieren, was ich sah.

Tonis Stimme reißt mich aus dem Sinnen: »Nicht grübeln, Schorsch! Jetzt ist unsere Stunde da! Die Stunde der Bewährung! Komm! Vorwärts!«

Der Gefechtslärm verebbt allmählich. Nur hin und wieder flackert er seitlich von uns auf. Die Polen verlegen sich auf hinhaltenden Widerstand und ziehen sich zurück auf ihre Hauptverteidigungslinie im Solatal.

»Da! Schnell!« schreit Toni mich plötzlich an und reißt mich am Arm.

Deutsche Infanteristen hissen auf der Paßhöhe die Reichskriegsflagge.

Wir keuchen hinauf und kommen gerade noch zurecht.

»Das ist das Bild des Tages!« jubelt Toni.

Es zeigte sich später, daß er recht hatte. Bildunterschrift: »Um 6.30 wehte die Reichskriegsflagge über dem Jablunkapaß!«

2 „LOS! LOS! MEINE SCHREIBMASCHINE!"
BUNKERLINIE AM SOLA-TAL
STUKAS WIE MÜCKEN AM HIMMEL
FALSCHER GASALARM UND PROPAGANDAKRIEG

Unter uns, nahe dem Bahnhof, liegt die ehemals slowakische Ortschaft Mosty, eines der Nahziele dieses Tages. Wir beeilen uns, hinzukommen, um ja alles mitzuerleben. Die Straßen wimmeln von unseren Landsern, Fahrzeuge aller Art sammeln sich. Slowakische Mädchen, zum Teil in Festtracht, sind aus den Häusern gekommen und schmücken unsere bayerischen Infanteristen mit Herbstblumen. Die älteren Dorfbewohner stehen vor ihren Holzhäuschen und grüßen mit erhobener Hand. »Poljak zurrick!« rufen sie dabei frohlockend. Sogar Hakenkreuzfähnchen sieht man schon.

Die ersten Gruppen polnischer Gefangener werden an uns vorbei zurückgeführt. Sie entleeren ihre Hosentaschen, werfen Eierhandgranaten und Gewehrmunition ins Gras. Ich fotografiere, fotografiere – –»lauter ›Bilder des Tages‹!« sagt Toni und sieht auf die Uhr. »Schluß jetzt! Wir müssen zurück! Unsere Berichte – –!«

Wir erklommen noch einmal die Paßhöhe, kamen am Tunnel vorbei, gingen wieder den Schienenstrang entlang und stießen auf ein zusammengeschossenes polnisches MG-Nest, das ich vordem in der Aufregung gar nicht gesehen hatte. Die Polen hatten sich neben den Gleisen eingegraben und ihre Stellung wahrscheinlich bis zum letzten Atemzug verteidigt. Drei Tote lagen da neben dem MG, dessen Lauf jetzt in den Himmel zielte.

Ich blieb stehen, suchte mit dem Blick die Gleise entlang die Stelle, wo ich zu Beginn des Angriffs gelegen hatte. Ja, – sie konnten es gewesen sein, die so hartnäckig in meine Richtung geschossen hatten –

Ich schaute auf die Toten. Es waren die ersten Gefallenen, die ich sah. Einer hatte die Augen noch weit geöffnet. Und ich dachte: So ist das also – hier ist das Töten völlig legal. Du oder ich! – Bisher war mein erster Ge-

80

danke, wenn ich beruflich einen Toten fotografieren mußte – bei Verkehrsunfällen, bei Mordsachen –: wer ist der Schuldige, wer ist der Mörder? Das zählte hier nun also nicht mehr. Je mehr tote Feinde, desto besser! Merkwürdig, – die anderen alle, auch Toni, schienen doch gar nichts dabei zu finden. Würde ich mich je daran gewöhnen? War die Umwandlung vom Zivilisten zum Krieger so schwer für mich?

Ich folgte Toni, der sich eine Zigarette angesteckt hatte und dann vorangegangen war, und erst Minuten später fiel mir ein, daß ich über meine Gedanken ganz vergessen hatte, eine Aufnahme von den Toten zu machen. Und eine innere Stimme mahnte mich: Werde hart! Laß dich nicht engagieren von den Dingen! Objektiv berichten, das ist deine Aufgabe – nichts weiter!

Würde es mir gelingen?

An der Grenze spielten Kinder mit dem zerschmetterten Schlagbaum und kletterten im verwaisten Zollhäuschen herum.

»Onkel! Hier ist die Grenze!« sagte ein Junge.

»Nein!« entgegnete Toni lachend, »das *war* die Grenze, mein Junge!«

In Cadca kamen uns Franzl und Walterchen schon entgegen. Sie hatten, wie verabredet, im Bauernhaus auf uns gewartet.

»Wie war's?« fragte Franzl, – als ob wir aus dem Kino kämen.

Toni rührte mit den Händen in der Luft. »Los! Los! Meine Schreibmaschine!«

»Steht bereits in der Stube! Frühstück auch!«

Die Bauersleute hatten die Nacht bei Verwandten weiter entfernt von der Grenze zugebracht, waren aber schon wieder zurückgekehrt. Aus dem Lautsprecher ertönte schneidige Marschmusik.

Goebbels hatte also im letzten Augenblick doch noch anders entschieden! Die Rundfunkgeräte waren nicht beschlagnahmt worden!

»Der Führer hat übrigens auch schon gesprochen!«

sagte Walterchen in seiner ruhigen, immer ein wenig distanziert wirkenden Art.

Toni horchte auf.

»Na und? Red' doch schon! Was hat er gesagt?«

Walterchen schmunzelte leicht.

»Stellt euch vor – der Reichstag ist einberufen worden und hat sogar schon getagt. Tja, so was funktioniert eben bei Adolf!«

Toni explodierte fast. »Los!« Was er gesagt hat, will ich wissen!«

Walterchen ahmte Hitlers Stimme nach: »›– – Ich habe mich nun entschlossen, mit Polen in der gleichen Sprache zu reden, die Polen uns gegenüber seit Monaten anwendet! Seit 5.45 Uhr wird zurückgeschossen!‹«

»Bravo!« entfuhr es Toni spontan. »Sagt doch, ist es nicht herrlich, in dieser Zeit leben zu dürfen?!«

Mir war etwas aufgefallen. Ich war gewohnt, genau zu berichten. »Was heißt 5.45 Uhr? Es begann doch schon um 5.30 Uhr!«

Toni machte eine wegwerfende Bewegung: »Du hörst doch, der Führer hat gesagt: ›seit 5.45 Uhr wird zurückgeschossen!‹ Was soll die Kleinigkeitskrämerei?! Der Führer hat immer recht!«

»Und was heißt: ›. . . wird zurückgeschossen‹?«

Toni sah mich aufgebracht an. Darum lenkte ich schnell ein. »Na ja, so klingt's natürlich besser – –.«

Es war auch keine Zeit jetzt für lange Erörterungen.

Toni hämmerte seinen Bericht auf der Schreibmaschine herunter, ich beschriftete meine Filmtaschen, und dann donnerte Walterchen damit los – zurück zur Kompanie, nach Neutitschin.

Wir aber jagten mit Franzl wieder nach vorn, im guten alten Steyr-Kübel, um ja noch rechtzeitig Anschluß an die Spitze zu bekommen. Die Hauptbefestigungslinie der Polen lag ja noch vor uns.

Wir wechseln hinüber zum Nachbarregiment, dem IR 19. Es ist das berühmte Regiment List, in dem Adolf Hitler als Kriegsfreiwilliger im Weltkrieg gedient hatte.

Wieder Bayern! Diesmal fast ausschließlich Münchner. Und kein Bier weit und breit – nach dem heißen Tag! Doch! In Koniakow gibt es eine Wirtschaft. Das ganze Dorf ist wie ausgestorben – nur aus dem Keller dieser Wirtschaft kommt ein fürchterlich schielender Mann gekrochen – der Wirt! Und wenige Minuten später läuft aus dem Zapfhahn das kühle Naß.

Ach, oje! – es ist schal! Die Bayern fluchen zwar – doch sie stürzen es hinunter und bezahlen sogar! Der schielende Wirt kann es kaum fassen – –.

Jetzt ein paar Stunden Schlaf!

Todmüde sinken wir im Stall ins Stroh.

Um fünf Uhr setzt sich das Regiment schon wieder in Marsch. Verlassen liegen die Dörfer da. Kühe laufen ungemolken mit dicken Eutern herum. Über den Weiden liegen Nebelschleier.

Vorn gehen die Spitzengruppen links und rechts der Straße geduckt im Graben. Nichts rührt sich. Kein Schuß fällt.

Ich blicke durch den Sucher. Die Gestalten wirken schattenhaft, unheimlich. Das wird gespenstische Bilder geben in diesem unwirklichen Licht!

Wird denn dees a woas?« ruft mir einer zu.

»Freili, – a Schattenriß von dir kriagta drauf«, witzelt ein anderer.

»A Rattenschiß moanst wohl! Bei dem Nebel – da siagst ja nimma dei eigne Füß!«

Doch plötzlich wird es ernst.

In der Talsenke von Szare empfängt uns zum erstenmal die polnische Artillerie. Knapp fünfzig Meter vor uns hauen die Einschläge rein.

Wir werfen uns hin, wo wir gerade stehen.

Aber dann merken wir, es ist nur ein Streufeuer. Der Pole tastet das Gelände ab. Und bald ist es wieder ruhig.

In Gefechtsordnung – weit aufgelockert – gehen wir weiter.

Der Nebel steigt, die Sonne bricht langsam durch, und mittags brennt sie uns sogar richtig heiß aufs Kreuz.

Wir haben die Höhe des Barania erreicht und schauen

hinunter ins Solatal. Es ist lieblich anzusehen von hier. Doch wir wissen: dort unten liegt die Bunkerlinie!

Nachmittags hocken wir in unserer Sturmausgangsstellung.

Sattelhöhe Goluski, Kote 428, nennt sich dieses Fleckchen Erde. Das klingt ganz eindrucksvoll, – könnte fast aus einem Kriegsbuch über den Weltkrieg von 1914 sein!

Toni ist hinter mir. Wir haben ausgemacht, nicht direkt nebeneinander zu liegen. Für den Fall, daß einem von uns was passiert – –.

Ein kleiner, drahtiger Unteroffizier führt die Gruppe, der wir uns angeschlossen haben.

Links vor mir liegen zwei Mann mit einem leichten Maschinengewehr. Der Gurt ist schon eingezogen.

Die Stimmung ist nicht mehr so unbeschwert wie am Vormittag. Jeder weiß, die Polen werden alles daransetzen, diese Linie zu halten.

Nur ein junger Münchner neben mir ist anscheinend durch nichts aus der Ruhe zu bringen. Mit dem rechten Ellenbogen im Gras aufgestützt, liegt er da und pfeift eine Schlagermelodie nach der anderen: ›Man müßte Klavier spielen können ...‹ und ›Das gibt's nur einmal, das kommt nicht wieder ...‹.

Jetzt hat er ›Ich küsse Ihre Hand, Madame ...‹ beim Wickel.

Allmählich geht er mir auf die Nerven damit.

Ich versuche ihn abzulenken. »Mir platzt bald der Bauch«, sage ich zu ihm, »hab wohl vorhin zuviel von der fetten Erbsensuppe runtergeschlungen, – hätte ich nicht tun sollen, überhaupt vor dem Gefecht – – ist nicht gut bei einem Bauchschuß – –«.

»Bauchschuß – –!« ruft er zurück und grinst mich an. »Muaßt halt a paarmal recht kräftig furzen, da hast wieder Luft!«

Dann pfeift er weiter, seine Gewehrmündung wiegend, ›... und träum, es wär Ihr Mund!‹

Jeden Augenblick müßte nun eigentlich unsere Artillerie anfangen. Aber da kommen uns die Polen mit der Ouvertüre zuvor!

Piuuuh – piuh – piuuuh – piuuuh – zwitschert es auf einmal.

Indirekter MG-Beschuß!

Blitzschnell liegt alles flach. Auch bei mir klappt es jetzt schon ganz gut. Gleich beim Hinwerfen schiebe ich die Leica nach vorn – direkt vor den Kopf.

Die MGs sicheln über uns hinweg. Unangenehm! Es müssen viel mehr sein als gestern am Tunnel.

Wo bloß unsere Artillerie bleibt!? Es strengt an, sich dauernd so flach zu machen wie eine Briefmarke.

Endlich höre ich hinter uns die Abschüsse.

Blapp, blapp, blapp machen unsere Langrohrgeschütze. Es klingt wie ein helles Aufbellen. Und dann singt es über uns in der Luft, als ob Glasorgeln ertönen.

Drüben – die Polen – schweigen. Ihr MG-Feuer verstummt.

Eine Atempause für uns!

Der mit dem ›Ich küsse Ihre Hand, Madame‹ steckt sich seelenruhig eine Zigarette an.

Ein Urviech, denke ich, wie er mich da so angrient mit seinem unrasierten Gesicht. Die Zigarette klebt ihm schief an der Unterlippe.

Er reizt mich so, daß ich ein paar Aufnahmen von ihm mache. Doch ich darf mich nicht verschießen. Der Film ist zwar erst neu eingelegt, aber während des Gefechtes werde ich schlecht wechseln können.

Plötzlich wird ein Wort gerufen, das mich mit Entsetzen erfüllt: »Gas – –! Gaaas!«

Der Unteroffizier vor mir streckt für einen Augenblick seine Gasmaske hoch:

»Gaaas – –! Gaaas – –!«

Verdammt! Damit habe ich nicht gerechnet!

Ich drehe mich auf die Seite und zerre sofort meine Gasmaske heraus.

Mein Nachbar stößt einen Fluch aus: »Himmiherrgottsakrament! Nit amoi in Ruhe rauchen kannst do!« – macht aber noch einen Zug, streift die Glut ab und steckt die Kippe in die Tasche. Dann stülpt er sich ebenfalls die Gasmaske über.

Mein nächster Gedanke: wie wird's jetzt mit dem Fotografieren?

Ich bringe das Auge nicht mehr an den Sucher heran. Da bleibt nichts anderes übrig: einfach hinhalten und abdrücken! Als Reporter habe ich das auch manchmal tun müssen, wenn's auf Schnelligkeit ankam.

Kaum bin ich mit meiner Maske und den verflixten Bändern klar, beginnt die polnische Artillerie ihren Feuerzauber.

Ziüüuuhh – – rums! Ziüüuuhh – – rums!

Wie ein Ungewitter bricht es über uns herein.

Ich liege in einer Erdfurche.

»Vorwärts – ihr Säcke!« höre ich dumpf.

Der Unteroffizier!

Seine Stimme ist nur gedämpft durch die Gasmaske zu hören. Wahrscheinlich brüllt er aus Leibeskräften. Mit weiten Armbewegungen treibt er seine Gruppe an. Und schon sehe ich sie springen – mit MGs und Munitionskästen und Gewehren. Und mit den Handgranaten im Koppel.

Ich raffe mich auf, setze ihnen nach.

Ziüüuuhh – – rums! Ziüüuuhh – – rums!

Ganz nahe! Ich muß mich hinwerfen.

Jetzt liege ich auf dem blanken Acker – ohne Deckung!

Bei jedem Einschlag bebt der Boden. Dreckfontänen spritzen auf. Splitter fahren singend durch die Luft.

Diese verfluchte Gasmaske!

Mit den Händen versuche ich den Sand wegzukratzen, um mit dem Kopf tiefer zu kommen.

Sinnlos!

Rings um mich ein einziges Krachen und Bersten.

Mir fliegt etwas hart auf den Rücken.

Gott sei Dank – – ein Brocken Erde! Nur ein Brocken Erde – –.

Bevor die nächste Salve kommt, springe ich auf – – mache ein paar Sätze – sehe eine Mulde – werfe mich hinein.

Warten – springen – hinwerfen – – so hasten wir weiter. Manchmal sehe ich im Sprung den einen oder anderen. Ich verstehe: wir müssen durch! Durch diese Feuerzone der polnischen Artillerie.

Plötzlich ist ein Brummen über uns in der Luft.

Ich verdrehe den Kopf.

In dem Sonnenglast ist nichts auszumachen.

Aber ich kenne das Geräusch – jetzt ist es ganz deutlich: das sind unsere Stukas!

Die polnischen Geschütze verstummen.

Auch unser Unteroffizier scheint das Gebrumm der Motoren gehört zu haben und verharrt einen Moment. Und jetzt starrt die ganze Gruppe wie gebannt nach oben. Manche richten sich halb auf, einige knien sogar – –.

Da! Hoch über der Bunkerlinie sind sie zu sehen! Klein wie Mücken! Die JU 87!

Und dann beginnt vor unseren Augen ein erregendes Kriegsschauspiel.

Sie kippen ab – über die linken Tragflächen, fallen vom Himmel – fast senkrecht – mit Sirenengeheul, das durch Mark und Bein geht – stürzen, stürzen – werden immer größer, immer schneller – mir stockt der Atem! – stürzen, stürzen, – erst im letzten Augenblick – so scheint es mir – lösen sich die Bomben vom Rumpf, werden die Maschinen abgefangen, ziehen sie wieder steil hinauf in den Himmel.

Unter ihnen quellen mit gewaltigen Detonationen schwarze Rauchpilze aus dem Boden und stehen eine Weile unheilvoll über den Stellungen, bis der Wind ihre Konturen verwischt und die ganze Bunkerlinie in eine dunkelbraune Wolke hüllt.

Ein grausiges Bild der Vernichtung!

Werden sie noch einmal kommen?

Automatisch haben meine Hände inzwischen das Teleobjektiv aus der Hosentasche gezogen und in die Leica geschraubt.

Ich warte gespannt.

Wirklich! Sie setzen von neuem an!

Ich peile über die Kamera. Aber die Klarsichtscheiben meiner Gasmaske sind beschlagen. Völlig unüberlegt lüfte ich die Maske etwas und fahre mit den Fingern hinein.

Unsinn! Heraus mit den Fingern!

Nur noch wie durch einen Schleier sehe ich die Stukas.

Trotzdem: ich visiere, so gut es geht, über den Sucher hinweg, drücke ab, spanne – drücke ab, spanne – –.

Die Infanteristen nutzen die Zeit, um voranzukommen. Im Laufschritt jage ich ihnen nach – dabei noch einige Male den Verschluß auslösend. Der Schweiß läuft mir in Strömen herunter.

Dann drehen die Stukas ab, verschwinden im Dunst – –.

Kein Mann und keine Maus kann dort drüben mehr am Leben sein, denken wir.

Kaum sind die Stukas weg, beginnt jedoch wieder die polnische Artillerie zu schießen. Sogar einzelne Maschinengewehre fallen noch mit ein.

Aber die Bayern sind nicht mehr zu halten. Dieser Stukaangriff hat sie bis zum letzten Mann aufgerüttelt.

Mit dem Maschinengewehr aus der Hüfte feuernd, stürmt der MG-Schütze vor.

»Ran wie Blücher!« schreit heiser der kleine Unteroffizier durch seine Gasmaske. Und wir laufen wie Stiere.

Plötzlich ertönt links von uns ein Hurra-Geschrei.

»Runter die Scheiß-Gasmaske!« brüllt mir einer laut zu.

Erlöst reiße ich sie vom Kopf.

Luft!!

Sehen!!!

Schon habe ich das Auge wieder am Sucher.

Links stürmen sie mit aufgepflanztem Bajonett vor!

Vorn taucht ein polnisches MG auf – die Polen sitzen in den Gräben. Wir müssen uns hinwerfen.

Tack – tack – tack – tack hämmert es los.

Handgranaten fliegen hinüber – detonieren – und schon springen wir hinterher.

Zwei braune Gestalten liegen reglos am Grabenrand. Aber aus einem Seitengraben stürzt noch ein Pole herbei, wirft sich über die Toten und macht sich am MG zu schaffen.

Wo bleibt nur *unser* MG-Schütze?

Ladehemmung?

Der Pole richtet den Lauf auf uns.

Da schnellt einer aus unserer Gruppe auf, wie eine Feder, ist mit einem Satz über ihm, dreht sein Gewehr um und schlägt mit dem Kolben zu. Mit dem nächsten Sprung ist er im Graben und wütet um sich wie ein Berserker. Es ist der mit dem ›Ich küsse Ihre Hand, Madame‹!

Ich habe, halb aufgerichtet, alles aus nächster Nähe mitangesehen und völlig selbstvergessen Bild auf Bild geschossen. Jetzt läßt sich meine Leica nicht mehr spannen; es waren die letzten Bilder auf dem Film. Möglich, daß ich sie schief drauf habe, aber – ich habe sie!

Dann ist auf einmal alles vorbei. Das feindliche Feuer schweigt. Die Gräben der Polen sind genommen, die letzten Überlebenden kommen uns mit hocherhobenen Armen entgegen. Unsere Infanterie rückt in breiter Front vor.

Wodurch der falsche Gasalarm ausgelöst worden war, blieb zunächst ungeklärt. Tatsache ist jedoch, daß auch die Polen, die wir nachher tot vor den geborstenen Bunkern fanden, Gasmasken trugen.

Tatsache ist auch, daß der polnische Botschafter in London noch am gleichen Tage gegen die Anwendung von Giftgas durch die deutsche Wehrmacht protestierte. Er habe zuverlässige Nachrichten aus Warschau – so erklärte er –, daß deutsche Fliegerbomben mit Gas gefüllt gewesen seien und auch kleine mit Gas gefüllte Ballons von den deutschen Truppen verwendet worden wären.

Tatsachen? Falsche Nachrichten? Propaganda?

Wie später einwandfrei festgestellt werden konnte: Das Ganze war einfach ein Irrtum gewesen! Weder auf deutscher noch auf polnischer Seite war Gas verwendet worden.

Irgendein deutscher Soldat mußte infolge eines ihm verdächtig erscheinenden Geruches Gasalarm gegeben haben –, und als die Polen die Deutschen mit Gasmasken angreifen sahen, setzten sie selber auch welche auf!

Die polnischen Propagandisten haben jedoch außerordentlich schnell reagiert und einen Propaganda-Schachzug daraus gemacht, um ihre englischen und französischen Verbündeten von der rücksichtslosen, die Genfer Konvention mißachtenden Grausamkeit der Deutschen zu überzeugen und ihre eigenen Landsleute zu erbitterter Gegenwehr aufzustacheln.

Der ›heiße‹ Propaganda-Krieg hatte begonnen.

3 »... SOLDAT DER FEDER ...«
SCHWERWIEGENDE FOLGEN EINER POLNISCHEN PROPAGANDAPAROLE

Diese Nacht verbringen wir im Freien.

Vor einer armseligen Kate haben wir uns niedergelassen. Der Himmel leuchtet rot von ringsum flackernden Bränden. Vom Troß des Regiments schallt ab und zu das Wiehern und Scharren der Pferde herüber, das Lärmen der Motoren.

Toni sitzt auf einem Holzklotz, die Schreibmaschine auf den Knien, und tippt seinen Bericht im spärlichen Licht seiner Taschenlampe, die er sich vorn an einen Uniformknopf gehängt hat.

Vorsichtig schaue ich ihm über die Schulter – er hat das nicht gern – und lese:

»Noch grollt – während ich diese Zeilen schreibe – der Donner der schweren Geschütze durch das Solatal ... an vielen Stellen ist bereits eine Bresche geschlagen in die Befestigungswerke von Wegierska Gorka, aber noch wird erbittert gekämpft um die restlichen Bunker ... unsere Münchner Division hat den Gegner an der Kehle gepackt ...«

Ich überspringe einige Zeilen und lese weiter:

»... denn wir Kriegsberichter haben unsere Schreibmaschinen nicht irgendwo hinten in der warmen Stube oder in einem Pressehauptquartier stehen, – nein, wir formen unsere Berichte nicht nach den Erzählungen anderer, wie jene mit schönen Worten um sich werfenden Geistreichler von einst es taten, – nein, unser Platz ist vorn an der Front, wo es hart hergeht. Der Soldat der Feder – genauso mit der Waffe vertraut wie der Infanterist – geht Schulter an Schulter neben dem Landser. Hier fließen soldatische und schriftstellerische Berufung in eins zusammen – hier verbrüdert sich die Feder dem Gewehr! Nur so glauben wir die Größe der Stunde erfassen zu können und frei zu bleiben von jenem Pathos, das weit ab vom Schuß und unberührt vom Geist der Zeit seine bleichen Orchideenblüten treiben mag. . . . Hinter jedem Wort unserer Berichte soll das Pfand des Lebens stehen! – Wie sagt doch Nietzsche? –: ›Von allem Geschriebenen liebe ich nur das, was jemand mit seinem Blute geschrieben hat!‹ . . .«

Ich räuspere mich kurz. »Ist das alles im Stil nicht ein bißchen – wie soll ich sagen – ziemlich stark aufgetragen?«

Da fährt Toni überrascht herum.

»Wieso stark? Wie meinst du das?«

Er sieht mich groß an. Sein Gesicht ist leicht gerötet – wie immer, wenn er sich in Begeisterung geredet oder geschrieben hat.

Dann sagt er: »Das verstehst du nicht? Das ist doch alles ganz ehrlich. Man muß nur den Mut haben, das, woran man glaubt, auch offen auszusprechen!«

»Oh, – das ist ein großes Wort!« sage ich. »Ein sehr großes Wort!« Und gleichzeitig denke ich: ist er wirklich so? So, wie er spricht? Ich kenne ihn erst zwei Tage! Oder drei.

»Hast du eigentlich mitgeschossen, – heute im Gefecht?« frage ich.

»Aber feste! Und nicht schlecht, wie ich hoffe. Einen von diesen Halunken habe ich mit Sicherheit erwischt!«

»Hast du es gesehen?«

»Glaubst du mir vielleicht nicht? Natürlich habe ich es gesehen! Es war im Graben – ganz rechts, am Bunker!«

»Schon gut, – ich glaub's ja! Warum auch nicht!«

Dann tippt er weiter. Ich gehe beiseite und setze mich ins Dunkle.

Es ist alles so einfach bei ihm. Sein Glaube, seine Worte, seine Taten – –.

Würde ich auch töten können, wenn's drauf ankäme?

Alle Menschen, die mich vom Beruf her kennen, meinen, ich sei hart. Aber ich bin es nicht.

Schon in der Schule haben mich die anderen gehänselt, weil ich nicht mitansehen konnte, wie sie einer Fliege die Flügel ausrissen. Und was habe ich dann später alles unternommen, um »hart« zu werden! Ich habe im Schlachthof zugesehen, wie Kälber geschlachtet werden. Ich habe im Krematorium die Verbrennung von Leichen durch ein Guckloch beobachtet – – nur, um mich abzuhärten!

Ich werde niemals feige sein! Niemals! Aber ich brauche nicht auf Menschen zu schießen – ich habe ja meine Kamera! Ich bleibe Reporter! Und sonst nichts!

Werde ich das durchhalten können? In jeder Situation?

Eigentlich ist es ganz leicht: ich brauche nur ehrlich vor mir selber zu bleiben – genauso, wie Toni!

Wie hatte er eben so schön gesagt? Man muß nur den Mut haben! Den Mut haben!!!

Propaganda muß nicht immer wahr sein.

Selbst Sefton Delmer, der englische Gegenspieler von Goebbels, hat einmal bekannt: »Jeder Griff ist erlaubt. Je übler, um so besser. Lügen, Betrug – alles!«

Welche schwerwiegenden Folgen jedoch eine unbedachte, übersteigerte Propagandaparole auszulösen vermag, zeigt ein polnisches Beispiel, wobei tapfere Soldaten der eigenen Truppe ins Verderben gestürzt wurden: Eine Kavallerieattacke gegen deutsche Panzer!

Der Ursprung der Parole geht – wie so häufig! – auf wahre Begebenheiten zurück. Die deutsche Wehrmacht hatte bei den letzten großen Herbstmanövern in der Lüneburger Heide, zu denen auch Mussolini eingeladen war, Panzerattrappen eingesetzt, kleine Autos vom Typ Opel P 4 mit Aufbauten aus Pappe und Segeltuch. Diese

komischen Vehikel waren durch die Heidelandschaft ge-
schaukelt – als Ersatz für echte Panzer. Bei Manövern
wird vieles nur symbolisch dargestellt und die Lage
›angenommen‹.

Ausländische Journalisten hatten die Panzerimitatio-
nen gesehen und darüber berichtet. Die polnische Regierung jedoch hatte die Meldung als willkommene anti-
deutsche Propaganda benutzt, um bei der eigenen
Truppe die Vorstellung von der Kampfkraft der deutschen Wehrmacht herabzusetzen: Die deutschen Panzer
sind aus Pappe!

Die tapferen polnischen Soldaten, die ihrer eigenen
Propaganda geglaubt hatten, mußten dies mit ihrem Blut
und dem Leben ihrer Pferde bezahlen. Die Panzer, gegen
die sie mit ihren Lanzen anritten, waren echt!

Den deutschen Kommandanten in den vorgepreschten
Panzerkampfwagen verschlug es vor Erstaunen die Sprache, als sie plötzlich erkannten, daß eine Staubwolke am
Horizont von Reiterscharen herrührte, von polnischer Kavallerie. Die Polen griffen an – mit Ulanen!

Die Überraschung für die deutschen Panzergrenadiere
war so groß, daß sie im ersten Augenblick gar nicht wußten, wie sie sich in dieser völlig neuartigen Situation verhalten sollten. Sie sahen die Reiter tief geduckt auf ihren
Pferden sitzen, vorgestreckte Lanzen zeichneten sich ab,
Säbel blitzten in der Sonne. Eine ganze Schwadron
mußte es sein, die da den Höhenrücken heruntergejagt
kam. Und immer neue Scharen tauchten auf der Kamm-
linie auf – wie in einer Filmszene, winzig klein erst, dann
schnell größer werdend.

Das rauschende Pferdegetrappel war bereits zu hören,
das Geschrei der Reiter – aber noch war kein Schuß gefallen. Die deutschen Panzerkommandanten zögerten.
Sollten sie mit der Kanone losfeuern? Doch nur drohend
drehten sich langsam ihre Türme.

Ganz nah schon waren nun die Ulanen heran. Nicht
einmal Stahlhelme trugen sie, ihre vierzipfligen, plattge-
drückten Helme sahen eher aus wie amerikanische Dok-
torhüte! Einzelne stachen mit ihren Lanzen auf die Pan-

zer los, hieben mit ihren Säbeln auf sie ein, bis die Lanzen und Säbel barsten.

Jetzt erst begann ein rasendes Tackern. Die Maschinengewehre der Panzer begannen zu schießen.

In wenigen Minuten war der ungleiche Kampf beendet. Hochauf bäumten sich die ersten getroffenen Pferde – kopfüber stürzten ihre Reiter in den Sand, die nachfolgenden galoppierten todesmutig weiter – mitten hinein in das Abwehrfeuer der MGs.

Schon stürzten die Nachdrängenden über die gefallenen Pferde ihrer Kameraden – einige ritten kurz zurück, nahmen einen neuen Anlauf, brachen ebenfalls zusammen – ein unbeschreibliches Chaos entstand, ein Gewirr von Menschen- und Pferdeleibern. Mit kurzen Feuerstößen ratterten die Maschinengewehre hinein in das Tohuwabohu.

Fast schlagartig wurde das Feuer eingestellt. Im ersten Moment herrschte eine beinahe unheimliche Ruhe, die nur von vereinzeltem Pferdewiehern – Todesschreien der armen, gequälten Kreatur – unterbrochen wurde. Das ganze Feld war bedeckt mit Roß- und Menschenleibern.

Rufe von polnischen Verwundeten schallten über das Feld. Aus den Stellungen der deutschen Infanterie eilten die ersten Sanitäter herbei.

Grausige Bilder boten sich ihnen: Pferde wälzten sich auf dem Rücken, die Gedärme hingen ihnen heraus. Es hätte noch lange gedauert, bis sie verendet gewesen wären. Viele erhielten den Gnadenschuß in den Kopf.

Über die verhängnisvolle polnische Kavallerieattacke gegen deutsche Panzer auf einem Flugplatz bei Demblin an der Weichsel schrieb Horst Scheibert, Oberst i. G., am 1. März 1967:

»Wir waren 5 deutsche Panzer, Typ Skoda 35 t[1]) (2 MG

---

[1]) Der Skoda-Panzer 35 t war vor 1938 an die tschechische Armee ausgeliefert worden. Sein Foto befindet sich in »Sänger-Etterlin, Deutsche Panzertypen« und im Bildband über die deutsche Panzertruppe von Oberst Horst Scheibert.

+ 3,5-cm-Kanone), und uns griff etwa eine Schwadron eng zusammengefaßt an. Wir schauten lange aus dem Turm, da wir einfach nicht glauben wollten, daß die uns meinten. Zuletzt blieb nichts anderes übrig, als zu schießen (nur MG), wir schossen jedoch nur auf die Pferde. Der Angriff brach schnell zusammen, da schon die hinteren über die vorn Stürzenden fielen, ohne selbst getroffen zu sein. Es war ein furchtbares Bild, und wir stoppten nach wenigen Schüssen das Feuer. Irgendwie ging uns dieser Kampf gegen das Gefühl.«

4 ORIGINAL-PK-BERICHTE: SOWJETRUSSEN UND DEUTSCHE ALS VERBÜNDETE VON DER ZENSUR GESPERRT

Die geheimen Abmachungen zwischen Hitler und Stalin waren auch den Polen unbekannt geblieben. Sie hielten es für vollkommen unmöglich, daß Stalin ein Bündnis mit Hitler-Deutschland geschlossen haben könnte.

Daher hatte die polnische Propaganda in den ersten Kriegstagen sogar die hoffnungsvolle Nachricht verbreitet, daß nun die Sowjetunion und Ungarn an der Seite Polens gegen Hitler antreten würden.

Für die Polen gab es ein böses Erwachen.

Das vermeintlich verbündete Rußland marschierte kriegsmäßig in Polen ein.

Über die letzten entscheidenden Kämpfe um Lemberg existieren Aufzeichnungen des Kriegsberichters Leo Leixner. Sie wurden niedergeschrieben aus dem unmittelbaren Erlebnis des Kriegsgeschehens heraus – nach überstandenen Strapazen und Gefahren während des Vormarsches, an Ort und Stelle und in Nächten ohne Schlaf – –.

Besonders interessant daran ist – aus heutiger Sicht –

neben den Schilderungen des Zusammentreffens von deutschen und russischen Soldaten als Verbündete auch die Sprache, in der die Berichte geschrieben sind. Sie ist charakteristisch für den Zeitgeist, die Begeisterung und die gläubige Opferbereitschaft jener jungen Generation für diesen ihrer Überzeugung nach als eine ›gerechte Sache‹ empfundenen Krieg.

Der genannte Kriegswortberichter Leo Leixner, geborener Österreicher, erzielte mit seinen PK-Berichten (nicht zuletzt sicherlich wegen ihrer starken propagandistischen Wirkung!) die größte Anzahl von ›Ministervorlagen‹, die höchste Auszeichnung, die das Propaganda-Ministerium zu vergeben hatte. »Ministervorlage« bedeutete, daß der Bericht Joseph Goebbels vorgelegt und meist dann auch Hitler zur Kenntnis gebracht wurde.

Im Folgenden sind Auszüge daraus im Originaltext wiedergegeben:

Vor Lemberg, 17. September, 21 Uhr

»Es ist nur mehr ein Kampf der Ehre«, sagte der gefangene polnische Oberstleutnant Willich, der Kommandeur eines Grenzschutzkorps, heute abend zu unserem Dolmetscher. ... Er habe in Warschau gewarnt, meinte er, die polnische Wehrmacht sei noch zu schwach, um es mit der deutschen aufnehmen zu können. Ein Krieg lasse sich mit dem Herzen allein nicht gewinnen. Er sieht das Ende Polens vor sich – er macht sich nichts mehr vor.

Aber Lemberg, sagt er, werde noch der letzte große Waffengang der polnischen Armee sein, die, wenn sie schon untergehen müsse, in Ehren geschlagen sein wolle – das wäre Verpflichtung vor der Geschichte. Wir hätten also mit Lemberg noch zu tun. ... Wir wissen das, wir stellen uns seit Tagen darauf ein. Der Kampf bis zu dieser Stunde war heiß und heftig. Aber bald werden in eherner Sprache unsere Haubitzen dem feindlichen Widerstand das Grabgebet sprechen ...

... Heute funkte die Gebirgsdivision in Klartext zu den Polen hinüber, daß die Russen die polnische Grenze überschritten haben. Allein – Gefangene sagten das heute aus – die Führung gibt sich drüben noch dem frommen Glauben hin, die Russen kämen zu ihrem Entsatz. Der Kampfwille wird drüben nur mehr durch Lügeninjektionen hochgepeitscht – stärkste Dosis: Polens Reiter plänkeln im Grunewald, Mussolini hat einen Schlaganfall erlitten, in Deutschland ist Revolution ausgebrochen, Frankreichs Poilus stehen tief im Reich ...

Vor Lemberg, 19. September
... Warschau hält sich noch, auch Lublin, es wird Entsatz kommen, redet sich die polnische Führung ein. Das Gerücht oder die Tendenzlüge, die Siegfriedlinie ist bei Saarbrücken von den Franzosen durchbrochen worden, soll den erlahmenden Widerstandsgeist hinter den Barrikaden aufrichten in letzter Stunde.

Nun dreht unser Feldfunk auf und sendet in Klartext, deutsch und polnisch, hinüber ins andere Heerlager:
›Achtung! Achtung!
Hier spricht das deutsche Militärkommando. Der Ring um Lemberg ist durch das deutsche und russische Heer geschlossen. Morgen, den 20. September, um 7 Uhr früh, wird auf derselben Welle eine Aufforderung an das polnische Militärkommando erfolgen, um nutzloses Blutvergießen und die Vernichtung der Stadt zu verhindern. Achtung! Achtung! Morgen früh alles an die Rundfunkgeräte!‹

Vor Lemberg, 20. September, 16 Uhr
Um 8 Uhr morgens überfliegen unsere Aufklärer die Stadt, wütendes Abwehrfeuer empfängt sie. Aber sie werfen diesmal keine Bomben, die Lemberg wieder in Panik versetzen könnten. Doch eine Sprengladung ist das immerhin, was abgeworfen wird über der Stadt, die im Fieberwahn verkehrter Vorstellungen liegt. ... Im Norden der Stadt wurde gestern noch fieberhaft an Barrikaden gebaut, man träumte ja noch von den Russen, die

ihnen *helfen* würden! 20 000 Flugzettel sind das geistige Ekrasit, das in diesem turbulenten Lemberg das Letzte locker macht. Die Sinnlosigkeit weiteren Widerstandes wird ihnen vor Augen geführt:

›Bedenkt: Eure Lage ist hoffnungslos! Die Masse des polnischen Heeres ist vernichtet, auch eure Kräfte bei Jaworow und Janow! Das russische Heer hat die Ostgrenze Polens überschritten und reicht dem deutschen Heer die Hand. Warschau hat seine Kapitulation angeboten. Lemberg ist eingeschlossen. England und Frankreich haben euch im Stich gelassen. . . . Legt die Waffen nieder!‹

Sie erfahren weiters, daß die Beck-Regierung bereits im Auslande weilt[1]), und erfahren unsre Übergabebedingungen. Bis zum 21. September, 10 Uhr vormittags, soll die Stadt übergeben werden. Besteht die Bereitschaft dazu nicht, dann hat die Zivilbevölkerung die Möglichkeit, bis dahin auf der östlichen Ausfallstraße die Stadt zu verlassen. Es würde der rücksichtslose Einsatz der schweren Waffen erfolgen . . .

. . . Die Russen sind nun auch zur Gefechtsgruppe Schörner – v. Hengl gestoßen. Mit der 8. russischen Kavalleriebrigade wird die Verbindung aufgenommen, um die Lage zu klären. So wie in Winniki gerät auch hier ein mit der Verbindungsaufnahme Beauftragter unsrer Truppen vorübergehend mißverständlich in »russische Gefangenschaft« . . .

Dawidow, südlich Lemberg, 20. September, Mitternacht

. . . Spätnachmittags kamen wir nach Winniki. Wir treffen gerade beim Divisionsgefechtsstand ein, als der russische General Jakublow mit einem Kommissar sich zum Generalleutnant F. begibt, um schwebende Fragen zu klären. Wir fahren zur vorläufigen Grenzlinie, gekennzeichnet durch die zweisprachige Tafel »Deutsche De-

---

[1]) Die polnische »Regierung der Obersten« hat Warschau am 5. September fluchtartig verlassen.

markationslinie – Oberkommando der Wehrmacht«, und treffen auf die ersten russischen Posten. Neugierde hinüber – Neugierde herüber, dann beginnen Zeichengespräche. Als sie den Notizblock erblicken und den eifrigen Bleistift, bin ich erkannt.

»Aaah schurnaliski« – so ähnlich hat's geklungen, ich nicke bejahend und die Posten lachen breit über die gelungene Entdeckung.

Die Dämmerung fällt ein. Es heißt, wir marschieren zurück. Noch in dieser Nacht. Der geplante Generalangriff auf Lemberg unterbleibt. Die Russen werden in Lemberg einmarschieren. Rascher Aufbruch!

Eben mundgerecht gebratene Hähnchen bleiben ungenossen zurück. Wie weh das tut! Nur die »Machorkowie«, die in der Zigarettenfabrik zu Winniki hergestellte und erbeutete fürchterliche Nikotinnudel, nehmen wir als lungenbeizende Erinnerung an Winniki mit . . .

Wir lösen uns von Lemberg. Regen fällt. Kolonnen fahren nach Dawidow, wo wir spätnachts eintreffen. In einem Landgut suchen wir unser Nachtlager. Beim Kerzenschein entdecken wir uns, alte Bekannte, ausgerechnet im tiefen Galizien vor Lemberg, Kärntner Landsleute.

»Jo, wia kimmst denn du daher, du Zottel? Ha?«

Dornfeld, 21. September, 22 Uhr
. . . Wir reden gerade in der Veranda des Gutshofes, worin wir nächtigten, über das Bedeutsame dieser politischen Entscheidung, . . . – da stürzt eine Ordonnanz zur Tür herein und ruft:

»Die Russen kommen –!«

Wir treten hinaus auf die Anhöhe und sehen, wie die russische Reiterspitze im Galopp ins Dorf hineinreitet, Troßwagen und Feldküchen im Galopp hinterher – eine brausende Kavalkade, Soldaten und Dorfbewohner strömen am Straßenrand zusammen und sehen mit staunend offenem Mund dem Einmarsch zu. Schon flammt der rote Wimpel des Spitzenreiters am anderen Ende von Dawidow wieder auf. Die Russen haben unser Gros überholt, indem sie Lemberg mit ihrer flinken Kavallerie auch südlich umfassen.

Russische Motorfahrzeuge hintennach. Sie kommen schwerer vom Fleck, da der nächtliche Regenguß die Wiesen zu Moor verwandelt hat. Auch wir marschieren wieder weiter, teilweise über die russischen Vormarschwege. Abwechselnd überholen russische Kolonnen und deutsche Fahrzeuge einander. Jetzt ein kurzer Halt, bald hinter Dawidow. Eine russische Schwadron, etwas außer Atem geraten, verschnauft. Die Reiter, zum Teil Kirgisen und Mongolen, schlafen, an den Hals ihrer flinkbeinigen kleinen Steppenpferde vornübergelehnt. Aus ihrer Feldküche dampft der Borscht. Wir grüßen einander und fragen hinüber und herüber mit Gebärden, was die Abzeichen bedeuten. Ein deutscher Kraftwagen, an dem ein Bataillonsstander mitgeführt wird, bahnt sich eben seinen Weg. Die Russen grüßen respektvoll. Einer russischen Sanitäterin, mit Pistole ausgerüstet, gilt unsere Aufmerksamkeit ...

Grodek-Jagiellonski, 23. September, 22 Uhr
... Im Laufe des Tages wächst die Zahl der sich ergebenden Polen stetig an, es sind die Reste der polnischen Südarmee. An die 20 000 Mann sind es insgesamt, 300 MG, 100 Geschütze werden unsere Beute. »Lemberg«, meldet der Rundfunk, »ergab sich gestern den bereits im Abmarsch befindlichen deutschen Truppen. Übergabeverhandlungen sind im Einvernehmen mit den am Ostrand der Stadt stehenden sowjetrussischen Truppen im Gange.«

Lemberg hat sich ergeben!

... Nur wer den Herzschlag der vielen harten Stunden vor Lemberg mitgefühlt hat, nur wer den guten Kameraden zurückläßt im Heldengrab bei Lemberg, ermißt die Größe der soldatischen Tat, die hinter dieser knappen Funkmeldung liegt ...

Leo Leixner fiel als PK-Mann bei einem Einsatz an der Ostfront.

Alles, worüber die PK berichtete, nutzte Goebbels für seine Propaganda aus. Ein Thema allerdings blieb tabu und wurde ›totgeschwiegen‹: Verbrüderungsszenen zwischen Deutschen und Sowjetrussen. – Er besaß das ›Nachrichten-Monopol‹!

Über das Zusammentreffen deutscher Kriegsberichter mit sowjetischen Soldaten am Ende des Polenfeldzuges ist kein Bericht an die Öffentlichkeit gelangt, sie wurden sämtlich von der Zensur gesperrt. Daher sei hier ein Ausschnitt aus dem Kriegstagebuch der (Berliner) PK 689 wiedergegeben:

».. . erhielten Berichter des 1. Zuges der PK 689 und Offiziere der 3. Panzerdivision eine Einladung des Kommandeurs einer sowjetischen Panzerbrigade, General Kriwoscheijn. Sie besuchten den General auf seinem Gefechtsstand im Walde von Beresa Kartusa, ostwärts Kobryn. Max Ehlert und Heinz Bösig haben den Besuch bildlich festgehalten.

General Kriwoscheijn brachte einen Trinkspruch ›auf die beiden Führer, die aus dem Volke kommen‹, aus. Es gab ein Essen mit vielen Gängen im ›Feldherrnzelt‹ des aus der zaristischen Armee hervorgegangenen, fließend französisch sprechenden Generals mit dem Leninorden. Angeblich entsprach jeder Gang einem Feldküchengericht. Wir aßen demnach die ganze Wochenspeisekarte eines Küchenbullen der Roten Armee.

Der General bedauerte mehrfach, seinen Gästen keine ›Damen‹ bieten zu können, da im Umkreis von 100 km keine Menschenseele ansässig sei. Er nannte uns aber seine Moskauer Adresse und gab der Erwartung Ausdruck, wir würden ihm und seiner Frau nach dem Siege über das kapitalistische Albion in Moskau mit KdF[1]) die Ehre eines Besuches geben.«

---

[1]) Organisation »Kraft durch Freude«.

Die Propaganda-Kompanien bei Kriegsbeginn

Am 1. September 1939 standen
7 Propaganda-Kompanien des Heeres
4 Propaganda-Kompanien der Luftwaffe und
2 Propaganda-Kompanien der Kriegsmarine
zur Verfügung. Sie wurden während des Polenfeldzuges
wie folgt eingesetzt:

Im Rahmen der Heeresgruppe Nord:
Bei der 3. Armee die PK 501 (aufgestellt in Königsberg)
Bei der 4. Armee die PK 689 (aufgestellt in Berlin)

Im Rahmen der Heeresgruppe Süd:
Bei der 8. Armee die PK 637   (aufgestellt in Breslau)
Bei der 10. Armee die PK 670   (aufgestellt in Nürnberg)
Bei der 14. Armee die PK 521[1]) (aufgestellt in Wien)

Zur Luftflotte 1 gehörte die LwPK 1 (aufgestellt in Berlin)
Zur Luftflotte 4 gehörte die LwPK 4 (aufgestellt in Wien)
Zum Lwkdo Ostpreußen gehörte der selbständige
LwProp.-Zug Ostpreußen (aufgestellt in Königsberg)

Gleichzeitig waren an der Westfront eingesetzt:
Bei der 7. Armee am Oberrhein die PK 612 (aufgestellt in
Wiesbaden)
Bei der 1. Armee südl. der Luxemburger Grenze die
PK 666 (aufgestellt in Münster)
Bei der Luftflotte 2 die LwPK 2 (aufgestellt in Braun-
schweig)
Bei der Luftflotte 3 die LwPK 3 (aufgestellt in München)

Im Marinebereich gehörte:
Zum Mar. Gru. Kdo Ostsee   die MarPK 1 (Kiel)
Zum Mar. Gru. Kdo Nordsee die MarPK 2 (Wilhelms-
haven)

---

[1]) Nach dem Polenfeldzug wurde die PK 521 geteilt. Während der
größere Teil (hauptsächlich aus»Ostmärkern«bestehend) in Polen
blieb, wurden einzelne Einheiten davon Anfang November 1939 in
Krakau verladen, nach dem Westen (Wuppertal) verlegt und zu
einer neuen Propaganda-Kompanie, der PK 621, aufgefüllt, die im
Bereich der 18. Armee (v. Küchler) eingesetzt wurde. Angehörige
der alten PK 521 sind später in Stalingrad umgekommen.

Völlig eigene Wege gingen die Propagandaeinheiten der Waffen-SS. Um die ersten SS-Frontdivisionen mit SS-Kriegsberichtern auszustatten, wurde zunächst in der Ersatz-Abteilung der SS-Leibstandarte eine Kriegsberichter-Kompanie der Waffen-SS unter dem späteren SS-Standartenführer Gunther d'Alquen gebildet, die aus drei Zügen bestand und mit Frontoffizieren und einem Stamm an Berufsoffizieren besetzt war.

Die Führer der Waffen-SS zeigten im Gegensatz zu denen des Heeres von Anfang an Verständnis für die neue Truppengattung und erleichterten daher die Arbeit ihrer Kriegsberichter erheblich. Die SS-Kriegsberichterzüge, die jeweils einer SS-Division zugeteilt waren, verfügten über eine hervorragende Ausrüstung. Ohne an das Propaganda-Ministerium gebunden zu sein, arbeiteten sie – als Mitglieder einer Elitetruppe – mit größter Freizügigkeit nach den Weisungen ihrer Berliner Zentrale und brachten ihr Berichtermaterial auch auf eigenen Kurierwegen dorthin zurück; von hier aus wurde es nach Auswertung wie das Wehrmachtmaterial über das OKW zum Propaganda-Ministerium weitergeleitet.

Generalleutnant Hasso von Manteuffel sagte nach dem Kriege über die SS-PK: »Ihr ›corps d'esprit‹ innerhalb der Divisionen hatte zur Folge, daß in diesen Einheiten eine außergewöhnliche Kameradschaft herrschte. ... Ihre außerordentliche Tapferkeit – superhuman bravery – wird auch von der Gegenseite voll bestätigt. ... Daß Himmler mit der Waffen-SS zum Teil andere Ziele verfolgte, kann den Soldaten der Waffen-SS keinesfalls angelastet werden.«

Alles in allem, so stellte Generalmajor von Wedel einmal fest, habe schon der Polenfeldzug gezeigt, daß die Organisation der neuen PK-Truppe ›funktionierte‹.

›Schlachtenbummler‹, wie noch im Ersten Weltkrieg, gehörten der Vergangenheit an. Die Berichterstattung über den Polenfeldzug erfolgte erstmalig allein durch Kriegsberichter der Propaganda-Kompanien. Generalmajor von Wedel: »Die Journalisten, Bild-, Film- und Rundfunkreporter sind überall an den Brennpunkten der Kämpfe anzutreffen gewesen und haben vielfach sogar aus eigener Initiative gehandelt. Die Filmberichte haben Kriegswochenschauen von besonderer Eindringlichkeit ergeben, insbesondere die Aufnahmen von der Beschießung der Westerplatte in Danzig durch das Linienschiff ›Schleswig-Holstein‹ und vom Kampf um Warschau. Auch der Rundfunk hat täglich Originalberichte von den Kriegsschauplätzen senden können.«

Goebbels' Entscheidung, daß die Rundfunkgeräte entgegen seiner ursprünglichen Absicht *nicht* eingezogen werden sollten, wirkte sich verhängnisvoll aus. Das Abhören von Feindsendern wurde unter Strafe gestellt: Zwangsarbeit unter KZ-Bedingungen und sogar die Todesstrafe. Nicht einmal Minister waren davon ausgenommen! Im ersten Jahr kamen 1500 Personen ins KZ, weil sie London abgehört hatten. – Vier Jahre später machten ihm die Feindsender – trotz Androhung der schwersten Strafen für das ›Schwarzhören‹ – schwer zu schaffen, besonders ein britischer Sender, der sich mit einem Klopfzeichen – frei nach Beethovens 5. Symphonie! – meldete. Doch nun war es zu spät, noch eine Beschlagnahme der Rundfunkgeräte durchzuführen. Denn jetzt hätte eine so einschneidende Maßnahme bei der Bevölkerung sofort den Verdacht ausgelöst, die Regierung wolle verhindern, daß bestimmte Tatsachen ans Licht kämen. Außerdem diente der Rundfunk inzwischen dem Luftwarnsystem bei Annäherung feindlicher Bomberverbände.

Durch die Kürze des Polen-Feldzuges (Goebbels: ›Blitzkrieg!‹) kamen von deutscher Seite aus Propaganda-Sender kaum zum Tragen. Im ostpreußischen Dirschau allerdings nahm ein übereifriger PK-Sender seine Tätigkeit auf, der sich als ›Radio Warschau‹ meldete – zu einem Zeitpunkt, als die polnische Hauptstadt noch gar nicht gefallen war!

Die polnische Verteidigungslinie
bei Wegierska Gorka am 3. September 1939.
Ein irrtümlicher Gasalarm löste
in London die erste Propagan-
dakampagne aus: Die Deut-
schen greifen mit Gasmasken
an, – sie setzen Giftgas ein! Ein
glatter Verstoß gegen die Genfer Konvention! – Woher der falsche Alarm rührte, blieb ungeklärt. Auch die polnischen Soldaten trugen Gasmasken.

Gefallener polnischer Soldat mit ▶
Gasmaske.

Eine Zigarette zur Begrüßung –
auf der Straße Lemberg – Stryj
Nachdem die Russen absprache-
gemäß den Ostteil Polens kriegsmäßig eingenommen hatten, kam
es zu Begegnungen sowjetischer
Panzerspitzen mit deutschen
Truppen. Da ohne Dolmetscher
nur schwer eine Verständigung
möglich war, besiegelte der Aus-
tausch von Papyrossis und Zigaretten die neue Waffenbrüderschaft, während die Kommandeure Verhandlungen über die
Festsetzung der Grenze zwischen den beiderseitigen Inter-
essengebieten führten.

◄ Ein Vordruck überbrückte
Sprachschwierigkeiten.

Erste Fühlungnahme deutscher PK-Männer (Kurt Frowein und Gerhard Starcke, PK 689) mit den Russen in Brest-Litowsk. Der Kommandeur der Panzerbrigade, General Kriwoscheijn, lud sie auf seinen Gefechtsstand ein. – Ihre Berichte darüber wurden jedoch von Goebbels gesperrt.

Kameramann der PK 691. ▶
Schon beim Lehrgang in der Alexander-Kaserne in Berlin war er dabei: Kurt Katzke. Auch zuletzt, kurz vor Kriegsende, gehörte er noch zu den 219 übriggebliebenen Filmberichtern. Um möglichst lebendige Szenen einfangen zu können, bevorzugte er die bewegliche Kameraführung. Einen Stahlhelm setzte er selten auf, weil er ihn behinderte. – Ein Bildberichter fotografierte ihn, wie er im Gefecht neben einem Panzer saß und seelenruhig seine Kamera surren ließ.
Die Filmberichter hatten es von allen Kriegsberichtern am schwersten, weil sie stets mit großem Gepäck in den Einsatz gingen und ein sehr empfindliches Aufnahmegerät zu bedienen hatten. Meist wurden sie an der Front von ihren Fahrern begleitet, die die Kästen mit Reservekassetten, Wechselsack, Objektiven usw. trugen.
Die drei gangbarsten Filmgeräte waren: die Arriflex-Handkamera 35 mm, die Askania-Z-Stativkamera und die Siemens-D-Schmalfilmkamera 16 mm.

Nicht bewährt hat sich die Stativkamera im Panzer. Später wurde versucht, die Kamera mit Spezialgehäuse im Turm neben der Kanone einzubauen, doch dies blieben Einzelfälle.
▼

Psychologische Kriegführung am Westwall.

Nach Beendigung des Polen-Feldzuges konzentrierte sich die Propaganda nunmehr auf die westlichen Gegner. Eine Hauptaufgabe bestand darin, die ›Tommies‹ bei den Franzosen in ein »schlechtes Licht« zu rücken. Dies gelang den Propagandisten buchstäblich im Sinne des Wortes. Sie stellten Ansichtskarten her, auf denen verächtlich die Worte standen: »Wo ist der Tommy geblieben?« Das ganze Mittelfeld des Bildes war leer (Bild links). Wenn man diese Karten jedoch gegen das Licht hielt, wurden dort die Tommies sichtbar – wie sie sich mit französischen Frauen amüsierten! (Bilder unten) –. Die im April 1940 von Flugzeugen abgeworfenen »Ansichtskarten« waren bei den Franzosen schnell zum begehrten Tauschobjekt geworden.

PK-Transparent am Oberrhein im Winter 1939/40. Der Text – zur französischen Front hin – lautet: »Wir haben Befehl, nicht zu schießen, wenn ihr uns nicht angreift! Deutschland hat keinen Grund, gegen euch Krieg zu führen!«

5 SITZKRIEG AM WESTWALL
KOPENHAGEN: DIE ERSTE PK-PANNE!
INVASION IN NORWEGEN
DER UNTERGANG DER »BLÜCHER« IM OSLOFJORD

Am Westwall geschehen die merkwürdigsten Dinge. Deutsche PK-Offiziere treffen sich heimlich im Niemandsland mit französischen Soldaten. Unglaublich? Es existiert ein Foto davon: Zwei rundliche deutsche PK-Offiziere plaudern und scherzen auf einer einsamen Landstraße zwischen den Fronten mit drei französischen Soldaten. Die Franzosen tragen dicke Kraftfahreruniformen, einer hat eine Motorradbrille über dem Stahlhelm und salutiert lächelnd, – offensichtlich amüsiert über das friedliche Stelldichein.

Und worüber sprechen die fünf? Wahrscheinlich darüber, daß ja eigentlich England der gemeinsame Feind sei. So jedenfalls lautete derzeit die offizielle Propagandadirektive!

In den Bunkern hüben und drüben herrscht Langeweile.

Als die französischen Frauen hörten, wie sehr ihre Soldaten darunter und unter dem Mangel an holder Weiblichkeit im besonderen litten, fuhren sie in hellen Scharen an die »Front«, um sich den leidenden Kriegern hinzugeben. Faire l'amour – als Dienst am Vaterland.

»Quelle drôle de guerre!« – Welch komischer Krieg! – sagen die Franzosen.

»Sitzkrieg« nennen ihn humorvoll die Deutschen.

Frankreich tat nur seine Pflicht. Auf Grund seines Bündnisses mit Polen hatte es dem Deutschen Reich pflichtgemäß den Krieg erklärt. Daß auch geschossen werden sollte – davon hatte anscheinend nichts in dem Vertrag gestanden.

Auch Hitler hatte befohlen, keinerlei Angriffshandlungen im Westen vorzunehmen. Deutschen Kampf- und Jagdflugzeugen war verboten, die französische Grenze zu verletzen.

Und doch fällt in jener Zeit eine »Bombe« auf Paris. Ein deutsches Flugzeug überfliegt nachts in großer Höhe unbemerkt die französische Luftabwehr. Die Bombe, die es abwirft, besteht zwar nicht aus Dynamit und Sprengstoff, enthält aber eine mindestens ebenso brisante Ladung – eine im Sinne Goebbelsscher Propaganda veränderte Ausgabe der Pariser Abendzeitung »Paris Soir«.

Infolge eines technischen Versagens löst sich eines der Zeitungspakete nicht wie vorgesehen in der Luft aus seiner Hülle, sondern trifft einen nächtlichen Spaziergänger der Seine-Stadt mit solcher Wucht, daß dieser betäubt zu Boden stürzt. Als er wieder zu sich kommt und sich umsieht, wer ihn da so hinterrücks niedergeschlagen habe, entdeckt er das nun doch geplatzte Paket und betrachtet erstaunt den »Paris Soir« mit den etwas merkwürdig anmutenden Schlagzeilen und Nachrichten.

In dem Augenblick taucht eine Polizeistreife auf, erkennt die getarnte deutsche Propaganda und verhaftet den noch ganz benommenen Nachtbummler wegen Verbreitung feindlicher Druckschriften.

Ganz Paris lachte, als die kuriose Geschichte bekannt und am nächsten Tag im *echten* »Paris Soir« veröffentlicht wurde.

»Potemkinsche Dörfer« hießen einige in Eile fertiggestellte Westwall-Bunkeranlagen, die von PK-Berichtern fotografiert wurden, um die Fotos dann programmiert als »Pannen« ins Ausland gelangen zu lassen. Besonders amerikanische Zeitungen überschlugen sich regelrecht in ihren Bemühungen, diese als »geheim« und »herausgeschmuggelt« deklarierten Bilder der »grandiosen deutschen Verteidigungslinie« zu bekommen. Als auf diese Weise die Neugier genügend angeheizt war, tat Goebbels den nächsten Schritt: Für prominente neutrale Auslandskorrespondenten wurden »Besichtigungsfahrten« an den »Westwall« organisiert. General Hasso von Wedel dazu: »Die angesichts der reichlich kümmerlichen Provisorien recht schwierige Reiseleitung konnte alles ohne Pannen abwickeln und einen guten Erfolg erzielen.«

In Wahrheit war der Westwall – erst 1938 von Arbeitskolonnen der OT (Organisation Todt) begonnen – noch längst nicht vollendet und konnte keinen Vergleich mit der schon 1929 von den Franzosen erbauten Maginotlinie aushalten.

Aber, was fehlte, ersetzte Goebbels mit Propaganda: Er ließ einen abendfüllenden »Westwall-Film« herstellen. Das OKW darüber in einer geheimen Begutachtung: »Mit großer Geschicklichkeit ist aus Teilaufnahmen ein Gesamtbild zusammengeschnitten worden, das selbst auf die *Wissenden* Eindruck machte.«

Gleichzeitig ging die PK an der gesamten Westfront zur Großoffensive mit Transparenten, Lautsprechern, Flugblattaktionen und Geheimsendern über.

Fünf Meter lange Transparente, auf Stangen aufgebaut, sprachen den französischen Poilu an:

»Soldats français! Nous avons l'ordre de ne pas tirer, si vous ne nous attaquez pas! L'Allemagne n'a aucune raison de vous faire la guerre!« (Französische Soldaten! Wir haben Befehl, nicht zu schießen, wenn ihr uns nicht angreift! Deutschland hat keinen Grund, gegen euch Krieg zu führen!)

Die PK-Lautsprecher schmeichelten sich mit »Parlez moi d'amour« in die sentimentalen Herzen der Franzosen ein, und in kurzer Zeit war dieses Lied der Hauptschlager der gesamten Front – und sogar auf *beiden* Seiten! Sobald die deutschen Lautsprecher verstummten, riefen die Franzosen herüber: »Camerades! Macht mehr Müsik!« Und die deutschen Aktivpropagandisten erfüllten gern die Wünsche für die »Kameraden von der anderen Feldpostnummer«, wie man den Feind friedfertig nannte, und ließen weiter die sanfte, erotische Frauenstimme mit dem verheißungsvollen Timbre sehnsuchtsvoll bitten: »Sprich mir von Liebe und sag mir zärtliche Dinge – –.«

Eines Tages meldete sich bei den Fanzosen sogar ein Soldatensender »Camerade du Nord«. Er begann sein Programm stets mit dem Abspielen der »Internationale«

mit französischem Text und erweckte dadurch den Eindruck eines kommunistischen französischen Geheimsenders. In seinen Kommentaren verbreitete er sich zunächst über den deutsch-sowjetischen Nichtangriffs- und Freundschaftspakt, um dann mit seiner eigentlichen Absicht herauszukommen, einer mehr oder weniger versteckten Polemik gegen England: »Franzosen! Wollt ihr für England sterben?« Oder: »Die Engländer amüsieren sich hinten mit unseren Frauen – während wir an der Front sind! Schickt die Engländer nach Hause!«

Tatsächlich handelte es sich um einen deutschen Sender, der seinen Standort bei Lörrach im Schwarzwald hatte.

Die suggestive Beeinflussung des Gegners war zur wichtigsten Waffe geworden.

Trotz aller Friedensversicherungen jedoch konnte der französischen Heeresführung der beginnende deutsche Großaufmarsch im Westen nicht verborgen bleiben.

Die Aktivpropagandisten innerhalb der PK bekamen daher eine neue Aufgabe: Alle Propagandatätigkeit hat ab sofort nur der Täuschung des Gegners zu dienen. Die Franzosen sollen glauben, Deutschland plane einen Angriff im *Süden,* an der stark befestigten Maginot-Linie. (Während in Wirklichkeit der Durchbruch im Nordabschnitt erfolgen sollte.)

Goebbels gab grünes Licht, alle nur erdenklichen Register der Propagandaorgel zu ziehen, auch die leisesten und zartesten Flötentöne, nicht zu vergessen die vox humana! Gerade die unscheinbaren Dinge am Rande sind es manchmal, die den Gegner am unverfänglichsten aufs Glatteis führen!

Darüber General Hasso von Wedel: »Unsere gefälschten Informationen durften natürlich nur tropfenweise durchsickern! Es wurden also zuerst einmal einige Presse- und Bildreportagen über Festungsangriffsübungen nach genau festgelegtem Programm in die Presse lanciert. Nebenher erschienen Meldungen über angeblich neue Waffen für den Belagerungskrieg, die so gestaltet waren, daß sie als »Zensurpannen« erschienen.

112

Besondere Beachtung fanden Fotos, die offensichtlich an bestimmten Stellen angeblich früher vorhandene, dann aber von der Zensur schlecht wegretuschierte Waffen ahnen ließen ... Der weitere Verlauf brachte dann falsche Meldungen über angebliche Panzerunfälle auf Schwarzwaldstraßen. Inserate in der örtlichen Presse warben Holzfäller und Straßenbauarbeiter für den Schwarzwald an. Auch wurde durch schlecht getarnte Nennungen im Wehrmachtswunschkonzert die Versammlung stärkerer Verbände hinter der Oberrheinfront vorgetäuscht. Alle diese Andeutungen erhielt dann auch die deutsche Gegenspionage als Material für feindliche Agenten ...«

Dem Einfallsreichtum waren keine Grenzen gesetzt!

Und tatsächlich blieben diese Täuschungsmanöver, wie sich später zeigen sollte, nicht ohne Erfolg.

Vierzehnmal hat Hitler den Angriff im Westen befohlen und vierzehnmal hat er ihn wieder verschoben. Das letzte Mal, weil er inzwischen Deutschlands strategische Nordflanke bedroht sah. Er entschloß sich, zunächst das Unternehmen »Weserübung« zu starten – die Besetzung Dänemarks und Norwegens. –

Und dabei passierte die erste PK-Panne.

In der Nacht vom 8. zum 9. April 1940 stach von Travemünde aus das Motorschiff »Hansestadt Danzig« in See. An Bord befand sich das 1. Bataillon des Infanterieregiments 308, meist Schwaben und Sudetendeutsche, außerdem einige Männer der Marine-PK, sowie ein Zug einer in Potsdam gerade erst neu aufgestellten Heeres-Propagandastaffel. Erst nachts um 2 Uhr, als sich das Schiff längst im Belt befand, wurde endlich das Einsatzziel bekanntgegeben: Kopenhagen!

Im Handstreich sollte die Stadtzitadelle genommen werden; Marine-PK war eingesetzt für die Berichterstattung und sollte außerdem sofort die Kontrolle über die dänischen Zeitungen übernehmen.

Eine ganz besondere Aufgabe fiel dem PK-Sonderführer Curt Bennewitz zu: Mit 25 Mann Infanterie sollte er das Rundfunkhaus besetzen und den Sendebetrieb übernehmen. In einem versiegelten Umschlag führte er ein äußerst wichtiges Papier mit sich, den Aufruf an das dänische Volk, der Punkt acht Uhr von Radio Kopenhagen gesendet werden sollte.

Als die »Hansestadt Danzig« nachts gegen fünf Uhr die Hafeneinfahrt passierte und in schneller Fahrt unmittelbar unter den schweren 30,5-cm-Festungsgeschützen vorbeilief, kam von Land her über ein Megaphon die Anfrage »Wer sind Sie und wohin wollen Sie?«

Erst in diesem Augenblick wurde auf dem Motorschiff die deutsche Kriegsflagge gehißt und von einem Bordscheinwerfer hell angestrahlt.

Jetzt wurden die Dänen wach! Der Kommandant des Forts, gerade erst seit vier Tagen auf diesem Posten, gab sofort Befehl, einen Warnschuß abzufeuern, – aber die Granate blieb im Rohr stecken! Nur einige Maschinengewehre tackerten, als die »Hansestadt Danzig« um 5.20 Uhr am Langelinie-Pier in der Nähe des Kopenhagener Wahrzeichens, der bronzenen Meerjungfrau, festmachte. Doch dann kam plötzlich Verstärkung herbeigeeilt. Die Bärenmützengarde vom nahegelegenen königlichen Schloß Amalienborg war alarmiert worden und griff in den Kampf ein. Aber die Kampfhandlungen dauerten dadurch nur um wenig länger als ursprünglich vorgesehen war, und um 7.20 Uhr befahl König Christian X., den Widerstand aufzugeben.

Immerhin war durch das Eingreifen der Bärenmützen eine gewisse Verspätung eingetreten, und in dem entstandenen Durcheinander gelang es dem PK-Sonderführer Bennewitz nicht, die vorgesehenen 25 Infanteristen unter sein Kommando zu bekommen.

Die Zeit drängte. Kurz entschlossen suchte er nach einem Taxi, fand sogar eines, und der dänische Fahrer fuhr ihn auch brav zum »Starekasten«, dem Kopenhagener Rundfunkhaus.

Als er dann ganz allein im Fahrstuhl zum 6. Stock hinauffuhr, war ihm etwas unheimlich zumute. Was sollte er den diensttuenden Redakteuren und Technikern dort

114

oben sagen? Womöglich waren sie schon gewarnt und bereiteten ihm einen heißen Empfang?

Forsch öffnete er eine Tür. Es war der Verstärkerraum. Verblüfft sahen ihn die dänischen Kollegen an.

Bennewitz grüßte freundlich und stellte sich einfach vor: »Bennewitz – Deutsche Wehrmacht!«

Niemand leistete Widerstand. Man war auch sofort bereit, den Aufruf an das dänische Volk zu senden. Bennewitz übergab dem Sendeleiter den Briefumschlag mit der Proklamation; der überflog die ersten Zeilen davon, dann sagte er trocken: »Es tut mir leid, – aber das können wir nicht senden. Der Aufruf ist an die Norweger gerichtet. Hier aber ist Dänemark!«

Bennewitz starrte ihn verzweifelt an. Die Riesenpanne mußte bereits im OKW passiert sein. Die Briefe waren verwechselt worden! Ein anderer PK-Mann war zur gleichen Zeit und mit gleichem Auftrag zum Sender Oslo unterwegs und hatte dafür den Briefumschlag mit dem Aufruf für Dänemark bei sich.

Es war kurz vor acht Uhr. Bennewitz, der Kopenhagen aus Friedenszeiten gut kannte, ließ sich mit der deutschen Gesandtschaft verbinden und »fabrizierte« – wie er später selbst sagte – in wenigen Minuten eine neue Proklamation. Sie wurde kurz nach acht Uhr über Radio Kopenhagen gesendet.

Die gleichzeitige Invasion in Norwegen war außerordentlich verlustreich. Zwar hatte noch wenige Tage zuvor der deutsche Botschafter Dr. Bräuer in Oslo einen Einschüchterungsversuch unternommen, indem er hohen norwegischen Offizieren den gerade fertig geschnittenen Film »Feuertaufe« vorführte, der aus Aufnahmen deutscher Filmberichter in Polen zusammengestellt worden war und der mit einem infernalischen Bombenangriff deutscher Stukas auf Warschau endete, aber die Norweger hatten sich – obwohl tief beeindruckt – nicht einschüchtern lassen.

Schon die erste Nacht, während der auch das Kopenhagener Unternehmen abrollte, war zu einem blutigen

Auftakt geworden. Der schwere Kreuzer »Blücher« (19 600 t) wurde im Direktbeschuß im Oslofjord versenkt.

Max Ehlert – nach dem Kriege Titelbildfotograf des »Spiegel« – erinnert sich: »Ich trieb im Eiswasser und sah noch lange Zeit vor mir das riesige, gepanzerte Schiff, seine schweren Geschütztürme. Es ragte nur noch zur Hälfte aus dem Wasser, der Bug war bereits versunken. Plötzlich setzte sich der Schiffskoloß in Bewegung, rutschte – immer schneller werdend – schräg in die Tiefe. Auf dem Heck stand ein einzelner Mann. Er hob den Arm zum Deutschen Gruß. Mit donnerndem Getöse versank die ›Blücher‹ im Meer.«

Die deutschen Kriegsberichte über die späteren Kämpfe des Generals Dietl gegen eine vielfache Übermacht im hohen Norden Europas fanden in der ganzen Welt Beachtung.

Bis Ende Mai 1940 hatten die Kriegsberichter aller drei Wehrmachtsteile rund 300 Wortberichte, 250 Bildreportagen, 200 Rundfunkreportagen und 18 000 Meter Film nach Berlin geliefert.

Goebbels würdigte die Opferbereitschaft der Berichter, indem er bekanntgab, daß in knapp 14 Tagen 20 Prozent der PK-Männer der Propagandastaffel Norwegen gefallen seien.

Über den viele Wochen währenden heldenhaften Kampf deutscher Soldaten um die nordnorwegische Erzhafenstadt Narvik schrieb der PK-Mann Kurt W. Marek das erregende Buch: »Wir hielten Narvik«. (Nach dem Krieg drehte Kurt W. Marek seinen Namen um und schrieb unter dem Autorennamen C. W. Ceram den Archäologen-Roman »Götter, Gräber und Gelehrte«, womit er in die Liste der Bestseller-Autoren aufstieg.)

Bereits zehn Tage nach der Invasion waren alle norwegischen Rundfunksender in deutscher Hand gewesen, – bis auf einen, den nördlich von Narvik gelegenen Sender Tromsö. Er wurde am 20. April 1940 – als Geburtstagsgeschenk für Hitler – durch Fliegerbomben restlos vernichtet. Über den Einsatz der deutschen Luftwaffe berichtete eindrucksvoll der mitfliegende Luftwaffen-Kriegsberichter Dr. Werner Keller. (Nach dem Kriege mit »Und die Bibel hat doch recht« ebenfalls in der Liste der Bestseller-Autoren.)

Der Sender Tromsö wurde wieder aufgebaut und als deutscher Soldatensender in Betrieb genommen.

Mit der restlosen Besetzung Norwegens waren für Hitler die notwendig gewordenen Vorbereitungen für den Westfeldzug durchgeführt. Die deutschen Truppen waren den Engländern zuvorgekommen: Die Nordflanke ist gesichert.

Hitler kann den Befehl geben zum Angriff auf Frankreich – den fünfzehnten!

Dritter Teil

1 OFFENSIVE IM WESTEN!
MIT SCHLAUCHBOOTEN ÜBER DIE MAAS
DEN TOD FOTOGRAFIERT
HILDEBRAND UND HADUBRAND

Der Divisionsstab lag in Xanten.

Langsam rollte unser nagelneuer Mercedes 170 V durch die schmalen Gassen des verträumten kleinen Städtchens, gefahren von Unteroffizier Neidhart, dem Muster eines Preußen mit blinkenden Silberlitzen. Ich hatte das Gefühl, alle Leute schauten uns nach.

Das Tollste jedoch war: Tammo war jetzt dabei – anstelle von Toni – und saß als Truppführer vorn rechts im Wagen.

Bei Kriegsbeginn war er im ersten Durcheinander irrtümlich zur Infanterie eingezogen worden und hatte den Polenfeldzug als MG-Schütze mitgemacht. Erst als man – bei der Teilung der Propaganda-Kompanie – weitere Berichter benötigte, hatte man ihn wieder aus der Versenkung geholt.

Das war eine Freude gewesen, als er plötzlich vor mir gestanden hatte! Ich weiß nicht, wie oft wir uns gegenseitig auf die Schulter geklopft haben. Und wieviele halbe Liter wir dann hinunterspülten – zur Hochzeitsfeier unserer frisch geschlossenen ›Berichter-Ehe‹! –.

»Weißt du noch«, drängte es sich mir auf, »weißt du

118

noch, wie wir damals bei ›Donnerkeil‹ das schnelle Auf- und Absitzen üben mußten? Und wie uns jedesmal der Stahlhelm auf die Nase rutschte?! Genau ein Jahr ist das jetzt her! Seit diesem Mai – –!«

»Schnauze!« brummte Tammo leise und grinste über die Wagenlehne zu mir zurück.

Vor dem Haus, in dem der Ic-Offizier untergebracht war, ließen wir Neidhart halten und stiegen – mit gelassener Ruhe! – aus. Im Geschäftszimmer saß ein kleiner, älterer Unteroffizier. Als er das Wort ›Kriegsberichter‹ hörte, machte er ein dummes Gesicht. Anscheinend waren wir die ersten, die bei dieser Division aufkreuzten. Schmunzelnd ging er schließlich ins Nebenzimmer – ins Allerheiligste, zu seinem Chef.

Wir hörten durch die offene Tür, wie der Hauptmann aufstand und uns entgegenkam. Als er uns jedoch sah und feststellte, daß wir nur zwei ganz einfache Gefreite waren, kehrte er schnell wieder um, setzte sich hinter seinen Schreibtisch und musterte uns lässig durch sein Monokel.

»Sie sind mir also als Kriegsberichter zugeteilt«, näselte er, »äähh, – haben Sie schon Quartiere?«

»Nein, Herr Hauptmann«, antwortete Tammo, »wir sind soeben erst angekommen.«

»Na, dann lassen Sie sich nachher ein Privatquartier geben. Das erledigt mein Unteroffizier. – Wieviel Mann sind Sie eigentlich?«

»Vier Mann, Herr Hauptmann: ein Unteroffizier und drei Gefreite!«

»Was, äähh, sagten Sie? Ein Unteroffizier? Wo steckt der denn?«

»Er sitzt draußen im Wagen, Herr Hauptmann.«

»Und – äh, warum macht nicht der Unteroffizier die Meldung hier bei mir?«

»Der ist nur unser Fahrer, Herr Hauptmann!«

»Äähh – – –.«

Der Hauptmann hatte an diesem ersten Tage keine weiteren Fragen mehr – –.

Nun lagen wir also im Westen, in einer biederen, sauberen Kleinstadt mit Kopfsteinpflaster und Tradition. Jeder Landser hatte sein festes Bratkartoffelverhältnis, und am Sonntagvormittag ging man sogar brav mit in die Kirche. Die einzige Sorge war vielleicht die, daß eines Tages alles zu Ende sein könnte und alle wieder nach Hause müßten.

An Krieg dachte niemand mehr.

Vom Westwall hörte man die schnurrigsten Geschichten. Die Franzosen schössen zwar jeden Tag ein paar Schuß mit der schweren Artillerie herüber, – aber immer nur auf eine ganz bestimmte Stelle im freien Gelände. Und immer zur gleichen Zeit. Man benutzte das Zwischenspiel, die Uhren danach zu stellen.

Eines Abends jedoch war es mit der Ruhe in der kleinen Stadt vorbei. Irgend etwas lag in der Luft. Soldaten mit vollgepackten Tornistern und Wäschebeuteln in der Hand liefen zu ihren Sammelplätzen. Kradmelder jagten hin und her.

Was war los? Hatten etwa die Franzosen doch angegriffen? Nein. Alle Nachrichten, die durchsickerten, besagten, vorn sei es ruhig wie an jedem anderen Tage.

Tammo war beim Divisionsstab gewesen. Die neueste Parole lautete: eine Nachtübung sollte durchgeführt werden. Nur eine Nachtübung! Wahrscheinlich, um die müden Krieger einmal aus ihrem Dornröschenschlaf aufzurütteln. Allerdings sollte alles mitgenommen werden. Alles!

Jeder war nervös, ob Landser oder Offizier.

Wollte man etwa eine Verlegung des Stabes vornehmen? Um Gottes willen, – das wäre ja furchtbar! Man hatte sich doch schon so schön eingelebt, hatte seine Beziehungen, um alle Bedürfnisse zu regeln, und seine guten Quartiere. Und nun sollte man vielleicht ein paar Kilometer weiter wieder von neuem anfangen, Bratkartoffelverhältnisse zu gründen? Wozu diese unnütze Belastung? Warum ließ man nicht alles so, wie es war?

Und – Krieg? Nun ja, wir befanden uns ja mit Frankreich im ›Kriegszustand‹, und das genügte doch! Mehr wollten doch die Franzosen offensichtlich gar nicht. Und wir auch nicht.

Richtiger Kampf? Mit scharfem Schuß? Unsinn! Wegen Polen etwa? Das war doch längst aufgeteilt – unter Rußland und Deutschland. Es existierte ja gar nicht mehr.

Also blieb wirklich nur eine Möglichkeit offen: Nachtübung – und dann zurück in die guten alten Quartiere!

Bei Anbruch der Dunkelheit zogen die ersten Fahrzeugkolonnen durch die Straßen. Um Mitternacht brach auch der Divisionsstab auf.

Wir reihten uns hinter dem Wagen des Ic-Hauptmanns ein – als eines von vielen winzigen Pünktchen in einer endlosen Schlange von Fahrzeugen, die sich mit abgedunkelten Lichtern durch die Nacht bewegten.

Stunde um Stunde verging in langsamem Dahinrollen und Dahindösen.

Wo waren wir eigentlich? In welcher Richtung fuhren wir? Im Kreise?

Irgendwo wurde haltgemacht, die Fahrzeuge an den Waldrand gefahren und sorgfältig getarnt. Wir stiegen aus und vertraten uns die Beine. Die Kühle der Nacht war uns in die Glieder gefahren.

Ich schlug meinen Mantelkragen hoch, lief zu den anderen Wagen und fragte hier und dort einen Fahrer. Aber niemand wußte etwas Neues.

Neidhart, unser Unteroffizier-Fahrer, hatte Birkenzweige über den Wagen gelegt. Walterchen war von seinem Krad gestiegen und zu uns gekommen. Nun standen wir alle dicht zusammen und rauchten Zigaretten.

»Was meint ihr denn«, sagte Neidhart, »geht's los?«

Er hatte uns allen angeboten, untereinander ›du‹ zu sagen, wenn kein Offizier dabei war.

Walterchen machte ein nachdenkliches Gesicht. »Wenn ich an den Weltkrieg vierzehn-achtzehn denke – mein Gott! Was mein Vater mir da alles erzählt hat! Flammenwerfer! Tanks! Giftgas! Trommelfeuer – –. Als Kind habe ich sogar mal einen Film gesehen: Die Somme-Schlacht! Da sind Frauen ohnmächtig geworden und mußten rausgetragen werden – –.«

»Herrje, – bist du ein Scheißer!« sagte Neidhart. »Zeigen wir es den Franzosen doch mal! Wenn die es so haben wollen – die Franzmänner und die Engländer! Die stecken wir noch alle miteinander in den Sack!«

Wir rauchten und schwiegen.

Im Osten schlich das erste Licht des erwachenden Tages herauf.

»Hört ihr?« sagte Walterchen und hob lauschend den Kopf, »die Vögel werden wach!«

Zuerst waren es nur einige, die zaghaft begannen. Bald zwitscherte es rings um uns im ganzen Wald.

Gelb und rot leuchtete der Himmel. Ein schöner Frühlingstag kündigte sich an.

Plötzlich stutzte ich.

»Da! Flugzeuge!«

In großer Höhe blinkerten kleine Pünktchen in der Sonne.

»Und dort! Und dort!« schrie Sekunden später alles durcheinander, »Bomber! Deutsche Bomber! Ein ganzes Geschwader!«

Dann war es wieder still. Fast andächtig standen wir mit dem Blick zum Himmel in der Schneise und beobachteten das Schauspiel über uns. Nur leise vermischte sich das Brummen der Motoren mit dem Vogelgezwitscher.

»Also doch!« hörte ich Walterchen flüstern. »Also doch – –.«

Kurz darauf zerrissen Kommandos die Stille. Die Fahrzeugschlange setzte sich wieder in Bewegung. Und schon wenige Minuten später erkannten wir an einem zerbrochenen Schlagbaum, der neben uns im Straßengraben lag: wir hatten die Grenze überschritten! Wir waren in Holland!

Der Feldzug im Westen hatte begonnen!

»Schließen Sie sich dem Regiment vor uns an!« rief der Ic-Hauptmann uns zu, »die Kompanien erhalten in dieser Minute Befehl zum Angriff!«

Wir jagten mit dem Wagen davon, und schon waren wir mitten drin – im Krieg!

122

Neidhart war in seinem Übereifer zu weit vorgeprescht mit dem schnellen Wagen.

»Seid ihr wahnsinnig?!« schrien uns Landser an, die in voller Deckung im Straßengraben lagen, »Hier wird geschossen!«

Wir merkten es auch schon selber. Gewehrkugeln pfiffen uns durch das Verdeck und hinterließen kleine Löcher.

Neidhart stoppte, daß die Bremsen kreischten. Wir sprangen hinaus und warfen uns hin. Ich sah noch, wie Neidhart den Rückwärtsgang reinhaute und kräftig Gas gab.

Vor uns kreuzte eine breite Allee unsere Straße.

»Die Banditen sitzen auf den Bäumen und schießen auf uns – wie auf Hasen!« rief mir einer zu, der neben mir robbte.

Ich drückte den Kopf auf die Seite und machte die Leica schußfertig, stellte den Verschluß, die Blende –.

Da hörte ich, wie sich jemand von hinten an mich heranschob. – – Tammo!

»Paß auf«, sagte er, »gleich passiert etwas! Da rechts – der MG-Schütze – – macht sich zum Sprung fertig!«

Ich drehte mich um. Verdammt! Schon zirpte es über meinen Kopf hinweg. Aber nun sah ich ihn auch, den MG-Schützen, wie er seine Waffe umklammert hielt, – die Knie anzog, sich vorbereitete auf den Sprung – den entscheidenden Sprung.

Was dann geschah, war eine Sache von Sekunden. Mit einem Satz war er aus dem Graben, warf sich todesmutig mit seinem Maschinengewehr einfach mitten auf die Straße, und schon prasselten auch die ersten Garben aus dem Lauf.

Ich riß die Kamera empor. Der Kerl war tollkühn! Er setzte alles auf eine Karte!

Zischend fegten seine Geschosse in die Baumkronen. Blätter und Zweige wirbelten durch die Luft.

Für die Holländer mußte sein Angriff – noch dazu mit der überlegenen Waffe – so überraschend gekommen sein, daß sie keine Zeit mehr hatten, ihn mit dem Gewehr aufs Korn zu nehmen. Im herabrieselnden Laub stürzten etliche braune Gestalten leblos hinab auf die Allee.

»Fallen runter wie reife Pflaumen!« brüllte jemand durch den Gefechtslärm.

Dann war es vorbei.

Ich kroch hinüber zu Tammo, der sich schon wieder aufrichtete. Er schüttelte den Kopf. »War das nicht Wahnsinn von den Holländern – – auf die Bäume zu klettern! Reiner Selbstmord!«

Ich nickte ihm stumm zu. Aber nach einer Weile sagte ich doch noch leise: »Arme Hunde – –.«

Er sah mich für einen Moment verdutzt an, sagte aber nichts weiter.

Fünf Minuten später dachte schon keiner mehr an den Zwischenfall.

Hinter den Bäumen leuchtete ein saftiggrüner Uferstreifen herüber, durchsetzt mit großen Holunderbüschen. Dahinter glitzerte das helle Band der Maas. Ein idyllisches Bild – –. Bei genauer Betrachtung erkannten wir jedoch am jenseitigen Ufer einige flache rötlichbraune Bunker: die erste Verteidigungslinie der Holländer!

Im Augenblick war es noch vollkommen still. Kein Schuß von hüben und drüben verriet etwas von einem bevorstehenden Kampf. Aber überall arbeiteten sich bereits unsere Infanteristen vor, lautlos und unheimlich.

Im Graben neben der Allee, die höher lag und guten Schutz gegen drüben bot, tauchten Sturmpioniere mit Schlauchbooten auf. Geschickt und fast geräuschlos schoben sie sich vorwärts, sammelten sich, sprangen – Gruppe für Gruppe – über die Straße und verschwanden spurlos in Büschen und Sträuchern.

Tammo lag neben mir und beobachtete intensiv die Vorbereitungen zum Sturm.

»Denk jetzt nicht, ich wollte es mir leicht machen«, sagte er auf einmal, »aber für mich wäre es zweckmäßiger, auf den Hügel da hinten rechts zu gehen, – von dort aus könnte ich das Ganze besser übersehen. Du mußt natürlich näher dran sein – zum Fotografieren, hältst dich an die Pioniere, nehme ich an –.«

Ich runzelte die Stirn. »Feldherrnhügel – – was?« sagte ich ironisch. Ich war wirlich etwas überrascht und glaubte zunächst tatsächlich, er wolle es sich bequem machen. Ich muß jedoch hier gleich vorwegnehmen: Tammo war alles andere als ein Feigling. Das bekam ich später noch oft genug bestätigt. Außerdem tat er grundsätzlich nur das, was er für richtig hielt. Es hätte also gar keinen Zweck gehabt, ihm zu widersprechen.

Etwas enttäuscht sah ich ihm damals jedoch noch einen Augenblick nach, als er in geduckter Haltung im Straßengraben davoneilte. Dann schloß ich mich der nächsten Gruppe der Pioniere an und sprang mit hinüber auf die andere Straßenseite.

Überall im Gebüsch war es bereits lebendig geworden. Mit hochroten Gesichtern robbten die Pioniere auf der Wiese von Busch zu Busch, keuchend ihre schweren Schlauchboote neben sich herziehend.

Ein Leutnant, der die Mannschaften einwies, wurde auf mich aufmerksam.

»Kriegsberichter? – Sehen Sie zu, daß Sie in einem der ersten Boote mitmachen können! Aber beeilen Sie sich – es geht bald los!!«

Ich kroch bis zur Spitzengruppe vor, die im Schatten eines Holunderbusches bereitlag und nur noch auf das letzte Kommando wartete.

»Ich soll bei euch mitfahren!« rief ich hinüber.

Die Schlauchbootleute drehten sich verwundert um.

»Was willst du? Wir sind doch komplett –!«

Ich hielt meine Leica hoch. »Kriegsberichter! Der Leutnant schickt mich – –.«

»Der Leutnant – –?« Einer sah den anderen an, jeder schüttelte verständnislos den Kopf. »Im Boot ist kein Zentimeter Platz mehr«, sagte der erste vorn, »wir haben ein MG mit, und in der Mitte liegt alles voll mit Sprengladungen und Handgranaten – –. Es müßte höchstens einer von uns zurückbleiben – aber wer – –?«

»Das müßt *ihr* wissen! Wer!«

»Kannst du überhaupt paddeln?« fragte der erste wieder.

»Im Paddelboot habe ich schon mal gesessen – wenn auch nicht gerade in so einem Schlauchboot. Aber – warum soll es nicht gehen – ?«

»Kommt überhaupt nicht in Frage!« riefen jetzt alle durcheinander. »Anfänger mit ins Boot nehmen – jetzt! Wäre reiner Selbstmord! Für uns alle!«

Ich mußte es einsehen. Sie waren eine eingespielte Mannschaft – jeder Griff saß bei ihnen. Und wer von ihnen hätte auch im letzten Moment zurückbleiben sollen? Selbst, wenn es vielleicht einer gewollt hätte – –.

Wenige Meter neben mir entdeckte ich eine kleine Mulde, in die ich mich hineindrückte. Ich schraubte das Teleobjektiv in die Kamera und beobachtete die einzelnen Männer durch den Sucher.

Plötzlich heulten von drüben aus den Bunkern die ersten Granaten herüber.

Dumpf krachten die Einschläge in den weichen Boden und rissen schwarze Löcher in das soeben noch helle Grün. Dreckfontänen stoben in den Himmel. Splitter surrten. Erdklumpen flogen durch die Luft. Maschinengewehre tackerten und Gewehrfeuer peitschte.

Die Holländer hatten die Initiative ergriffen und das Abwehrfeuer ausgelöst, noch bevor der Sturm begonnen hatte.

Ich preßte mich an die Erde.

Aber ich ließ die Gruppe nicht mehr aus den Augen. Langgestreckt lagen die Männer neben ihrem prall aufgeblasenen schwarzen Floßsack. Ihre Fäuste hielten krampfhaft die Tragriemen umklammert.

Die meisten hatten sich zum Boot hingedreht. Einen jedoch konnte ich noch erkennen. Er hatte den Kopf zu mir gewandt. Sein Gesicht wirkte knabenhaft, fast zart – trotz der kriegerischen Umrahmung. Es zeigte einen entschlossenen Ausdruck, doch seine Augen flackerten unruhig. War es Angst? Angst vor dem, was jetzt kommen würde – in den nächsten Minuten?

Unzählige Male wird er es bei der Ausbildung geübt

haben: mit dem Schlauchboot aufspringen – im Laufschritt das Ufer erreichen – das Boot ins Wasser setzen
– mit eingezogenem Kopf über den Strom paddeln. Unzählige Male mochte er dabei geschwitzt und geflucht
haben!

Aber diesmal wird niemand ans Fluchen denken. Diesmal ist es Ernst.

Ich schaute über die Kamera hinweg.

Unsere Blicke trafen sich.

Das Knabengesicht unter dem Helm versuchte zu lächeln.

Ich riß die Leica an die Stirn. War das wirklich ein Lächeln? Jetzt noch – –? Groß wie ein Porträt hatte ich seinen Kopf im Sucher.

»Für die Zeitung!« rief ich ihm zu.

Er nickte nur. Und ich fand, jetzt sah er für einen
Augenblick richtig verträumt aus. Vielleicht dachte er an
zu Haus. Vielleicht dachte er, was die wohl sagen würden, wenn sie sein Bild plötzlich in der Zeitung sähen – –
seine Mutter – seine Freunde – sein Mädchen – –: Oh! Er
ist ein Held! Wie bin ich stolz auf ihn!

In Sekundenschnelle waren diese Gedanken durch
meinen Kopf gehuscht, doch nun sah ich etwas, das mir
noch lange nach jener Stunde zu denken gab.

Der junge Pionier wandte sich von mir ab und richtete
den Blick nach vorn.

Jeden Moment mußte der Befehl zum Sturm kommen.

Und da vollzog sich in seinem Gesicht eine Wandlung,
die ich mit der Kamera Bild für Bild verfolgte. Eben noch
hatte er mit zusammengepreßten Lippen aus engen
Augenschlitzen auf den Strom gestarrt, – aber jetzt, bei
einem krachenden Einschlag, keine fünf Meter vor seiner
Gruppe, der das Erdreich hoch aufspritzen ließ, durchfuhr es wie ein Schock seinen ganzen Körper. Er kroch
förmlich in sich zusammen, duckte sich tief in den Boden. Und als er dann den Kopf gewaltsam wieder hoch-
riß, da war es, als sei eine Maske von seinem Gesicht gefallen: weit aufgerissen waren die Augen, der Mund halb
geöffnet, als ringe er nach Luft – und in dem Antlitz, das

ich durch meinen Sucher sah, stand Angst, nackte Todesangst.

Mechanisch tippte mein Finger auf den Auslöser – schon war er neu gespannt – noch eine Aufnahme – und noch eine – –.

Ich war besessen davon, jede Phase seines Gesichtsausdrucks auf meinen Film zu bannen.

Nun folgte Einschlag auf Einschlag. Die Erde erzitterte unter dem Feuerhagel. Für einen Augenblick schien es mir fast, als wolle mein ›Fotomodell‹ ausbrechen – irgendwo hin – nur raus aus diesem Inferno –.

War es sein erster Einsatz, seine Feuertaufe? Oh ja, ich kannte sie gut, diese Angst – von Polen her, als ich beim ersten Beschuß glaubte, nun sei alles zu Ende. Nur ruhig Blut, mein Junge, hätte ich ihm zurufen mögen – das geht vorüber!

Er hatte den Kopf nach rückwärts gewandt – sein Blick irrte wie hilfesuchend über das Gelände –.

Da kam der Befehl zum Sturm.

Panzerabwehrkanonen bellten hinter uns auf.

Ein bescheidener Feuerschutz für solch ein Unternehmen!

Wie von einer unsichtbaren Hand gepackt, sprangen die Pioniere auf, rissen das Boot mit sich, stürmten über die Wiese – vorwärts – vorwärts – ungeachtet des feindlichen Feuers – –.

Ich behalte die Kamera ans Gesicht gepreßt – meinen Pionier noch immer groß im Sucher – drücke ab, spanne, drücke wieder ab, spanne – jeder Griff geht wie automatisch vor sich – es sollte eine ganze Bildserie vom Sturm werden – wie ein Film – –.

Nur noch wenige Meter ist die Gruppe vom Fluß entfernt – da durchfährt es mich wie ein Schlag – mein Pionier ist zusammengebrochen!

Ich sehe, wie die anderen über ihn stolpern, durcheinanderstürzen, wie das Schlauchboot alle unter sich begräbt – für Sekunden! Doch sofort raffen sie sich wieder auf, zerren von neuem an dem Boot, schleifen es bis ans Ufer, werfen es klatschend aufs Wasser, springen hinein, ducken sich nieder, paddeln zwischen den aufspritzenden Fontänen der Einschläge hinaus auf den Strom – –.

Ein Mann in ihrem Boot fehlt.

Wie erstarrt hocke ich in meiner Mulde.

Ich habe den Tod fotografiert. Den Soldatentod.

Zwanzig Schritte vor mir liegt er im Gras, der junge Pionier mit dem Knabengesicht.

Gleich haben die ersten Gruppen die Mitte des Stromes erreicht. Die Köpfe der Männer sind kaum noch in den Booten zu sehen, so flach haben sie sich hingeduckt. Nur ihre Arme ragen heraus und rudern wie Schaufelräder.

Dunkel heben sich die Floßsäcke vom hell spiegelnden Wasser ab – wie Zielscheiben! Das MG-Feuer der Holländer aus ihren Bunkern ist mörderisch.

Ich bin etwa zwanzig Meter nach vorn gesprungen, versuche die drüben liegenden Befestigungen in den Sucher zu bekommen.

Da gellen Schreie durch den Gefechtslärm. Ein Schlauchboot ist getroffen, zerschossen. Ich sehe, wie die Männer ins Wasser stürzen, ihre Stahlhelme vom Kopf reißen und mit den Fluten um ihr Leben kämpfen, wie einige sich an dem versinkenden Boot festkrallen, andere auf ein nachfolgendes zuschwimmen, das aber ebenfalls bereits versackt.

Und weiter kracht Salve um Salve von den Bunkern herüber, klatschen die Einschläge in das Tohuwabohu. Unsere wenigen Pak vermögen nicht das Abwehrfeuer der Holländer niederzuhalten.

Schwimmend versuchen etliche Pioniere an unser Ufer zurückzukommen.

Vor mir schiebt sich ein Schwerverwundeter mit letzter Kraft auf den Strand. Aber fast im gleichen Augenblick auch erreichen die ersten Schlauchboote das jenseitige Ufer, springen die Pioniere hinaus, werfen sich in Deckung, raffen sich wieder auf, stürmen vor. Mehrere geballte Ladungen krachen gegen die Bunkerschlitze, – graue Wölkchen steigen auf, Sprengwölkchen, die schnell im Winde verwehen. Andere Gruppen schleichen sich näher heran, um die Bunker von hinten her anzugreifen.

Ich weiß nicht, wohin ich mein Objektiv zuerst richten soll – schieße abwechselnd Bilder von drüben und von den absaufenden Schlauchbooten auf dem Strom.

Dann läßt das feindliche Feuer etwas nach – und ich bemerke zur gleichen Zeit, daß mein Film zu Ende ist. Ich muß ihn wechseln.

Ein Brocken Erde, der neben mir in die Kuhle klatschte, schreckte mich auf. Tammo hatte ihn geworfen.

»Ist etwas passiert – mit dir?« rief er.

Ich schob mich langsam rückwärts aus meiner Deckung und sprang hinüber zu ihm in den Straßengraben.

»Nein. Mir ist nichts passiert«, sagte ich nur.

»Du mußt ja tolle Bilder bekommen haben, da vorne!«

Ich schwieg und sah auf den Fluß hinaus. Ich konnte noch nicht darüber sprechen.

Plötzlich zischten schwere Granaten über unsere Köpfe hinweg zum jenseitigen Ufer.

»Das ist sie! Unsere schwere Flak!« sagte Tammo mit einem gewissen Stolz im Tonfall. »Endlich schießt sie!«

»Was heißt ›endlich‹?«

»Hör zu: Als ich dort hinten auf meinem ›Feldherrnhügel‹ stand«, begann er erregt, »kam auf einmal ein älterer Major heraufgeprustet und wies persönlich ein schweres Flakgeschütz ein. Leider rutschte die Zugmaschine im losen Sand immer wieder weg, so daß die Mannschaft sich vergeblich bemühte, die schwere acht Komma acht auf dem hügeligen Gelände in Stellung zu bringen. Sie war jedenfalls noch längst nicht feuerbereit, da sahen wir plötzlich, wie unten die Pioniere mit ihren Schlauchbooten aufsprangen. Da hättest du den Alten erleben sollen! ›Wahnsinn!‹ schrie er, ›das ist ja Wahnsinn, was die da machen! Wer hat denn da schon den Befehl zum Angriff gegeben?‹ – Er brüllte so, daß ihm die Halsadern anschwollen. Aber unten konnte ihn natürlich niemand hören. Dazu war die Entfernung zu groß. Wären unsere Pioniere ein paar Minuten später aufgesprungen, hätte unsere Flak denen da drüben die Luken vernagelt! Und es hätte nicht so viele Ausfälle bei uns gegeben. Aber so – ohne vollwertigen Feuerschutz – ging natürlich die erste Welle etwas schief – –.«

Er machte eine kleine Pause. Dann fügte er sarkastisch hinzu: »Imponderabilien – –.«

Ich nahm meinen Helm ab und wischte den Schweiß heraus.

»Hast du 'ne Zigarette?« fragte ich.

Er zog eine zerdrückte Packung R 6 aus der Hosentasche, suchte die am wenigsten zerquetschte Zigarette heraus und reichte sie mir.

»Du zitterst ja«, sagte er, als er mir Feuer gab. »Was ist denn?«

»Nichts –«, antwortete ich. Ich mußte erst selber wieder mit mir klarkommen.

Dumpf hallten Detonationen über den Strom zu uns. Die Pioniere hatten die Bunker gesprengt. Alles war in Rauch und Staub gehüllt.

Kurz darauf trat vollkommene Stille ein. Unsere Sanitäter bargen die letzten Verwundeten – es hatte auf den getroffenen Schlauchbooten Gott sei Dank keine Toten gegeben. Der Kampf um die erste Widerstandslinie war beendet. Die Holländer waren gefangengenommen worden oder hatten sich zurückgezogen.

Am Ende der Baumallee tauchten schwere Zugmaschinen auf, dröhnende Motoren zerrissen aufs neue die Ruhe: Brückenbaupioniere rückten mit Pontons an.

Die Kriegsmaschinerie war in Bewegung gekommen. Präzise wie ein Uhrwerk lief nun ab, was die Generalstäbler am Kartentisch berechnet hatten. Eine knappe Stunde später pendelten Pontonfähren über die Maas und setzten schwere Geschütze über.

Gleich auf der ersten waren wir mit hinübergefahren und schauten uns um. Die primitiven Bunker standen leer und ausgebrannt da, die Eisentüren waren von Sprengladungen zerrissen. Überall lagen Stahlhelme, Gasmasken, Gewehre und Kochgeschirre verstreut herum. Dazwischen hockten einige Dutzend Gefangene auf der Erde und blickten mit verstörten Gesichtern zu dem deutschen Gefreiten auf, der sie bewachte.

Tammo war stehen geblieben, musterte sie stumm von der Seite.

»Hm«, machte er dann, »– das sind sie also – unsere ›Feinde‹!«

Er schien einem Gedanken nachzuhängen und schüttelte nun den Kopf: »Eigentlich schade. Sind sie nicht Menschen, die uns im Wesen und in ihrer Art nahe verwandt sind – die fast dieselbe Sprache sprechen wie du und ich, – Menschen, die gar keinen Grund haben, mit uns Krieg zu führen?!«

Leicht verwundert hob ich den Kopf. Von dieser Seite hatte ich Tammo noch nicht kennengelernt. Er aber fuhr schon mit seinen Überlegungen fort, als spräche er mehr zu sich selbst als zu mir: »Das war ja schon immer die Tragik der Germanen – sie mußten gegeneinander kämpfen. Wie Hildebrand und Hadubrand im alten Heldenepos – der Vater gegen den Sohn –.«

Er schob sein Kinn vor, blinzelte in die Sonne: »Wie war das noch? Als Pennäler hatten wir einmal einen Aufsatz darüber schreiben müssen. Richtig –: Der junge Hadubrand wollte nicht glauben, daß ihm beim Zweikampf sein eigener Vater gegenüberstand, stimmt's? Und diesem blieb daher keine andere Wahl, als zu kämpfen und – seinen Sohn zu töten!«

Er schüttelte den Kopf.

»So war's damals – –. Und heute? Immer dasselbe! Heute ist er vielleicht holländischer Käsefabrikant – oder Tulpenzüchter, der Hildebrand. Und ein rheinischer Autoschlosser – der Hadubrand. Wenn auch nicht gerade Vater und Sohn, aber mit gleichem germanischem Blut – –.«

Ich wollte etwas Zustimmendes sagen, aber er winkte ab: »Schon gut, Schorsch, manchmal kommen einem so merkwürdige Gedanken –.« Er lachte kurz auf, es war ein bitteres Lachen: »Der Soldat soll nicht zuviel denken, sondern einfach seine Pflicht tun! Also, Alter, – ran! Machen wir weiter!«

Die Gefangenen hatten bei seinem Auflachen die Köpfe gehoben. Sie schauten uns schweigend und nicht gerade sehr freundlich an. Tammo blieb stehen, überlegte. Dann ging er entschlossen ein paar Schritte auf die am Boden Sitzenden zu:

»Mijnheers«, redete er sie an, »hoffentlich verstehen Sie mich, ich kann kein Holländisch, – aber ich habe nicht über *Sie* gelacht – keinesfalls! Ich habe nur über mich selbst gelacht«, er wies mit dem Finger auf seine Brust, »– verstehen Sie mich?«

Die Gesichter der meisten Holländer blieben ungerührt, aber zwei der dicht vor ihm sitzenden Gefangenen nickten lächelnd und machten den anderen beschwichtigende Zeichen. Und der eine der beiden, ein dicker Glatzkopf, sagte auf einmal klar und deutlich:

»Ich – Käsefabrikant! Und du – anständiger Mensch!«

Tammo riß den Mund auf: »Teufel! Er hat alles verstanden! Was sagst du nun, Schorsch?«

Der Glatzkopf schlug sich auf seine Knie und lachte ungeniert heraus. Und sogleich fielen alle seine Kameraden mit ein, und der ganze Haufen lachte uns an.

Wortlos griff Tammo in seine Tasche, warf ihnen seine noch halb volle Zigarettenschachtel zu.

Der wachthabende Posten sah uns verwundert nach, als wir, kurz an unsere Helme tippend, davonschritten.

Nachdem wir wieder zum diesseitigen Ufer zurückgekehrt waren, zog es mich wie automatisch zu der kleinen Mulde, in der ich vorher gelegen hatte. Während Tammo bei der Fähre zurückgeblieben war, um sich noch Notizen über die verschiedenen Einheiten und Geschütze zu machen, fand ich – nicht weit von der Stelle, wo er gefallen war – meinen toten Pionier, der mir die ganze Zeit nicht aus dem Kopf gegangen war.

Da lag er, im Schatten eines Holunderbusches, mit einer Zeltbahn zugedeckt.

Ich bückte mich und hob das Tuch auf. Ich wollte ihn noch einmal sehen.

Er hatte ein friedliches, feines Gesicht. Wie aus Wachs

modelliert. Jemand mußte ihm die Augen zugedrückt haben. Seine Uniformbluse war halb geöffnet. An einer Schnur hing die Erkennungsmarke aus Aluminium heraus, deren untere Hälfte abgebrochen war. Ich konnte keine Verletzung an ihm erkennen, nur an dem einen Mundwinkel klebte ein Tropfen geronnenen Blutes.

Ich sah auf ihn nieder. Auch so ein junger Hadubrand, dachte ich, – getötet von Germanenhand. Gefallen im Kampf – auf dem Felde der Ehre, würde es heißen. Große Worte! Dabei hatte er wahrscheinlich noch gar keinen ›Feind‹ zu Gesicht bekommen, nie ›das Weiße im Auge des Gegners‹ gesehen – der gute Junge. – Irgendein Holländer hatte den Finger am MG krummgemacht, ohne zu wissen, ob und wen die Geschosse treffen würden. Vielleicht war es sogar der Käsefabrikant da drüben, der ihn auf dem Gewissen hatte.

Auf dem Gewissen? Ach, *das* blieb ja völlig unbelastet in diesem modernen Krieg. Was wußte man heute, im Zeitalter der Technik, davon, *wer wen* tötete?! Reiner Zufall also! Glück oder Pech – – der Heldentod auf dem Felde der Ehre! Eigentlich noch sinnloser, dieses anonyme Töten, noch barbarischer als der Zweikampf unserer Urväter in grauer Vorzeit! –

Da riß mich Tammos Stimme aus den Gedanken.

»Was machst du denn hier?«

Er stand neben mir, blickte verwundert von mir auf den Toten.

Ich benötigte einen Augenblick, um mich zu sammeln. Dann sagte ich:»Hier, in meiner Kamera, hab ich ihn auf dem Film – lebend! Vor einer Stunde hat er mir noch in den Sucher gelächelt –.«

»Na und –?«

»Ich habe ihn sterben sehen«, sagte ich leise, »vorhin bei den Sturmpionieren. Eine Bildserie hatte ich machen wollen, von dem Gesicht eines jungen Soldaten – vor dem Sturm – im Sturm – und – –.«

Mir würgte es in der Kehle.

Tammo sah mich mit einem etwas zweifelhaften Blick von der Seite an:»Und nun willst du wohl die letzte Aufnahme machen – als Schluß für die Serie, wie? Heldentod und Verklärung –?«

Daran hatte ich nun – weiß Gott – wirklich nicht gedacht.

Ohne meine Antwort abzuwarten, fuhr er schon fort: »Eigentlich keine schlechte Idee! Andererseits: Wer will das schon sehen? Am wenigsten das Propaganda-Ministerium! Du weißt ja selbst: Tote sind auf Bildern nicht erwünscht – jedenfalls keine deutschen. Für Propagandazwecke ist so was nicht geeignet!«

Stumm senkte ich den Kopf. Natürlich wußte ich, wie recht er hatte. Sinnlose Filmverschwendung würde man sogar noch sagen. Aber das Wort ›nicht erwünscht‹ hatte mich irgendwie getroffen. Auch das war also Tammo: hart und streng logisch.

Ich blickte noch einmal in das Gesicht des jungen Toten. Nur gut, daß er das nicht hören konnte, dachte ich. Was würde er wohl darauf antworten? Würde er damit einverstanden sein, daß man sein frühes Ende mit der schönen Phrase ›Heldentod‹ schmückte – die Wirklichkeit im Bild zu zeigen jedoch aus gewissen Gründen und wohlüberlegt vermied?

Aber der Tote gab keine Antwort.

Und Tammo faßte mich am Arm. »Komm, ich weiß, was du denkst. Aber es hat doch keinen Sinn, darüber zu grübeln. C'est la guerre! Wir haben andere Aufgaben. Sieh, da drüben schaffen sie gerade ein paar Pfunds-Geschütze über das Wasser, hab solche Brocken noch nie gesehen – dolle Kanonen! *Das* gibt Bilder!!«

Ich nickte. »Hast recht, Tammo«, sagte ich, beugte mich nieder und deckte den Toten behutsam wieder zu.

Dann gingen wir zusammen zum Flußufer zurück, und ich knipste die ›dollen großen Kanonen‹ – –.

2 BELGIEN KAPITULIERT
RISKANTER TRIP INS NIEMANDSLAND

».. . hat der König der Belgier den Entschluß gefaßt, dem weiteren sinnlosen Widerstand ein Ende zu bereiten und um Waffenstillstand zu bitten . . .«

Diese Nachricht erreicht uns durch einen Lautsprecherwagen im Morgengrauen des 28. Mai auf der Straße von Knesselaere nach Oedelgem.

Ein Jubelschrei steigt aus den Kolonnen der vorbeiziehenden Landser auf. Im Nu sind alle Strapazen, ist alle Müdigkeit vergessen.

»Ich rieche Seeluft!« ruft Tammo aus. »Kinders, – laßt uns durchpreschen bis an den Kanal!«

Schon sitzen wir im Wagen. Walterchen fährt brav mit seinem Krad hinter uns her. Wir haben eine herrliche, glatte Asphaltstraße erwischt, die Räder unseres Mercedes singen unter uns. Keine Menschenseele ist weit und breit zu sehen.

»In einer Stunde sind wir in Ostende –!« sage ich freudig, »es ist kaum zu fassen!«

Neidhart drückt auf das Gaspedal.

Der Regen hatte aufgehört. Ein frischer Wind bläst uns um die Ohren. Tammo singt vor Übermut Soldatenlieder. Ich summe kameradschaftlich die zweite Stimme mit.

Kurz bevor wir die See erreichen, taucht links eine Anhöhe auf.

»Die ersten Dünen!« ruft Tammo.

Aber gleich fährt er fort: »Bißchen langsamer, Neidhart! Da liegen anscheinend Soldaten – – man kann ja nicht wissen –.«

Neidhart bremst etwas ab.

Jetzt sehe ich es auch: da liegen khakibraune Gestalten – ganze Kompanien können es sein.

»Sie erheben sich –!« ruft Tamo erregt. »Sie beginnen zu laufen!«

»Sie formieren sich!« schreie ich.

Neidhart tritt hart auf die Bremse. »Verdammt noch

mal – das fehlte uns noch, daß die noch nichts vom Kriegsende wissen!«

»Mensch, Schorsch, – sie treten an!« sagt Tammo endlich erleichtert, »sie treten an – für uns!«

Zuerst hatten wir geglaubt, ein paar Dutzend vor uns zu haben, dann schienen es ein paar hundert zu sein, schließlich schätzen wir, daß es ein paar tausend Mann sein müssen, die da in Reih und Glied angetreten stehen.

Neidhart hat den Mercedes ausrollen lassen.

Von der Höhe kommen drei belgische Offiziere herab und stellen sich neben unseren Wagen. Der älteste von ihnen – anscheinend ein Oberst – grüßt höflich und macht in gutem Deutsch Meldung über die Zahl der angetretenen Offiziere, Unteroffiziere und Mannschaften. Seine Stimme zittert vor Erregung, als er die genauen Zahlen über Maschinengewehre und Granatwerfer nennt, die sauber mitsamt den Gewehren zu großen Haufen vor den angetretenen Kompanien gestapelt sind.

Tammo ist ganz ernst geworden.

Auch mir wird irgendwie feierlich zumute.

Da steht der weißhaarige Kommandeur vor uns, leicht gebeugt, die Hand an der Mütze, ein Mann, der das Kriegshandwerk zu seinem Lebensinhalt gemacht hat und dessen Lebensaufgabe hier in dieser Sekunde endet.

Tammo legt ebenfalls die Hand an die Mütze, obwohl er weiß, daß ihm, als einfachem Gefreiten, diese Offiziersgeste nicht zusteht, und nickt dem Alten für die korrekte Meldung ein freundliches »Danke sehr!« zu. Vor Überraschung, vielleicht auch vor Ergriffenheit, bringt er zunächst nichts weiter heraus. Aber dann fängt er sich.

»Bitte lassen Sie die Leute wegtreten«, fügt er gemessen hinzu, »wir sind nur ein Vorkommando, – die endgültige Übernahme erfolgt später durch nachfolgende Einheiten.«

Ich fühle, er will es dem Oberst schonend beibringen, daß er die Meldung vor Unberufenen gemacht hat. Wahrscheinlich hatte uns der Oberst für höhere Parteileute gehalten.

Ich springe vom Wagen und fotografiere – so peinlich es mir dem alten Herrn gegenüber auch erscheint – die Szene von allen Seiten.

Der Kommandeur tritt würdevoll, noch einmal eine leichte Verbeugung andeutend, vom Wagen zurück.

Neidhart schielt auffällig zu den Pistolen hin, die die drei Offiziere umgeschnallt tragen. Aber Tammo bemerkt rechtzeitig, was er im Sinn hat, und wirft ihm einen miß-billigenden Blick zu: »Unteroffizier, fahren Sie weiter!«

Ich springe wieder auf, und langsam fährt Neidhart an.

»Schade«, sagt er, »waren bestimmt prima belgische FN 9-mm-Pistolen – –.«

»Schnauze!« zischt Tammo ihn an. Und diesmal klingt es absolut nicht so gemütlich wie sonst. »Hast du gar kein Gefühl für Anstand? Sollen wir uns wie Strauchdiebe benehmen?«

Sonne! Wasser! Strand!

Wir hielten auf einem Sandweg oberhalb der Dünen. Über uns tiefblauer Himmel. Kein Krieg. Kein Schießen –.

Doch – was war denn da unten am Strand los?

»Könnt' man beinah für'n Freikörperkulturverein hal-ten«, lachte Tammo.

Tatsächlich! Wenn es damals schon das ›Abessinien‹ – die Nacktkulturzone auf Westerland – gegeben hätte, wir hätten uns nach dort versetzt fühlen können. Da unten am Ufer tummelten sich mehr als hundert Männer – split-ternackt, wie die ersten Menschen im Paradies.

»Die Saison ist eröffnet!« rief uns einer lachend entge-gen.

Offensichtlich hatte ein loyaler Vorgesetzter die gute Idee gehabt, seinen Männern ein erfrischendes Bad in den kühlen Fluten des Kanals zu gönnen.

Ihre Uniformen lagen fein säuberlich gefaltet unterhalb der Düne, ihre Gewehre standen griffbereit davor zusam-mengestellt.

Das Verrückte jedoch war – und der skeptische Leser mag es mir glauben oder nicht – inmitten der teils her-umtobenden, teils sich schreiend in die Brandung werfenden Nackedeis stand da unten auf dem gelben Strand im prallen Sonnenlicht ein pechschwarzes Etwas, das sich bei genauerem Betrachten als ein nagelneuer Stutzflügel erwies. Rätselhaft, wie er dort hingekommen sein mag! Vielleicht haben ihn vor uns dagewesene Tommies aus einer der Villen geholt und zu ihren Strandbelustigungen benutzt – –?

Wir verließen unseren Wagen, stiegen die Düne hinunter. Mein Foto-Jagdtrieb war erwacht – dieses Bild mußte ich natürlich festhalten.

Die Landser kümmerten sich nicht viel um uns und ließen sich in ihrem Allotria nicht stören. Ich fand eine alte Apfelsinenkiste, setzte mich an den Flügel, schlug den Deckel auf und prüfte mit ein paar Passagen aus Schuberts As-Dur Impromptu seine Beschaffenheit. Er war noch durchaus in Ordnung. Walterchen setzte sich neben mich in den Sand und sagte: »Schöööön!«

Dann aber trat eine hochgewachsene, nackte Gestalt zu uns, mit einem Lächeln auf dem sonnengebräunten Gesicht: »Wie wär's, wenn Sie den Kameraden ein paar zackige Schlager aufspielen würden? Können Sie das auch?«

Ich sprang auf. ›Sie‹ –? Das war also ein Offizier!

»Gern, Herr – – Oberleutnant«, erwiderte ich auf gut Glück; dem Alter nach konnte der Dienstgrad wohl stimmen.

Er winkte leutselig ab. »Sagen wir Leutnant – das genügt. Also, wie wär's mit einem Foxtrott oder so was, – Hauptsache, was Flottes!«

Ich warf mich in die Tasten. ›The Alexanders Rag-Time Band‹ war das erste, was mir gerade einfiel.

Und schon waren sie da, die Landser, umringten den Flügel, schlugen zum Takt in die Hände und grinsten mich beifällig an.

»Wir versaufen unsrer Oma ihr klein Häuschen!« rief einer auffordernd. Ich tat ihm den Gefallen und spielte den alten Schlager. Nun kannte ihre Begeisterung keine Grenzen. Sich gegenseitig an die Schultern fassend, vollführte die ausgelassene Horde einen tollen Indianertanz

– es sollte vielleicht Shimmy oder Charleston sein – rings um mich und den Flügel herum, während Tammo, Walterchen und Neidhart, beiseite geflüchtet, sich vor Lachen bogen.

Den Höhepunkt erreichte die Stimmung, als sich zwei der Adamssöhne mit einem Satz auf die Flügeldecke schwangen und dort oben einen Solotanz mit den groteskesten Verrenkungen als Sonderschau aufführten.

Mitten in die turbulente Szene platzte plötzlich vom Ufer her ein Ruf:

»Fliegeralarm!!!«

Die auf dem Flügel erstarrten in ihrer Bewegung, alle spähten über das Wasser hin in die Luft.

Und da sahen wir es auch: Zwei dunkle Punkte, die sich schnell vergrößerten, kamen direkt auf uns zu!

»Spitfires!« schrie der lange Leutnant, »Fliegerdeckkung!«

Tja, das war leicht gesagt! Nirgends ein Baum, ein Strauch! Und bis zu den Villen war es zu weit.

In Sekundenschnelle lagen alle flach im Sand. Ich selbst fand mich mit den beiden Solotänzern unter dem Flügel wieder. Wir waren der festen Überzeugung, die Tommies würden die hellen Körper auf dem weißen Sand gar nicht sehen. Und wenn schon – woher sollten sie wissen, daß wir Deutsche waren?!

Wir fühlten uns unter dem Flügel irgendwie sicherer und plierten vorsichtig in den Himmel. Und da sahen wir es zu unserer Überraschung: Die beiden Tommies gingen in Schräglage, drückten die Maschinen herunter zum Anflug auf den Strand. Sie mußten die nackten Badenden also doch erkannt haben! Würden sie aber wirklich auf uns schießen? Bis zum letzten Augenblick waren wir überzeugt, sie würden uns ungeschoren lassen.

Aber nein! Sie setzten zum Tiefflug an, und schon hörten wir ihre Maschinengewehre rattern. Die ersten Garben zischten ins Wasser. Reihen von Fontänen spritzten auf. Einige Schwimmer waren kurz vorher noch getaucht; ich verlor sie aus den Augen, denn nun mußten wir selbst den Kopf in den Sand stecken. In knapp dreißig Meter

Höhe fegten die beiden Maschinen über uns hinweg, aus allen Rohren feuernd.

»Verdammte Schweinehunde!« fluchte einer der Solotänzer neben mir, »schießen auf nackte Menschen! Diese Drecksäcke! Diese Drecksäcke!«

Dann war der Spuk vorbei, so schnell wie er gekommen war. Rings um uns erhoben sich die weißen Gestalten aus dem Sand. Es war Gott sei Dank niemand getroffen worden. Die im Wasser waren, liefen, so schnell sie konnten, auf das Ufer zu.

Ich kroch mit den beiden Nackten unter dem Flügel hervor, schüttelte mir den Sand von der Uniform. Alle starrten den landeinwärts fliegenden ›Mistfinken‹ nach.

Da erscholl schon ein neuer Ruf. Es war wieder der Leutnant. Er hatte ein Fernglas vor den Augen.

»Sie kommen zurück! Alles an die Gewehre!!!«

In wilden Sprüngen hastete alles zu den Waffen.

Und dann standen die Männer, weit voneinander entfernt, über den ganzen Strand verteilt, das Gewehr im Anschlag!

Sekunden später prasselte ein wütendes Abwehrfeuer den zum zweiten Angriff ansetzenden feindlichen Maschinen entgegen, an dem sich auch Tammo, Walterchen und Neidhart beteiligten, während ich versuchte, die jetzt breitbeinig aufrecht stehenden nackten Kerle mit den englischen Maschinen zugleich in den Sucher meiner Kamera zu bekommen.

Natürlich waren wir uns darüber im klaren, daß mit Gewehren wohl kaum etwas gegen die mit riesiger Geschwindigkeit über uns hinwegbrausenden Spitfires auszurichten war. Aber so leicht sollten sie es nun doch nicht mit den harmlosen Strandbummlern haben.

Und tatsächlich: eine von den Hunderten abgefeuerter Kugeln mußte überraschenderweise eine empfindliche Stelle getroffen haben. Als die beiden Angreifer im Sonnenglast in Richtung der englischen Insel verschwanden, sahen wir, daß die eine Maschine eine lange, schwarze Rauchfahne hinter sich herzog.

Der Jubel über die erfolgreiche Abwehr wollte kein

Ende nehmen, alles schrie und johlte durcheinander, und ich saß schon wieder am Flügel und griff gewaltig in die Tasten:

›Das kann doch einen Seemann nicht erschüttern – keine Angst – keine Angst – Rosmarie!‹

Nachts standen wir auf dem flachen Dach unserer ›Weißen Villa am Meer‹, einer der hübschen leeren Appartements-Villen an der Küste, die wir uns als Nachtquartier ausgesucht hatten. Weit hinten am Horizont mußte Dünkirchen liegen. Glutrot loderten dort Brände auf. In den tiefhängenden Wolken zuckte und flackerte es. Ein gespenstisches Bild.

Es war nicht allein die Stadt, die da brannte. Turmhoch griff eine feurige Lohe in den Himmel. Ein Öllager stand in Flammen, die gesamten Ölvorräte der englischen Expeditionsarmee! Den Deutschen sollten sie nicht in die Hände fallen. Nun erfüllten sie einen anderen Zweck: Sie leuchteten den Briten wie eine Fackel auf dem Rückzug.

Nahezu 300 000 britische Soldaten waren hier eingeschlossen. Aber in diesem entscheidenden Augenblick hatte Hitler einen völlig überraschenden Befehl gegeben: Er hatte den erfolgreich vorpreschenden Panzereinheiten zehn Kilometer vor Dünkirchen ›Halt‹ befohlen.

»Unbegreiflich!« sagte Tammo zu mir. »Oder kannst du dir vorstellen, warum wir jetzt nicht hineinstechen in das Wespennest?«

Mir war das ebenfalls schon die ganze Zeit durch den Kopf gegangen. »Wäre es denkbar, daß er die Briten absichtlich schonen will? Eine gewisse Schwäche hat er ja schon immer für sie gehabt!«

»Da hast du vielleicht gar nicht so unrecht! Einmal soll er sie in einer Rede sogar ein Brudervolk genannt haben, das mit uns zusammen die Welt beherrschen könnte!«

»Möglicherweise genügt ihm der Prestigeerfolg, die Tommies im Handumdrehen wieder vom Kontinent zu verjagen?«

Tammo zögerte einen Augenblick, als erschiene ihm diese Version nun doch etwas zu simpel.

»Vielleicht will er nur Blut sparen mit diesem Befehl an die gesamte Heeresgruppe, Gewehr bei Fuß stehen zu bleiben, und meint, Görings Luftwaffe wird das schon allein schaffen – die Vernichtung der Engländer während der Flucht über den Kanal – –.«

Wir steckten uns Zigaretten an und schauten noch lange hinüber zu dem rotglühenden Horizont. Und fast gleichzeitig kam uns ein verwegener Gedanke: Wäre es möglich, dieses ›Halt‹ zu durchbrechen? Mit der Kamera? –

Es reizte uns, es zu versuchen.

Mit dem ersten Frühlicht brachen wir auf.

Der über den Wiesen und Äckern hängende leichte Morgennebel schien unserem Unternehmen günstig. Wir gingen zuerst eine weite Strecke landeinwärts, um unseren bevorstehenden Marsch parallel zur Küste antreten zu können.

Dann schlugen wir einen Haken, und schon bald erreichten wir unsere vordersten Linien. Ein MG-Schütze warnte uns noch: »Vor mir liegt nichts mehr!« Aber wir nickten nur, als wüßten wir Bescheid, und fragten, ob etwas von den Tommies zu sehen sei.

»Keine Menschenseele!« lachte er, »die ziehen sich laufend zurück!«

Tammo murmelte etwas von Sonderauftrag, und kurz entschlossen schlichen wir an ihm vorbei.

In der Ferne stand immer noch die riesige Rauchwolke am Himmel, die uns die Richtung wies – das brennende Dünkirchen.

Dann waren wir allein – allein im Niemandsland.

Äußerste Vorsicht war jetzt geboten. Unversehens konnten wir auf eine englische Nachhut stoßen. Nach jedem Sprung warfen wir uns hin und beobachteten eine Weile.

Nichts rührte sich.

Allmählich wurden wir leichtsinniger, unsere Sprünge länger.

Halb gebückt überquerten wir ein Wiesengelände, tauchten bei einer Baumgruppe unter.

Eine tiefe, beinahe unheimliche Stille lag über dem Land. Auf einer Weide sahen wir in der Ferne ein paar Kühe stehen – aber von Menschen war keine Spur weit und breit. Die gesamte Bevölkerung dieses Küstenstreifens mußte vor der Kriegsfurie die Flucht ergriffen haben.

Trotzdem sprachen wir jetzt kein Wort mehr, verständigten uns während des Schleichens nur noch durch Blicke: hierhin – dorthin – da, der Graben – –.

Und dann – wir wollten gerade eine einsame Scheune vorsichtig umgehen – packte mich Tammo plötzlich am Arm, blieb unbeweglich stehen. In gebückter Haltung horchten wir beide in die Stille. War da nicht ein Geräusch gewesen? Und nun hörten wir es wieder: es kam aus der Scheune. Menschliche Stimmen –.

Ganz langsam ließen wir uns zu Boden gleiten, blieben, bewegungslos an die Erde gepreßt, liegen und lauschten.

Gedämpft drang durch die Holzwand eine Männerstimme: »This is bathing-cap – everything allright – no Germans to be seen – I repeat: This is bathing-cap – –.«

Engländer!

Daß wir sie plötzlich so nahe vor uns haben könnten – damit hatten wir nicht gerechnet.

Wir wagten kaum noch zu atmen.

Einen Augenblick lang blieb alles still.

Hatte man uns entdeckt?

Endlich hörten wir Schritte. Und dann eine andere Stimme, von oben, die sagte: »Damned – not yet seven o'clock – and I'm hungry – like a dog –.«

Ich atmete erleichtert auf.

Und dann kombinierte ich: Es scheinen zwei Mann zu sein, – unten einer mit einem Funkgerät, und oben ein Posten am Ausguck. Und der hatte Hunger! Wie ein Hund! – Ein unwahrscheinliches Glück mußten wir gehabt haben, daß er uns nicht bemerkt hatte – –.

Tammo blinkte mir mit einem Auge zu. Auch er hatte verstanden, was die beiden gesprochen hatten.

Wir warteten ab.

Kurz darauf begann wieder die erste Stimme, die von unten: »Come down, George! I've got something for you!« Waren doch wir gemeint –? Unsinn, er meinte wohl, er habe etwas zu essen für ihn.

Und dann vernahmen wir, wie jemand langsam eine Leiter hinabstieg, ein Tapsen, ein Knarren –.

Diesen Moment mußten wir ausnutzen – nur schnell! Auf dem Bauch rutschend machten wir uns davon.

Erst in respektvoller Entfernung von der Scheune, in einer Sandkuhle, blieben wir liegen, um uns von dem Schreck zu erholen.

Tammo war ganz außer Atem.

»Das hätte ins Auge gehen können«, flüsterte er, »– wenn der George nicht solchen Hunger gehabt hätte!«

»Und – was nun?« fragte ich.

Er zuckte die Achseln. »Wir schleichen uns einfach weiter – noch langsamer, noch vorsichtiger – –«.

Nach einer Stunde wachsamen Vortastens näherten wir uns einem einsamen, einstöckigen Haus. Wir stellten fest: es war ein Gasthof. Direkt an einer Chaussee gelegen. Sicherlich wurde er in Friedenszeiten gern von vorüberfahrenden Fuhrleuten und Autofahrern für eine Erholungspause aufgesucht.

Jetzt lag er still und verlassen da. Nur eine schwarze Katze sonnte sich auf den Stufen zum Eingang. Bevor wir uns näher heranwagten, warteten wir im Schatten dicker Eichen und beobachteten das Gebäude eine ganze Weile. Wir schienen Glück zu haben, kein Laut drang zu uns heraus. Die Fensterläden waren zu.

Tammo drückte langsam die Klinke der Eichentür herunter: Verschlossen!

»Hab' ich mir gedacht«, flüsterte er.

Wir gingen gebückt um das Haus herum, probierten es bei der Hintertür – auch sie ließ sich nicht öffnen. Aber ein Kellerfenster war vorhanden, – ohne Gitter, ohne Fensterläden.

»Da müssen wir dem Herrn Wirt leider einen kleinen Schaden zufügen«, meinte Tammo und trat mit dem Fuß hinein. Durch einen Griff nach innen riegelte er es auf. Schnell krochen wir nacheinander ins Haus.

Im Keller roch es verlockend nach Rotwein. Doch wir hatten jetzt anderes im Kopf. Zwischen Kisten und Fässern hindurch tasteten wir uns zur Treppe vor und landeten in der Küche. Einen Moment verharrten wir und lauschten. Alles blieb totenstill. Darauf betraten wir die Gaststube. Die Fensterläden ließen nur ein paar helle Lichtstreifen in das schummrige Halbdunkel fallen. Hinter dem Tresen standen Flaschen und Gläser an ihrem Platz – die Bewohner mußten das Haus Hals über Kopf verlassen haben. An einer Reihe Haken neben dem Buffet hingen die eingespannten Zeitungen für die Gäste. »Sonnabend, 25. Mai 1940« las ich. Und als dicke Überschrift: CAMBRAI DEFENDU – LES ALLEMANDS BATTUS! –

Tammo schmunzelte: »Was sagst du dazu: Cambrai verteidigt – Die Deutschen geschlagen!«

Er ließ seinen Blick über die Flaschen gleiten: »Lauter gute Sachen – –!« Aber gleichzeitig schüttelte er den Kopf und meinte mit einem leisen Stoßseufzer »Später!« –

Wir stiegen vom Flur aus die Treppe zum ersten Stockwerk hinauf – jetzt beide unsere Pistolen in den Händen, belgische FN 9 mm, die uns Gendarmen in Brügge übergeben hatten – öffneten die Tür eines Gästezimmers, traten ans Fenster und schoben vorsichtig die Läden einen Spalt auseinander.

Ja, da hinten glitzerte Wasser: der Kanal! So hatten wir es uns vorgestellt! Aber leider versperrten die dicken Eichen jede Aussicht auf den Strand.

»Verdammt«, sagte Tammo, »wir müssen aufs Dach, – da hilft alles nichts!«

Also die steile Bodenstiege hinauf – eine Dachluke geöffnet und vorsichtig den Kopf hinausgesteckt. Tammo hielt mich von unten fest.

»Siehst du was? Wird es langen für dein Tele – –?« fragte er gespannt.

Oh ja! Aber es war etwas, das mir für Sekunden die Sprache verschlug. Quer über die Wiese da hinten ka-

146

men drei Tommies an. In voller Ausrüstung, die Gewehre unter dem Arm. Völlig unbekümmert trotteten sie direkt auf unser Haus zu – keine zwanzig Meter mehr entfernt. Ich zog den Kopf ein.

»Runter!« stieß ich leise aus, »los, los, schnell!«

Tammo sah mich verdutzt an, als ich neben ihm stand und ihm im Flüsterton mitteilte, was ich gesehen hatte.

Jetzt war jede Sekunde kostbar. Eine Schießerei mußten wir auf alle Fälle vermeiden, um nicht weitere Tommies zu alarmieren –.

»Wohin –?«

»In den Keller!« riet ich, aber Tammo wehrte ab: »Nicht gut! Sie könnten da nach Schnaps und Wein suchen – deswegen kommen sie doch sicherlich nur! Wir müssen uns irgendwo einschließen!«

Er eilte zur Bodentür. Die bestand jedoch nur aus einzelnen Latten mit Zwischenräumen. Also schnell hinunter zu den Zimmern. Achtsam jedes Geräusch vermeidend, landeten wir auf dem Flur im ersten Stock, sahen uns hastig um. Tammo schien das Passende entdeckt zu haben, zog mich stumm mit sich fort bis zum Ende des Ganges.

Zwei kleine Türen lagen da nebeneinander. ›Pissoir‹ stand auf der einen, ›Toilettes‹ auf der anderen. Kurz entschlossen öffnete Tammo die letztere, wir huschten hinein, er drehte den Riegel um – wir waren erst mal in Sicherheit!

Im gleichen Augenblick hörten wir unten ein Krachen und Klirren. Die Tommies waren nicht so vorsichtig wie wir vorgegangen und rumorten in der Gaststube herum. Gläser klirrten, ein Stuhl polterte zu Boden. Und dann drang eine derbe Stimme zu uns herauf:

»Your health, boys! Let's have a drink – the Germans will pay for it anyway!«

Unser Versteck war nicht groß, und wir standen eng nebeneinander. »Wieder mal Schwein gehabt«, flüsterte Tammo, »ein Glück, daß du sie gesehen hast! Hier sind wir immer noch am sichersten – ewig werden sie ja nicht bleiben – –.«

Die Minuten schlichen dahin. Wir hatten den Abortdeckel zugeklappt und uns draufgesetzt, die entsicherten Pistolen in den Händen. Wir atmeten nur schwach, um besser lauschen zu können.

Unten war es stiller geworden.

»Sie packen wahrscheinlich ein«, raunte mir Tammo ins Ohr.

Aber dann zuckte er plötzlich zusammen.

Jemand kam die Treppe herauf.

Was suchte er hier oben?

Wir zogen unwillkürlich die Köpfe ein, horchten weiter angespannt. Das Tapsen kam den Flur entlang und direkt auf unsere Tür zu. Wir begriffen sofort, was der Tommy suchte. Es war ein ganz natürliches Bedürfnis, das ihn zu uns hinaufgeführt hatte; und wir zwei Pechvögel hatten ausgerechnet diesen Ort zu unserem Schlupfwinkel gewählt!

Instinktiv richtete Tammo die Mündung seiner Pistole auf die Tür. Da krachte schon die Klinke herunter – einmal – zweimal – dreimal – aber der Riegel hielt.

Ein Fluch von draußen: »Damned –!« Dann ein Fußtritt gegen die Türfüllung. Und noch einer – mit voller Kraft getreten. Die Tür erzitterte und bebte in allen Fugen – aber sie hielt stand.

Weiß Gott, – wäre sie aufgesprungen, ich glaube nicht, daß es zu einem Feuergefecht an diesem Ort gekommen wäre. Selbst Tammo hätte es kaum fertig gebracht, auf den von Bedrängnis geplagten Mann zu schießen, der vielleicht schon im Begriff war, seine Hose – – –.

Doch jetzt wurde es auf einmal vor unserer Tür ganz still. Wir hielten den Atem an – was hatte das zu bedeuten? Es waren auch keine abgehenden Schritte hörbar gewesen – der Tommy mußte also noch direkt vor der Tür stehen, keinen Meter von uns entfernt.

Dann war ein Rascheln vernehmbar – ein Drehen seiner Schuhsohlen auf dem Steinboden – – und nun verrieten uns unsere Ohren und Nasen, wie sich der Tommy aus der Affäre gezogen hatte!

Ich sah Tammo an. Er schnitt eine Grimasse, hielt sich

die Nase zu und atmete geräuschlos durch den Mund. Und ich dachte: jetzt nur nicht vor Lachen losplatzen – das wäre fatal!

Dem Mann draußen schien nun bedeutend wohler zumute zu sein – er fing leise an zu pfeifen: It's a long way to Tipperary –. Ab und zu unterbrach er das Lied mit einem Seufzer – –.

Nach einigen peinvollen Minuten hörten wir von unten einen Ruf: »Hallo, Charly, not yet finished? Come on! We want to go back!«

»Just a minute!« antwortete unser Belagerer.

Wir sandten einen Blick zur Decke – Gott sei Dank!

Und dann wieder das Rascheln von Kleidungsstücken – Schritte den Flur entlang – die Treppe hinunter. Unten ein Poltern, Flaschenklirren – endlich dreimal ein dumpfer Absprung vor dem Haus – und es wurde wieder totenstill in dem Gemäuer.

Nach einigen weiteren Minuten wagten wir uns aus unserem ominösen Versteck. Tammo blickte zu Boden. »Genau vor unsere Tür! Darauf einen Cognac, einen doppelten, – und dann nichts wie weg!«

Ich hatte einen kleinen Bogen geschlagen, lugte vorsichtig in Kniestellung über das Fensterbrett hinaus. Da gingen sie, die drei Tommies, schlenderten – uns den Rücken zukehrend – völlig unbekümmert über die Wiese, in jeder Hand drei Flaschen.

Ich überlegte. Jetzt noch einmal zu versuchen, auf das Dach zu gelangen, dort herumzukraxeln, wäre reichlich riskant.

Tammo schien meine Gedanken zu erraten.

»Laß man, Alter«, sagte er, »ich glaube, wir setzen uns lieber planmäßig ab.« Und mit einem Blick auf das Werk des Tommys am Boden fügte er lächelnd hinzu: »Vielleicht bringt es uns Glück – wer weiß – –!«

Und dann geschah das Überraschende: Kaum hatte er die Worte ausgesprochen, hörten wir ein dumpfes Brausen von Flugzeugmotoren, das schnell näherkam. Wir eilten mit einem Sprung noch einmal zurück in die Toilette, blickten zum Fenster hinaus in den Himmel. Da – ein ganzes Geschwader deutscher Stukas war im Anflug auf die Kanalküste. Und als ich den Blick senkte, da sah ich es: Ausgerechnet von diesem schmalen Klo-Fenster – nicht breiter als ein Handtuch – hatte ich, was wir vorher in unserer Not gar nicht bemerkt hatten – ein wunderbares Blickfeld bis hinüber zum Kanal! Die Chaussee machte gegenüber eine Biegung und gab den Blick frei für die von mir ersehnte Aufnahme. Draußen auf See war ein großes Schiff zu sehen, – zu ihm hin führte eine Art Hilfsbrücke aus Geräten oder Wagen – und davor am Strand wimmelte es wie in einem Ameisenhaufen von Soldaten. Alles war nur winzig klein zu sehen – bis auf den britischen Transporter – aber *den* mußte ich mit meinem Teleobjektiv mit Sicherheit gut erkennbar erfassen können.

Ich riß meine Kamera empor – visierte genau an – und dann kam sie, die große Chance, auf die man so oft vergeblich wartet: Sekundenschnell waren unsere Stukas über dem Transporter. Hunderte von Flakwölkchen standen am Himmel – der Lärm der englischen Geschütze drang bis zu uns herüber. Aber wie Raubvögel stürzten sich unsere Ju 87 auf die Beute. Riesige Wasserfontänen stiegen auf – Bombe auf Bombe rauschte nieder – – und ich drückte auf den Auslöser, spannte, stützte die Teleoptik auf den Fensterrahmen, um nicht zu verwackeln, drückte ab, spannte – – solange, bis eine gewaltige Rauchwolke das ganze Bild einnahm.

Aufatmend trat ich zurück. Ich fühlte, wie mir der Schweiß den Rücken hinunterlief.

»Es muß fürchterlich zugegangen sein – da drüben!« sagte ich, noch ganz benommen.

Tammo aber vollführte um die Hinterlassenschaft des Tommys einen wahren Freudentanz: »Mensch, Schorsch, – das ist *die* Aufnahme! Panische Flucht der Engländer! Pausenlose Vernichtung der britischen Expeditionsarmee durch unsere Luftwaffe! Menschenskind, – ich hab's dir ja gleich gesagt: es wird uns Glück bringen! Und es hat! Es hat!!« –

150

3 AM STRAND VON LA PANNE
DIE BRITEN HABEN DEN KONTINENT VERLASSEN
GOEBBELS BRAUCHT GEFANGENEN-FOTOS

Am nächsten Tag saßen wir wieder im Wagen und fuhren die Nahtstellen der Front ab, dort, wo unsere Landser den eingekesselten Engländern befehlsgemäß ›Gewehr bei Fuß‹ gegenüberlagen, rings um Dünkirchen.

Wir waren gerade auf der Asphaltstraße in Richtung La Panne, da tauchte überraschend der Kommandowagen unseres Hauptmanns neben uns auf. Wir hielten, sprangen vom Fahrzeug, und Tammo machte Meldung.

Schmunzelnd sah uns Hauptmann Fischer aus seinem braungebrannten Gesicht der Reihe nach an. Er war einer der wenigen PK-Offiziere, die selbst vom Fach waren – Schriftleiter einer Dresdner Zeitung[1] –, und jeder mochte ihn gern wegen seiner Art, mehr Kollege als Vorgesetzter zu sein.

»Rühren!« rief er jovial.

Er könne uns seine Anerkennung aussprechen, sagte er, und wir seien nach dem einstimmigen Urteil der Armee wie auch der entsprechenden Stellen des Propaganda-Ministeriums der beste Berichter-Trupp seiner Kompanie, sowohl was Tammos Berichte beträfe – »kurz, sachlich und doch absolut positiv in der Wirkung« – wie auch meine Fotos. Ich hätte sogar die höchste Zahl an veröffentlichten Bildern aufzuweisen. Dabei übergab er mir ein paar Zeitungen als Belegexemplare.

Auch unseren Einsatz im Niemandsland erwähnte er. Ich fürchtete schon, er würde uns eine Rüge dafür erteilen – Tammo hatte sich für alle Fälle die Ausrede bereitgelegt, wir hätten uns an der Front verirrt – aber im Gegenteil: Hauptmann Fischer schien sogar stolz darauf zu sein! Die Bilder seien leider noch nicht entwickelt gewesen, als er heute nacht von der Kompanie abfuhr, – er sei sehr gespannt darauf – –.

---

[1] »Der Freiheitskampf«.

Walterchen, der dicht neben mir stand, tippte mir verstohlen mit dem Daumen gegen den Oberschenkel. Neidhart stand unbeweglich. Und Tammo dankte dem Hauptmann in wohlgesetzten Worten – obwohl es ganz und gar unmilitärisch war – für das »uns alle vier ehrende Lob.«

Der Hauptmann nickte ihm wohlwollend zu – doch dann wurde sein Gesicht ernst. Er wüßte gut, begann er wieder, welche Einsatzbereitschaft unsere oftmals verkannte Arbeit erfordere, was allein schon dadurch dokumentiert werde, daß bereits zwei Kriegsberichter bei der Erfüllung ihrer Pflicht gefallen seien. Der erste in Polen, der zweite gleich zu Beginn der Kämpfe hier im Westen. Beim Angriff auf den Befestigungsgürtel von Pingjum habe dieser Kamerad den Soldatentod auf holländischem Boden gefunden. Aufrecht stehend – so hätten die Männer berichtet, die ihn zuletzt sahen – soll er die Kamera an die Stirn gepreßt gehalten haben, um die Stürmenden zu fotografieren, als die Kugel ihn traf.

Dann kam er speziell auf mich zu sprechen. Ob ich bereits Aufnahmen von englischen Gefangenen gemacht hätte, fragte er.

Englische Gefangene –? Wir hatten bisher überhaupt noch keine zu Gesicht bekommen!

»Das Propaganda-Ministerium in Berlin wünscht Massenbilder von gefangenen englischen Soldaten!« sagte er in energischem Ton. »Sehen Sie zu, daß Sie welche auftreiben, egal wie!«

Zur Bekräftigung nickte er auch Tammo dabei zu. Er schien überzeugt davon zu sein, daß wir diesen Befehl ausführen würden – ›egal wie!‹ – und fuhr mit seinem Wagen davon.

Tammo schlug mir freudestrahlend auf die Schulter: »Mensch, Schorsch! Wir sind der beste Trupp, hat er gesagt! Der beste Trupp!«

»Sind wir denn so gut?«

»Klar! Sind wir! Nur – – wenn wir jetzt keine Tommies auftreiben, sind wir die längste Zeit gut gewesen!«

Ein aufgefangener englischer Funkspruch, von dem wir beim Divisionsstab erfuhren, besagte: In dieser Nacht zum 1. Juni verläßt per Schiff in drei Wellen der Rest der englischen Streitmacht im Raume Nieuport – Dunkerque das Festland. Beginn der Verschiffung: nachts 12.30 Uhr.

Kaum zu glauben! Sollten die Engländer wirklich alle entkommen?

Am nächsten Morgen, ganz früh schon, sind wir am Strand.

Tatsächlich: es ist alles wie leergefegt! Von den Tommies ist keiner mehr zu sehen! Friedhofsstille umgibt uns!

Ungehindert laufen wir bis nach La Panne.

Schwere Flak steht noch schußbereit tief eingewühlt im Sand, daneben griffbereit Munitionskästen, Berge von Granaten.

Auch auf der prachtvollen Avenue steht Batterie um Batterie verlassen da, liegen Tausende von Fahrzeugen links und rechts im Straßengraben: Panzerkampfwagen, Gefechtswagen, ganze Sanitätskolonnen, eine Unmenge von Motorrädern, und dazwischen aufgedunsene, stinkende Pferdekadaver, – alles in einem unübersehbaren chaotischen Durcheinander.

Die Engländer haben den Kontinent verlassen! In heilloser Panik! In stockfinsterer Nacht!

Wir gehen hinunter ans Wasser.

Der lichtgelbe Sand ist übersät mit weggeworfenem Kriegsmaterial. Grünbraune Gasmasken – meist aus den Behältern gezerrt, Stahlhelme, Tornister, Gewehre, Munitionskästen, Brotbeutel, Kochgeschirre, ja, sogar Schuhe, Gummistiefel, Mäntel –.

Ich fotografiere.

Corned beef und angebissene Weißbrotscheiben, halb zugeweht vom fließenden feinen Sand – –.

Eine Tabakdose mit Navy-Cut, eine Pfeife, angebrochene Schokolade – –.

Briefe, Kinderbilder, die der Wind über aufgerissene Verbandspäckchen und blutige Mullbinden treibt – –.

Stilleben der Flucht. Stilleben, aus denen die Schrekkensszenen sprechen, die sich hier abgespielt haben müssen.

»Komm hierher!« rief Tammo mir zu. »Hier liegt das Zeug am dichtesten!«

Es sah wüst aus. Aber etwas fehlte. Die Gewehre!

»Das wirkt so nicht«, sagte ich, »– – erst die weggeworfenen Waffen ergeben die richtige Bildaussage!«

»– – Gewehre? Da drüben liegen sie doch massenhaft!«

Schon brachte er ein paar angeschleppt und warf sie mir vor die Kamera.

»Wie soll ich sie hinlegen? Wie willst du sie haben?«

Ich dirigierte ihn, während ich durch den Sucher blickte.

Irgendwo dazwischen lag ein geknicktes Foto: ein englischer Corporal mit seiner Frau und zwei Kindern.

Während Tammo alles zurechtschob, ging mir auf einmal der Gedanke durch den Kopf, daß ich ›stellte‹ – arrangierte! Daß ich Regie machte! Doch gleich mußte ich über mich selber lachen. So genau brauchte ich es wohl in diesem Falle nicht zu nehmen mit meinem Bemühen um objektive Berichterstattung!

Er schien mein kurzes Zögern bemerkt zu haben und fragte unwillig: »Was paßt dir denn nun schon wieder nicht? – Das Familienbild – die Gewehre im Sand – und rings herum das ganze Gelumpe – – einfach großartig!«

»Schon gut«, sagte ich.

»Schorsch, dieses Bild ist ein Dokument! In tausend Zeitungen wird es erscheinen! Und wenn der Krieg vorbei ist, wird es auch noch durch die gesamte Weltpresse gehen, in allen Kriegsbüchern, allen historischen Abhandlungen wirst du es finden! Und die Unterschrift wird lauten: Was übrigblieb vom englischen Expeditionsheer am Strand von La Panne!«

Wir gingen weiter.

Überall der gleiche Anblick.

Schließlich kamen wir auch an die künstliche Landzunge, die wir auf unserem Alleingang ins Niemandsland aus dem Fenster des Gasthofes in der Ferne gesehen hatten: Bei Ebbe mußten die Briten Hunderte von Lastwagen hinausgefahren haben, Seite an Seite, um auf diese Weise bei Hochwasser einen Landungssteg zu bekommen, über den sie auf die Schiffe gelangen konnten.

Wir kletterten hinauf, liefen auf den schwankenden Brettern entlang, die über die Lkws gelegt waren. Dreihundert, vierhundert Meter weit führte die improvisierte Landungsbrücke ins Meer hinaus.

Auf dem Dach des letzten Lastwagens, rings umspült von den Wellen, hockten wir uns hin.

»La Panne – die Panne!« sagte Tammo ironisch. »Das ist ein Titel – was?! Die Briten ins Meer getrieben! Keine drei Wochen haben sie sich hier gehalten, da war der Spuk vorbei! Das gibt einen Bericht heute, sage ich dir – –!«

Am Horizont lagen Schiffswracks, die ausbrannten. Rechts ein britischer Zerstörer in einer dicken Rauchwolke. Wir hörten seine Granaten explodieren, – es klang wie ein letzter Todeskampf – –. Links die Reste eines weiteren Kriegsschiffes, das bereits auf dem Grund festsaß.

Tammo wandte den Blick zurück zum Strand. »Merkwürdig, wir haben eigentlich gar keine Toten gesehen, stimmt's? Und auch kaum ein paar Bombentrichter am Strand. Ich kann mir nicht helfen, ich werde das Gefühl nicht los: es lag eine Absicht darin, sie zum größten Teil großmütig entkommen zu lassen.«

Er hatte sich eine Zigarette angezündet, sein Notizbuch aus der Tasche gezogen und sich ein paar Vermerke gemacht, während ich nachdenklich in das uns umgebende Wasser schaute. Jetzt aber stieß er mich unvermittelt von der Seite an und fragte: »Sag mal, woran denkst du eigentlich andauernd?«

Ich mußte lächeln. Wie gut er mich schon kannte!

»Nun ja«, antwortete ich, »mir gehen noch immer die Worte unseres Hauptmanns durch den Kopf: Bester Trupp – die größte Anzahl an Bildveröffentlichungen – Lob über Lob – – aber wofür letzten Endes? Alles, was ich bisher gesehen habe von meinen veröffentlichten Bildern, – was war das schon?! Jeder Knipser hätte *die* genauso machen können. Marschierende Landser – große Kanonen – Gefangene – Trümmer – was weiß ich, – – aber eigentlich war keine einzige Aufnahme dabei, die das wahre Gesicht des Krieges zeigt, also das, worauf es mir in erster Linie ankam. Das ist doch schließlich alles nur – wie soll ich sagen – bestenfalls die *halbe* Wahrheit, – du verstehst?«

Tammo holte tief Luft. »Sag mal, bist du wirklich so naiv, oder tust du nur so? Sollten sie etwa deine Bilder von den Leichenteilen auf dem holländischen Minenfeld bringen, die Aufnahmen von dem Karren mit den verstümmelten Menschenleibern, hinter dem die beiden Geistlichen hergingen? Oder die von dem Untergang des Schlauchbootes auf der Maas? Menschenskind, ich habe die ganze Zeit, die der ›Alte‹ da war, gefürchtet, er würde etwas über deinen Film mit der Serie von dem jungen Pionier sagen – mit seiner unverkennbaren Todesangst im Gesicht; und ich kann noch immer nicht begreifen, daß man dich nicht schon längst dafür angepfiffen hat!«

Ich fühlte, daß ich rot wurde.

Jetzt konnte ich ihm die Wahrheit nicht mehr verschweigen. Die gemeinsamen Erlebnisse der letzten Wochen hatten uns einander sehr nahe gebracht. Und ich sagte: »Ich habe ihn ja gar nicht abgeliefert – diesen Film!«

»Du hast ihn also noch?« Tammo sah mich mit hochgezogenen Augenbrauen an.

»Nein.«

»Was denn – du hast – –?«

»Ja, ich habe ihn vernichtet«, gestand ich. »Bei Licht aufgerollt. Ich bin – wenn du so willst – den Weg des geringsten Widerstandes gegangen – – leider!«

Er schien es kaum glauben zu wollen.

»Deinen besten Film – vernichtet?«

»Jetzt sagst du auch: meinen ›besten Film‹ – – nun komme ich nicht mehr mit! Das ist doch völlig inkonsequent – verzeih, aber –.« Ich kam nicht weiter.

Tammo hatte mir die Hand auf die Schulter gelegt –

das hatte er bisher noch nie getan – und sah mich groß an: »Also, nun hör mal gut zu, mein Junge. Du bist Bildberichter – mit einem Schuß Idealismus für deinen Beruf. Schön. Und ich persönlich kann mir sehr gut vorstellen, daß deine Aufnahmen von dem Heldentod – oder schlichter ausgedrückt: Tod – des jungen Pioniers menschlich gesehen großartig waren. Aber wir sind zur Zeit nicht im Frieden und nicht für eine beliebige Zeitung tätig, sondern mitten im Kriege für die Wehrmacht. Genauer gesagt: in einer Propaganda-Kompanie. Sagt nicht der Name allein schon alles, und sogar ganz klar und offen, was unsere Aufgabe ist: ›*Propaganda*-Kompanie‹. Übrigens auch so eine echte Goebbels-Masche, das Kind – ganz freimütig – beim wahren Namen zu nennen!«

Er zog die Beine an, umspannte sie mit den Armen.

»Also Propaganda! Und wofür, Schorsch?«

»Für den Krieg, wie?«

Er schüttelte lächelnd den Kopf. »Unsinn! Für den Sieg! Ist doch ganz klar! Krieg ist das gegebene Faktum – hat es immer gegeben und wird es auch immer geben, solange Menschen die Erde bevölkern. Aber wer *siegt* – darauf kommt es an. Und daran mitzuhelfen, an dem Sieg, – das ist unsere Aufgabe – durch positive Berichterstattung, – das hast du doch schon von Bernstorff beim Lehrgang in Berlin gehört!«

Seltsam: Für ihn war alles ganz einfach, und wenn ich ihn so reden hörte, wußte ich wirklich nichts dagegen zu sagen.

Und er fuhr schon fort:

»Wir erfüllen diese Aufgabe am besten, indem wir den Siegeswillen nach Kräften stützen und stärken! Und das geschieht am eindrucksvollsten und erfolgssichersten durch begeisternde Bilder und Berichte. ›Immer feste druff!‹ lautete die Parole des Kronprinzen im Weltkrieg 1914 und wurde im Handumdrehen zu einem geflügelten Wort von mitreißender propagandistischer Wirkung. – Und auch damals schon verschwanden stapelweise Fotos als ›nicht zur Veröffentlichung geeignet‹ in den Archiven, versuchte man, dem Volk den Krieg nur von der besten Seite zu zeigen – schufen sogar Künstler als Ersatz für die grausame Wirklichkeit die herrlichsten, heroischen Schlachtengemälde mit Hindenburg auf dem Feldherrnhügel und so – –.«

Er lachte: »Heute macht man das alles natürlich viel intelligenter und methodischer. Ich habe da neulich beim Stab eine unserer Wochenschauen gesehen. Junge, Junge! Die verstehen ihre Sache: nichts als siegreicher Vormarsch – lachende Landser – vorpreschende Panzer – Bomben werfende Stukas mit triumphaler Musikbegleitung – Heil und Sieg auf der ganzen Linie! Da kann dann ruhig der abendfüllende Zarah-Leander-Film folgen – ›Der Wind hat mir ein Lied erzählt‹ – und die Menschen gehen zufrieden nach Haus und können beruhigt schlafen.«

Mit einem eleganten Bogen schnippte er seine Zigarettenkippe ins Wasser, zuckte die Achsel: »Wozu die Heimat mit den Schrecken des Krieges belasten? Begeistern wollen wir sie und ihr immer wieder neue Kraft geben zum opferwilligen Einsatz! Opfer müssen nun mal gebracht werden – und wir haben dafür zu sorgen, daß sie *freudig* gebracht werden!«

Er schien mein Schweigen als Zustimmung zu deuten.

»Also, nicht wahr, Schorsch, du siehst es ein?! Sei vernünftig, laß mal deinen Reporter-Ehrgeiz vorläufig beiseite, mach dir nicht so viele unnütze Gedanken – zeig die positive Seite unserer Erlebnisse – und freue dich mit an diesen herrlichen Siegen! Herrgott, wir haben doch wirklich allen Grund dazu, stimmt's?«

Sein herzliches Lächeln entwaffnete mich. Ich konnte nicht anders – ich mußte es erwidern.

Tammo erhob sich, sog tief die frische Meeresluft ein: »Übrigens, in ein paar Wochen ist ja sowieso alles vorbei, der Krieg beendet, und du kannst wieder in der Heimat den objektiven Berichter spielen, wie es dir Spaß macht. Na, alles klar?«

Ich hatte mich ebenfalls emporgerappelt, nickte ihm zu: »In Ordnung, Tammo! Du mußt schon verzeihen, wenn ich manchmal – –.«

»Ach was«, unterbrach er mich, »ich verstehe dich doch! – Wollen wir uns nicht in Zukunft immer gleich offen alles sagen, was uns bedrückt? Wir sind doch nun mal die kleinste Einheit in der Wehrmacht – nur zwei Mann, abgesehen von Walterchen und Neidhart – auf einander angewiesen –.«

Er streckte mir die Hand hin: »Abgemacht?«

Ich schlug ein. »Abgemacht!«

»Auf denn, – nach Dunkerque! Zur Jagd auf gefangene Engländer! Let's go!«

Dünkirchen.

Die eroberte Stadt empfängt uns mit Schweigen. Einem Schweigen, das fast schwerer zu ertragen ist als das Dröhnen der Geschütze.

Straßenzüge sind kaum noch zu erkennen. Sie liegen unter Trümmern begraben. Nur der wuchtige Backsteinbau der Kathedrale ragt wie ein Felsen aus dem Chaos heraus.

Blaue Rauchschwaden.

Bizarre Silhouetten von Hausruinen.

Schwelender Schutt, in den der Wind fährt.

Totenstille, nur unterbrochen vom Knistern glimmender Balken. Oder vom Abrutschen von Gestein – –.

Wir klettern über Geröll hinweg.

Aus einem Kellerloch kommt eine alte Frau gekrochen.

Kreischend wirft sie den Kopf ins Genick, als sie uns erblickt, und gebärdet sich wie eine Irre. Die pausenlosen Fliegerangriffe der letzten Tage scheinen ihr den Verstand geraubt zu haben.

Dünkirchen! So also sieht das Vernichtungswerk der Stukas aus!

Wir gingen zurück zu Neidhart, der an der Kathedrale mit dem Wagen wartete. Um zum Hafen zu gelangen, mußten wir den verschütteten Stadtkern umfahren. Dort irgendwo sollte ein Gefangenenlager sein.

Immer noch stand die schwarze Rauchsäule der brennenden Öltanks am Himmel. Wir fuhren direkt darauf zu. Endlich, nach vielen Umwegen, erreichten wir die Kais.

Schornsteine und Masten ragen skurril aus dem Wasser. Ein zu Schrott zerbombtes Kriegsschiff, das bereits auf Grund steht, sieht aus wie ein riesiger Berg zerquetschter Konservendosen.

Dicht am Meer wieder Flakstellungen, umgeben von aufgestapelten Sandsäcken, Geschütze, die noch intakt sind, Berge von Munition rundherum.

Nicht weit davon entfernt wimmelt es von Menschen: das Gefangenenlager!

Hoch oben auf einem Kran sitzt ein deutscher Posten mit einem Maschinengewehr.

Ich klettere zu ihm hinauf.

Von hier betrachtet, wirkt das Gewimmel wie ein Ameisenhaufen.

»Wieviel sind das wohl?« frage ich den Gefreiten.

»Dreißigtausend – vierzigtausend – ich weiß es nicht!«

»Und wieviel Posten seid ihr?«

»Drei!«

Mir verschlug es die Sprache.

»Ja, drei! Da drüben auf den Kränen stehen die beiden anderen!«

Ich mache meine Übersichtsbilder. Nehme den MG-Posten in den Vordergrund.

Dabei erzählt er: »Es sind größtenteils Marokkaner. Sie schlottern vor Angst, frieren und haben Hunger und Durst. Glauben jetzt noch, sie würden erschossen werden. Das hat ihnen ihre Propaganda erzählt. Immer diese Scheiß-Propaganda – –! Darum muß man bei ihnen vorsichtig sein! Die sind verhetzt und zu allem fähig in ihrer Verzweiflung!«

»Sind keine Engländer dabei?« frage ich.

»Tommies? Keine gesehen! Die sind doch abgehauen!«

Eilig klettere ich wieder hinunter und berichte Tammo, was ich gehört habe.

»Fahren wir zur nächsten Mole, zum nächsten Kran!«

Doch dort bietet sich auch nur das gleiche Bild.

»Ich werde hineingehen, mitten ins Lager!« sage ich zu Tammo.

Aber er läßt mich nicht allein. Mit der Pistole in der Hand geht er hinter mir her. Für alle Fälle.

»Der Posten da oben mit seinem MG kann dir nicht helfen, wenn's drauf ankommt!« meint er.

Und wirklich, die Kerle da sehen unheimlich genug aus.

Gleich vorn liegt eine Gruppe Rotspanier in verwegener Aufmachung. Sie mögen in Barcelona schon gegen deutsche Soldaten gekämpft haben – im spanischen Bürgerkrieg. Kerle mit brutalen Gesichtern und eckigen Kinnladen.

Langsam schreiten wir zwischen farbigen Kolonialtruppen hindurch. Zusammengekauert hocken sie am Boden, so dicht nebeneinander, daß wir kaum noch einen Fuß setzen können. Unheimlich blitzt das Weiß ihrer Augen aus den schwarzen Gesichtern, wenn sie scheu zu uns aufblicken. Manchmal treffen uns jedoch auch lauernde, haßerfüllte Blicke.

Es ist nicht gerade sehr gemütlich.

Ein Marokkaner fletscht sogar die Zähne. Ich sehe: sie sind spitzgefeilt. Wie Raubtierzähne!

Sofort setze ich die Kamera an.

Anscheinend mißdeutet er mein Vorhaben und glaubt, ich wolle ihn erschießen. Ein Urlaut entfährt seiner Kehle, er springt auf, hat plötzlich ein Messer in der Hand und will sich auf mich stürzen.

Aber er kommt nicht dazu. Noch bevor Tammo die Pistole auf ihn richten kann, werfen sich andere auf ihn, reißen ihn nieder.

Es gibt ein Geschrei. Rings um uns erheben sie sich.

Ich rufe Tammo noch zu: »Nicht schießen!« Und Gott sei Dank, er beherrscht sich.

Da brüllt ein baumlanger ebenholzfarbener Kerl ein Kommando. Er trägt einen hochgewundenen weißen Turban. Anscheinend ein Offizier.

Ich verstehe nicht, was er sagt. Aber die Menge beruhigt sich. Die Köpfe um uns gehen wieder nieder, Köpfe mit roten Fezen, barhäuptige mit krausem, schwarzem Haar.

Wir schlagen einen Bogen um die aufgebrachte Gruppe.

Ein Stück weiter treffen wir auf einen ausgebrannten Lastwagen. Und welch ein Kuriosum: auf seinen Eisenstangen, die einst die Plane trugen, hängt ein ebenfalls ausgeglühter Pkw. Der Luftdruck einer Fliegerbombe muß ihn hinaufgeschleudert haben.

Ich klettere auf das Dach des Fahrerhauses. Und – ich traue meinen Augen nicht! – keine zwanzig Schritte vor mir sehe ich ein paar Dutzend Engländer! Weiße Engländer! Mit ihren flachen, tellerförmigen Helmen!

Sie marschieren auf mich zu, – an mir vorbei – durch eine schmale Gasse, die die Marokkaner freigemacht haben. Wahrscheinlich sollten sie von den Farbigen getrennt werden.

Schnell drücke ich auf den Auslöser, einmal, zweimal, dreimal. Es sieht aus wie ein langer Zug.

Mit einem Satz springe ich hinunter von meinem Podium.

»Tammo! Tammo! Ich habe das Bild für den Hauptmann! Gefangene Engländer! Zwar nicht sehr viele, aber immerhin – –!«

Tage später bringt Walterchen von der Kompanie eine Zeitung mit.

»Sieh dir *das* an«, ruft er, »nichts als Engländer auf deinem Bild! Tausend Briten! Und der Text erst –.«

Ich reiße ihm die Zeitung aus der Hand. Verblüfft lese ich die Bildunterschrift:

88 000 Engländer und Franzosen bei Dünkirchen gefangen! Aus der Flucht über den Kanal wurde nichts!

Im Zusammenhang mit diesem Text erweckt meine Aufnahme tatsächlich den Eindruck, als handele es sich um einen endlosen Zug von gefangenen Engländern. Auf die Idee, daß die Menschenmassen im Hintergrund Marokkaner sein könnten, kommt man nicht, wenn man diese Bildunterschrift gelesen hat. Und skrupellos wird behauptet, aus der Flucht über den Kanal sei nichts geworden!

»So wird's gemacht!« lachte Tammo. »Das ist großartig gelungen, Schorsch!«

Ich ließ die ›Bremer Zeitung‹ sinken.

Damals, an jenem Tage, beschlich mich ein seltsam beklemmendes Gefühl: ein Gefühl der persönlichen Unfreiheit, der Hilflosigkeit gegenüber einer Macht, die, unsichtbar hinter mir stehend, alles, was ich fotografierte, rücksichtslos in ihrem Sinne und für ihre Zwecke manipulierte.

Zugegeben: daß man nur einen ganz bestimmten Teil meiner Aufnahmen – die sogenannten ›positiven‹ – veröffentlichte, damit hatte ich mich abgefunden, so wenig ich auch die ›halbe Wahrheit‹ schätzte. Dies hier aber war eine bewußte Verdrehung der Tatsachen.

Da hatte ich mir am Strand von La Panne noch Gedanken darüber gemacht, ob man ein Bild ›stellen‹ dürfe oder nicht, – und hier setzte man sich an höchster Stelle über alle Skrupel hinweg und fälschte die Geschichte!

4 PARIS! DAS WETTRENNEN ZUR SEINE
PARIS ZUR ›OFFENEN STADT‹ ERKLÄRT
ALS ERSTE AM ARC DE TRIOMPHE

›Paris, 14. Juni 1940.

Die Hakenkreuzflagge weht auf dem Eiffelturm!

Der Marschtritt deutscher Bataillone dröhnt auf den Boulevards!

Was wohl niemand in dieser kurzen Zeitspanne für möglich gehalten hatte, ist zum Ereignis der Weltgeschichte geworden: Paris, die Hauptstadt, die Metropole, das Herz Frankreichs, ist eingenommen!

Eine Woge der Begeisterung brandet über unsere siegreichen Truppen – vom General bis zum Landser – eine unbeschreibliche Siegesstimmung hat alle erfaßt: Die Würfel sind gefallen, der Krieg ist entschieden – siegreich entschieden!‹

Mit diesen Sätzen begann Tammos Bericht an jenem denkwürdigen Tage. Und er schloß mit den Worten:

›Wieder einmal hat sich ein Führerwort bewahrheitet: »Nur ein Volk, das von einer großen, wahren Idee beseelt ist, vermag Geschichte zu machen.« –

Und wir alle können stolz darauf sein, dieses gewaltige Geschehen miterleben zu dürfen, für das uns kein Opfer zu groß sein soll.‹

Nun, wenn mir auch Tammos Stil diesmal recht überschwenglich und eine Nuance zu betont ›positiv‹ gehalten erschien – die Tatsachen sprachen für sich, und ohne die wirklich erstaunliche Einsatz- und Opferbereitschaft aller Truppenteile wäre der schnelle Sieg nicht denkbar gewesen.

Noch am Vortage dieses 14. Juni war erbittert gekämpft worden, hatte es Tote und Verwundete gegeben. Trotzdem hatte alle beteiligten Einheiten nur *ein* Gedanke beherrscht, *ein* Wort, ein Zauberwort: Paris!

Mit jeder Stunde hatte die Unruhe mehr um sich gegriffen, einem ansteckenden, hektischen Fieber vergleichbar, das jeden einzelnen Mann erfaßte. Jeder wollte als erster Bescheid wissen: Wann ist es soweit? Welche Division wird die Spitze bilden und zuerst in die ›schönste Stadt der Welt‹ einmarschieren?

Nachrichten, von Mund zu Mund weitergegeben, hatten sich wie ein Lauffeuer verbreitet:

Ostmärkische Division hat Pariser Schutzstellung durchbrochen!

Traditionsregiment der Hoch- und Deutschmeister erobert im Mann-gegen-Mann-Kampf das von Marokkanern verteidigte Mont l'Evêque!

Die französische Regierung aus der Hauptstadt geflohen!

Farbige Truppen verteidigen Paris!

Am Nachmittag dieses spannungsgeladenen Donnerstags standen wir, Tammo und ich, im Glockenstuhl des Kirchturms von La Chapelle und hielten Ausschau nach dem Eiffelturm. Ich hätte gern mit dem Tele eine Auf-

164

Am Strand von La Panne vor Dünkirchen:
Das britische Expeditionsheer – 300 000 Mann – hat in der Nacht zum 1. Juni 1940 den Kontinent verlassen.

Über diese ›Landungsbrücke‹ flüchteten die Engländer auf Transportschiffe, Segelyachten und Motorboote. Die Lastwagen hatten sie bei Niedrigwasser ins Meer gefahren.

»Es war die Hölle!« – Ängstlich wagt ▶
sich die Bevölkerung nach den letzten schweren Stuka-Angriffen wieder auf die Straße.

Dünkirchen, 4. Juni 1940
In glühender Hitze stehen 40 000
Franzosen – vier Divisionen – auf
engstem Raum zusammengedrängt,
darunter eine französische Elitedivision und marokkanische Kolonialtruppen. In dieser Situation kam vom Propaganda-Ministerium die Anweisung, die PK sollte Massen von englischen Gefangenen fotografieren! Warum versuchte Goebbels die Tatsache zu vertuschen, daß die Tommies über den Kanal entkommen waren?

88 000 Engländer und Franzosen bei Dünkirchen gefangen
Aus der Flucht über den Kanal wurde nichts

Wie ein riesiger Berg zerquetschter Konservendosen: Kriegsschiff im Hafen von Dünkirchen.

Rauchwolken brennender Öltanks bildeten eine düstere Kulisse für das französische Gefangenenlager.

Eine glatte Lüge: »88 000 Engländer und Franzosen bei Dünkirchen gefangen. Aus der Flucht über den Kanal wurde nichts« – (Ausschnitt aus den »Bremer Nachrichten« vom 10. 6. 1940). Warum fälschte Goebbels die Geschichte?

14. Juni 1940:
Paris zur ›offenen‹ Stadt erklärt!
Für die Kriegsberichter hatte es ein Wettrennen gegeben. Gleich hinter den Panzerspähwagen waren auch die ersten von ihnen bis zum Arc de Triomphe vorgedrungen, und am frühen Vormittag marschierten dort bereits Infanterie-Kompanien an ihrem Kommandeur, General von Briesen, vorbei. Von einem schnell aus einem Boulevardcafé herbeigeschafften Tischchen aus entstand über die blinkenden Instrumente hinweg dieses Foto (rechts). Es erreichte die höchsten Veröffentlichungsquoten.

Wohlwollendes Gelächter schallt über den Etoile: An der Spitze einer Kompanie fährt ein Eselskarren, der vollbepackt ist mit Tornistern und Munitionskästen. Die Landser haben Paris in Eilmärschen von täglich 60 Kilometern und mehr erreicht – mit Blasen an den Füßen.
▼

▲ Sogar französische
Gäste nehmen nach-
mittags am Vorbei-
marsch auf dem
›Place de la Concorde‹
teil.

◄ Der italienische Vize-
konsul Orlandini:
»Alle in Paris lebenden
Italiener wohlbehal-
ten!«

◄ »Voilà les boches!«
Kritisch betrachten
zwei Französinnen zu
früher Morgenstunde
die ersten deutschen
Soldaten.

Zwei ›Fieseler-Störche‹
landen auf dem ›Place
de la Concorde‹ und
bringen Filmmaterial
nach Berlin.
▼

nahme des berühmten Wahrzeichens gemacht – selbst wenn es darauf nur als feiner Strich am Horizont sichtbar gewesen wäre. Aber die Entfernung war noch zu groß, die Luft zu dunstig.

Plötzlich bemerkten wir unten bei den Einheiten eine Unruhe. Neue Nachrichten? Aufbruch?

Walterchen kam hastig herauf: »Paris soll zur offenen Stadt erklärt werden!«

Gerücht – oder Wahrheit?

»Los, Kinders!« rief Tammo aufgeregt, »Vielleicht kommen wir durch! Vielleicht sind wir die ersten!«

Wir eilten hinunter, sahen, wie sich eine motorisierte Infanteriespitze in Bewegung setzte. Kurz entschlossen hängten wir uns mit unserem Wagen dran. Neidhart trat das Gaspedal durch, und Walterchen folgte in einer Staubwolke.

Es war wie ein Wettrennen auf dieser Straße von Senlis nach Paris. Ein Wettlauf mit anderen deutschen Spitzen, die aus verschiedenen Richtungen dem Ziel entgegenjagten.

Plötzlich kreischen die Räder. Die Wagen vor uns schleudern hin und her, stoppen.

Kugeln zirpen. Zwei große Betonklötze, rechts vorn und links dahinter, engen die Straße ein, zwingen zum Zickzackkurs. Dazwischen liegen helle Sandhaufen, aufgebrochene Zementsäcke, Stacheldrahtrollen.

Gestalten huschen dahin, die flüchten wollen.

»A bas les armes! Hände hoch!« brüllt ein Feldwebel vom ersten Wagen.

Sechs, sieben Poilus kommen, ergeben sich, werden entwaffnet, wieder laufen gelassen. Im Handumdrehen ist eine Gasse durch die Hindernisse geschaffen.

Weiter!

Hinter der nächsten Kurve krachen Einschläge ins Pflaster. Wir springen aus dem Wagen, werfen uns in den Graben – Tammo vor mir. Jemand läßt sich zwischen uns fallen, zieht den Kopf ein – ein Franzose! Seine untere Gesichtshälfte ist blutverschmiert.

»Blessé –?« rufe ich und robbe zu ihm hin.

»Non monsieur, je ne saigne seulement du nez, cela m'arrive toujours lorsque je suis énervé –!« (»Nein, mein Herr, nur Nasenbluten – ich hab's immer, wenn ich aufgeregt bin!«)

»Voila!« lache ich ihm in das verstörte Gesicht.

Wieder Einschläge. Jetzt sehen wir das Mündungsfeuer vor uns in einer Senke. Ein feindliches Geschütz –.

Unsere Pak knallt ein paar Sprenggranaten hinab.

Erledigt!

Aufsitzen! Weiter!

Beim nächsten Dorfeingang läuft uns ein verblüffter Landbriefträger über den Weg. Der gute Alte wollte gerade die Post austragen und kann es gar nicht fassen, daß wir schon da sind.

Hinter dem Dorf zwingt uns eine bereits vollendete Barrikade zu einem Umweg. Die Kolonne biegt auf einen Feldweg ab. Aber nach etwa zehn Minuten läßt der Oberleutnant an der Spitze halten, stellt fest: Wir sind im Halbkreis gefahren, sind nun weiter von Paris entfernt als je.

Der Oberleutnant beugt sich über die Karte, blickt zur Sonne, sucht die Himmelsrichtung. Tammo wird das zu langweilig. »Quatsch!« sagt er, »wir machen uns selbständig!«

Walterchen braust voraus – gen Süden. Und wir haben Glück! Keine Sperren!

Ohne Zwischenfall durchqueren wir Ortschaft um Ortschaft, Wiesen, Felder, – und plötzlich, auf einer Anhöhe, stoppt Walterchen, reißt die Maschine herum:

»Da – Paris!«

Wir kommen neben ihm zum Stehen. Tatsächlich: da, in dem bläulichen Dunst, liegt es vor uns, das Häusermeer. Noch sind keine Einzelheiten zu erkennen, grau in grau verschwimmen die Konturen – aber deutlich reckt sich als Filigran die Nadel des Eiffelturms in den von Gewitterwolken bedeckten Himmel.

Einen Moment verharren wir alle vier schweigend, versunken in den Anblick des Panoramas; dann reißt sich Tammo als erster los. »Weiter! Die Sonne steht schon tief!«

170

Wenig später passieren wir den Flugplatz Le Bourget. Totenstille. Bombentrichter. Zerstörte Hallen. Flugzeugwracks, bizarre Gerippe aus Stahl und Blech: die französische Luftwaffe – –.

Am Horizont sprüht Feuerwerk in die hereinbrechende Dämmerung. Sperrfeuer, in dessen Schutz sich die fliehenden Franzosen absetzen wollen, – so denken wir.

Aber schon klärt eine Meldung alles auf, eine Meldung, die eine Panzerjägerkompanie von Sevran aus absandte: Kein Sperrfeuer auf Bahnhof, sondern ein französischer Munitionszug, der pausenlos explodiert!

Also weiter – weiter – –.

Doch dann war die Nacht gekommen.

Unsere Hoffnung, Paris noch vor Anbruch der Dunkelheit zu erreichen, war jäh zunichte gemacht worden: Bei Dugny, wo wir uns gerade einer anderen Spitzengruppe angehängt hatten, war ein Kradmelder herangebraust gekommen, der den Befehl von hinten brachte: Halt! Nicht weiter vordringen! Lage noch ungeklärt!

Nun sitzen wir hier, nördlich der Isle Adam, nur einen Katzensprung von Paris entfernt, vor einer feudalen Villa, die der General zu seinem Stabsquartier auserwählt hat. In einem hell erleuchteten Zimmer sehen wir den Ic über seine Karten gebeugt. Alle Augenblicke springt er nervös auf, läuft hin und her und ist offensichtlich genauso aufgeregt wie wir alle.

Werden die Poilus ihr Paris etwa doch noch verteidigen – oder werden sie uns ungehindert einmarschieren lassen? Werden in wenigen Stunden Sprenggranaten und Stukabomben auf die Weltstadt niedersausen – oder werden deutsche Regimenter kampflos eindringen und über die Champs Elysées marschieren?

»Gleich drei Uhr«, sagt Walterchen, »in einer halben Stunde wird es hell. Hoffentlich kommen dann nicht unsere Bomber – – Paris – ein Trümmerhaufen – – nicht auszudenken!«

Im gleichen Augenblick reckt der Unteroffizier beim Ic den Kopf aus dem hellen Fenster und schreit es in die Nacht hinaus:

171

»Hurra! Paris ist zur offenen Stadt erklärt! Hurra! Hurra!«

Es dauert nur Sekunden, bis wir im Wagen sitzen und davonrasen, gefolgt von dem glücklichen Walterchen – Richtung Paris!

In der Morgendämmerung rollen wir in die grauen Vorstadtstraßen. Vor uns fahren nur drei Panzerspähwagen. Ihre Kommandanten stehen aufrecht in den offenen Luken und beobachten ringsum. Wird es Zwischenfälle geben? Es ist eine fast unheimliche Stimmung. – Aber kein Schuß fällt – etwa von einem fanatischen Heckenschützen aus einer Dachluke abgefeuert, – nein, die Stadt ist wie ausgestorben.

Dann endlich tauchen Menschen auf. Einzelne Frauen in bunten Morgenröcken huschen an den Häusern entlang, wahrscheinlich zum Bäcker. Ein paar Frühaufsteher, ein Schornsteinfeger, ein Polizist – sie scheinen uns erst im letzten Moment zu erkennen, sehen uns überrascht mit offenem Munde nach. »Les allemands! Les Fritz!« hören wir vereinzelt.

Wir biegen um eine Straßenecke, sehen vor uns das Denkmal der Republik. Einige Gruppen von Arbeitern stehen dort, anscheinend eine Frühschicht. Stumm starren sie uns entgegen. Was mögen sie denken? Sind ihre Hände in den Hosentaschen geballt?

Weiter geht es langsam den Boulevard de Strasbourg hinauf. Es ist beklemmend, es ist, als halte die ganze Stadt den Atem an.

Place de la Concorde: In feierlicher Stille breitet sich die leere Weite des Prunkplatzes vor uns aus.

Weiter!

Die Champs Elysées!

Der Arc de Triomphe!

Hoch wölbt sich der gewaltige Siegesbogen Napoleons I. vor unseren Blicken. Die beiden großen, die Glorie Frankreichs versinnbildlichenden Reliefs rechts und links sind mit Sandsäcken und Gerüsten verkleidet. Die ›Ewige Flamme‹ zu Ehren des ›Unbekannten Soldaten‹ ist erloschen.

Die Panzerspähwagen stoppen, die Besatzungen klettern heraus. Wir halten und steigen ebenfalls aus. Tiefe Stille. Nur unsere eigenen Absätze hören wir klappern auf dem Pflaster.

»Scheint nicht viel los zu sein – hier in Paris!« lacht einer der Panzerkommandanten.

Nein, es ist wirklich nichts los hier. So hatten wir uns die Eroberung der Weltstadt nicht vorgestellt.

Plötzlich hören wir Motorenlärm. Vier Kübelsitzer mit angehängter Pak kommen angebraust. Kommandos schallen über den Platz. In den vier Himmelsrichtungen werden die Geschütze in Stellung gebracht. Und gleich ist es wieder still.

Die Panzerjäger setzen sich auf ihre Munitionskisten, nehmen die Helme ab, legen sie zwischen ihre Füße, stecken sich Zigaretten an.

Einer kommt zu uns herübergeschlendert. »Wißt ihr vielleicht, wo's hier 'ne Ansichtskarte gibt? Muß meiner Annegret eine schreiben, damit sie's glaubt!«

Wir lachen. Es ist der einzige Laut in dieser Morgenstille.

Ich wende mich an Tammo: »Wie wär's mit einer kleinen Spritztour – kreuz und quer durch Paris. Wenn die Marschkolonnen erst hier sind, ist es doch vorbei – –.«

»Meinetwegen!«

Walterchen ist begeistert. Er kennt Paris gut und übernimmt die Führung.

Kaum waren wir die Avenue de la Grande Armée ein paar hundert Meter hinuntergefahren, sahen wir mitten auf der Straße zwei hochgewachsene Gestalten in französischer Uniform stehen: Marokkaner!

Tammo ließ halten. Die beiden trugen noch ihre Gewehre, lange, altmodische Ungetüme. Er sprach sie französisch an. Zu unserer Verwunderung merkten die beiden Posten überhaupt nicht, daß sie Deutsche vor sich hatten. In militärischer Haltung gaben sie korrekt Antwort auf jede Frage. Seit zwei Stunden stünden sie schon da – es habe sich nichts Besonderes ereignet!

Tammo ließ sich die Gewehre vorzeigen, nahm sie

ihnen dabei lächelnd aus der Hand – was ihm bei einem deutschen Posten nicht gelungen wäre! – und reichte sie seelenruhig zu mir nach hinten. Ich stellte sie zwischen meine Knie, griff in die Hosentasche, holte ein paar Zigaretten heraus und hielt sie Tammo hin. Der gab sie an die beiden ahnungslosen Helden weiter: »Hier – für eure Gewehre! Habt ihr noch gar nicht gemerkt, daß wir Deutsche sind?!«

Die beiden Mohrenköpfe starren uns entsetzt an, die weißen Augäpfel drohten ihnen herauszuquellen. Tammo aber beruhigte sie sofort: »Der Krieg ist aus für euch! Und die Hälse schneiden wir euch auch nicht ab! Nun geht mal schön zu eurer Kaserne und sagt es den anderen!«

Langsam entspannten sich ihre Gesichter, und zaghaft streckten sie uns sogar ihre Hände entgegen: »Bon camerad! Bon camerad!« Und meine Kamera machte klick.

Inzwischen sind ein paar Zivilisten, die die Szene beobachtet haben, zu uns herangekommen, umringen unseren Wagen, stellen Fragen; scheu zunächst noch, aber doch neugierig. Auch sie atmen auf. La guerre est finie! Paris wird kein Trümmerhaufen, es wird kein Massaker geben! Gottlob, die Fritzens – so nennen sie uns – sind nicht méchant, nicht bösartig, wie die Zeitungen immer schrieben.

Zwei Millionen Menschen sind aus Paris geflüchtet, erfahren wir von ihnen. Die Wasserversorgung ist zusammengebrochen. Die Metro fährt nicht, kein Bus verkehrt mehr.

Einer alten Frau mit einem Kopftuch rinnen die Tränen über die Wangen: »Ma pauvre France!« stammelt sie.

Aber Tammo faßt sie lachend bei den Armen: »Madame, pourquoi les larmes! Nous ne sommes pas des barbares!« Und er erklärt ihr, daß in drei Tagen bestimmt alles wieder in Ordnung sein und keinem Menschen ein Haar gekrümmt werden würde.

Dankbar blickt die gute Alte in sein lachendes Gesicht – da klickt wieder meine Kamera.

Doch gleich darauf zupft Walterchen mich am Ärmel:

»Schau mal – die Kerle da drüben – die gefallen mir gar nicht!«

Da stehen fünf, sechs verdammt finstere Gestalten, Männer in kurzärmeligen Hemden, Baskenmützen auf dem Kopf. Mit zusammengekniffenen Augen, Zigaretten in den Mundwinkeln, sehen sie zu uns herüber.

»Wir sind vollkommen allein hier – weit und breit kein deutscher Landser –« flüstert Walterchen.

Ich aber fühle mich wieder ganz als Reporter, mache ein paar Schritte auf die Gruppe zu und zücke meine Kamera.

Wie auf Kommando drehen sich die Kerle um und sind blitzartig verschwunden. In irgendwelchen Hauseingängen, weiß der Teufel, wo! – Verdattert stehe ich einen Moment da. Einige Umstehende lachen verlegen. Tammo klopft mir auf die Schulter: »Eins zu sechs – für dich!«

Wir steigen wieder in den Wagen, fahren ein paar Straßen weiter – da dringen italienische Laute an unsere Ohren: »Noi siamo contenti – – contenti!« Eine Gruppe dunkelhaariger Zivilisten winkt uns lebhaft zu. Vor vier Tagen war ja Italien gerade noch schnell in den Krieg gegen Frankreich eingetreten – um am Sieg teilnehmen zu können! Und während dieser vier Tage werden die hier lebenden Italiener um ihr Leben gezittert haben. »Wir sind froh – so froh!« rufen sie. Ja, sie sind froh, – daß die Deutschen endlich da sind!

Aus ihrer Gruppe löst sich ein kleiner, elegant gekleideter Herr, tritt an unseren Wagen, begrüßt uns mit dem Faschistengruß.

»Gestatten Sie«, sagt er, »ein Momento, prego –« und legt einen Bogen Papier auf die Kühlerhaube, schreibt temperamentvoll einige Zeilen darauf.

Walterchen blickt ihm über die Schulter und übersetzt: »Alle in Paris lebenden Italiener wohlauf – Vizekonsul Orlandini«.

Oha! Der Herr Vizekonsul persönlich! Und es ist ein Telegramm an den Grafen Ciano, den italienischen Außenminister in Rom.

Lächelnd faltet der kleine Italiener den Bogen zusammen, überreicht ihn Tammo und bittet um möglichst schnelle Weiterbeförderung. Glückstrahlend drückt er ihm die Hand und blickt mir in die Kamera. Klick!

Weiter!

Wir fahren an der Seine entlang. Unten an der Kaimauer sitzen zwei einsame Angler. Paris wird von den Deutschen besetzt – sie aber angeln. Wie jeden Tag!

Wir sind über eine Brücke gefahren. Hôtel des Invalides.

»Aha!« erklärt uns Walterchen, »da drinnen befindet sich der berühmte Sarkophag Napoleons!«

Er schaut zu der Kuppel des hohen historischen Bauwerks hinauf und fügt nachdenklich hinzu: »Ob Hitler wohl auch mal so beigesetzt wird – in einem so großen Dom –?«

Aber kaum hat Neidhart diese nur halblaut gesprochenen Worte aufgefangen, wendet er sich vom Steuer zu ihm hinüber:

»Mensch! Was du dir so denkst! Dreimal so groß wird es sein, das Grabmal des Führers! Ach, – zehnmal so groß!«

Er stiert in die Luft, als sähe er im Geiste schon das monumentale Führergrabmal vor sich. Überlegend murmelt er: »Wo wird es einst stehen? In Nürnberg? In München? Oder in Berlin?«

Walterchen lenkt ab. »Wohin nun? Zur Notre-Dame da drüben, oder zur Sacré-Cœur? Oder lieber zum Opernplatz und der Madeleine, der einzigen christlichen Kirche in altgriechischem Stil?«

Er ist so begeistert, der gute Junge, will uns alles zeigen von der ›schönsten Stadt der Welt‹ –.

Doch da stutzt Tammo plötzlich. »Hörst du was? Das ist doch Musik! Blasmusik! Von da drüben!« Er weist in die Richtung der Champs Elysées. »Schnell zurück zum Arc de Triomphe!«

Dort hat sich das Bild inzwischen völlig verändert. Eine große Menschenmenge hat sich rings um den weiten Platz angesammelt. Auf der Fahrbahn hat bereits ein auf Lastwagen eilig herbeigeholtes Musikkorps Aufstellung genommen. Gegenüber davon, am Triumphbogen, ste-

176

▲ Wenig zum Einsatz kam im Kriege die schwere Askania-Schulterkamera. – Kurt Katzke beim ersten PK-Lehrgang in der Berliner Alexander-Kaserne.

◄ Nach dem Frankreich-Feldzug entbrannte der Kampf um die Luftherrschaft im Westen. An der ›Luftschlacht über England‹ nahmen Kriegsberichter aller Sparten teil, die zuvor als vollwertige Besatzungsmitglieder ausgebildet worden waren. – Kameramann und Bordschütze in einer Person.

Mit der Askania-Z-Stativkamera und langem Tele wurde die englische Küste über den Kanal hinweg gefilmt.
▼

Um gleichzeitig Gesamtaufnahmen (›Totale‹) und Ausschnitte filmen zu können, koppelte der Marine-Filmberichter Horst Grund (7. MKBK) eine Arriflex (75 mm) und eine Askania-Z (300 mm) durch eine provisorische Konstruktion so, daß beide Kameras parallel ausgerichtet waren und gleichzeitig bedient werden konnten, ohne daß ein Assistent notwendig war. – Improvisieren wurde bei der PK großgeschrieben. ►

Viel Mühe haben sich die Engländer auf Kreta mit dem Bau von Scheinstellungen gemacht. Aus der Nähe betrachtet, sind die Strohmänner zwar nicht sehr überzeugend, – aber der Erfolg insgesamt war nicht ausgeblieben: Die deutschen Fallschirmjäger sprangen an den falschen Plätzen ab, nämlich bei den gut getarnten echten Stellungen und erlitten dort hohe Verluste.

Welle auf Welle stößt vor zum Angriff auf die Hauptstadt Kretas. Viele Fallschirmjäger aber hängen bereits tot in den Gurten.

Eine Aufnahme des Wort- und Bildberichters Ernst Grunwald, der selbst mit absprang: Abschied am offenen Grabe. – Goebbels gab derartige Fotos für die Tagespresse nicht frei.

»Kreta – Sieg der Kühnsten«
Unter diesem Titel war von General Student im Frühjahr 1942 ein Buch herausgegeben worden, in dem mehr als 40 Wort- und Bildberichter der Fallschirmjäger und der Luftlandetruppen auf 240 Seiten im Großformat ihre Berichte und Fotos veröffentlichten. Es war das erste Buch dieser Art des Zweiten Weltkrieges. Nichts über die Härte der Kämpfe, die Strapazen und Opfer wurde verschwiegen – und trotzdem hatte dieses Buch durch Untertitel, wie »Der Sieg ist unser!« – »Es gibt keine Inseln mehr!« – »Es wird weitergesprungen!« eine starke Wirkung im »positiven« Sinne des Propaganda-Ministeriums. – Die Fotos dieser beiden Bilderseiten stammen aus dem Buch.

Fallschirmjäger, die von den Engländern eingeschlossen waren, berichtet General Student, der mit Entsatzgruppen in harten Kämpfen zu ihnen vordrang und sie befreite.
▼

▲
Wegen der Räumlichen Enge in den Flugzeugen übten die Kriegsberichter der Luftwaffe meist mehrere Berichterfunktionen in einer Person aus. Am häufigsten war die Koppelung von Wort und Bild. – Wort- und Bildberichter der Fallschirmjäger in der Transportmaschine Ju 52.

▲
Die PK entdeckte Maria Callas.
Als 17jähriges Mädchen war die Amerikanerin
Maria Kalojeropoulou nach Athen gekommen.
Da besetzten die Deutschen Griechenland – –.

◄ Die ›Achsen-Sally‹ wird 1945 von den Amerikanern verhaftet. Im New Yorker Slang hatte
sie über deutsche Soldatensender die Amerikaner aufgefordert, sich in die Büsche zu schlagen: »Mädchen lieben keine Krüppel!« – Eine
ungenannte blonde Römerin lieh der nicht sehr
fotogenen Achsen-Sally ihr Gesicht für unzählige Flugblätter, die zu den Amerikanern hin-
überwehten.

Vor dem Mikrofon Karl-Heinz ►
Reintgen, Leiter des Soldatensenders Belgrad (wurde später
stellvertr. Intendant und Chef-
redakteur des Saarländischen
Rundfunks). Neben ihm nach
links: Sonderführer (Z) Walter
Jensen und Sonderführer (Z)
Richard Kistenmacher (später
beim Sender Freies Berlin), der
die Schallplatte »Lied eines
Wachtpostens«, gesungen von
Lale Andersen, aus dem ›Plat-
tenkeller‹ des Funkhauses Wien
mitbrachte. Dahinter von links:
Gefr. Hans Werner Krüger (spä-
ter Regisseur beim Theater in
Oldenburg), Sonderführer (G)
Hermann Kaufmann und Uffz.
Willi Opitz.
Nicht anwesend war bei dieser
Aufnahme der Sendeleiter, der
das Programm gestaltete, Heinz
Rudolf Fritsche (später Leiter
des Regionalstudios Ulm des
Süddeutschen Rundfunks).

▲
Im Senderaum des Soldatensenders Belgrad: Die ›Väter‹ von
›Lili Marleen‹ 1941.

hen Gruppen von Offizieren in Erwartung der ersten Infanterieeinheiten, die in Gewaltmärschen Paris erreicht
haben.

Hinten sehe ich sogar einen Filmwagen heranrollen.
Natürlich! In dieser Nacht hatte ja alles auf dem Sprung
gelegen! Es ist ein Filmwagen unserer Kompanie 621, –
ich erkenne das schwarz-weiße PK-Auge! Und der Kameramann oben auf der Plattform hinter der schweren
Askania-Stativkamera – Herrgott! – – das ist doch
Olesko!

Wir winken uns zu. – Er war uns, wie ich erfuhr, um
eine Nasenlänge voraus gewesen: mit zwei weiteren
Leuten unserer Kompanie – darunter unser Spieß,
Hauptfeldwebel Braun – war er auf dem Eiffelturm gewesen und hatte das Hissen der Reichskriegsflagge gefilmt
– während Walterchen uns Kulturgüter zeigte. »So was
Dummes muß uns passieren«, raunzte Tammo, »den
Eiffelturm vergessen – –.«

Dreizehn Minuten hatte Olesko benötigt für die Treppen, der Fahrstuhl fuhr nicht, weil es keinen Strom gab.
Und das letzte Stück im Gewirr der Eisenträger war er
ganz allein geklettert – als alter Hochgebirgler! – und
hatte selbst die Fahnenstange befestigt.

Aber jetzt heißt es für uns, zunächst einmal schnell
handeln.

»Ich brauche eine Leiter!« rufe ich Neidhart zu. Und
der spurt erstaunlicherweise sogar, verschwindet flink in
der Menge.

Zugleich sehe ich: Zwei Aufklärer, Fieseler-Störche,
ziehen am silbrigblauen Himmel dahin, kommen tief herunter, fliegen eine Schleife über unseren Köpfen, verschwinden tief hinter den Bäumen – abgestürzt? Nein –
dort liegt der Place de la Concorde! Sie sind gelandet! In
Paris gibt es ja keine Straßenbahndrähte!

Ein Gedanke blitzt in mir auf. »Walterchen«, rufe ich,
»kannst du schnell mal rüberfahren und erkunden, ob die
Piloten heute noch zurückfliegen nach Deutschland – ob
sie meine Filme mitnehmen können – nach Berlin?« Ich
weiß, es ist gegen alle Vorschriften, PK-Filme in fremde

Hände zu geben, aber dieser Tag, dieser 14. Juni in Paris, bricht alle Dienstvorschriften, meine ich. Und notfalls lasse ich mich dafür einsperren!

»Ist gemacht!« antwortet Walterchen und saust los.

Ich bin wieder ganz Reporter. Wenn es klappt, können meine Bilder schon morgen in allen Berliner Zeitungen sein!

Gott sei Dank – da kommt Neidhart zurück, – zwar nicht mit einer Leiter, aber mit einem kleinen eisernen runden Tischchen, wie sie vor den Pariser Cafés stehen.

Kaum bin ich hinaufgestiegen, da schmettert auch schon das Musikkorps mit Tschingderassa-Bumderassa los: ›Preußens Gloria‹ schallt über den Étoile. Der Divisionskommandeur, General von Briesen, ist vorgefahren. Und im gleichen Moment taucht die Spitze unserer Infanterie, von den Champs Elysées kommend, auf. Staubbedeckt und verschwitzt sind sie, die Landser, – nach den letzten Kämpfen direkt zu den Eilmärschen nach Paris aufgebrochen, ohne eine Minute Schlaf in den vergangenen Nächten.

»Heil, Schützen!« ruft der General ihnen zu. Und »Heil, Herr General!« schallt es zurück.

Plötzlich beugt sich der Kommandeur zu seinem Adjutanten hinüber, sagt ihm etwas ins Ohr. Ein Ruf hallt über die Marschierenden hinweg: »Leutnant Prochaska – zum Herrn General!«

Der junge Leutnant, der bereits an der Spitze seiner Kompanie am General vorbeigeritten war, dreht um, steigt vom Pferd, meldet sich bei seinem Kommandeur. Der drückt ihm die Hand, spricht mit ihm, nickt ihm mehrmals freudig zu.

Das war Leutnant Alois Prochaska, ein ›Ostmärker‹, gebürtiger Wiener, wie wir erfahren. Ihm war es vor zwei Tagen als einzigem im ganzen Abschnitt der 18. Armee gelungen, mit seiner 10. Kompanie die Oise-Stellung bei L'Isle Adam zu durchbrechen und damit eine entscheidende zweite Durchbruchstelle nach Paris zu erkämpfen.

Helle Sonne liegt über dem imposanten Bild mit der historischen Kulisse. Jetzt stehe ich auf meinem Tischchen unmittelbar hinter dem Musikkorps. Die blanken, glitzernden Instrumente bilden den Vordergrund für meine Aufnahmen, und über die großen Trichter der Tuben hinweg sehe ich die Kolonnen vorbeiziehen.

Ein Gelächter steigt auf: Da, an der Spitze einer Kompanie, fährt ein Karren – von einem Esel gezogen! Vollbepackt mit Tornistern und Munitionskästen ist das seltsame Gefährt. Oben drauf aber thront schmunzelnd ein Landser. Klar, dieses Bild wird auf allen Redaktionstischen besonderen Beifall finden!

Da kommt auch Walterchen zurück und winkt: »Es geht in Ordnung – mit dem Piloten – er kann die Filme mitnehmen!«

Ich springe von meinem wackligen Podest, übergebe ihm drei Filmpatronen: »Er soll sie beim Propaganda-Ministerium abgeben – –.« Und schon donnert Walterchen mit seinem schweren Krad davon – zwei Meter am General vorbei – –.

Eine Viertelstunde später kommt er über die Champs Elysées wieder herangebraust, gestikuliert aufgeregt und zeigt zum Himmel.

Hoch über dem Arc de Triomphe zieht langsam ein Fieseler-Storch dahin.

5   QUARTIER IM OSTSEEBAD
    LUFTSCHLACHT ÜBER ENGLAND
    TARNUNTERNEHMEN »SEELÖWE«

Wir haben am Golf von Biscaya gestanden, wir haben in den Schlössern der Loire geschlafen, und wir haben den besten Champagner getrunken. Und nicht nur getrunken! In Poitiers habe ich einen Landser fotografiert, der in Sekt gebadet hatte. Igittigitt, – wie der nachher am ganzen Körper geklebt hat!

Doch kaum war der Waffenstillstandsvertrag unterzeichnet, zogen wir gen Osten. Wie ein kleines Nomadenvölkchen, getreu den Spuren der 18. Armee folgend, landeten wir schließlich in Ostpreußen.

Während Generaloberst von Küchler mit seinem beachtlichen Armee-Stab sein Domizil in Königsberg errichtete, ließ sich das PK-Volk direkt an der Küste nieder, im propren Ostseebad Cranz.

Soldaten als Kurgäste! Hotelzimmer mit weichen Betten und sanftem Meeresrauschen! Die Österreicher, die das Gros der Kompanie stellten, setzten ihren ganzen Charme ein, um den kleinen Sommerkurort aus dem Winterschlaf zu erwecken – –. Ach, du kleines ostpreußisches Cranz – du liebliches Cränzchen! Wieviele Liebesromanzen haben die feschen Wiener Propaganda-Soldaten mit deinen hübschen rotwangigen Mädchen angebahnt – –.

Vergessen war der Kummer über den so plötzlichen Abschied von Frankreich. Vergessen Paris, Bordeaux – Champagner und Beaujolais!

Nur eine Frage drängte sich immer wieder auf: Was sollten wir eigentlich hier im Osten? Deutschland hatte doch einen Nichtangriffspakt mit der Sowjetunion. Der einzige Feind, der uns spürbar zu schaffen machte, war doch nur England! Also: Wie geht's weiter?

Hitler hat den Engländern ein Friedensangebot gemacht, offenbar sogar ein ehrlich gemeintes. Er scheint überhaupt geradezu eine Schwäche zu haben für die Inselbewohner. Schon in Dünkirchen hatte man darüber gemunkelt: Er habe sie geschont, seine Panzer gestoppt und sie entkommen lassen über den Kanal.

In seiner Reichstagsrede am 6. Oktober 1939 hatte er sogar gesagt: »... Nicht geringer waren meine Bemühungen für eine deutsch-englische Verständigung, ja darüber hinaus für eine deutsch-englische Freundschaft. Niemals und an keiner Stelle bin ich den britischen Interessen entgegengetreten. ... Ich habe es geradezu als ein Ziel meines Lebens empfunden, die beiden Völker nicht nur verstandes-, sondern auch gefühlsmäßig einander näherzubringen ...«

184

Winston Churchill, sein erbittertster Gegner, hatte allerdings darauf mit der Bekanntgabe des neuen alliierten Kriegszieles geantwortet: »Vernichtung des Hitlerismus!«

Churchill selbst darüber später in seinen Memoiren: »Er (Hitler) war sich nicht im geringsten darüber klar, daß Chamberlain und das ganze übrige britische Weltreich jetzt darauf aus waren, ihn blutig zu vernichten, auch wenn sie selbst dabei zugrunde gingen ...«

Der irische Dichter George Bernhard Shaw wagte es damals zum Erstaunen seiner Landsleute, öffentlich seine persönliche Meinung dazu zu äußern: Man solle lieber »mit der Vernichtung des Churchillismus beginnen.«

So spielte sich, während das Heer überall in Ruhestellung lag, der Kampf zwischen England und Deutschland in der Luft ab. Royal Air Force gegen deutsche Luftwaffe.

Nach anfänglich nicht so recht ernst genommenen Plänkeleien britischer und deutscher Jäger wird der Luftraum über dem Ärmelkanal fast über Nacht zu einem Kriegsschauplatz von entscheidender Bedeutung. Es ist der 13. August 1940, der »Adlertag«, mit dem schlagartig ein Kriegsabschnitt beginnt, der später als »Luftschlacht über England« in die Geschichte eingeht.

Für die deutsche Luftstreitmacht steht das Höchste auf dem Spiel. Es geht um die folgenschwere Entscheidung: Wer erringt die Luftherrschaft im Westen?

Die Luftflotten 2 (Kesselring) und 3 (Sperrle) greifen von Frankreich, Belgien und Holland aus an. Von Flugplätzen in Norwegen aus steigen die Maschinen der Luftflotte 5 (Stumpff) zum Angriff auf.

Die Kriegsberichter der Luftwaffen-Kriegsberichterkompanien LW KBK 1, 2, 3, 4 und 5 fliegen mit. Journalisten, Film-, Foto- und Rundfunkreporter, Zeichner und Buchautoren. Das Propaganda-Ministerium verlangte »Augenzeugenberichte«. (Goebbels: »Man merkt solchen Berichten sehr wohl an, ob sie aus eigenem Erleben heraus geschrieben wurden oder ob es sich nur um nacherzählte Begebenheiten handelt.«)

Da sich die Flugzeugführer von Anfang an geweigert hatten, Berichter mitzunehmen, die nur »Zuschauer«

waren und sonst keine Funktion an Bord ausübten und tatsächlich auch kein noch so kleiner Platz in den engen nur für Kriegszwecke konstruierten Maschinen für sie frei gewesen wäre, hatte es keine andere Lösung gegeben als diese: Reporter mußten als Bomben- und Bordschützen ausgebildet werden.

Goebbels hatte auch hier bereits vorgesorgt.

Die Kriegsberichter, die jetzt voll flugtauglich in den Kampfmaschinen sitzen, sind seit mehr als sechs Monaten darauf vorbereitet worden. Seit Januar 1940 schulte die 5. LW KBK in Jüterbog, südlich von Berlin. Und sogar schon seit Kriegsbeginn im September 39 lief die Ausbildung der ersten vier Kompanien in Bernau (bei Berlin), in Braunschweig, München und Wien.

Ihre Schulung begann zunächst mit Sport, wobei allerdings größter Wert darauf gelegt wurde, unnötige Ausfälle durch Überanstrengung der körperlich meist untrainierten Berichter zu vermeiden. (An das reguläre fliegende Personal, insbesondere an Flugzeugführer, wurden wesentlich höhere Anforderungen gestellt.)

Besonders sorgfältig aber erfolgte die Ausbildung der Kriegsberichter im »Wackeltopf« zur Vorbereitung auf das Schießen aus fliegenden Maschinen: Der Reporter wurde auf einem Sitz festgeschnallt, der sich nach dem Kardanprinzip dreidimensional drehen und neigen ließ, womit die Bewegungen eines Flugzeugs simuliert wurden. Dabei hatte der Schüler mit dem MG ein ebenfalls bewegliches Ziel anzuvisieren und jede Bewegung des »Wackeltopfes« blitzschnell zu erfassen und auszugleichen.

Die Reporter nahmen dieses vorbereitende Training sehr ernst. Sie waren sich vollkommen darüber im klaren, daß im Luftkampf in der entscheidenden Sekunde nicht nur ihr eigenes Leben, sondern das der gesamten Flugzeugbesatzung von ihrem richtigen Reagieren abhängen konnte.

Nach Schießübungen vom Flugzeug aus auf Boden- und Flugziele sowie Schulung im Bombenzielwurf schlossen sie ihre Ausbildung mit einer Prüfung ab. Es stellte sich später heraus, daß Kriegsberichter dann ausgesprochen gern in Kampfmaschinen mitgenommen wurden, teilweise waren sie sogar fest in Mannschaften als Besatzungsmitglieder integriert.

Als erster Rundfunkberichter und einfacher »Fliegersoldat« erhielt Hans Kriegler (ehemals Intendant des Reichssenders Breslau) von seinem Kompaniechef, Hauptmann von Pabel, das Eiserne Kreuz zweiter Klasse für seine Einsätze in der Luftschlacht über England.

Eine PK-Sensation wurde das Foto des Bildreporters Helmut Grosse, das er schlicht »Erster Abschuß« betitelte. Grosse schoß eine der gefürchteten britischen Spitfire-Maschinen ab, riß anschließend seine Kamera hoch und fotografierte über die Zieleinrichtung seines MG hinweg die abtrudelnde Maschine. Er selbst wurde bei diesem Luftkampf am Oberschenkel verwundet – eine MG-Garbe des Gegners hatte den Rumpf seines Flugzeuges durchsiebt – und erhielt als erster Kriegsberichter der LwKBK 5 das EK I. (Seit dem 13. 8. 44 ist er als vermißt gemeldet.)

Die Verluste sind hoch – auf beiden Seiten.

Wie erbittert diese Luftkämpfe über England und über dem Kanal geführt werden und mit welcher Todesverachtung Kriegsberichter bei jedem neuen Einsatz immer wieder ihr Leben einsetzten, vermittelt ein Blick in die Verlustliste der 5. LwKBK in dieser ersten Kriegsphase. Innerhalb einer kurzen Zeitspanne fielen allein in dieser einen Kompanie die Kriegsberichter

Sdf. (Z) Ulrich Bigalke (Film) abgeschossen, Englandflug, angeschwemmt,
Sdf. (Z) Heinz Holzapfel (Film), abgeschossen,
Flg. Adolf Tausendfreund (Film/Bild), abgeschossen,
Flg. Hans Alt (Wort), abgeschossen,
Sdf. (Z) Emil Weihmüller (Wort), abgeschossen,
Fgl. Cornelius Mildenberger (Bild), abgeschossen,
Uffz. Heinrich Martin (Bild), abgeschossen.
Doch davon erfährt die Öffentlichkeit nichts.

Insgesamt waren in kurzer Zeit fast 30 Prozent des Berichterbestandes der fünf gegen England eingesetzten

LwKBK ausgefallen. Die Berichterergebnisse der Deutschen wurden allerdings von der ganzen Welt als hervorragend und sensationell anerkannt und die deutsche Methode, Kriegsberichter-Kompanien aufzustellen, als »nachahmenswert« empfohlen.

Die englische »Daily Express« meldete, nachdem man in den Trümmern eines abgeschossenen deutschen Kampfflugzeuges einen gefallenen Wortberichter gefunden hatte:

»Diese Nachricht wird alle britischen Journalisten, die dem britischen Luftfahrtministerium beigegeben sind, aufs tiefste erschüttern. Die englischen Reporter, die sich bei den britischen Luftstreitkräften befinden, haben zwar Uniformen und dürfen sich mit militärischen Titeln schmücken, sie haben den Rang eines Squadron Leaders oder Flying Officers, aber fliegen dürfen sie nicht. Sie sitzen an ihrem Schreibtisch und tippen Nachrichten aus zweiter Hand in die Schreibmaschine oder picken Gesprächsfetzen aus Offiziers- und Mannschaftsmessen auf. Deutsche Journalisten und deutsche Pressefotografen werden dagegen als Flieger und Bordschützen ausgebildet und an den Feind gesandt, von wo sie ihre Erlebnisse berichten dürfen.«

Als die Luftoffensive im Mai 1941 abgebrochen wurde, hatte die deutsche Luftwaffe schwerste Verluste erlitten und die Schlacht verloren: London hat nicht kapituliert.

Aber Deutschland hatte in den Augen der Öffentlichkeit – auf Grund geschickt gelenkter Propaganda – keine Niederlage erlitten. Die stärkste Wirkung war dabei zweifellos von den eindrucksvollen Filmberichten ausgegangen.

Fast jede neue Ausgabe der »Deutschen Wochenschau« endet in dieser Zeit mit einem Furiosum turbulenter Luftkämpfe, aus Kampfmaschinen von Kriegsberichtern gefilmt. Die Filmstreifen zeigen Szenen, wie sie noch niemals je zuvor ein Außenstehender hatte sehen können.

Der Zuschauer, bequem im Parkettsessel sitzend, erlebt einen Luftkampf mit, ein Duell, das sich in Tausenden von Metern Höhe abspielt, er lernt, was ein »Luft-karussell« ist, – die Verfolgungsjagd zweier Jäger auf Leben und Tod in einem Kreis, der enger und enger wird, bis die Kurbelei mit dem Absturz einer Maschine endet, – der feindlichen Spitfire, die brennend in die Tiefe stürzt und tief unten auf dem Meer zerschellt – –.

Es gibt nur einen Überlebenden in diesem Kampf. Es ist der, der diese Filmaufnahmen macht und zurückbringt. Für den »Zuschauer«.

In der Dunkelheit des Kinos, in der Anonymität seines Parkettplatzes, wird dieser Zuschauer Augenzeuge des Heldenkampfes, des Dramas, und identifiziert sich – mit dem Sieger! Denn das sind keine gestellten Szenen, das ist kein Trickfilm – da ist jeder Meter Film echt.

Goebbels hatte sehr wohl gewußt, was er tat!

Selbst Hitler ließ sich oft stundenlang Kampfszenen der neu eingehenden Filme vorführen und bestimmte, was davon in der nächsten Wochenschau erscheinen sollte.

Der propagandistische Erfolg war vollkommen. Das Scheitern des Versuchs, die Luftherrschaft im Westen zu erringen, wurde kaum registriert. Zumindest nahm das niemand ernst.

Nach dem überraschend schnellen Sieg über Frankreich, den Waffenstillstandsverhandlungen im Wald von Compiègne – in dem gleichen Speisewagen mit der Nummer 2419 D, in dem 1918 die deutsche Delegation die Waffenstillstandsbedingungen entgegennehmen mußte – glaubte die Welt auch jetzt noch, daß nun der Sprung hinüber nach England folgen würde.

Hitler hatte ursprünglich wohl wirklich die feste Absicht gehabt, in England zu landen. »... denn wir fahren ... gegen Engeland ...« schallte es aus den Lautsprechern der deutschen Volksempfänger.

Wann genau er anderen Sinnes geworden ist, blieb ungeklärt. Möglicherweise mag ihn die verlorene Luftschlacht dazu bewogen oder zu seinem Entschluß beigetragen haben.

Immer stärker beschäftigte ihn im Laufe der Zeit die Frage, warum England sich so hartnäckig weigere, auf seine Friedensvorschläge einzugehen. Wer stärkte Churchill den Rücken? Vielleicht die Sowjetunion, – der bisher einzige gewichtige Verbündete Deutschlands?

Noch während der letzten Tage des Westfeldzuges, als die deutsche Wehrmacht in Frankreich gebunden war, hatte Stalin die Gelegenheit benutzt, Litauen, Lettland und Estland zu überfallen und zu besetzen. Damit standen sowjetische Truppen an der Grenze Ostpreußens! War es dies, was Hitlers Mißtrauen wachrief?

Am 31. Juli 1940 teilte Hitler einem kleinen Kreis auf dem Berghof mit, daß er sich mit dem Gedanken trage, die Sowjetunion anzugreifen, bevor Stalin die Front wechsele und ihm in den Rücken falle. Doch hatten diese Pläne zunächst noch strengstes Geheimnis zu bleiben.

Dabei kam ihm die öffentliche Meinung, daß nun die Invasion in England erfolgen würde, zur Tarnung seiner wahren Absichten sehr zu Hilfe.

So trat die kuriose Situation ein, daß sogar die Propaganda-Kompanien zu Lande, zu Wasser und in der Luft zur Vertiefung dieser irrigen Meinung eingesetzt wurden, ohne selbst über die wirklichen Ziele und Absichten etwas zu wissen.

Eine konzertierte Irreführung größten Ausmaßes mit dem einzigen Ziel, vom deutschen Aufmarsch im Osten abzulenken und einen Angriffplan auf England vorzutäuschen, lief im In- und Ausland an: Der Aufbau einer potemkinschen Kulisse unter der Bezeichnung »Seelöwe«.

Alles lief nach einem genauen Zeitplan, der nur allerhöchsten Stellen bekannt war, ab. Mehr als hundert irreführende Einzelmaßnahmen wurden gestartet. – Davon einige Beispiele:

Unter dem Decknamen »Propaganda-Abteilung K« wurde in Potsdam eine angeblich für den Einsatz in England bestimmte Einheit aufgestellt. Das »K«, so flüsterte man, bedeute »Kanalküste«. Und je mehr diesmal geflüstert wurde, um so mehr freute sich insgeheim Dr. Goebbels!

Eine andere Flüsterpropaganda setzte er damit in Gang, daß man besonders qualifizierten Journalisten und Verlagsfachleuten sagte, sie sollten sich darauf vorbereiten, Zeitungen, Verlage und die Rundfunkstationen der BBC in England zu übernehmen. Noch niemals zuvor war innerhalb der PK selbst soviel geflüstert und spekuliert worden! Und man konnte sich ausrechnen, in wieviel Stunden so ein Gerücht die undichte Stelle fand – – –.

Unter dem Siegel strengster Geheimhaltung, die aber ebenfalls absichtlich Lücken und Leichtsinnsfehler aufwies, wurden Dolmetscher für Englisch und spezielle Englandkenner aus allen Prop.-Einheiten herausgezogen und zu der Geisterabteilung »K« nach Potsdam beordert, wobei man sich sogar besonders – um den Anschein der Echtheit zu erwecken – auch an Propagandaeinheiten wandte, die bereits an der Ostgrenze lagen.

Dann suchte der stellvertretende Chef der Abteilung Wehrmachtpropaganda im OKW persönlich die für die »Invasion« bestimmten Prop.-Kompanien des Heeres, der Luftwaffe und der Marine auf, um dort »unauffällig« Besprechungen zur Sicherstellung der notwendigen Nachrichtenverbindungen und schnellen Rückführung der ersten PK-Berichte von der Invasionsfront zu führen.

Besonders echt und überzeugend mochten auch »für den Einsatz in England« angefertigte Flugblätter gewirkt haben, die in Kisten von Berlin aus an die Einsatzhäfen der Luftwaffe nach dem Westen geschickt wurden. Einige eingeweihte Leute hatten – mit viel Erfindungsgabe! – dafür zu sorgen, daß verschiedene Kisten so schlecht vernagelt wurden, daß sie beim Transport zu Bruch gehen mußten und die »Flugblätter« dann mit Sicherheit in »falsche Hände« geraten würden. (Bei der deutschen Gründlichkeit war einmal ein Gefreiter dabei erwischt worden, als er Kisten schlecht vernagelte, und das Prop.-Min. hatte alle Mühe, ihn vor schwerer Bestrafung wegen »Sabotage« zu schützen!)

Gelegentlich wurden (eigens dafür durchgeführte) Einschiffungs- und Landeübungen der Marine zum Fotografieren für PK-Bildberichter »für Archivzwecke« freigegeben, anschließend jedoch – um Verwirrung zu stiften – die Freigabe wieder zurückgezogen. Von den »Archiv«-Fotos sind dann »versehentlich durch Zensurpannen« ein oder zwei Bilder an die Presse gelangt.

Acht Monate lang währte das Spiel der konzertierten Täuschung.

Unterstützt durch die von Anfang an verbreitete Meinung, der Führer warte nur auf den richtigen Augenblick für den Sprung nach England, wurde die Kulisse »Seelöwe« bis kurz vor Beginn des Ostfeldzuges kaum von jemandem mit Sicherheit durchschaut. Das Glanzstück der PK war über die Bühne gegangen, ohne daß die Mitwirkenden selber wußten, was gespielt wurde.

6 HOLZAMER BERICHTET AUS BELGRAD
WIRBEL UM LILI MARLEEN
INTERMEZZO IM NONNENKLOSTER
ATHEN!
MARIA CALLAS EIN SCHÜTZLING DER PK
PK-FALLSCHIRMJÄGER ÜBER KRETA
MAX SCHMELING TOTGESAGT

Am 15. Mai 1941 sollte der »Fall Barbarossa« anlaufen, die gigantische Offensive gegen die Sowjetunion – an einer Front von der Ostsee bis ans Schwarze Meer. Hitler hatte alles darauf angelegt, diesen Termin einzuhalten[1]), da macht ihm Mussolini – unbeabsichtigt und tölpelhaft – einen Strich durch die Rechnung. Er startet ohne jede vorherige Absprache ein eigenes neues Kriegsabenteuer und greift von Albanien aus Griechenland an. Doch, wie alles bei den glücklosen Waffenbrüdern, geht auch das schief, – die Deutschen müssen ihm zu Hilfe kommen, allein um die nun heraufbeschworene Gefahr einer briti-

---

[1]) Führer-Weisung Nr. 21 vom 18. Dezember 1940.

192

schen Invasion in Griechenland abzuwenden. Statt im Frühjahr in Richtung Moskau zu marschieren, führt Hitlers vierter Feldzug nach Süden, in Richtung Jugoslawien und Griechenland. Der »Fall Barbarossa« wird um sechs Wochen verschoben, – um sechs Wochen, die der russische Winter dann zu früh kommt.

Während die deutschen Truppen die Lage wieder bereinigen, verfallen die Italiener auf recht dubiose Methoden, ihre Niederlagen zu kaschieren: Um dem Kinopublikum in der Heimat »siegreiche Schlachten« vorführen zu können, stecken sie italienische Soldaten in jugoslawische Uniformen, liefern sich mit ihnen »erbitterte Kämpfe« mit Platzpatronen und Knallkörpern und lassen das Ganze von eifrigen Kameramännern aufnehmen.

»PK auf italienisch!« sagte kopfschüttelnd der deutsche General Glaise-Horstenau, der zufällig Augenzeuge der »Schlacht« geworden war, bei der auf beiden Seiten kein Tropfen Blut floß. (Der Vorfall wurde damals stillschweigend übergangen.)

Die deutschen Kriegsberichter haben solchen faulen Zauber nicht nötig, die Wehrmacht ist bei allen Unternehmen siegreich. Mitunter kommt es unter den Berichtern sogar zu einem regelrechten Wettstreit, wessen Meldung auf welchem Wege zuerst in Berlin ist.

Bei der Einnahme von Belgrad durch die Panzergruppe Kleist, am 17. April 1941, läuft ein Berichter der Luftwaffe denen der Heeres-PK den Rang ab. Sonderführer (Z) Karl Holzamer (der spätere Intendant des ZDF) schafft es, daß seine Meldung – auf dem Luftwege – als erste in Deutschland eintrifft.

In der ersten Rundfunkreportage wird berichtet über die in nur elf Tagen zerschlagene königlich-jugoslawische Armee, über die Unterzeichnung der Kapitulationsurkunde, über die 224 000 Mann jugoslawische Soldaten, die in deutsche Gefangenschaft gerieten. Und auch darüber, daß sich die Belgrader Regierungsmitglieder in englischen Flugzeugen nach Kairo retteten, nachdem sie im montenegrinischen Niksic den staatlichen Goldschatz untereinander aufgeteilt hatten – –.

Doch nicht dies ist es, womit Belgrad über alle Fronten hinweg zu einem Begriff wird, auch nicht die von Trompeten geschmetterte Volksweise aus dem Türkenkrieg »Prinz Eugen, der edle Ritter«, mit der von nun an die Sondermeldungen vom Balkan eingeleitet werden. Was den Soldaten von hüben und drüben ans Gemüt geht, ist ein kleines Liedchen: »Vor der Kaserne, vor dem großen Tor – –«. Eine bis dahin völlig unbekannte Sängerin singt dieses Lied von der Lili Marleen – aber *wie* sie es singt!

Bis an den Polarkreis, bis nach Afrika dringt das Timbre dieser Stimme. Sie hat das gewisse Etwas, sagen Landser und Generäle übereinstimmend, und selbst die Engländer und die Amerikaner, die den Text gar nicht verstehen, sind davon fasziniert. ›Lili Marleen‹ wird zum Schlager des Zweiten Weltkrieges, der Text in viele Sprachen übersetzt. Doch der ist am unwichtigsten.

Entscheidend sind zwei Punkte:

Die Ausstrahlung, die Lale Andersen als Interpretin hat.

Und die Ausstrahlung, die der Sender hat. Die Sendetürme im Belgrader Vorort Makisch stehen mitten im Überschwemmungsgebiet der Save, – und Sumpfboden ist erfahrungsgemäß die denkbar günstigste Voraussetzung für die Reichweite eines Senders.

Man hörte ihn in England, in Frankreich bis zur Pyrenäengrenze, in Nordafrika, der Türkei, in Persien, am finnischen Meerbusen und bis tief nach Rußland hinein.

Wie aber kam diese ›Lili Marleen‹ überhaupt nach Belgrad, um ausgerechnet dort so ausdauernd und standhaft bei der Laterne zu stehen, ›wenn sich die späten Nebel drehn‹?

Als PK-Leutnant Karl-Heinz Reintgen (später Chefredakteur – Hörfunk und Fernsehen – des Saarländischen Rundfunks) den Soldatensender Belgrad wenige Tage nach der Einnahme der Stadt in Betrieb nahm, verfügte er über ein musikalisches Repertoire von ganzen 16 Schallplatten.

Man kann nicht immer das gleiche spielen, sagte er sich und sandte einen Sonderführer (Z) namens Kistenmacher nach Wien, um »Musik« zu besorgen.

Kistenmacher ging zum Wiener Funkhaus, stöberte dort im Archiv (im Rundfunkjargon: Plattenkeller) herum und nahm schließlich einige Kisten voll verstaubter Titel mit nach Belgrad, darunter auch das »Lied eines Wachtpostens«, komponiert von Norbert Schultze[1]) und gesungen von Lale Andersen.

Leutnant Reintgen ließ das unbekannte Lied zwei-, dreimal mitlaufen. Nach wenigen Tagen des noch recht bescheidenen Sendebetriebs, der von nur fünf Mann bestritten wurde, trafen die ersten Hörerbriefe ein, etwa ein Dutzend. Sie wurden besonders sorgfältig gelesen, und dabei fiel auf, daß in zwei Briefen ein Lied lobend hervorgehoben wurde: Lili Marleen!

Da es beim Rundfunk an »Meckerbriefen« (schon damals!) nicht fehlte, Lobeshymnen jedoch selten waren, wurde das Lied des Wachtpostens öfter aufgelegt, und in kurzer Zeit erlangte es eine Beliebtheit, wie sie im Kriege nie wieder eine Melodie erreichte. Jeder Mitarbeiter in Belgrad wollte sie in *seiner* Sendung haben. »Es gab richtige Streitereien«, sagt Reintgen darüber, »und so kam es, daß ›Lili Marleen‹ oft ein dutzendmal am Tage durch den Äther dudelte. Diese ewigen Wiederholungen paßten mir eines Tages nicht mehr, und ich beschloß, Lili Marleen wieder in der Versenkung verschwinden zu lassen, aus der sie gekommen war...«

Aber damit hatte er einen regelrechten Höreraufstand ausgelöst! »Eine Flut von Protestschreiben prasselte auf uns nieder! Waschkörbeweise trafen die Feldpostbriefe aus allen Teilen Europas ein!«

Alle wollten Lili Marleen wieder hören. Man hatte sich so an sie gewöhnt. An die Stimme Lale Andersens, an das gewisse Etwas – –.

Reintgen gab sich geschlagen. Er entschloß sich, die Platte ab sofort wieder aufzulegen – aber nur »einmal täglich!« Er ordnete an, daß »Lili Marleen« jeden Abend pünktlich um 22 Uhr – zum Abschluß des Programms –

[1]) Text: Hans Leip, 1915.

gesendet werden sollte. Und Millionen waren wieder glücklich!

Die dankbaren Hörer schickten nicht nur Briefe, sondern auch Sachspenden: Ölgemälde und Teppiche für das Studio, und für die Männer echten Cognac aus Frankreich, Tokayer aus Ungarn, ein halbes geräuchertes Schwein aus dem Banat, Unterhosen, Socken, Slivovitz aus Kroatien und Gilka-Kümmel aus Berlin. Es kam soviel zusammen, daß Leutnant Reintgen – zum »Sachverwalter« ernannt – große Mengen weitergab an Lazarette und an die bedürftige Bevölkerung – ohne Unterschied der Nationalität.

Einmal wäre ›Lili Marleen‹ indirekt fast sogar daran schuld geworden, daß ein ausgewachsener PK-Mann eben dieses Senders als stürmischer Liebhaber eine Nonne entführt hätte. Dazu war es folgendermaßen gekommen:

Viele Hörer glaubten, ›Lili Marleen‹ sei ein wirkliches Wesen aus Fleisch und Blut, das in eigener Person allabendlich seinen Gesang sirenengleich durch den Äther erklingen lasse, und schickten per Feldpost ganze Sendungen von Parfums, Lippenstiften und Kosmetika, darüber hinaus aber auch die reizendsten und intimsten Bekleidungsstücke für junge Damen. Da die PK-Männer mit diesen Dingen nichts anfangen konnten, gaben sie auch diese weiter. Ein Teil davon landete bei der Oberin des unweit der Stadt auf einer Anhöhe an der Donau gelegenen Klosters zum Heiligen Spiridon.

»Die dortigen Damen«, so berichtete Major Dr. Julius Lippert später in der ›Wildente‹, »waren zwar nicht mehr ganz jung, aber aus altem Adel und von nicht uninteressanter weltlicher Vergangenheit. Sie nahmen die kleinen Aufmerksamkeiten mit Grazie an und revanchierten sich durch eine Einladung zum Tee für meine Offiziere und mich. Da die Nönnlein alle entweder deutsch oder französisch sprachen, machte die Verständigung keine Schwierigkeiten, sie war sogar so gut, daß einer meiner Sonderführer sich sterblich in eine von ihnen verliebte, obwohl die Dame seiner Wahl gut und gern seine Mama

196

hätte sein können. Im Einverständnis mit ihr wälzte er ernsthafte Pläne zu ihrer Entführung, von denen ich indessen rechtzeitig Wind bekam. Der feurige Liebhaber wurde schleunigst nach Saloniki versetzt, denn einen Skandal konnte ich ganz und gar nicht brauchen.«

Es gab ohnedies schon genug Feinde und Neider, die dem kleinen Sender mit der großen Reichweite den Erfolg und die Volkstümlichkeit, die er errungen hatte, mißgönnten. Sie bildeten die allerdings sehr kleine Gruppe der ›Anti-Lili-Marleenisten‹.

Zu ihnen gehörte sonderbarerweise auch Goebbels.

Er haßte das »sentimentale Liedchen«. Und wenn sich nicht höhere Offiziere des OKW dafür eingesetzt und erklärt hätten, daß es gerade bei Frontsoldaten einen unschätzbaren Wert wegen seines verborgenen psychologischen Effekts habe, hätte er es einfach verboten, weil er es für »Gefühlsduselei« hielt, die »bei Soldaten falsch am Platz sei«.

Hier irrte Goebbels[1]).

Die Aktivitäten der selbständigen Propaganda-Abteilungen in den besetzten Gebieten, die nichts mehr mit Kriegsberichterstattung zu tun hatten, interessierten ihn erst in zweiter Linie. Vielleicht paßte ihm auch nicht die ungeheure Popularität, die der kleine Soldatensender Belgrad ohne sein Zutun erreicht hatte. (Reintgen sagte später sogar: »Wir galten bei vielen Bonzen als eine Art Feindsender!«)

Doch der »Belgrader« war durch nichts umzuwerfen, auch nicht einmal durch die späteren »planmäßigen Absetzbewegungen«. Unzählige Male machte er Stellungwechsel.

Gesendet wurde zum Schluß von einem Übertragungswagen aus – auf der Mittelwelle des Landessenders Salzburg. Die ausländischen Mitarbeiter wurden nach und

---

[1]) In Japan wird das Lied 30 Jahre nach Kriegsende zum ›Hit‹. – 1976 erwarb der italienische Produzent Enzo Peri von Norbert Schultze die Musikrechte für einen Musical-Film. »Lili Marleen« soll von Liza Minnelli dargestellt werden.

197

nach verabschiedet, und schließlich irrte nur noch ein letzter Stamm von 12 Mann mit einem fahrbaren Sender in den Alpen herum. Oft mußte der schwere Ü-Wagen mit gemeinsamen Kräften die steilen Alpenpässe hinaufgeschoben werden, wenn es der Motor nicht ganz schaffte.

Als man in Maria Pfarr, oberhalb Mauterndorf am Fuße des Hohen-Tauern-Passes, Station machte, war das Kurioseste geschehen, was einem Soldatensender passieren konnte: Man hatte das Kriegsende verpaßt! Der standhafte Belgrader Wachtposten hielt, wie ein Vergessener, immer noch einsam auf seinem Posten aus!

Es war bereits der 9. Mai 1945, als man von der Kapitulation erfuhr! Aber alliierte Soldaten waren in den Bergen weit und breit nicht zu sehen. Man hatte also Zeit. Und so beschloß man, der Sender solle nicht ohne einen Abschied seinen Dienst so einfach einstellen. Man wollte einen letzten Gruß an die richten, die ihn noch hörten – man wollte sich verabschieden – für immer.

Viel hätte man sagen können, sehr viel. Aber dann wurden es doch nur wenige sachliche Worte – –.

»Uns war plötzlich seltsam zumute«, sagt später Heinz Rudolf Fritsche, der Programmgestalter des Senders. »Uns war klar: Wenn uns auch kein deutscher Soldat mehr hören konnte – die Engländer, die Soldaten der britischen 8. Armee, würden uns hören!«

Um 16 Uhr legte der stille Leutnant Johannes Ferger aus Dresden, der 1943 in Belgrad geheiratet hatte, wobei sein Chef Fritsche Trauzeuge war, zum letzten Mal das »Lied eines Wachtpostens« auf den Plattenteller, und noch einmal erklang Lale Andersens Stimme: »Vor der Kaserne, vor dem großen Tor – –!«

Dann gab es keinen Soldatensender Belgrad mehr.

»Bald darauf traf ein außerordentlich freundlicher britischer Major bei uns ein und forderte uns höflich auf, mitzukommen«, berichtet Fritsche, »und prompt landeten wir als Gefangene bei der britischen 8. Armee, für die wir immer gespielt hatten – – –.«

Goebbels kümmerte sich nicht viel um die Propagandaarbeit in den besetzten Gebieten. Seine Lieblingskinder waren die Kriegsberichter. Uneingeschränktes Lob spendete er ihnen in einem Leitartikel in der für anspruchsvollere Leser geschaffenen Wochenzeitung »Das Reich« vom 18. Mai 1941:

»Es wird von niemandem mehr auf der ganzen Welt bezweifelt, weder von Freundes- noch von Feindesseite, daß Deutschland heute die modernste, schnellste, zuverlässigste und aktuellste Kriegsberichterstattung pflegt, die wir überhaupt kennen. Wir haben auf diesem Gebiet zum Beispiel dem Engländer gegenüber einen Vorsprung, der auch von den USA-Blättern, die gewiß nicht in dem Geruch stehen, uns unverdiente Lorbeerkränze winden zu wollen, einschränkungslos zugegeben wird. ... Unsere Bilder werden funktelegrafisch in die Hauptstädte aller Kontinente übermittelt, unsere Rundfunkberichte über unsere Sender, von denen zeitweilig über 60 in 30 Sprachen arbeiten, in alle Länder der Erde gesendet ... Unsere Wochenschauen, in einem Tag aus manchmal bis zu 30 000 Meter umfassendem Material geschnitten, in einer Nacht besprochen und musikalisch unterlegt, und in weit über 2000 Kopien abgezogen, fliegen schon am anderen Morgen in alle Himmelsrichtungen ...«

Athen!
Vier Tage nach der Einnahme Belgrads erreicht der Kriegsberichter Wilhelm August Hurtmanns, der gerade erst kurz zuvor ›wegen Tapferkeit vor dem Feind‹ mit dem EK I ausgezeichnet worden war, an der Spitze einer motorisierten Vorausabteilung die Stadt seiner Träume.

Hurtmanns, der den Krieg überlebte und Redakteur bei der »Rheinischen Post« wurde, erinnert sich noch gut an diesen Tag: »Dieser 21. April 1941, ein strahlender Sonntag, war das größte Erlebnis meiner PK-Tätigkeit. Ich war – wenn auch in Uniform – in Athen! Ich schrieb meinen Bericht, der schon am Nachmittag nach Saloniki geflogen wurde. (Das Telefonnetz war zerstört.) Von dort gelangte meine Reportage über die Einnahme Athens nach Berlin, wo sie am Montag über das DNB (Deutsches Nachrichtenbüro) ausgestrahlt wurde. ... So oft werde ich in meinem ganzen Leben nicht wieder gedruckt werden ...«

Am 26. April war der Filmberichter von der Heyden (XI. Luftwaffenkorps) in einem Lastensegler mit Fallschirmjägern zum Kanal von Korinth vorgestoßen, wo es galt, die einzige als Verbindung zum Peloponnes dienende Brücke in die Hand zu bekommen. Die Lastensegler setzten präzis zu beiden Seiten der Brücke auf. Im Handumdrehen war die Brückenverteidigung übermannt und jedes Zündkabel zu den Sprengsätzen gekappt. Die Brücke war in deutscher Hand. Die Fallschirm-Sturmpioniere trugen dann – und das war ein bodenloser Leichtsinn – die ausgebauten Sprengsätze auf der Brückenmitte zusammen. Von der Heyden stand in der Nähe und filmte die steil eingeschnittenen Felswände des schnurgeraden Kanals, als plötzlich eine gewaltige Explosion die Luft erschütterte. Der Richtschütze einer britischen 4-cm-Flak, die etwas abgesetzt zur Brückensicherung aufgestellt war, hatte mit einem Sonntagsschuß die Sprengsätze getroffen und die Brücke in die Luft gejagt. Von der Heyden stürzte, die Kamera in der Hand, mit der zerfetzten Brückenkonstruktion in die Tiefe.

In der Wochenschau waren seine letzten vorher gemachten Aufnahmen zu sehen, und bei der üblichen Angabe der Urheber stand hinter seinem Namen ein Kreuz. Seine Verlobte, Ilse Werner, sah es im Kino.

Nachdem die Kriegsberichter ihre Aufgabe, über das Kampfgeschehen zu berichten, erfüllt hatten, ging die Initiative jeweils auf die Propaganda-Abteilungen über, denen die Betreuung der besetzten Gebiete oblag, und die überall dort, wo sie eingesetzt waren, sofort eine fieberhafte Aktivität entwickelten.

So verfügte PK-Hauptmann Dr. Julius Lippert, Journalist und ehemaliger Oberbürgermeister von Berlin, als Kommandeur der Abteilung »Südost« bald über einen

200

»militärisch organisierten Konzern« von ungeahnten Aus-
maßen. Unversehens war er zwangsläufig in die Rolle
eines ausgewachsenen Generaldirektors geschlüpft.

Mit seinen Leuten gründete er auf dem Balkan sieben
Filmverleihfirmen, verwaltete 21 Film- und 18 Sprech-
theater, leitete 12 Soldatenheime, betrieb 11 Druckereien, war Herr über 4 Landgüter, die als Genesungs-
heime eingerichtet wurden, hatte einen Wagenpark von
über 800 Fahrzeugen laufen, dazu noch 3 Motorfähren in
Athen, Saloniki und Korinth zur Betreuung der griechischen Inseln. Seine Zahlmeisterei − Sitz Belgrad − nahm
in kurzer Zeit die Ausmaße eines gut florierenden Bank-
hauses an, in dem Riesensummen von kroatischen
Kunas, serbischen Dinars, ungarischen Pengö, von Leas,
Leis, Lire, Drachmen und mitunter sogar von Schweizer
Franken und türkischen Pfunden umgesetzt wurden.
Zweigstellen befanden sich in Athen, Sofia, Budapest,
Bukarest und Agram sowie einer Vielzahl kleinerer Orte
zwischen Triest und Adrianopel. − Ein stattliches Unternehmen, das allerdings in keinem Handelsregister einge-
tragen war!

Von Belgrad aus hatte Lale Andersen mit ›Lili Marleen‹
Karriere gemacht. In Athen entdeckte die PK einen
späteren Weltstar: Maria Callas!

Über die erste Begegnung mit der damals 17jährigen
sagt der PK-Mann Friedrich W. Herzog, der als Feuilleto-
nist bei den »Deutschen Nachrichten in Griechenland«
eingesetzt war: Auf einer Sommerbühne, im Freien inmitten der Stadt, hatte das Theater Puccinis »Tosca« gespielt. Eine völlig unbekannte, blutjunge Sopranistin mit
dem zungenbrechenden Namen Maria Kalojeropoulou
hatte die Titelpartie gesungen und war mir angenehm
aufgefallen. Mit einer Sicherheit ohnegleichen und der
großen Geste der geborenen Diva hatte sie trotz ihrer
Jugendlichkeit die Szene erobert.

Und in seiner ersten Kritik schrieb Herzog:

»...Ihr Sopran besitzt Jugend, Wohllaut, Schmelz,
Weichheit und Rundung, und mit diesen Vorzügen erfüllt

sie die Titelpartie in einer hochgespannten Ausdrucks-
linie, die der lyrischen Kantilene den großen Zug und den
leuchtenden Atem verleiht. Auch im Spiel offenbarte die
Künstlerin ihr Talent, wenngleich sie in manchen Zügen
noch etwas unfertig erschien, was angesichts ihrer Jugend nur natürlich ist ...«

Am nächsten Tag erschien Maria Kalojeropoulou auf
der Redaktion der »Deutschen Nachrichten« in der Kolokotronistraße Nr. 8, wo auch die Marine-Frontzeitung für
den Bereich des Admirals Ägäis gedruckt wurde.

Herzog erkannte seine »Tosca« kaum wieder: Ein kräf-
tiges Mädchen stand da vor ihm in einer Art Dirndlkleid,
um den Hals eine lange Kette mit einem goldenen Kreuz
und in der Hand eine Brille.

Maria wollte sich für die gute Kritik bedanken. Es war
ihre erste – und noch dazu von einem Deutschen!

Herzog sieht sie an und bemerkt sofort, daß dies nicht
der einzige Grund ist, warum sie gekommen ist.

Sie hat Angst.

Und nachdem sie die erste Scheu überwunden hat,
schüttet sie ihm ihr Herz aus. In dem halb griechisch,
halb französisch geführten Gespräch erfährt er ihre Le-
bensgeschichte.

Ihr Vater, ein geborener Grieche, ist nach den USA
ausgewandert und unterhält in New York eine gutge-
hende Apotheke. Sein Herz aber gehört der alten Heimat, die er gern einmal wiedersehen möchte. Doch er
selbst kann nicht fahren, die Arbeit hält ihn fest. Darum
hat er wenigstens sie mit ihrer Mutter einmal nach Athen
geschickt – nur so zum Besuch, für kurze Zeit. Aber
durch den Krieg ist ihre Rückkehr vorläufig unmöglich
geworden.

Und nun hat sie Angst, als Amerikanerin interniert zu
werden.

Herzog beruhigt sie. General Speidel, der Militärbe-
fehlshaber in Griechenland, sei ein musisch sehr begab-
ter Mensch und unterstütze die griechischen Künstler,
wo immer sich Gelegenheit dazu biete. Nie würde er dul-
den, daß man eine Künstlerin wie sie nur ihrer amerikani-

schen Nationalität wegen einsperrte. Die PK werde schützend ihre Hand über sie halten.

Das waren große Worte! Aber Herzog wußte, was er sagte. Und er hielt sein Versprechen.

Maria war glücklich. Sie durfte weiter in Freiheit studieren und an sich arbeiten, wenn es auch nicht immer einfach war, sich mit ihrer Mutter durchs Leben zu schlagen.

Von ihren eigenen Landsleuten konnte sie kaum Unterstützung erwarten, sie wurde im Gegenteil stets als Eindringling betrachtet. Nur mit Ach und Krach hatte sie die »Tosca« singen dürfen. Die Veteraninnen der Staatsoper in Athen pochten auf ihre wohlerworbenen Rechte.

Aber Maria ließ sich nicht unterkriegen.

»Ich werde singen! Ich muß singen!« rief sie damals immer wieder aus.

Ihre Lehrerin Elvira de Hidalgo, Gesangsmeisterin und Regisseurin an der Staatsoper, konnte ihr zwar Gesangsstunden geben – aber kein Engagement. So hielt sie weiterhin guten Kontakt zur deutschen PK.

PK-Mann Herzog berichtet über diese Zeit:

Wenn wir uns irgendwo in der Stadt trafen, war ihre erste Frage stets: »Quelles nouvelles?« (Was gibt's Neues?) Sie fühlte sich trotz ihrer Erfolge wie in einem Gefängnis, denn sie wollte hinaus in die Welt.

Ihre Mutter hatte nichts zu lachen, wenn sie hungrig heimkam und nur einen schmal gedeckten Tisch vorfand. Dann wackelte nicht nur der Tisch, sondern auch die Wand!

Und doch weiß ich aus eigener Anschauung, daß ihre Mutter das Letzte für sie opferte. Mutter Evangelia saß auch bei jeder Probe als kritische Zuschauerin im Nationaltheater, aber, da sie ebenso eigenwillig war wie Maria, gab es stets »Kleinholz« bei den temperamentvollen Auseinandersetzungen.

Eine galoppierende Inflation trieb das Wirtschaftsleben mit Riesenschritten an den Rand des Abgrundes. Man rechnete schon längst in Millionen. Bei einem Wohltätigkeitskonzert des Athener PK-Senders zugunsten der notleidenden griechischen Künstler erspielten Deutsche und Griechen gemeinsam den sagenhaften Betrag von siebeneinhalb Milliarden Drachmen, und Maria, der PK-Schützling, war dabei.

Noch im April 1944 sang sie in der griechischen Erstaufführung von Eugen d'Alberts »Tiefland« mit urwüchsiger Natürlichkeit die Partie der Martha.

»Was andere Sängerinnen erlernen müssen«, schrieb Herzog, »besitzt sie von Natur, den dramatischen Instinkt, die Nervigkeit des Spiels und die Freizügigkeit der Gestaltung. Ihre Stimme entfaltet in der Höhe eine durchschlagende metallene Kraft, und in den getragenen Augenblicken weiß sie alle Farben ihres kostbar jungen und von angeborener Musikalität geführten Soprans aufzudecken.«

Jetzt erst fand die als »größenwahnsinnig« verschriene »Amerikanerin« auch bei den Griechen die verdiente Anerkennung. Sie hatte den Bann gebrochen.

Kurz vor der Räumung Griechenlands durch die deutsche Wehrmacht wurde die Aufführung von Beethovens »Fidelio« im Theater des Herodes Attikus unterhalb der Akropolis mit Maria als Leonore zur letzten großartigen Manifestation deutscher Kunst in Athen.

»Hier feierte Maria Kalojeropoulou ihren größten Triumph. Hier gab sie Keim, Blüte und Frucht in jenem Zusammenhang, der auch die Kunst der Primadonna adelte.«

Dies waren die letzten Worte, die Herzog über seinen Schützling schrieb, bevor aus dem Teenager Maria Kalojeropoulou die weltberühmte Maria Callas wurde, die Callas, die Schlagzeilen in der Weltpresse machte, die Anlaß für seitenlange Skandalgeschichten in den Boulevardblättern lieferte, die man als heimliche Geliebte des Tankerkönigs Onassis hinstellte – aber auch die Callas, die ihre Kunst so ernst nimmt, daß sie sich Stunden vor jedem Auftritt einschließt, um sich auf die jeweilige Partie einzustimmen und dann schon beim ersten Ton nur noch Tosca, Lucia oder Madame Butterfly zu sein.

PK-Mann Friedrich W. Herzog erinnert sich: Das tat sie schon damals vor jeder Vorstellung! Für ihn ist und bleibt sie in erster Linie die große Künstlerin. Und wenn er in der Chronique scandaleuse der Weltpresse gelegentlich erfährt, welchen Wind die Diva wieder einmal gemacht hat, dann denkt er oft zurück an die Kolokotronistraße, an das kräftige Mädchen, das da so ängstlich vor ihm gestanden hatte.

Tja, das war einmal, Callas Athene – –.

*

Besonderes Kopfzerbrechen bereitete der deutschen Führung die Insel Kreta, die durch ihre Lage im östlichen Mittelmeer für die Engländer von größter Bedeutung war. Eine Invasion, wie sie etwa beim Unternehmen »Seelöwe« anfänglich geplant war, war nicht möglich – man hatte gar keine Landungsflotte dafür.

General Student, der Kommandierende des XI. Fliegerkorps, erhält den Befehl, Fallschirmjäger und Luftlandetruppen einzusetzen.

Es wird das größte Unternehmen dieser Art in der Kriegsgeschichte und auch das verlustreichste, und vielleicht hätte man sich anders entschlossen, wenn nicht die Aufklärungsflugzeuge und auch gleichzeitig die deutschen Agenten ein völlig falsches »Feindbild« gemeldet hätten: Nur ein Drittel der tatsächlich vorhandenen englischen Streitkräfte werden angegeben. Von den Briten aufgebaute Scheinstellungen werden für echte angesehen, wirklich vorhandene Abwehrstellungen dagegen bleiben unerkannt.

Als die deutschen Fallschirmjäger am frühen Morgen des 20. Mai 1941 über den Flugplätzen Malemes und Heraklion abspringen, empfängt sie prasselndes MG-Feuer. Wie auf dem Schießstand werden die in der Luft hin und her pendelnden Fallschirmjäger von Gewehrschützen abgeschossen. Eine große Anzahl ist bei der Landung auf der Erde bereits tot oder verwundet.

Mit den verschiedenen Absprungwellen schweben auch PK-Männer des Kriegsberichterzuges Leutnant von Kaysers vom Himmel. Viele von ihnen haben gerade erst pflichtgemäß ihre sechs Schulsprünge in Compiègne hinter sich gebracht.

Zu ihnen gehörte der Bremer Journalist Ernst Grunwald. Seine größte Sorge war: Wie kriege ich meine Schreibmaschine und die Kamera mit, wenn ich springe? Er fand eine Patentlösung. Da auf Kreta nicht gerade mit einem Gaskrieg zu rechnen war, verstaute er in seinem Gasmaskenbehälter, der bei den Fallschirmjägern aus Stoff war, anstatt der Gasmaske seine Leica III c, zwei Objektive, Filter und sieben Filme. Vor seiner Brust baumelnd, kam das Gerät gut mit ihm unten an, und so konnte er unmittelbar nach der Landung seine ersten Bilder schießen: An Hunderten von grünen und weißen ›Pilzen‹ segeln seine Kameraden der Erde und einem ungewissen Schicksal entgegen. Sogar Dutzende von Transportmaschinen (Typ Ju 52) sind weit oben am Himmel noch zu erkennen.

Zum Glück landete auch die kleine »Erika«, seine Reiseschreibmaschine, in einem Waffenbehälter nicht weit entfernt von ihm. Der erste Bericht wurde von einem Sanitäter übernommen, mit einem Verwundetentransport (unter Umgehung des Dienstweges!) nach Athen geflogen und dort einer Kuriermaschine direkt nach Berlin mitgegeben. Ernst Grunwald, Vollblutjournalist (»Bremer Nachrichten«), freut sich heute noch, wie das damals geklappt hat. Nach dem Krieg fuhr er mit seiner Frau nach Kreta und zeigte ihr auf den Meter genau die Stelle, wo er neben den Mauern des Zuchthauses Aya-Chanea mit seinem Fallschirm gelandet war.

In diesem Zuchthaus, das man damals notdürftig als Feldlazarett eingerichtet hatte, lag in der Ruhr-Station übrigens einer der prominentesten Fallschirmjäger: Max Schmeling.

Die amerikanische Presse hatte ihn auf Grund einer »United Press«-Meldung totgesagt. Er sollte angeblich gefangen genommen und »auf der Flucht« erschossen worden sein.

Ernst Grunwald ließ sich diesen journalistischen Lekkerbissen trotz aller Quarantänevorschriften nicht entgehen. Mit einer Sondergenehmigung suchte er Max Schmeling in seiner fensterlosen, dunklen Ein-Mann-Zelle auf. Schmeling war kaum wiederzuerkennen. Leichenblaß und apathisch lag er unter einer Wolldecke und konnte kaum sprechen. Aber er lebte. Und das allein war als Pressemeldung schon sensationell genug.

Ernst Grunwald heute: »So schrieb ich für die Weltpresse das seltsamste Interview meines Lebens: Das Interview mit einem »Toten«! –«

Vierter Teil

1 OSTFRONT: UNTERNEHMEN »BARBAROSSA«
LÄUFT AN
DIE NACHT VOR DEM GROSSEN KRIEG
EINER SCHWAMM ÜBER DEN BUG
DER FEUERZAUBER BRICHT LOS

Nein. Wir hatten nie daran gedacht, daß einmal schlagartig über Nacht ein Krieg gegen Rußland losbrechen
könnte.

Wir lagen seit acht Monaten in den weißen Hotelbetten
des Ostseebades Cranz. Fast friedensmäßig!

Es hatte Verlobungen gegeben. Und sogar Hochzeiten!
Doch zu den Kindstaufen waren die Frauen allein – –.

Das, woran niemand geglaubt hatte, wurde uns als
strengstes militärisches Geheimnis völlig überraschend
mitgeteilt.

Es war an einem strahlenden, sonnigen Morgen, einem
Freitag, dem letzten Frühlingstag.

Oberleutnant Busse, Zugführer der Kriegsberichter,
war gleich nach dem morgendlichen Antreten mit uns
losmarschiert in Richtung auf ein einsames Waldstück.
Über dreißig Mann waren wir: sechs Wortberichter,
sechs Bildberichter, vier Kameramänner und vier Rundfunkreporter, dazu ein gutes Dutzend Fahrer. Wir kannten die Gegend kaum, denn erst kurz zuvor waren wir in
die Nähe der Försterei Memel verlegt worden – nahe der

sowjetischen Grenze. Nur übungsmäßig, wie es geheißen hatte.

Auf dem Ausmarsch sangen wir noch unbekümmert das Lied vom schönen Wä – hä – häster – wald, und immer, wenn die vom Komponisten vorgesehene Pause kam, schmetterte rechts hinter mir einer das Wort ›Eukalyptusbonbon‹ als Soloeinlage in die Kunstpause. Ich erkannte ihn an der hellen Stimme. Das war Ernst Glunz, dieser schlanke, drahtige Junge mit den hellblauen Augen und dem tiefschwarzen Haar. Alle Mädchen drehten sich nach ihm um! Kurz vor Kriegsbeginn hatte er es gerade soweit gebracht, daß er bei der Ufa als Kameramann im Atelier mitarbeiten durfte, – nun hatte er sich auf ›Außenaufnahmen‹ umstellen müssen!

Auf einer sonnendurchfluteten Lichtung machten wir Halt. Den Fahrern befahl Oberleutnant Busse, sich in weitem Umkreis um uns herum aufzustellen und das Gelände abzusperren.

Über uns zwitscherten die Vögel. Aber trotzdem: wir hatten das Gefühl, etwas Unheimliches bahnte sich an, kam auf uns zu.

Nachdenklich ging der Oberleutnant vor uns auf und ab, räusperte sich und begann dann mit gedämpfter Stimme zu sprechen:

»Ich habe Anweisung vom OKW, Sie schon heute mit einer streng geheimen Kommandosache vertraut zu machen. Sie wissen, daß laut Führerbefehl nur diejenigen Personen über geheime Dinge unterrichtet werden dürfen, die unmittelbar damit zu tun haben. Sie dürfen also zu keinem Menschen darüber sprechen. Was Sie jetzt erfahren werden, wissen zu diesem Zeitpunkt vielleicht noch nicht einmal Divisionskommandeure.«

Er machte eine kleine Pause und sah sich nochmals nach allen Seiten um. Ein routinierter Redner war er nicht – im Zivilberuf Kinobesitzer – und mochte sich jeden Satz genau zurechtgelegt haben:

»Am Sonntag, dem 22. Juni, um drei Uhr fünf tritt die deutsche Wehrmacht zum Kampf an der gesamten Ostfront an!«

Die eben noch fröhlichen Gesichter der Reporter ringsum erstarrten. Krieg gegen die Sowjetunion!

Schweigend verharrte der Oberleutnant eine Weile unbeweglich, und niemand unterbrach die unheimliche Stille.

Nur eine Kuh blökte irgendwo in der Ferne.

»Sonntagmorgen – drei Uhr fünf – ist X-Zeit. Sie haben also noch Gelegenheit, sich auf den Einsatz vorzubereiten. Es wird alles so organisiert werden, daß Ihr Berichtermaterial auf schnellstem Wege nach Berlin gelangt. Flugzeuge werden bereitstehen. Wenn der Führer es der Welt am Sonntagmorgen verkündet, sollen auch die ersten Berichte bereits vorliegen. Sie haben sich daher nur auf den Beginn der Kampfhandlungen zu beschränken, auf das Überschreiten der Grenze. Ein schlagartiger Feuerüberfall unserer Artillerie aus allen Rohren wird den Kampf einleiten, Minuten später wird unsere Infanterie die feindlichen Linien überrennen.«

Oberleutnant Busse legte seine Stirn in Falten. »Strengen Sie sich an, meine Herren! Gleichzeitig mit Ihnen erfahren die Kriegsberichter aller Armeen diesen Termin! Es liegt in ihrer Hand, ob unsere Kompanie das erste und hoffentlich auch beste Material nach Berlin liefert!«

Er blickte uns der Reihe nach an und wiederholte noch einmal eindringlich: »Ich sage Ihnen, strengen Sie sich an! Lassen Sie sich etwas einfallen!«

Eine Minute lang herrschte Schweigen. Bedrückendes Schweigen.

Dann rief er die Fahrer herbei, und wir marschierten – ohne zu singen – wieder zurück.

»Unbegreiflich!« sagte Tammo, als wir später allein waren. »Oder kannst *du* das verstehen?«

»Der Führer hat immer recht!« erwiderte ich lakonisch.

»Natürlich – aber –«, er brach ab, immer noch völlig konsterniert über die Nachricht.

»Was meinst du, wie lange es dauern kann?« fragte er dann, mich von der Seite ansehend.

Ich zuckte die Achsel. »Napoleon hatte nach einem Winter genug –.«

»Unsinn! Mit den modernen Waffen! Es wird ein Blitzkrieg wie in Frankreich – und Weihnachten feiern wir in Moskau!«

Der Sonnabend vor dem Ostfeldzug war ein langer, heller Tag gewesen. Entlang der Grenze hatte sich das Leben wie gewöhnlich abgespielt, man hatte alles vermieden, was den Angriff hätte verraten können.

Erst in der Dämmerung hatte uns Neidhart zum Regimentsgefechtsstand gebracht. Von dort waren wir kurz nach 22 Uhr zu Fuß aufgebrochen zu den Stellungen.

Auf schmalen Wegen gingen wir durch die Felder. Tammo stapfte schweigend vor mir dahin, ich folgte ihm, die beiden Leicas umgehängt – eine für Schwarz-weiß-, die andere für Farbaufnahmen – und die Taschen vollgestopft mit Filmen und Objektiven.

Es war inzwischen ganz dunkel geworden, nur im Norden war noch ein hellgrüner Streifen am Himmel.

Plötzlich blieb Tammo stehen.

»Du, – siehst du nichts? Da laufen doch welche –? Zivilisten?«

Wir gingen darauf zu und stellten fest, es waren Bauern, – ganze Familien mit Kind und Kegel.

»Heil Hitler!« sagte der vorderste Mann zu Tammo. »Wie lange wird es denn dauern?«

Tammo antwortete nicht gleich.

»Man hat uns vor einer Stunde aus den Betten geholt«, stöhnte der Alte, »wir sollten diese Nacht unsere Häuser räumen – es soll eine große Übung stattfinden!?«

Jetzt hatte Tammo begriffen. Die Grenzbevölkerung ahnte noch nichts. Es mußte beim Angriff jedoch mit einem Gegenschlag der Russen gerechnet werden. Und dieser Gefahr sollten die Bauern wohl entzogen werden. Aber er sagte nichts davon. Noch waren wir zum Schweigen verpflichtet. Er erwiderte nur lächelnd, im Laufe des Morgens würde alles wieder in Ordnung sein.

Kaum waren die Bauern verschwunden, sahen wir andere Gestalten schemenhaft auftauchen: ganze Kompanien von Soldaten! Gebückt schlichen sie über die Fel-

der, wie Geisterarmeen, – irgendwo im Osten verschluckte sie lautlos die Finsternis. Einmal kreuzte eine
Gruppe unseren Weg, und ich sah, die Landser hatten
ihre Seitengewehre mit Stoffetzen umwickelt, damit
nichts klapperte.

Nach einigem Herumsuchen waren wir endlich zu später Nachtstunde an dem Bauernhaus angelangt, in dem
der Bataillonsgefechtsstand lag, den wir angewiesen bekommen hatten. Die Bewohner waren ebenfalls evaku-
iert worden, und in der guten Stube auf dem roten
Plüschsofa saß jetzt der Bataillonskommandeur, ein älterer Herr mit weißen Schläfen.

Er winkte gleich ab, als Tammo uns meldete. »Ich weiß
bereits – PK – nehmen Sie Platz – ich habe später für Sie
Zeit – später – –.«

Wir setzten uns still auf zwei Stühle in einer Ecke.

Der Major, weit nach vorn über den Tisch gebeugt, war
ganz in seine Arbeit vertieft. Er machte Einzeichnungen
auf verschiedenen Karten. Alle Augenblicke kamen Melder von den Kompanien und vom Regiment, oder sein
Adjutant, ein junger rothaariger Leutnant, holte sich Anweisungen.

Blechern begann der Regulator über einer alten Kom-
mode die zwölfte Stunde zu schlagen. Der Major schaute
zu uns hinüber. »Bald wird's hier ruhiger, – und dann
kommen die letzten zwei stillen Stunden, bevor ein neuer
Abschnitt Weltgeschichte beginnt. Einige Offiziere des
Regiments hatten bis vor ein paar Stunden noch die
Theorie vertreten, wir würden – mit Erlaubnis der Russen
– quer durch Rußland über Persien nach Indien marschieren – gegen die Engländer! Was hätte es sonst mit
uns hier im Memelsack auf sich haben sollen, meinten
sie. Der Zugverkehr von und nach Rußland hat ja auch
bis heute tatsächlich noch funktioniert – –.«

Das Feldtelefon klingelte und unterbrach ihn. Immer
häufiger klappte jetzt die Tür. Die meisten, die hereinka-
men, bemerkten uns gar nicht in unserer schummerigen
Ecke.

Ich dachte nach. Wir sollten uns etwas einfallen las-

Der unblutige Krieg
Am Peipussee (Nordfront) lagen im Sommer 1941 die Reste einer überrannten sowjetischen Division. Auf einer angrenzenden Straße wurde ein Lautsprechertrupp der PK 621 eingesetzt und forderte die Sowjets in russischer Sprache auf, sich zu ergeben. Zwischendurch wurden Schallplatten mit Marschgesang abgespielt, um marschierende deutsche Bataillone vorzutäuschen. Als die Überläufer in kleinen Gruppen aus dem Buschwerk traten, waren sie erstaunt, daß sie nur einen Lautsprechertrupp von vier Mann antrafen: einen Unteroffizier, einen Tontechniker, einen Dolmetscher und einen Fahrer!

◄ Die ersten Überläufer boten sich freiwillig an, den Großlautsprecher beim Stellungswechsel zu tragen.

Ein Soldat, der sich mit erhobenen Händen freiwillig dem Feind ergibt, trifft eine schwerwiegende Entscheidung. Wie Überläufer selbst aussagten, haben sie vorher meist stundenlang in geringer Entfernung vom Lautsprecher im hohen Gras gelegen, bis sie sich zu dem Entschluß durchgerungen hätten, die Waffen wegzuwerfen und sich zu ergeben. Viele stellten sich danach selbst für weitere Durchsagen an ihre eigenen Kameraden zur Verfügung. Sie waren verblüfft über die moderne Ausrüstung der Deutschen.

Besonders erfolgreich war 1941 ein Lautsprechereinsatz der PK 698 beim Kampf um Brest-Litowsk. An einem einzigen Einsatztag ergaben sich bis zum Abend 2000 Russen.

Erst auf den letzten 50 Metern erhoben sich die Russen aus dem Gras und gaben sich zu erkennen. Einer der wesentlichsten Gründe, sich in deutsche Gefangenschaft zu begeben, war die Tatsache, daß ihnen durch den Lautsprecher Verpflegung und ärztliche Betreuung zugesichert wurden.
▼

Für die deutschen Soldaten war ▶
es anfangs sehr überraschend,
als sie feststellten, daß zu den
sowjetischen Fronttruppen auch
Frauen gehörten, die als Sanitäter, als Köchin oder derglei-
chen Dienst taten und häufig
mit einer Pistole bewaffnet waren. Im allgemeinen traten
diese Frauen sogar besonders
stolz und selbstbewußt auf. –

Lautsprechereinsätze waren
durchaus nicht immer unge-
fährlich. Beim Versuch, vor
Noworossijsk Propaganda zu
machen, ging durch Beschuß
das Fahrzeug verloren; der Fahrer, der Techniker und drei russische Dolmetscher sind gefallen.

Die Russin (links), die sich noch
schnell einen Militärmantel
übergezogen hat, um nicht als
Partisanin zu gelten, ist über
das schnelle Ende ihres militärischen Einsatzes so verzweifelt, daß sie sich bei der Begegnung mit den Deutschen die
Augen zuhält und weint – –.
▼

Noch im Rußlandfeld-
zug waren bei den
Lautsprechertrupps die
seltsamsten Fahrzeuge
im Einsatz – von der
alten Limousine Opel
Admiral 8-Zylinder bis
zum requirierten Liefer-
wagen einer Wiener
Großwäscherei – –.

Besonders erfolgreich waren Lautsprechereinsätze stets dann, wenn
Überläufer ihre eigene Einheit an-
sprachen. – Als bei Eintritt des Win-
ters später der Stellungskrieg begann, wurden die Lautsprecher auf
den Grabenrand gestellt. Solange
Musik gesendet wurde, klatschten
die Russen von drüben hörbar Beifall! Sobald jedoch die Durchsage
erfolgte, schossen sie mit schwerer Artillerie, – es gab Verluste bei
der eigenen Infanterie. Viele deutsche Regimentskommandeure un-
tersagten daher in ihrem Abschnitt
jegliche Lautsprechertätigkeit. –
Am Kuban kam es sogar dazu, daß
die im Schilfdschungel aufgestellten Lautsprecher nachts von russischen Stoßtrupps ›abgeholt‹ wurden.

Mit der weißen Fahne
in der Hand sitzen die
bereits übergelaufenen
Russen am Straßenrand
und warten auf weitere
Kameraden. – Die psy-
chologische Kriegfüh-
rung spielt eine ständig
wachsende Rolle.

sen, hatte Oberleutnant Busse gesagt, und Ernst Glunz, unser smarter Filmoperateur von der Ufa, hatte dann auch keine schlechte Idee gehabt. Heute nachmittag, als wir noch einmal über die bildmäßig zu erwartenden Möglichkeiten sprachen, hatte er mir seinen Plan entwickelt. Ihm war bekannt, daß drüben beim Iwan entlang der Grenze riesige hölzerne Beobachtungstürme standen. Und auf einen solchen Turm hatte er es abgesehen. Es lag auf der Hand, daß diese Beobachtungsposten gleich bei Beginn der Kampfhandlungen fallen mußten. Diesen ersten Schuß – über eine Pak hinweg gefilmt – wollte er als Auftakt für seinen Bericht benutzen. Seine Kamera mußte also bereits kurz *vor* der Sekunde X zu laufen beginnen. Daher hatte er schon am Sonnabendvormittag seine Arriflex hinter einem Geschütz eingebaut und getarnt – mit Sondergenehmigung vom Divisionsstab, denn jedes außergewöhnliche Verhalten war an diesem letzten Tage untersagt. Die Bedienungsmannschaft an der Pak hatte sogar im unklaren darüber bleiben müssen, was wohl der tiefere Sinn seines Tuns war.

Ja, Ernstl saß jetzt bestimmt schon hinter seiner Kamera und fröstelte. Wir aber hockten hier noch immer untätig auf unseren Stühlen.

Endlich schlug die alte Pendeluhr die erste Stunde des Tages.

Tammo konnte seine Unruhe nicht länger verbergen. Mit dem Kopf nickte er zur Tür hinüber. Ich verstand. Fast gleichzeitig erhoben wir uns und gingen hinaus.

Feuchte dunkle Nacht umfing uns. Nebel lag über dem Gelände. Irgendwo bellte ein Hund. Sonst tiefe, regungslose Stille ringsum. Wir steckten uns in der Türnische Zigaretten an, flüsterten miteinander, und es klang, als sprächen wir gegen eine Wand von Watte, die jeden Ton verschluckte.

Doch entlang der Grenze lagen jetzt die Männer einer riesigen, erbarmungslosen Kriegsmaschinerie bereit und warteten –.

Und niemand ahnte, daß in jener Nacht an einem anderen Grenzabschnitt, viele hundert Kilometer von hier entfernt, ein deutscher Soldat über den Bug schwamm, um den Russen den kurz bevorstehenden Angriff zu verraten.

Erst zwanzig Jahre nach Beendigung des Krieges erfuhr ich davon als Bildberichter: Der »Stern« beauftragte mich, ein Bild von diesem Mann, dem ersten Gefangenen der Russen, zu besorgen. Er hieß Alfred Liskow und stammte aus Kolberg. Verwandte von ihm sollten in der Nähe von Bremen wohnen. Ob er noch am Leben wäre, war ungewiß. Ich fand seine Schwester. Selbst sie hatte nach dieser Nacht nichts mehr von ihm gehört. Aber sie besaß ein Bild von ihm, ein Jugendbild in Zivil. Allerdings – sie hatte Bedenken, es mir zu geben: Wenn er vielleicht doch noch lebte – – er war doch schließlich ein Verräter, wenn auch heute viele Menschen anders darüber dächten – – und womöglich könnte es sogar ihr selbst Unannehmlichkeiten bereiten, ihr Mann habe einen kleinen Gewerbebetrieb – –. Erst, nachdem ich es ihr schriftlich gegeben hatte, daß ihr Name nicht genannt werden würde, und ihr sagte, daß selbst die Russen ihn heute suchten – er sollte zur Feier des 20. Jahrestages des Kriegsendes in Moskau als gefeierter Held bei der Truppenparade auf der Ehrentribüne sitzen – bekam ich das Bild. – Damals allerdings, als er triefend aus dem Fluß gestiegen war, hatte man ihm nicht geglaubt! Der sowjetische Kommandeur hatte sofort einen Funkspruch nach Moskau gesandt, und Stalin hatte befohlen, den Lügner auf der Stelle zu erschießen. Er hatte den Gefreiten für einen Provokateur gehalten und nicht geglaubt, daß die Deutschen Rußland angreifen würden. Aber Alfred Liskow hatte Glück. Der Oberst zögerte mit der Vollstreckung des Stalin-Befehls: es würde sich ja in wenigen Stunden zeigen, ob er gelogen hätte – –. Er wurde in jener Nacht nicht erschossen. Soviel konnte in Zusammenarbeit mit den Russen später noch ermittelt werden. Doch dann ist seine Spur verlorengegangen. Niemand hat jemals wieder etwas von ihm gehört. Nicht einmal seine Mutter. Es ist anzunehmen, daß er nicht mehr lebt. Aber niemand weiß, wo sein Grab liegt – –

Doch zurück zu damals – zu jener Juninacht 1941.

Als wir unsere Zigaretten zu Ende geraucht hatten und wieder in die Stube traten, lehnte sich der alte Herr gerade in seinem Sofa zurück und stellte mit einer gewissen Befriedigung fest: »So, jetzt ist alles getan – jetzt können wir nur noch warten, bis es soweit ist!«

Mit einer Handbewegung forderte er uns auf, an seinem Tisch Platz zu nehmen, zündete sich umständlich eine Zigarre an und blickte nachdenklich in den Rauch.

»Ja, meine Herren«, begann er dann mit einem kleinen Lächeln, »ich habe es mir weiß Gott nicht träumen lassen, daß ich noch einmal bis hier an die russische Grenze zurückkehren würde – nach siebenundzwanzig Jahren! Damals war ich kaum halb so alt wie heute – ein frischgebackener Leutnant unter dem Oberkommando Seiner Exzellenz von Hindenburg und Beneckendorff und seines Generalstabschefs Ludendorff. Nicht weit von hier lagen wir, genau wie heute, an der ostpreußischen Grenze, um die Armee des zaristischen Generals Rennenkampf aufzuhalten und Ostpreußen vor den Schrecken des Krieges zu bewahren. Ja, ja, meine Lieben, da werden Sie vielleicht verstehen, daß einem so gewisse Erinnerungen kommen – –.«

Doch jetzt wich das Schmunzeln von seinem Gesicht, und es nahm einen ernsten, beinahe harten Ausdruck an: »Ja, wir waren uns damals absolut sicher, daß wir den Russen schlagen würden, wo wir ihn träfen. Und Sie werden ja in der Schule gelernt haben, wie es da zuging – bei Tannenberg, – nach altbewährtem, klassischem Cannae-Muster. Und den Rest besorgten die masurischen Sümpfe –.«

Er blinzelte gedankenverloren in das Licht der Hängelampe über ihm. Und dann sagte er etwas Unerwartetes.

»Ich frage mich nur, ob wir es heute noch mit dem gleichen Gegner zu tun haben werden wie damals. Diesmal werden die drüben für eine Idee kämpfen – so gut oder so schlecht sie auch sein mag – und ich glaube, wir werden heute mit einem verdammt zähen Widerstand rechnen müssen.«

Ich spitzte die Ohren. Hatte nicht auch Hitler davon gesprochen, daß nur ein Volk, das von einer großen Idee
beseelt sei, – – –.

Ich konnte diesen Gedanken nicht zu Ende denken,
denn eben öffnete sich die Tür und herein trat der junge
Adjutant, eine Flasche Rotwein in der Hand.

Der Kommandeur ließ den Leutnant vier Gläser bringen und bat uns, näher an den Tisch heranzurücken.
Dann schenkte er eigenhändig den Beaujolais geruhsam
ein und prostete uns zu:

»Meine Herren, – auf die Kameradschaft! Ein Glas wird
auch Ihnen guttun. Rotwein beruhigt, ohne zu lähmen.«

Tammo hielt mir unter dem Tisch seine Armbanduhr
hin. Sie zeigte fünf Minuten nach zwei. Eine Stunde also
noch!

Der alte Major schien unsere Unruhe zu bemerken.

»Wunderbar!« sagte er, sein Glas auf den Tisch zurück-
stellend. Und den Blick hebend, wies er – wohl um uns
abzulenken – jetzt mit einer Kopfbewegung zu der Wand
hinter uns: »Haben Sie übrigens schon das Bild dort gesehen? Ein einfacher Gefreiter des vorigen Krieges –
vielleicht ein Sohn des Hauses – vermutlich gefallen,
dem schwarzen Rahmen nach zu urteilen. Nun, an dem
Feldgrau des Mannes werden *Sie* nichts Besonderes finden. Doch seinerzeit war das die große Sensation. Stellen Sie sich vor: die Franzosen kamen 1914 noch mit roten Hosen in die Schlacht! Und welche Überraschung es
für sie dann gab, als sie uns gar nicht mehr sahen! Ja, die
Deutschen waren die ersten, die die Tarnung einführten,
die erkannt hatten, daß der Bodenkämpfer für das Auge
verschwinden mußte vom Schlachtfeld! Sie hat uns viel
Blut gespart, diese Idee – diese Tarnkappe von den Kno-
belbechern bis zur Helmspitze!«

Er schien ein besonderes Gefallen an dem Thema zu
finden und blies dicke Rauchwolken vor sich in die Luft.

»Und was hat uns *dieser* Krieg, gut zwanzig Jahre später, nun an Überraschungen gebracht? Sie selbst, meine
Herren! Die PK! – Gewiß, sogenannte Schlachtenbummler hat es schon zu allen Zeiten gegeben – von unserem

220

guten, alten Goethe mit seinen Berichten über die ›Kampagne in Frankreich‹ bis zu den Reportagen eines gewissen Herrn Winston Churchill über den Burenkrieg. Aber was dieser Doktor Goebbels da mit Ihnen auf die Beine gestellt hat, das ist schon etwas ganz Neues und Einmaliges in der Welt! Wirklich – so wie damals das Feldgrau! Soldaten mit Leicas und Filmkameras und Mikrofonen – wirklich toll!«

Er hatte sich richtig in Eifer geredet, und ich fühlte, Tammo saß derweile wie auf Kohlen. Er verzog jedoch keine Miene. Und auch der junge Adjutant hörte seinem hohen Herrn pflichtschuldig zu.

Der Regulator schlug einmal an.

»Halb drei«, sagte unser Gastgeber, »es wird langsam Zeit, daß wir uns rüsten. Lassen Sie uns austrinken und dann – Gott befohlen!«

Danach erhob er sich: »Wollen mal sehen, wie das Wetter ist. Es hat oft Nebel hier gegen Morgen.«

Wir folgten ihm zum Fenster. Er öffnete, nachdem der Adjutant das Licht gelöscht hatte, beide Flügel weit, sah hinaus in die Nacht. Ein heller Schein am Horizont kündigte den neuen Tag an. Dichter Nebel lag über den Feldern.

Der Major beugte sich hinaus und spähte lauschend nach Osten.

»Die totale Überraschung des Gegners scheint tatsächlich gesichert zu sein«, flüsterte er dann. »Nach allen bei mir eingegangenen Meldungen dürften die russischen Grenzposten noch immer in völliger Ahnungslosigkeit die Nacht verbracht haben – und nun noch dieser günstige Bodennebel!«

›Günstig‹ hatte der Major den Nebel genannt. Ich aber – als Fotograf – sah die Sekunde X wie eine Katastrophe auf mich zukommen. ›Lassen Sie sich etwas einfallen‹ hatte Oberleutnant Busse gesagt. Flugzeuge werden bereitstehen – – für Fotos, auf denen nichts als eine graue Waschküche zu sehen sein wird. Diesmal geht's wirklich schief, dachte ich.

Der Major wandte sich zu Tammo: »Es hat keinen

Zweck, daß Sie beide zu meinen Leuten in die Stellungen gehen. Sie werden dort von dem ersten Sprung nichts zu sehen bekommen. Ich mache Ihnen einen besseren Vorschlag: Wir haben dort drüben eine alte, hohe Eiche, an die wir Leitern genagelt haben, die bis hinauf in den Gipfel führen. Oben, in fast zwanzig Meter Höhe, ist sogar eine kleine Kanzel eingebaut. Dort werden wir über dem Nebel stehen und einen weiten Blick ins ganze Land haben.«

War das meine Chance?

Tammo sprach aus, was ich dachte: »Aufnahmen von unten werden heute an allen Fronten gemacht. Die Möglichkeit, was ganz Ausgefallenes abliefern zu können, ist vielleicht nur uns allein gegeben!«

Ich nickte stumm. Hinter uns tickte leise der Regulator –.

Noch siebzehn Minuten!

Das Geräusch eines langsam näherkommenden Kraftwagens, der sich anscheinend über holprige Feldwege bewegte, ließ uns aufhorchen. – Wir lauschten. Das Geräusch erstarb.

Einige Zeit später vernahmen wir Schritte, die schnell auf das Haus zukamen. Wer konnte jetzt noch kommen? Es hatte doch absolute Ruhe zu herrschen an der gesamten Front!

Der Major ging verwundert vor die Tür. Wir hörten, wie er mit verhaltener Stimme mit jemandem sprach.

»Das ist der General –!« flüsterte der Adjutant. »Das war gar nicht verabredet! Aber der will sicherlich auch auf die Eiche –.«

Wir gingen hinaus und folgten still der Gruppe zu dem Baum hinüber. Der General, ein hochgewachsener, energischer Mann in langem Mantel, hatte nur flüchtig von uns Notiz genommen und kletterte als erster über die Leitern hinauf. Dann folgte ihm sein Adjutant, danach unser Major und zum Schluß Tammo und ich.

Es war ein unvergeßlicher Anblick von dort oben – wie aus einer Flugzeugkanzel sahen wir hinab: Unter uns die ›Wolkendecke‹ – wie Wattebausche! Kleine Anhöhen ragten als dunkle Inseln aus dem bewegungslosen weiß-grauen Nebelmeer. Und über uns wölbte sich ein klarer, leuchtender Himmel.

Ich hörte den General neben uns schwer atmen.

Um drei Uhr schlug eine Kirchturmuhr.

Unten knarrte eine Tür.

Ein Pferd scharrte im Stall.

Jetzt werden Hunderttausende von Soldaten auf die Uhren sehen, die letzten Sekunden zählen, dachte ich.

Jetzt wird Ernstl Glunz seine Filmkamera hinter der Pak gleich surren lassen und den Nebel verfluchen.

Jetzt wird Hitler in Berlin wach sitzen – –.

Jetzt werden Millionen Menschen in der Heimat ahnungslos fest schlafen –.

Der General hob stumm den linken Arm, blickte gebeugt auf seine Armbanduhr und nickte die Sekunden mit.

Nun reckte er sich auf.

Und der Feuerzauber brach los.

Wie ein gewaltiger Ausbruch entfesselter Naturgewalten.

Die ersten bellenden Abschüsse vermischten sich sogleich mit einem ununterbrochenen Krachen, Heulen und Gurgeln aus tausend Geschützrohren. Alle Klangfarben griffen ineinander, vom hellen, hämmernden Maschinengewehrfeuer bis zum dumpfen, grollenden Donnern der schweren Eisenbahngeschütze.

Die dicke Packung Watte vor uns riß auf – hier und da und dort. Dreckfontänen, braun und schwarz, stoben empor, zerfielen wieder – und zugleich entfaltete sich ein grandioses, zuckendes Farbenspiel hinter uns: der Nebel leuchtete weiß und gelb und glutrot auf von den Mündungsfeuern der Geschütze – überall das gleiche Bild, so weit wir sehen konnten. Überall das Zucken der grellen Blitze im grauen Nebelmeer.

Während alle oben auf der Kanzel minutenlang auf das faszinierende Schauspiel starrten, riß ich meine Kamera immer wieder hoch, drückte wie mechanisch auf den Auslöser und schoß meine ersten Aufnahmen in diesem

Feldzug – Bilder vom aufgewühlten Nebelfeld, umrahmt vom Eichenlaub im Vordergrund.

Das ›Unternehmen Barbarossa‹ – der Krieg gegen Rußland – hatte begonnen.

2 VORAUSABTEILUNG IN LETTLAND
DER SOHN DES »KAISERHOF«-DIREKTORS
STRASSENKAMPF IN LIBAU

»Prie – ku – le. U – sai – ki. Ta – dai – ki. Li – e – pa – ja. – – – uchhh, diese lettischen Namen!«

Ich stand in der Morgensonne an unseren Steyr-Kübel gelehnt – unrasiert und ungewaschen seit vorgestern – und studierte die Karte. Im Westfeldzug waren wir mit unserem Schulfranzösisch und -englisch ganz gut durchgekommen. Aber Litauisch, Lettisch, Russisch, und vielleicht auch noch Estnisch, – nö, das konnten wir nicht!

Walterchen schaute mir über die Schulter. Er hatte seine Motorradbrille unter das Kinn gehängt und tippte mit dem Zeigefinger auf Priekule.

»Da sind wir jetzt! Ganz schön vorwärtsgekommen – in den ersten achtundzwanzig Stunden Ostfeldzug, was?«

Und dann rutschte er mit dem Finger weiter und zeigte auf einen dickeren Punkt neben blauschraffiertem Wasser: »Da, die Ostsee, und da wollen wir hin – nach Li-e-pa-ja, – auf deutsch: Libau!«

Neidhart, der am Steuer sitzengeblieben war, drückte plötzlich auf die Hupe. Wir blickten auf: Ein Filmtruppwagen mit dem PK-Auge war gerade im Begriff, mit Vollgas an uns vorbeizurauschen. Aber nun hatte uns der Fahrer bemerkt. Räder kreischten. Und aus einer dichten Staubwolke heraus drang eine helle Stimme zu uns herüber: »Hallo, Leute! Was ist? Macht ihr nicht mit –?«

Sieh da: das war Ernstl Glunz! Da war er wieder, der temperamentvollste Kameramann der ganzen Ufa!

»Wir haben keine Ahnung, – worum geht's denn?«
fragte ich.

»Was? Ihr wißt noch nichts davon? In wenigen Minuten
bricht hier eine motorisierte Vorausabteilung auf. Ge-
fechtsauftrag: Durchstoßen bis Libau! Jeder Widerstand
ist mit Gewalt zu brechen!«

»Geht leider nicht, Ernstl«, entgegnete ich, »Tammo ist
gerade weggegangen, sucht irgendwo den Ic der Division –.«

»Laß ihn suchen – darauf können wir nicht warten.
Komm, steig um in meinen Wagen – es ist noch ein Platz
frei!«

Einen Augenblick zögerte ich.

Aber, warum sollte ich eigentlich nicht?

Ich stopfte mir hastig die Taschen voll Filme, setzte
den Stahlhelm auf und klopfte Neidhart auf die Schulter:
»Wir sehen uns an der Ostsee wieder!«

Und schon schwang ich mich auf den hinteren Sitz des
großen Film-Kübelwagens. So war also mein geheimer
Wunsch, einmal mit dem sympathischen Kollegen auf
Einsatzfahrt zu gehen, früher in Erfüllung gegangen, als
ich erwartet hatte.

Am Dorfausgang trafen wir auf die Fahrzeuge der Vorausabteilung. Sie standen schon mit laufenden Motoren
abfahrbereit am Straßenrand.

»Fahr bis an die Spitze vor!« rief Ernst seinem Fahrer
zu, »hoffentlich finden wir vorn noch eine Lücke – mußt
dich dann irgendwo hineinmogeln. Hier hinten kriegen
wir ja nichts Gescheites vor die Linse!«

Leo, sein Fahrer, schmunzelte und nickte nur wortlos.
Der kleine untersetzte Schwabe fuhr den Filmwagen
schon seit dem ersten Tage, seit Polen, und wußte
genau, worauf es ankam.

Vorn trafen wir auf einen stämmigen, noch sehr jungen
Hauptmann, den Führer des Unternehmens. Er gab gerade die letzten Anweisungen an seine Leute. Als er
unseren Wagen sah, begrüßte er Ernstl wie einen alten
Bekannten:

»Trara! Die deutsche Wochenschau! Sie bekommen

einen Ehrenplatz, meine Herren! Reihen Sie sich gleich hinter meinem Wagen ein, dann liegen Sie an dritter Stelle. Aber, meine Herrschaften, bitte halten Sie auch die Schießprügel bereit – und nicht nur die Kameras!«

Minuten später setzte sich die Kolonne in Bewegung, an der Spitze ein 2 cm FlaMG auf Selbstfahrlafette. Mit einer Schußfolge von 200 Sprenggranaten pro Minute! Wie schon der Name sagte, war es ursprünglich für die Fliegerabwehr gedacht. Doch dann stellte man fest, daß es auch im Erdkampf gut zu gebrauchen war.

Hinter diesem FlaMG fuhr der Hauptmann. Dann folgten wir, und das Gros der Vorausabteilung bildeten hinter uns ein paar Dutzend Kradschützen – zumeist auf schweren Beiwagenmaschinen mit MG. Weiter hinten folgten nochmals zwei FlaMG, und den Schluß bildeten drei Panzerabwehrkanonen, Kaliber 3,7 cm. Alles in allem zwar nur eine kleine Einheit – aber oho!

Der Himmel war knallblau, und die Sonne wärmte uns angenehm den Rücken.

Der Hauptmann im Wagen vor uns war aufgestanden und gab Zeichen, das Tempo zu verlangsamen. Die letzten Häuser von Priekule lagen hinter uns. Alle Aufmerksamkeit galt nun dem Gelände.

Ich hatte das Teleobjektiv in die Leica geschraubt. Eine gewisse Spannung erfüllte mich. Oder war es das unbehagliche Gefühl, zu wissen, daß wir nun von allen rückwärtigen Verbindungen abgeschnitten waren?

Ernstl hatte sein Gewehr zwischen die Knie geklemmt. Auf dem Schoß lag seine Arriflex, von den Händen sorgfältig gestützt. Was würde er wohl tun, wenn es plötzlich vor uns knallte, dachte ich. Schießen und Filmen gleichzeitig war ja unmöglich. Keine Frage: er würde automatisch zuerst einmal zur Kamera greifen, – der Filmer aus Leidenschaft! Sein Vater war, wie ich inzwischen erfahren hatte, in Berlin Direktor des berühmten Hotels ›Kaiserhof‹ – einen Katzensprung entfernt von der Reichskanzlei und dem Propaganda-Ministerium.

Die erste halbe Stunde verging ohne Zwischenfall. Die Landschaft bot ein liebliches Bild. Wogende Kornfelder

226

rechts und links. Sonne, die die Ähren zum Glänzen brachte. Dann wechselte die Kulisse wieder. Saftige Weiden mit Kühen, sanft geschwungene Hügel. Ab und zu sahen wir sogar Bauern auf den Feldern, die anscheinend noch gar nichts vom Beginn des Krieges erfahren hatten und uns wohl für Russen hielten!

Ernstl drehte sich immer öfter zu mir um und lachte.

»Na, Alter, ist das nicht eine Sache!? Wie eine KdF-Fahrt! Wenn es so weitergeht, sind wir in einer guten Stunde in Libau!«

Kaum hat er seinen Satz zu Ende gesprochen, da stockt die Spitze vor uns.

Ein Ruf gellt von vorn nach hinten durch die Abteilung:

»Panzer von links! Pak nach vorn!«

Alle spähen gespannt hinüber zu einer Waldecke, an der ein kleiner rostbrauner Panzerspähwagen steht.

Wie die Feuerwehr (so wurden die Panzerjäger auch tatsächlich genannt!) brausen die Mannschaftswagen mit den angehängten 3,7-cm-Kanonen an uns vorbei, stoppen am Straßenrand. In Sekundenschnelle sind die Pak schußbereit, Granaten jagen hinüber – –.

Da! Eine graue Rauchwolke – vor dem Waldrand.

»Volltreffer!« schreien die Panzerjäger.

Nichts rührt sich mehr.

Der Hauptmann sieht noch einmal durchs Fernglas.

»Feuer einstellen! Aufsitzen! Abteilung marsch!«

Und weiter rollt die Abteilung durch die friedliche Landschaft, als wäre nichts geschehen.

Kurze Zeit später wird weit vorn am Horizont eine winzige Staubwolke sichtbar, die sich auf der gewundenen Straße dahinschlängelt und offenbar näherkommt.

Der Hauptmann gibt wieder Stoppzeichen und verfolgt das Pünktchen im Fernglas.

»Ein russischer Militär-Lkw anscheinend –.«

Langsam läßt er die Kolonne noch bis in eine Senke vorrollen, dann halten wir. Der Straßenbuckel vor uns gibt Deckung für die gesamte Abteilung. Seine Absicht ist klar: Der Russe soll uns ahnungslos direkt bis vor die Geschützmündung fahren!

Betont lässig steigt er aus dem Wagen, wendet sich zu uns um.

»Wir können kein Risiko eingehen – es wird sofort geschossen!«

Dann geht er nach vorn zum FlaMG, klettert hinauf, hockt sich neben den Richtschützen.

Ernstl schaut auf seine Armbanduhr.

»Kurz bevor er kommt, möchte ich die Kamera laufen lassen, – du weißt, es sieht sonst im Kino komisch aus, wenn der Anfang fehlt! Wie lange wird es dauern, bis er ran ist, was schätzt du?«

Ich versuche mir die Entfernung noch einmal vorzustellen, bedenke die Kurven der Straße – –.

»Zwei Minuten!« sage ich.

»Meine ich auch –.«

Er steht auf, stellt sich breitbeinig auf seinen Sitz, nimmt zur Probe die Kamera an die Stirn, blickt durch den Sucher, sieht zwischendurch immer wieder auf die Uhr und verfolgt den Sekundenzeiger.

»Noch dreißig!« sagt er.

Ich steige aus, um nicht später durch irgendwelche Bewegungen den Wagen ins Wanken zu bringen. Ich weiß: Kameraleute hassen das. Bei der geringsten Schwankung schon fangen die Bilder später auf der Leinwand an zu tanzen.

Mit schußbereiter Leica trete ich neben den Kühler.

»Noch fünfzehn –« sagt er leise.

Es herrscht vollkommene Stille.

Die letzten Sekunden zähle ich mit. Sieben – sechs – fünf – –.

Seine Kamera beginnt zu surren.

Alles starrt auf die kleine Anhöhe vor uns.

»Null!« sage ich laut. Jetzt muß er kommen – –.

Aber vom Lkw ist nichts zu sehen.

Ich zähle weiter – die Sekunden wieder aufwärts: sieben – acht – neun –.

Nichts geschieht.

– Dreizehn – vierzehn – fünfzehn –.

Die Kamera hört auf zu surren.

Ich drehe mich um: Ernstl steht noch unbeweglich in gespannter Stellung, die Arriflex im Anschlag. Aha, – er muß Film sparen. Sonst ist die Spule leer, wenn es losgeht. Schade, denke ich, wenn nachher der Anfang fehlt – –.

Eine Minute ist verstrichen.

Hatten wir uns verschätzt oder hatte der russische Fahrer unsere Kolonne doch erkannt? Ist sein Lastwagen mit Soldaten besetzt? Sind sie abgestiegen – – schleichen sie sich von allen Seiten an uns heran – –?

Plötzlich hören wir Motorengeräusch.

Und da taucht auch schon der Kühler über der Anhöhe auf, – knapp fünfzig Meter vor dem FlaMG.

Der Richtschütze muß ihn sofort im Visier gehabt haben, schon hämmern die ersten Schüsse hinaus mit dem kurzen, harten Tack – tack – tack – –.

Der Lkw bremst. Der Fahrer reißt den Wagen noch links herum – anscheinend durch eine Reflexbewegung, denn im gleichen Moment sinkt er auch schon mit dem Kopf vorn über das Lenkrad.

Schräg über die Straße kommt der Wagen zum Stehen.

Gespannt warten wir ab, was sich weiter ereignen wird.

Rechts von mir, im Straßengraben, kommen einige Kradschützen gebückt angeschlichen, die Gewehre schußbereit in der Hand.

Aber nichts rührt sich im Lkw.

Der Hauptmann, neben dem FlaMG, richtet sich hoch auf.

»Kommt raus!« ruft er laut, und »Rucki wiärch!« (Hände hoch!) Dies war das erste Wort, das wir auf russisch gelernt hatten.

Ein schwaches Stöhnen ist vom Lkw her zu vernehmen.

Wieder brüllt der Hauptmann.

Jetzt sind leise Stimmen wahrzunehmen. Dann Geräusche im Innern, auf den Holzplanken, als steige man über etwas hinweg –. Und schließlich spricht jemand verhalten ein paar Worte, gedämpft, aber doch eindringlich, wie im Kommandoton. Die Zischlaute dringen besonders stark durch.

Wieder hören wir Schritte, und anschließend wird langsam die hintere Klappe heruntergelassen.

Fünf junge Soldaten springen ab – ohne Waffen, die Hände erhoben.

Langsam sind ihre Bewegungen. Mit eingezogenen Köpfen sehen sie grimmig und mißtrauisch zu uns herüber. Zwei sind verwundet. Der letzte humpelt stark und hat einen großen Blutfleck am Oberschenkel.

Im Schrittempo rollen unsere Wagen näher heran.

Nun stehen sie dicht vor uns, die unverhofften Gefangenen. Ihre Augen sind zu Strichen zusammengekniffen.

Aufrecht gehen die Kradschützen auf sie zu, um sie nach Waffen abzutasten – da geschieht etwas Überraschendes.

Die Zeltplane an der Seite des Lkw wird plötzlich emporgerissen, ein breitschultriger Mann beugt sich weit über die Planken, zieht seinen rechten Arm von hinten vor, hält eine Pistole in der Hand und feuert über die Köpfe seiner Leute hinweg auf uns los. Die ersten Schüsse blindlings – die nächsten in die Richtung auf den Hauptmann und Ernstl Glunz, der die Kamera noch im Anschlag hat.

Aber da feuern auch die Kradschützen schon, aus der Hüfte, die weiter hinten stehenden legen an und schießen gezielt. Alles spielt sich in wenigen Sekunden ab.

Die Gestalt oben auf dem Lastwagen taumelt, greift mit der linken Hand nach der Zeltplane, richtet – noch im Zusammensinken – die Pistole gegen die eigene Schläfe und drückt ab. Leblos hängt sein Oberkörper über die Planke.

Für einen Augenblick ist es still, als bliebe die Zeit stehen.

Dann schaut der Hauptmann um sich. »Ist jemand verletzt?«

Nein. Es war niemand getroffen worden.

Langsam schreitet er auf die Gruppe der Gefangenen

zu und macht im Gehen eine fragende Kopfbewegung zu dem Toten hinüber: Was soll das –?

Es dauert eine Weile, bis einer eine Antwort gibt. Es ist anscheinend der Älteste von ihnen:

»Towarisch Kommissar –!«

Und alle drehen sich zu ihm um, sehen ihn da oben hängen.

Der Hauptmann nickt stumm.

Ich trete neben ihn, mache ein paar Nahaufnahmen von den grimmigen Gesichtern der Russen. In Gedanken höre ich den alten Major in der Nacht vor dem großen Angriff: ›Ich glaube, diesmal werden wir es mit einem anderen Gegner zu tun haben – –!‹

Mit Ernstl gehe ich um den Lastwagen herum. Nur ein paar Ballen Stroh liegen darauf. Keine Waffen.

Die Kradschützen schieben das Hindernis kurzerhand in den Graben. Die Gefangenen werden auf verschiedene Fahrzeuge verteilt.

Der Hauptmann besteigt seinen Wagen.

»Aufsitzen! – Abteilung marsch!«

Ich werde das Bild nicht los – von dem toten Kommissar, der mit der letzten Kugel den freiwilligen Tod wählte, um nicht lebend in die Hände seiner Gegner zu fallen.

Ernst starrt geradeaus und schweigt –.

Ohne weitere Zwischenfälle erreichen wir Grobina, die letzte kleine Ortschaft vor Libau. Aber gleich an der ersten Straßenecke zirpen uns Gewehrkugeln um die Ohren.

Die Kradschützen brausen neben uns vor, und fast noch im Fahren lassen sie sich aus den Beiwagen fallen, bringen, flach auf der Straße liegend, ihre Maschinengewehre in Stellung und schießen. Tollkühn sind diese Kerle. Einen Moment muß ich an die Baumallee in Holland denken, wo ein einziger Mann in Sekunden mit dem MG alles entschied.

Die Gegenwehr erstirbt. Anscheinend hatte es sich nur um Vorposten gehandelt.

Weiter! Unbehelligt kommen wir durch den Ort.

Doch am Ortsausgang ist es endgültig vorbei mit der

Ruhe. Starkes Maschinengewehrfeuer schlägt uns entgegen. Es kommt aus einem Waldstück rechts. Die ganze Abteilung muß in Deckung gehen.

Nur die vorgefahrenen FlaMG mit ihren geländegängigen Raupen stehen weit vorn – wie Zielscheiben. Aber sie hämmern ihr Tack – tack – tack – hinüber in den Wald. Mit Leuchtspurmunition. Das ist ein Fressen für Ernst! Um ja nichts zu verpassen, ist er umgestiegen auf das vorderste Geschütz, das weit links aufgefahren ist.

Aufrecht steht er hinter dem Richtschützen und filmt die Flugbahnen der Geschosse, wie sie rasant hinüberziehen.

Für mich lohnt sich das Bild nicht. Die Geschosse würden nicht auf den Aufnahmen sichtbar sein. Es gibt Dinge, die sind nur etwas für die Filmkamera und umgekehrt.

Plötzlich bricht das Tack – tack – tack ab. Der Ladeschütze ist verwundet. Und der Munitionsverbrauch ist bei der schnellen Schußfolge so groß, daß dauernd neue Munition zugereicht werden muß. Der Mann fehlt nun.

Da sehe ich, wie Ernstl gelassen seine Kamera absetzt, sie behutsam auf die Lafette legt und dann – Munition zureicht. Minutenlang. Bis ein anderer für den Verwundeten einspringen kann. Ich habe die Szene festgehalten, eigentlich mehr für Ernstl selbst.

»Komm mit!« sagte er dann zu mir, »ich muß Filme umlegen.«

Ich wußte, er hatte dafür einen sogenannten Wechselsack mit, ein schwarzes Ding, so groß wie eine Aktentasche, in das er seine Filmrollen hineinsteckte und mit einem Reißverschluß lichtdicht abschloß. Durch zwei Stulpen – ähnlich wie Ärmel – fuhr er dann von außen mit den Armen hinein, wobei mehrere eingezogene Gummibänder wieder für lichtdichten Abschluß sorgten. Eine Dunkelkammer unter freiem Himmel sozusagen.

»Wo – um Gottes willen – willst du denn hier Filme umlegen?« fragte ich erstaunt. Die Kugeln aus dem Wald pfiffen uns um die Ohren, daß wir uns hinter dem FlaMG flach auf den Boden legen mußten.

232

»Dort – hinter dem Bretterzaun!« sagte Ernstl seelenruhig.

»Hinterm *Bretterzaun?*« wiederholte ich verwundert.

»Ja, – da ist ja auch Leo schon mit allem Zeug!«

Wir krochen hinüber. Er setzte sich hin, nahm Leo den
Wechselsack ab und legte ihn zwischen die gespreizten
Beine. Es störte ihn nicht im geringsten, daß bereits die
ersten Kugeln durch die Bretter pfiffen.

Leo und ich preßten uns flach an die Erde.

»Ist ja heller Wahnsinn – hier zu wechseln! Die Bretter-
wand hält doch keine Kugeln ab!«

»Aber – aber!« sagte Ernstl, »Sei ganz beruhigt!« –
steckte schmunzelnd seine beiden Arme bis über die
Ellenbogen in den Sack und wühlte darin herum.

»Du mußt dir mal eines merken«, erklärte er, dabei ironisch grinsend, »mir passiert nichts! Wirklich! Du kannst
es glauben – mir passiert nichts! Ich habe das auspro-
biert – –! Und wenn du –.«

Ein Querschläger zirpte über unsere Köpfe hinweg,
und unwillkürlich hatten Leo und ich die Nase in den
Sand gedrückt.

»– – da! Hörst du?! Vorbei –! Du kannst es mir glauben,
mir passiert nichts. Und wenn ihr beide schön bei mir
bleibt, dann passiert auch euch nichts!«

Er sollte recht behalten. Ihm ist nie etwas passiert,
auch später in Rußland nicht. Er hat die tollsten Filmstreifen gedreht, er hat Dutzende Male mitten in der Feuer-
linie gestanden. Von außen war er unverwundbar. Sein
Schicksal erfüllte sich von innen heraus, nach dem
Kriege, durch Selbstmord. Erst hatte sich seine junge
Frau vergiftet – sie war Filmcutterin bei der Ufa gewesen,
wo er sie auch kennengelernt hatte –, und vierzehn Tage
später war er ihr gefolgt – mit einer Ampulle Gift – –.

Ist alles Bestimmung –?

Eine ganze Woche lang hatten wir vor Libau gelegen,
fast deckungslos dem schwersten Artilleriefeuer ausgesetzt. Es hatte größere Ausfälle gegeben – zum ersten
Mal. Denn die russische Artillerie war gut. Sehr gut sogar!

Diese Erkenntnis mochte den Ausschlag dafür gegeben haben, daß sich der Kommandeur des IR 505 plötzlich entschloß, mit Gewalt und unter Einsatz aller Kräfte in die Stadt einzudringen, auch auf die Gefahr hin, daß es zu hartnäckigen, verlustreichen Straßenkämpfen kommen würde.

Ich war inzwischen längst wieder mit Tammo im Einsatz, und die Kämpfe waren bereits in vollem Gange, als wir mit dem Wagen den Stadtrand erreichten. Weiterfahren konnten wir nicht mehr, der Gefechtslärm hallte bereits von den Mauern wider. Andererseits war es ein verteufeltes Unternehmen, zu Fuß aufs Geratewohl in die unbekannte Stadt einzudringen, ohne zu wissen, wo sich unsere eigenen Leute befanden.

Tammo hatte seine Pistole schußbereit in die Hand genommen und ging voraus.

Schritt für Schritt drückten wir uns an den Hauswänden entlang. Die Straßen waren vollkommen leer. Nur der heftige Gefechtslärm wies uns den Weg. Aber das Hämmern der FlaMG hatte einen ganz anderen Klang hier im Häusermeer. Aus dem harten Tack – tack – – war ein dumpfes Wumm – – wumm – – wumm geworden. Auch das Bellen der Pak war anders und vom Echo der Wände vervielfacht.

Gebückt schlichen wir über Straßenkreuzungen, hockten uns für Sekunden in einen Kellereingang, sahen eine Tür pendeln – – aber kein Mensch war zu sehen. Doch: ein toter Zivilist lag am Bordstein auf dem Bauch. So muß eine Stadt im Mittelalter ausgesehen haben, in der die Pest geherrscht hat – –.

Ein Querschläger pfeift uns um die Ohren – piüüööööhhh-ting – schlägt in das Blechschild eines Friseurladens.

Wir springen hinüber auf die andere Straßenseite, dukken uns in einen Hausflur. Da kommt uns blutüberströmt ein Unteroffizier entgegen, gestützt von zwei Gefreiten.

»Schweinerei verdammte!« schreit der eine, »da hinten auf dem Hof sitzen noch ein paar Iwans!«

Tammo stürzt entschlossen in den Flur hinein, auf den

Hof. Ich folge ihm, nur mit der Leica in der Hand, schußbereit –.

Wir sehen am Ende des Hofes eine Mauer – eine Leiter
– zwei Russen, die sich gerade hinüberschwingen.
Tammo schießt auf sie. Von irgendwo wird zurückgeschossen. Wir ducken uns, schleichen zurück, in den Flur
hinein. Es ist sinnlos, hier zu kämpfen, – im Mauerwerk
sehen wir lange Rillen von den Geschossen, die uns ge-
golten hatten.

In einer Nische sitzt jetzt der verwundete Unteroffizier.
Die beiden Gefreiten verbinden ihn notdürftig.

Wir hasten weiter. Wenn wir nur erst Anschluß hätten
an unsere Spitzengruppe!

Endlich erreichen wir eine breite Hauptstraße.

Ein FlaMG von uns steht da brennend und verlassen.
Munition explodiert und zischt nach allen Seiten weg.

Wir sind auf dem richtigen Weg!

Höchstens 500 Meter vor uns ist die Spitze! Ein FlaMG
hämmert wie wild, und jetzt klingt es wieder hart, und es
hallt von allen Seiten zurück, dieses Tack-achachach – –
Tack-achachach.

Wir rennen darauf zu und werfen uns dahinter auf die
Erde.

Zu meinem Erstaunen sehe ich, wer neben mir liegt:
der Pressezeichner Heinz Raebiger![1] Flach auf dem
Bauch liegt er und skizziert auf einem Zeichenblock mit
stoischer Ruhe eine Szene, die er drüben links beobachtet: eine Gruppe mit einem schweren Maschinengewehr,
dahinter ein Mann kniend, mit einer Maschinenpistole;
und er vergißt nicht, die leeren Patronenhülsen auf der
Erde mit ein paar Strichen anzudeuten, die Feldflasche
hinten am Koppel des Unteroffiziers, das brennende
Haus im Hintergrund.

Er klemmt seinen Bleistift quer in den Mund, als er uns
sieht, und nickt uns zu. Wie zur Aufmunterung. Ich sehe
deutlich seine hellen Augen in dem schmalen feinen Ge-

---

[1] Heinz Raebiger wurde zum letztenmale 1955 in einem sibirischen
Schweigelager bei Chabarowsk gesehen.

sicht. Wie oft hatten wir in Ostpreußen irgendwo in einer Kneipe zusammengesessen und mit ledernen Bechern die Grogs und Doornkaats ausgeknobelt. Wie ein Landsknecht hatte er sich benommen, – vielleicht nur den anderen zuliebe. Denn sein eigentliches Wesen war von zurückhaltender, vornehmer Art und sein Lieblingsthema die Kunstgeschichte.

Unter die Skizze, die er hier im Kugelhagel hinwarf, schrieb er später: »Er oder Ich! Nahkampf in Libau«.

Ein paar Monate danach sah ich sie wieder: in einem eindrucksvollen Bildband – »Kampf und Kunst«, herausgegeben von der Propaganda-Kompanie der Armee von Küchler.

Tammo reißt mich in die Wirklichkeit zurück.

»Da drüben! Aus den Luken, ganz oben, blitzt es auf! Jetzt! Siehst du?«

Hundert Meter vor uns erhebt sich ein kompakter roter Backsteinbau, ein Speicher anscheinend, wie an einem Hafen. Davor macht die Straße einen Linksbogen und führt anschließend wieder rechts zu einer Brücke hin. Und dort haben sich die Russen festgebissen. Diese Brücke ist ihre letzte Hoffnung.

»Vorsicht!« schreit Tammo.

In einer der Luken oben im fünften Stock des Speichers wird ein Brett zur Seite geschoben, für Sekunden ist die Mündung eines Maschinengewehrs sichtbar, und dann hämmert es auf uns herunter, Gesteinssplitter spritzen vom Straßenpflaster.

Tammo springt auf, läuft zum Richtschützen, teilt ihm seine Beobachtung mit. Und sofort wummert das FlaMG hinauf zu den Luken, streut sie der Reihe nach ab, daß alles in eine Wolke von rotem Gesteinsstaub gehüllt ist. Aber schon wieder zirpt es von einer anderen Ecke her.

»Mensch! Der Oberst!« schreit einer plötzlich.

Jetzt sehen wir ihn auch, wie er von Haus zu Haus springt, gefolgt von einem Nachrichtenunteroffizier, der ein Feldtelefon trägt und ein Kabel nach sich zieht.

Ich lege mich auf die Seite und fotografiere die beiden, wie sie sich in den Eingang eines Bäckerladens drücken, wie der Regimentskommandeur den Hörer ergreift und zu telefonieren beginnt.

»Ja, –« sagt Heinz Raebiger neben mir und schaut hinüber, »Oberst Lohmeyer, – das ist vielleicht ein Haudegen!«

»Los! Rüber zu ihm!« ruft Tammo.

Aber dann läßt er mich allein hinüberrennen, – er beobachtet weiter die Luken am Speicher.

Drüben schiebe ich mich neben dem Kommandeur gegen die Fensterscheibe und melde mich kurz.

»PK –?« sagt er nur, »na, dann machen Sie man schöne Bilder – aber nicht von mir, – da! Von meinen Leuten!«

Gerade hatte er Verbindung nach hinten bekommen.

»Ich brauche unbedingt schwere Waffen, Herr General! Ohne Artillerieunterstützung kommen wir hier nicht weiter! Meine Leute verbluten mir unter den Händen!«

Ein paarmal antwortete er kurz »jawoll, Herr General, jawoll«, legte vorsichtig den Hörer über den Kasten auf der Erde und sagte ganz ruhig zu mir: »Wir bekommen schwere Waffen – aber nicht sofort! Wir müssen hier noch durchhalten!«

Neben uns wurde eine Pak von der Bedienung vorgeschoben. Die Männer versuchten, nach links um die Ecke zu kommen, in Richtung auf die Brücke.

Solange ihr Geschütz rollte, passierte ihnen nichts. Aber sobald sie hielten und in Stellung gingen, fielen sie hinter den Schutzschildern um wie Fliegen.

»Rätselhaft!« sagte der Oberst neben mir. Wir hatten es aus unserer Nische am Ladeneingang beobachten können, denn es spielte sich nur zehn Meter von uns entfernt ab.

Schon wurde eine zweite Pak vorgeschoben.

Wieder das gleiche.

Bis auf einen Mann wurden die Panzerjäger hinter ihrem Geschütz abgeknallt. Es schien mit dem Teufel zuzugehen. Ich hatte das Teleobjektiv eingeschraubt und fotografierte unablässig. Plötzlich entdeckte ich etwas: Dort vor der Brücke, zwischen den Sandhaufen, lag ein Stapel von Eisenbahnschwellen. Und darunter mußte eine Höhle sein, aus der die Russen unsere Leute von unten her abschossen. Die Kerle saßen natürlich wie in einer Mausefalle! Ein Zurück gab es für sie nicht mehr. Darum wollten sie ihr Leben so teuer wie möglich verkaufen!

Ich meldete meine Beobachtung dem Oberst.

Bevor er jedoch etwas darauf erwidern konnte, knallte es plötzlich neben uns wie ein Abschuß.

»Wer schießt denn hier –?« sagte der Oberst und sah erst seinen Unteroffizier und dann mich verwundert an.

Niemand war in unserer Nähe.

Und schon knallte es wieder. Wie ein Gewehrschuß, den jemand unmittelbar neben uns abgefeuert hätte.

Der Oberst fuhr herum, starrte auf die Wand des Eingangs, als suche er etwas, dann hob er einen Finger und zeigte auf ein kleines Loch im roten Backstein, aus dem noch Gesteinsstaub rieselte.

»Explosivgeschosse! – Gewehrmunition, die beim Aufschlag explodiert – wie kleine Granaten!«

Kurz darauf schrie drüben am FlaMG einer auf, hielt den Arm hoch – seine Hand war abgerissen. Explosivgeschosse – –.

Mein Film war voll, ich mußte ihn wechseln und hockte mich in die Ecke. Als ich fertig war, war der Oberst nicht mehr da.

Ich sah ihn drüben bei der dritten Pak, die gerade vorgeschoben werden sollte – ins sichere Verderben. Der Oberst stoppte die Gruppe, sprach mit einem Obergefreiten, der anschließend im Eckhaus links verschwand, Handgranaten im Koppel und in den Stiefeln.

Ich begriff: von der Seite her sollte das Nest unter den Eisenbahnschwellen ausgeräuchert werden. Ich wollte ihm nachgehen, richtete mich auf, – dabei pendelten meine beiden Leicas, die an Riemen um den Hals hingen, frei in der Luft. In diesem Moment knallte es erneut. Die Farb-Leica klaffte auseinander. Zerrissen. Ein unförmiges Gebilde. – Ich sah auf meine Hände: war ich verwundet? Nein, nichts! Nur ein winziger Splitter von ganz dünnem Kupfer steckte im Ballen meiner rechten Hand, ließ sich aber ohne Schwierigkeit und ohne einen Tropfen Blut aus der Haut ziehen. Wieder ein Explosivgeschoß! Schade um die schönen Farbaufnahmen – –.

Plötzlich dröhnen russische Laute durch die Straße.

Ein Lautsprecher, auf zwei Räder montiert, wird von zwei Männern unseres Aktivpropaganda-Trupps vorgeschoben in Richtung auf den Speicher. Aber sie kommen nicht recht vorwärts. Da springt Tammo hinzu, hält die Kabel hoch, weist die Männer ein. Und wieder dröhnt es durch den Lärm der Maschinengewehre von hüben und drüben: »Towarischää! Towarischäää!«

Mehr verstehe ich nicht.

Endlich sehe ich den Oberst an der alten Stelle, am Telefon.

Zufrieden nickt er, mit dem Hörer in der Hand.

Und bald danach – es wird bereits dämmerig – gurgeln schwere Artilleriegeschosse über uns hinweg nach Libau hinein.

Ich springe vor bis hin zu den Toten an der Pak, benutze sie als Deckung, sehe den Bunker unter den Eisenbahnschwellen, sehe von links den Obergefreiten anschleichen, sehe in seiner Hand die geballte Ladung Handgranaten, sehe sie fliegen – und dann erfolgt auch schon die Detonation. Holz- und Eisenteile wirbeln durch die Luft, gleich darauf ist alles in eine Staubwolke gehüllt.

Unser FlaMG setzt sich in Bewegung, rückt vor, fährt auf die Brücke, hämmert nach allen Seiten.

Der Widerstand ist so gut wie gebrochen.

Im Hintergrund brennt die alte Kirche. Ein ganzer Stadtteil steht in Flammen. Der Himmel verdüstert sich von dem aufsteigenden Rauch – –.

Ich lasse meine Kamera sinken, wische mir den Schweiß von der Stirn.

Libau ist genommen. Trotz einer fast zehnfachen feindlichen Übermacht. –

Oberst Lohmeyer erhielt für sein Draufgängertum das Ritterkreuz. Er hat es nicht lange getragen. Als sein Regiment später acht Kilometer vor Leningrad halt machte, wurde er bei einem Frontgang erschossen – hinterrücks – aus einer Gruppe tot daliegender Russen heraus, von denen einer noch lebte – –.

So erzählte man mir.

An diesem Abend in Libau aber sah ich Tammo unschlüssig vor seiner Schreibmaschine sitzen. Wir hatten unser Quartier in einer primitiven Baracke am Rande der Stadt aufgeschlagen. Er brütete über seinen Bericht, während ich meine Filme beschriftete. Doch er schien mit sich zu ringen.

»So, jetzt habe ich geschrieben, wie unsere ungestüm vordringende Infanterie sich im Straßenkampf bewährt und jeden Fußbreit Boden dem Gegner abgerungen hat. Eigentlich müßte ich noch hinzufügen, daß die Russen besessen wie die Teufel gekämpft haben, fanatisch bis zur Selbstaufopferung, – und genaugenommen würde das den Siegesruhm unserer Soldaten noch steigern. Aber nein, das darf ich nicht schreiben. ›Bestien‹ und ›Untermenschen‹ kann man nicht zu Helden werden lassen!«

Ich kratzte mich am Kopf.

»Da kann ich dir leider auch nicht helfen«, entgegnete ich spöttisch, »Fachmann für positive Berichterstattung bist *du* schließlich. Aber witzig ist es doch: Ausgerechnet du mit deiner positiven Grundeinstellung darfst nicht schreiben, was du denkst! Na ja, Denken ist Glückssache, hat meine Großmutter immer gesagt.«

Er tippte hastig noch einen Schlußsatz, zog den Bogen aus der Maschine und ging wortlos, ohne mich eines Blickes zu würdigen, in den Nebenraum, wo Walterchen auf das Berichtermaterial wartete.

Hatte ich ihn gekränkt? Fast tat mir meine Äußerung nun leid, denn irgendwie war er nicht mehr derselbe wie damals in Frankreich. Was ging in ihm vor?

Wenn er wenigstens ›Schnauze‹ gesagt hätte!

3 RUSSLANDS ALTER VERBÜNDETER – GENERAL FROST!
AM FINNISCHEN MEERBUSEN
DER »EISSCHRANK«: 52 GRAD MINUS

Ungestüm waren die deutschen Truppen an allen Fronten im Osten vorgedrungen. In gewaltigen Kesselschlachten, wie sie die Welt zuvor noch nie in der Geschichte erlebt hatte, waren 2,4 Millionen Gefangene eingebracht, über 17 500 Panzer, über 21 600 Geschütze vernichtet oder erbeutet, 14 100 Flugzeuge abgeschossen oder am Boden zerstört worden.

Überall dort, wo noch Reste zerschlagener sowjetischer Divisionen umherirrten, wurden Lautsprecherwagen der Propaganda-Kompanien eingesetzt und holten Tausende abgekämpfter sowjetischer Soldaten aus den Wäldern.

Das Propaganda-Ministerium in Berlin ertrank monatelang geradezu in einer Flut von Vormarsch-Berichten und Fotos und Filmen von Gefangenenkolonnen auf staubigen russischen Straßen.

Dann aber waren, viel früher als erwartet, Rußlands alte Verbündete auf den Plan getreten: Kälte, Eis, Schnee – General Frost – der russische Winter. Alles hatte auf des Messers Schneide gestanden. Doch das Ziel, Moskau noch im ersten Ansturm einzunehmen, wurde nicht erreicht.

Auch im Nordabschnitt war das große ›Halt‹ gekommen – acht Kilometer vor Leningrad.

Die Temperatur war über Nacht auf minus 12 Grad gesunken. Als ich am Morgen vor die Tür trat, um Wasser zu holen – wir kampierten seit einigen Tagen in einem einsamen Blockhaus vor Novo Bor – schlug mir ein eisiger Wind entgegen, der Ziehbrunnen war von einer handdicken Eisschicht umgeben.

Es war der 8. Oktober. Dieses Datum erschien mir schon damals so bedeutsam, daß ich es mir einprägte.

Die Front war zum Stehen gekommen. Alles war zu Eis

erstarrt, die Gräben, das Wasser in den Deckungslöchern, in denen unsere Landser mit ihren dünnen Tuchmänteln lagen und sich notdürftig mit weißen Stoffetzen zu tarnen suchten, als der erste Schnee fiel.

Der Führungsstab des XXVI. Armeekorps zog um in ein Barackenlager bei Kempolowo, ein einstiges sowjetisches Schulungslager, wo auch die Kriegsberichter, Filmvorführer, Lautsprechertrupps, Schreiber, Fahrer und Kradmelder des PK-Zuges eine feste Bleibe fanden.

Es herrschte allgemein eine gedrückte Stimmung.

Nur einer war noch guten Mutes und zu Späßen aufgelegt: Filmvorführer Walter Desenberg, genannt ›Pinne‹. Er war gerade wieder einmal ›hinten‹, um die neueste Ausgabe der ›Deutschen Wochenschau‹ abzuholen. Gewöhnlich schaukelte er mit seinem Lastwagen und einem schweren zur Stromerzeugung dienenden Aggregat als Anhänger über endlose Knüppeldämme durch die russischen Wälder und führte seine Spielfilme vor.

»Egal, was kommt«, sagte er, »unsere Truppenbetreuung wird auf vollen Touren laufen! Ich werde Zarah Leander, Marika Rökk und Willy Birgel und wie sie alle heißen – spielen und spielen, – bis der letzte Landser sie gesehen hat! Wir werden das Ding schon schaukeln! Und immer mit Musike!«[1])

Pinne brachte immer Schwung und Leben in die Baracke, die Treffpunkt für alle war, die von ›vorn‹ kamen. Sie war warm und sicher. Nur einen Schönheitsfehler hatte sie: Heerscharen von Wanzen drangen bei Dunkelheit aus allen Ritzen und ließen sich von der Decke auf die Schlafenden fallen.

»Ob General oder Gefreiter«, meinte Pinne, »hier hinter der Front müssen *alle* Blut hergeben!«

Die Tage schlichen dahin. Immer mehr Schnee fiel und lähmte allmählich auch die letzten Truppenbewegungen. Nur noch kurze Tageseinsätze unterbrachen auch bei uns das ewige Einerlei.

---

[1]) Die Filmvorführwagen der PK näherten sich der Front mitunter bis auf drei, vier Kilometer.

Ein entsetzliches Erlebnis allerdings fällt für mich in diese Zeit.

Als ich in einem Feldlazarett Aufnahmen machte, die eigentlich zeigen sollten, wie gut die Verwundeten betreut und versorgt werden, lagen da auch viele mit Erfrierungen.

Der Stabsarzt verbarg mir nichts. Ich sah mit an und fotografierte, wie er einem jungen Gefreiten die erfrorenen Füße amputierte. Als er den Knochen durchsägte, sagte der Chirurg leise zu mir: »Ich möchte nur mal sehen, was Goebbels für ein Gesicht macht, wenn er diese Aufnahmen sieht –!«

Ich wußte, diese Bilder waren mehr als unerwünscht in Berlin, aber ich konnte sie als wissenschaftlichen Beitrag bezeichnen.

Tagelang und nächtelang wurde ich den Anblick nicht los – –.

Vielleicht hatte dieses grausige Erlebnis den Anstoß dafür gegen, daß ich mir selbst eine Aufgabe stellte: die Kälte zu fotografieren. Die unerbittliche Kälte, den jetzigen Feind Nummer Eins unserer Landser.

Doch, wie macht man das, – die Kälte fotografieren?

Das Alkohol-Thermometer an der Generalsbaracke zeigte 42 Grad minus.

Wo war es noch kälter? Wo war die kälteste Front? Die kälteste Stelle der gesamten Nordfront?

Beim Korps-Stab erfuhr ich es: am Finnischen Meerbusen! Am 20 Kilometer langen Küstenstreifen zwischen Peterhof und Leningrad. 52 Grad Kälte sollten da jetzt herrschen!

Eine Front allerdings gäbe es dort nicht. Keine durchgehende jedenfalls, sondern nur einzelne Posten, kilometerweit voneinander entfernt. Einsam hinter aufgetürmten Schneebarrieren würden sie stehen, mit der einzigen Aufgabe, die weite zugefrorene Fläche des Meeres zu beobachten und bei etwaigen Angriffen des Gegners über das Eis sofort Alarm zu schlagen.

Das war's, was ich suchte!

Im Beiwagen könnte mich Walterchen bis dicht an die

Küste bringen, und dort müßte ich mich dann allein durchschlagen von einer Einheit zur anderen, – so etwa formulierte der neue Zugführer, ein gerade erst frisch aus Königsberg eingetroffener Leutnant, reichlich einfältig den Einsatzbefehl.

Im Beiwagen – bei 42 Grad unter Null? Ohne entsprechende Ausrüstung – ohne luftdichte Gummikombination? Das sei Selbstmord, meinte Walterchen.

Aber schon am nächsten Tage brachen wir auf. Ich war froh, endlich aus dem bedrückenden Einerlei herauszukommen.

Ein Katzenfell mit zwei Gucklöchern vor dem Gesicht (Walterchen hatte es schnell noch für ein Kommißbrot organisiert!), Hose und Stiefel mit Zeitungspapier ausgestopft und eine halbe Flasche Kognak von der letzten Marketenderration in der Manteltasche, kletterte ich in den Beiwagen.

Es war acht Uhr und der Morgen dämmerte gerade, als wir über den Knüppeldamm holperten. Erst vorn an der Rollbahn gab Walterchen Gas.

Die Kälte schnitt wie mit Messern. Der Fahrtwind fraß sich durch den Tuchmantel, der sogenannte ›Wehrmachtskopfschützer‹ hielt nicht mehr ab als eine Tüllgardine.

Wir legten mehrere Pausen ein, und jedesmal sagte Walterchen zu mir »Komm raus aus deinem Blechsarg, ich will sehen, ob du noch lebst!«

Gegen Mittag hatten wir unser Fahrtziel erreicht. An ein Weiterfahren war hier ohnehin nicht mehr zu denken, der schmale Pfad zur Küste hin war völlig zugeweht. Ich stieg aus und verabschiedete mich von Walterchen.

»Dort geradeaus – direkt nach Norden – zwei bis drei Kilometer – bis zum Meer!« rief er mir nach, dann wendete er und gab Gas.

Ich war allein, Mit Katzenfell und ›Wäschebeutel‹. Und meiner Leica in der Hosentasche.

Eisiger Ostwind fegte über die Ebene und wirbelte staubfeinen Pulverschnee auf. Mühsam arbeitete ich mich vorwärts. Manchmal reichte der Schnee bis zur

Hüfte. Der Sturm nahm noch zu und verwehte schnell die Spuren hinter mir.

Nach Norden! Der Wind kam von Osten, – solange er also von rechts blies, stimmte die Richtung.

In den Stiefeln staute sich der Schnee. Nur nicht stehen bleiben!

Wurde es nicht schon dunkler? Lief ich etwa im Kreise? Hatte sich der Wind gedreht?

Ich muß gestehen, der Gedanke, daß ich allein war, löste Angst in mir aus.

Sie wich erst wieder von mir, als ich plötzlich hinter einer Bodenwelle die Küste vor mir sah, den Finnischen Meerbusen.

Zehn, fünfzehn Meter tief fiel das Ufer steil vor mir ab. Ich blieb stehen und richtete mich auf.

Ein majestätischer Anblick!

Tief unter mir, da lag er, der ›Eisschrank‹, wie die Landser ihn nannten. Eine tote weiße Fläche. Ohne Horizont. Und ohne eine Spur von Leben.

Ein Blick in die Unendlichkeit. Oder ins Nichts.

»Grandios!« murmelte ich vor mich hin und nahm einen kräftigen Schluck aus der Kognakflasche. »Grandios, ein starkes Erlebnis! – Aber kein Motiv für die Kamera!«

Ich hätte ebensogut ein weißes Blatt Papier mit der Unterschrift versehen können: ›Die Front am Finnischen Meerbusen‹.

Es fehlte der Mensch. Der Mensch, der mit diesem Nichts konfrontiert wurde. Und wenn dieser Mensch nur dastand und nichts weiter tat, als daß er die Zeit vergehen ließ – –.

Mit einer gewissen Erregung schlug ich die Richtung nach Leningrad ein, immer der Küste folgend. Irgendwo würde ich schon einen der Posten finden, den ›Menschen‹, den ich für mein Bild brauchte.

Der Wind kam direkt von vorn. Nun, dafür würde ich ihn nachher von hinten haben, wenn ich nach Peterhof ginge. Die Kälte drang durch den dünnen Tuchmantel, die Schmerzen waren kaum noch zu ertragen. Doch da war ein Ziel, und das alte, kaum zu beschreibende Gefühl hatte mich wieder ergriffen, das immer dann auftrat, wenn ich damit beschäftigt war, Erlebnisse in Bilder umzusetzen.

Nach etwa einem Kilometer tauchten vor mir die Umrisse einer Art Befestigung auf, ein brusthoher Windschutz, aus Schneeblöcken aufgetürmt. Undeutlich ragte eine Gestalt darüber hinaus. Der Mensch – für die Aufnahme!

Ich trat näher. Vollkommen reglos stand er da. Stocksteif. Wie ein eingerammter Pfahl. Ohne Fußspuren weit und breit – nur Spiralen von wehendem Schnee ringsumher.

Der Mensch! In einem dicken Schafspelz. Das Gesicht hinter einem breiten Fell mit winzigen Augenschlitzen verborgen –.

Und dann erschrak ich.

Der ›Mensch‹ trug eine russische Pelzmütze!

Hatte er mich bereits gesehen – und mich erkannt?

Was würde er tun – in dieser Einsamkeit? Auf mich schießen –?

Einen Moment lang dachte ich an meine Pistole, die belgische FN 9 mm. Sollte ich sie wenigstens drohend herausziehen – mit den hartgefrorenen Zeltbahnhandschuhen – und dann versuchen zu entkommen?

Da drehte der ›Mensch‹ den Kopf zu mir.

»Hach!« machte er kurz, und dann brachte er einige Brocken mit lettischem Akzent heraus: »Neues nix gar nix! Nix Ruski! Hach!«

Er schien unter seinem Fell zu lachen und stampfte mit seinen schweren gepolsterten Postenschuhen auf – und diese wiederum waren deutscher Herkunft!

Jetzt begriff ich. Mein ›Mensch‹ war ein Lette! Einer von jenen Freiwilligen, die bereit waren, jede Gefahr und jede Strapaze auf sich zu nehmen für ihre Heimat, für ihr kleines Vaterland, das Lettland oder Estland oder Litauen hieß. Die Ausrüstung organisierten sie sich gewöhnlich von russischen Gefangenen – von der Pelzmütze bis zum Schnellfeuergewehr.

246

»Zweiundfünfzig Grad!« rief ich ihm zu. Aber er verstand nicht.

Vor ihm auf der Schneebarriere lag eine Leuchtpistole griffbereit. Neben ihm, auf einem Sockel aus Schneeblöcken, stand ein Feldfernsprecher, mit dem er im Notfall Alarm geben konnte. Davor der ›Eisschrank‹.

Das war das Bild! Deswegen war ich hergekommen!

In meiner Freude zog ich wieder meine Kognakflasche aus der Tasche, reichte sie dem Letten hin und sagte »Prost!«

Das verstand er sofort. Unter dem Fell setzte er die Flasche an und trank und trank – –.

»Stoi! Stoi!!« rief ich, – das war zwar russisch, aber das verstand er auch und gab mir die Flasche zurück. Und nun trank ich selber. Dann ging die Flasche zwischen uns hin und her, bis sie leer war.

»Särr gut!« schnarrte der Lette und wischte sich den Mund mit dem Fell ab. Und dann ging ich daran, meine Aufnahme vorzubereiten. Als ich um ihn herumstapfte, um den besten Blickwinkel zu finden, merkte ich, wie sich langsam alles in meinem Kopf zu drehen begann.

Ich riß mich zusammen. Diese Aufnahme mußte mir gelingen.

Bevor ich die Kamera aus der Tasche zog, überlegte ich jeden Handgriff genau. Es mußte alles sehr schnell gehen wegen der Empfindlichkeit des Schlitzverschlusses gegen die außergewöhnliche Kälte. Die Verschlußgeschwindigkeit war auf $^1/_{100}$ Sekunde eingestellt, wußte ich, und die Blende auf 5,6. Das reichte noch bei dem Licht. Blieb also nur noch die Entfernung einzustellen.

Ich nahm meinen endgültigen Standpunkt ein. Dann spielte sich alles in Sekundenschnelle ab: Das Katzenfell heruntergerissen, den rechten Handschuh ausgezogen und zwischen die Zähne geklemmt, die Leica aus der Hosentasche gefingert, Entfernung eingestellt – sofort riß ich die Kamera hoch, drückte ab, drehte den Film weiter, drückte ab, spannte noch einmal, drückte wieder ab – da merkte ich, daß der Schlitzverschluß nicht mehr korrekt ablief. Eingefroren!

Mit so extremen Temperaturen hatten die Konstruk-
teure wohl nicht gerechnet. Ich hatte mich daher darauf
vorbereitet und mit meinem Taschenspielertrick gearbeitet – mit der warmen Hosentasche. Meist waren mir
auf diese Weise fünf bis sechs Aufnahmen hintereinander geglückt. Diesmal nur zwei. Aber das genügte.
»Särr gut!« sagte ich zu dem Letten und trottete davon.

4 SCHLÖSSERFRONT IN PETERHOF
   DER ›KUNST-PROFESSOR‹
   KATHARINA DIE GROSSE UND DIE PORNOGRAPHIE

»Pst, – der Herr Major schläft noch!«
Mit diesen Worten empfing mich ein müde gähnen-
der aber außerordentlich höflicher Leutnant im Keller
des Schlosses Peterhof, als ich mich beim Bataillonsstab
meldete.
Der Leutnant lächelte mich an: »Sie wundern sich,
wie –? Es ist gleich halb elf und – –! Bei uns ist nämlich
nur nachts was los – vor sieben Uhr früh kommen wir nie
zum Schlafen –«.
Ich nickte. Er wußte noch nicht einmal wer ich war.
Darum sagte ich schnell mein Verslein auf. Daß ich von
der PK käme und daß ich fotografieren wollte – möglichst Dinge, die es nicht überall gäbe –.
»Da sind Sie bei uns an der richtigen Adresse!«
entgegnete er leise. »Wir haben zu bieten: eine ausge-
sprochene Salonfront – quer durch die Schlösser und
Gärten von Peterhof – Sie wissen schon: aus der Zeit
Peters des Großen – historische Sehenswürdigkeiten –
tagsüber mäßige Ruhe – ab Beginn der Dunkelheit reges
Nachtleben mit Überraschungen und Sondereinlagen –
und das alles bei freiem Eintritt!«
Er nickte mir schmunzelnd zu. »Richtig! Einen Kunst-
professor haben wir ja auch noch. Diesen seltsamen

Ein Irrtum brachte ihnen den Tod.

In der psychologischen Kriegführung fehlte jegliche praktische Erfahrung. Welche verhängnisvollen Folgen eine einfache Lautsprecherdurchsage unter Umständen auslösen kann, zeigt dieses Beispiel:

Hunderte von sowjetischen Soldaten waren bereits der Aufforderung gefolgt, hatten ihre Waffen weggeworfen und waren übergelaufen. Nun sprachen einige von ihnen über das Mikrofon ihre noch zögernden Kameraden im Gelände an und versicherten ihnen, daß man sie gut behandele. Schließlich fügten sie sogar hinzu, sie sollten ihre Waffen nicht wegwerfen, sondern gut sichtbar über dem Kopf halten und mitbringen. (Estnische Freiwillige wollten sich damit ausrüsten.)

Zwei Kilometer entfernt davon geschah etwas Entsetzliches. Eine deutsche Maschinengewehr-Kompanie, die den Zusatz in russischer Sprache nicht verstanden hatte und die Russen plötzlich mit Waffen ankommen sah, glaubte an einen Angriff und mähte die Überläufer mit den MGs nieder. – Die deutschen Soldaten waren erschüttert, als sie den Irrtum erkannten. – Von nun an mußten Lautsprecherdurchsagen auch in deutscher Sprache gemacht werden.

PK-Bildberichter im Einsatz auf dem Brückenkopf Grusino. – Es gibt nur wenige Bilder, die Bildberichter in Aktion zeigen, weil niemals zwei von ihnen nebeneinander eingesetzt wurden. Die obige Aufnahme machte ein Unteroffizier der Infanterie. – Noch weniger gibt es aus dem gleichen Grunde Filmaufnahmen von Filmberichtern.

Zur Bilderseite rechts:
Alarm! Die Russen sind durchgebrochen! – Für die Kriegsberichter lautete der Auftrag: Berichten Sie über die Abwehrkämpfe, über die Gegenstöße der deutschen Verbände! Wie spielte sich ein solcher Einsatz ab?
Zunächst dirigierte die Propaganda-Kompanie die Berichter zu derjenigen Division, bei der die schwersten Kämpfe zu erwarten waren. Von dort wurden sie weitergereicht zu dem Regiment, das im Brennpunkt lag. Von dort zu dem Bataillon, das den entscheidenden Vorstoß führen sollte, und von dort zu der Kompanie, die im dicksten Schlamassel steckte.
Jeder – vom General bis zum Landser – glaubte, den Kriegsberichtern ganz besonders eisenhaltige Luft bieten zu müssen. Und so landeten die Berichter in kürzester Zeit automatisch genau dort, wo der Teufel los war.
Doch, wie macht man das nun – einen Gegenstoß fotografieren? Wo die Grenadiere in der kleinsten Deckung verschwinden, wo man viel Gefechtslärm hört – aber wenig sieht – – Die meisten Aufnahmen entstanden auf dem Rücken liegend über die eigenen Füße hinweg. – Die Seite rechts zeigt einen Ausschnitt aus einem Heft der 18. Armee. Auf dem Bild rechts unten ist ganz links ein Filmberichter mit der Kamera im Anschlag und umgehängtem Akku zu erkennen (Ernst Glunz).

Ausschnitt aus der Armee-Zeitschrift: Störungssucher der Nachrichtentruppe (Brückenkopf Grusino).

Hart ist dieser Kampf. Die Bolschewisten sind Meister des Waldkampfes. Sie nisten sich im Unterholze ein, feuern aus Hecken, aus verschneiten Tannendickichten; immer wieder müssen die Angreifer volle Deckung nehmen und erst das schneidig in direktem Beschuß feuernde Geschütz vertreibt oder vernichtet die sowjetischen Waldschützen

Mit der Spitzengruppe marschiert der Filmberichter. Wie sein Kamerad, der Bildberichter, dessen Kampfaufnahmen wir hier veröffentlichen, so steht auch er im Brennpunkt der Kämpfe, um der Heimat in der Wochenschau einen dokumentarischen Bericht dieses dramatischen Geschehens zu liefern

Das Schloß in Gatschina (heute Krasnowardeisk) mit dem Denkmal Peters des III. – in der Pose Friedrichs des Großen, den er verehrte.

Von der PK entdeckt und fotografiert – aber »nicht zur Veröffentlichung«!

Diese Möbel mit den schockierenden obszönen Darstellungen hatte sich die Zarin Katharina die Große von Künstlern anfertigen lassen, um damit den Raum auszustatten, in dem sie ihre Liebhaber zu empfangen pflegte.

Zu ihrer Zeit hatten nur ›Auserwählte‹ diese Möbel zu Gesicht bekommen. Auch die Sowjets verbargen sie vor der Öffentlichkeit.

Deutsche Kriegsberichter entdeckten die kunsthistorisch einmaligen Stücke beim Vormarsch im Schloß von Gatschina und fotografierten sie, – doch wiederum bekam niemand die Möbel zu sehen, denn die Bilder wurden für die Veröffentlichung gesperrt.

Kauz! Die Division hat ihn mit einem Sonderauftrag hier hergeschickt, um an Kunstschätzen zu retten, was noch zu retten ist. Allzuviel ist es nicht; denn beim Vormarsch hat hier ein heftiges Artillerieduell stattgefunden, vieles ist in Flammen aufgegangen, bevor wir ankamen. Aber so manches Stück hat er doch noch in Sicherheit gebracht, gesäubert, numeriert, verpackt. Weit hinter der Front soll er alles in einem großen Saal zusammengetragen haben – antike Möbel, wertvolle Gemälde, Gobelins, Fayencen – die Landser nennen ihn den ›verrückten Professor‹. Zu Unrecht natürlich – –«.

Mein Reporterherz schlug höher. Endlich einmal etwas anderes: ein ›verrückter Professor‹ bei der Arbeit – –!

Der Leutnant griente sarkastisch. »Wenn Sie zu *dem* wollen – bitte, der freut sich über jeden. Kommen Sie mit!«

Wir stiegen eine Steintreppe hinunter, noch tiefer in den Keller, und dann ging es kreuz und quer durch die Gänge, bis wir schließlich in einem Stollen vor einer morschen Tür landeten.

»Dort haust er – der Stolz des Bataillons!«

Er lachte laut, daß es im Gemäuer hallte, und entschuldigte sich, er müsse zurück. »Der Herr Major kann jeden Augenblick wach werden und nach mir rufen. Richtig was los ist zwar erst heute Nacht wieder! Schade – *das* sollten Sie fotografieren können. Aber das geht ja nun mal nicht – bei Nacht!«

Damit drehte er sich um und lief eilig zurück.

Ich blieb einen Moment stehen. Frontaufnahmen bei Nacht –? Der Gedanke hakte sich wie ein Angelhaken in meinem Kopf fest.

Ich öffnete die Tür und trat ein.

Es war eigentlich nur ein größeres Kellerloch, was ich sah. Zwei bronzene Wandarme – wahrscheinlich aus einem der Schloßsäle – waren an übereinandergetürmten Munitionskisten befestigt, und einige daraufgestellte Hindenburgkerzen erhellten den Raum mit flackerndem Licht. Ein eiserner Ofen strahlte eine bullige Hitze aus. Daneben war eine primitive Lagerstätte aufgebaut.

Und dann sah ich ihn sitzen, in der Uniform eines Unteroffiziers, an einem rohen Holztisch, auf dem eine Anzahl Kacheln ausgebreitet lag, daneben noch allerlei andere Raritäten: eine alte Uhr, eine verbogene Lichtputzschere und einige kleine Döschen – da hockte er, der »verrückte Professor«.

Er hielt ein Vergrößerungsglas in der Hand und schien völlig in die Betrachtung eines Miniaturbildchens versunken zu sein.

Ich räusperte mich.

Er hob seinen Kopf, ein Löwenhaupt mit einem durchaus nicht mehr militärisch zu nennenden Haarschnitt. Die hohe Gelehrtenstirn war voller Falten, doch seine Augen unter den buschigen Brauen strahlten mich freundlich an. Er glaubte wohl, ich wollte ihm ein interessantes Fundstück zur Begutachtung bringen.

Als ich ihm jedoch sagte, wer ich war und um was es mir ginge, sprang er mit fast jünglinghafter Behendigkeit auf und ergriff meine Hand. »Wunderbar! Ausgezeichnet! Sie werden staunen, was es hier alles für großartige Dinge gibt! Und dann diese Front! Mitten durch die Gärten – mitten durch die Pavillons!«

Ich mußte meinen Mantel ablegen und mich neben ihm auf eine Kiste hocken.

Impulsiv richtete er sich auf, sah mich an. »Schon damals beim Vormarsch hatte ich die ersten Stücke sicherstellen können, im alten Schloß von Gatschina, 1770 erbaut – die Stadt heißt jetzt Krasnowardeisk – also, in diesem Schloß habe ich Möbel gefunden – so etwas gab es auf der ganzen Welt wohl nur einmal – –.«

Er kratzte sich am Kopf und kicherte in sich hinein.

»Das kann man gar nicht in Worten ausdrücken! Die schlimmsten Pornographien, die nachts auf dem Montmartre unter der Hand angeboten werden, sind harmlos dagegen!«

Plötzlich erinnerte ich mich. Er meinte die Möbel Katharinas der Großen! Ich selber hatte sie damals aufgenommen, vor gut drei Monaten. Den Tisch mit den geradezu erschreckenden holzgeschnitzten Darstellungen von männlichen und weiblichen Geschlechtsteilen. Die Stühle, die Sitzbank mit den obszönen Liebesspiel-Szenen nackter Männlein und Weiblein in den unglaublichsten Posen – –.

Aber der Professor ließ mich gar nicht zu Worte kommen.

»– – ganz Paris ist harmlos dagegen, – stellen Sie sich vor:· Da ruht eine marmorne Tischplatte auf vier überdimensionalen Penissen! Ach, was sage ich: Sie ruht auf den – nein, man kann es kaum aussprechen, aber, Herrgott, wir sind ja Soldaten! – die Penisse sind im Augenblick des Orgasmus dargestellt, – und darauf ruht die Tischplatte. Und das alles ist fein säuberlich in vierfacher Größe von Künstlerhand in Holz geschnitzt – in nicht zu übertreffender Realistik!«

Ich hob den Finger, um ihn auf mich aufmerksam zu machen.

»Diese Möbel habe ich fotografiert!« rief ich dazwischen.

Er stutzte einen Moment, dann schlug er sich auf die Schenkel und schüttelte sich vor Lachen. »Nein – so etwas! Und ich rede und rede –!«

Doch schon wurde er wieder ernst: »Dann sind also die Bilderserien davon, die hier an der ganzen Front im Umlauf sind, – von Ihnen? Ich muß schon sagen: ein feines Geschäft! Für eine Serie Katharina-Möbel eine Flasche Kognak! Ein sauberes Geschäft!«

Ich hatte Mühe, ihm klarzumachen, daß nicht *ich* die Bildserien herstellte und weitergab, sondern gewisse Leute vom Labor.

Endlich beruhigte er sich wieder. »Hm! Was werden die im Propaganda-Ministerium wohl für Augen gemacht haben, als Ihre Aufnahmen so ganz ordnungsgemäß auf dem Dienstweg dort eintrafen – –!«

Er schmunzelte vor sich hin, und ich nutzte die Gelegenheit, ihn als Historiker zu den seltsamen Möbeln zu befragen.

»Aus welchem Grunde hat wohl die Zarin Katharina die Große diese Möbel anfertigen lassen und in ihrem

Schlosse aufgestellt? Welcher Sinn steckte dahinter, diese Stühle mit den nackten Pärchen zu schmücken – in allen nur erdenkbaren Stellungen?«

Der Professor dachte nach.

»Katharina die Große –« sagte er dann bedächtig, »sie machte ja niemals ein Hehl daraus, daß sie viele Liebhaber hatte. Man muß die Zeit von damals bedenken, das Hofleben dieser Tage. Tja, – und die Möbel? Sie sind einfach Ausdruck einer Laune eines absolutistischen Herrschers – wobei in diesem Falle Katharina die Große die souveräne Herrscherin war. Damals nannte man die Dinge eben beim Namen. Und genau gesehen ist das zumindest ehrlicher und offener als in anderen Epochen! Wenn damals ein hübscher, strammer aber vielleicht noch etwas schüchterner junger Gardist von der Herrscherin auserkoren war, ihr Gutes zu tun, nun, dann brauchte sie ihn nur in das Zimmer mit diesen Möbeln zu führen, und er verstand sofort, was er hier sollte. Alle langen Vorreden erübrigten sich – allez hop, mon bel ami –!«

Es ist mittlerweile Nachmittag geworden. Immer noch erzählt der Professor. Zwischendurch hatte er zwei Kochgeschirre voll Essen besorgt. Wir hatten gespeist wie bei Hofe – von richtigen Porzellantellern.

Plötzlich faßt er mich beim Arm. »Wollen wir gleich noch einen Rundgang machen? In der Dämmerung – in der blauen Stunde –?«

Schon springt er auf, zieht sich an, wirft mir meinen Mantel zu. »Schnell! Bevor es dunkel ist!«

Mit eiligen Schritten gehen wir die langen Gänge entlang, treten ins Freie, stapfen durch den Schnee. Endlich stehen wir am oberen Rande des Schloßparks und schauen hinunter: Kaskaden ziehen sich hinab zum Park, unten führt eine Fontänenallee bis ans Meer. Von den Wasserspielen hängen lange Eiszapfen herunter; die goldene Figur des Springbrunnens unter uns im Rondell trägt ein dickes Schneekissen auf dem Kopf.

Ein schwerer Artillerieeinschlag hallt zu uns herüber und läßt uns kurz zusammenschrecken. Aber den Professor stört das kaum. Unbekümmert steigt er mit mir die Treppe neben den Kaskaden hinunter.

»Sehen Sie«, sagt er, »die haben damals andere Sorgen gehabt als wir. Peter der Große hatte hier gern Springbrunnen haben wollen – aber es waren keine Quellen da. Und woher sollte man den Wasserdruck nehmen? Nun, man baute einfach eine viele Kilometer lange Wasserleitung vom Oberland her – und er bekam seine Wasserkünste! Und dort drüben rechts, direkt am Meer, da hatte er sich ein kleines Schlößchen errichten lassen, das nannte er ›Mon Plaisir‹ – nach französischem Muster. Abends setzte er sich dort hin und erfreute sich an dem Anblick der in der Newamündung ein- und ausfahrenden Schiffe. Dann schien nämlich die Abendsonne auf Petersburg, und alle Kuppeln leuchteten golden – –.«

Ein paar Querschläger zirpen dicht über unsere Köpfe hinweg, vom Westen her hallt Gefechtslärm herüber.

»Der Tanz scheint heute sehr früh zu beginnen«, sagt der Professor nur, und schon erzählt er weiter von dem kleinen ›Mon Plaisir‹ am Meer. »Heute stehen davon nur noch die nackten Wände, und unsere Landser versuchen, die Reste der echten Delfter Kacheln davon abzulösen, die sich der Zar extra aus Holland hatte kommen lassen. Aber Landser sammeln ja alles! Damit sie später zu Hause sagen können: Seht mal – ein Scherben aus dem Schloß Peterhof!«

Ein russisches Maschinengewehr hämmert sein hartes Tack-tack-tack. Ob man uns gesehen hat? Wir legen uns flach hin, kriechen ein Stück, stehen auf. Es ist ruhig. Der Professor erzählt weiter.

»Ja, Landser sammeln eben alles! Sogar die Fahrscheine der letzten Straßenbahn, die aus Leningrad herausgekommen ist!«

Während wir an pausbackigen Putten vorbei über die Parkwege schleichen, weist er auf eine steinerne Bank, die hinter einer Hecke verborgen steht: »Man muß sich darauf ein Liebespärchen vorstellen, ein spätbarockes Liebespärchen! Oder – etwas später, aber noch niedlicher – ein Rokokopärchen: sie in einem weiten Reifrock, er in seidenen Kniehosen. Mit etwas Phantasie sieht man die beiden doch direkt dort sitzen – in einer lauen Sommernacht – wie sie zärtlich umschlungen miteinander turteln – – «

Rums! Eine Granate haut hinter uns in die Treppen, auf denen wir kurz vorher noch gestanden haben, Schnee spritzt auf, ein schwarzer Krater gähnt in dem Weiß –.

»– – und auf einmal verschwindet das Liebespärchen hinter einem Vorhang von plätscherndem Wasser! Bei einigen Sitzbänken hat nämlich Peter der Große – – «

Wumm – – wumm – – wumm – – jagt eine Pak von uns eine Serie aus dem Rohr. Die russische Artillerie antwortet, es hallt dumpf von den Kaskaden zurück –.

»– – einen Mechanismus eingebaut, der einen kleinen Wasserfall auslöste, wenn man sich draufsetzte, – –«

Das russische MG beginnt erneut zu tackern, piuuhh – zirpen Querschläger zwischen den Putten herum, klatschen gegen das Gestein –.

»– – neckisch, nicht wahr? An anderen Stellen wieder wurden die Liebenden selbst plötzlich mit Wasser bespritzt – –.«

»Ja, ja, – das Rokoko!« sage ich und ziehe meine Leica aus der Tasche. Der Professor streichelt gerade den Popo einer Sandsteinputte, da macht mein Verschluß klick.

Von weit her hallt ein dumpfer Einschlag herüber.

»Das muß ein schweres Geschütz sein –« sage ich.

Mit einer unwilligen Bewegung, als brächte ich ihn vom Thema ab, reicht er mir sein Fernglas.

»Sehen Sie, dort draußen im Finnischen Meerbusen liegt die Insel Kronstadt, und dicht davor können Sie Teile eines Schiffes erkennen. Das ist die ›Marat‹, ein sowjetisches Panzerschiff. Unsere Stukas haben es versenkt. Es liegt auf Grund. Aber das Wasser ist dort nicht tief – die Geschütztürme ragen noch heraus. Und die sind es, die uns die schweren Brocken herüberschicken. Das ist auch die Ursache, warum wir hier im Rücken der Leningradfront noch diesen kleinen russischen Kessel hinnehmen, den ›Oranienbaumer‹, wie wir ihn nennen. Es wäre sinnlos, ihn einzunehmen. Von Kronstadt aus würden uns die Russen nach allen Regeln der Kunst zusammenschießen!«

»Und warum greifen wir Kronstadt nicht an?«

»Kindskopf«, sagt der Professor einfach zu mir, »überlegen Sie doch mal! Übers Eis – angreifen? Wäre doch reiner Selbstmord! Die Russen brauchten uns nur ruhig herankommen zu lassen und dann im letzten Augenblick das Eis um uns zu zerschießen. Wir würden doch elend ersaufen!«

Mit eingezogenen Köpfen schleichen wir weiter nach vorn.

»Dort drüben ist unser Eckpfeiler am Meer«, sagt der Professor, »dort beginnt die Front gegen den kleinen Kessel und führt dann landeinwärts. Geschichtlicher Boden, sage ich Ihnen – –.«

Wir kriechen nun auf allen vieren, springen von Busch zu Busch, stehen dann vor einem verfallenen Bauwerk. Das Dach ist zerschossen. Auch die Seitenwände sind zur Landseite hin zusammengestürzt, so daß man hineinsehen kann wie in eine Puppenstube. Und da fällt mir etwas Eigenartiges auf: Zwischen dem Parterre und dem oberen Geschoß befindet sich ein großes ovales Loch, das aber nicht von einer Zerstörung herrührt. Die Landser haben es provisorisch mit Zeltbahnen abgedichtet.

Unten sitzt ein Landser neben einer schußbereiten Panzerabwehrkanone und beobachtet das Vorfeld durch einen Schlitz in der Mauer. Vorsichtig kriechen wir zu ihm heran. Und dann sehe ich, worauf er überhaupt sitzt: auf einem Rokokostuhl!

»Saukälte!« schimpft er, »Tag und Nacht brennt der Ofen, aber wärmer als minus zehn Grad wird es nie hier. Dieses verdammte Loch!«

»Das ist die Eremitage!« flüstert mir der Professor zu. »Auch hier hat einst Katharina ihre Liebhaber empfangen! Und damit niemand sehen konnte, *wem* sie gerade dort oben ihre Gunst schenkte, wurden die Speisen – sie mußten ja zwischendurch auch mal was essen! – unten auf dem Tisch angerichtet und dieser dann durch das

Loch in der Decke hinaufgefahren – wie ein Fahrstuhl! Dort drüben sehen Sie noch die schwere Eisenkurbel dafür. Das war also ein richtiges Tischlein-deck-Dich!«

»Scheiß-Tischlein-deck-Dich!« sagt der Obergefreite auf dem Rokokostuhl leise vor sich hin.

Und klick macht meine Kamera.

Da lächelt sogar der Professor.

»Aber jetzt müssen wir wohl doch langsam zurück. Gleich geht die Nachtvorstellung los!«

5 IM SCHEIN RUSSISCHER LEUCHTKUGELN
»DIE HABEN DEN BOLLMANN GEKLAUT!«

Mitternacht. Geisterstunde!

Die Theaterkulisse ist perfekt.

Durch die hohen schmalen Fenster des Schloßsaales, deren Scheiben zersplittert sind, scheint der Mond und zeichnet mit scharfen Schatten die Fensterkreuze auf das Parkett. Bühnenarchitekten pflegen solche Effekte voraus zu berechnen.

Was wird gespielt – auf dieser Bühne?

Eine Schauerballade? Eine Geisterkomödie?

Regieanweisung: Der blutjunge Leutnant tastet sich an den seidenen Tapeten entlang. Er darf sich nicht verirren im Schloß, darf nicht den weißen Gestalten in die Hände fallen, die überall versteckt auf ihn lauern und sein Verderben wollen.

Eine zweite Person tritt auf. Ganz in Weiß. Wie es sich für einen Geist gehört. Aber es scheint ein gutartiger Geist zu sein.

Der Dialog beginnt. (Die Sprache ist profan, die Szene spielt nicht zur Zeit Peters des Großen!)

»Woher haben Sie denn die Gardinenfetzen?« fragt leise der blutjunge Leutnant.

Die Antwort kommt schnell und knapp.

260

»Vom ›verrückten Professor‹!«

Schweigend schleichen die beiden weiter. Die Geräuschkulisse läßt Gefechtslärm von leichten Waffen erkennen.

»Deckung!« zischt der Offizier. Spontan reißt er die weiße Gestalt mit zu sich herunter.

Das hätte das Leben kosten können. Das blutjunge! Gewehrkugeln klatschen in die Wände mit der rotseidenen Tapete.

Die Requisiten sind echt! Nicht nur die Tapeten. Auch die Geschosse!

Nimm den Kopf runter, denke ich. Zum Teufel mit den Spinnereien! Laß dich nicht von der romantischen Kulisse verführen – –.

Und dann wird aus dem Dialog ein ganz sachliches Gespräch. So wie Soldaten reden. Über die Lage.

»Hmm«, sagt der Leutnant, »wir haben ein Unternehmen vor – heute nacht. Wenn es allerdings zu hell ist, dann geht's natürlich nicht –.«

»Einen Spähtrupp – rüber zum Iwan?«

»Etwas mehr noch! Also, passen Sie auf: Die Russen haben neulich ›spanische Reiter‹ vor unseren Gräben geklaut und sie vor ihren eigenen Stellungen wieder eingebaut! Nun waren wir in der letzten Nacht drüben, um sie zurückzuholen. Aber sie waren zu stark mit Draht befestigt. Für heute haben wir uns Drahtscheren besorgt – –.«

Er schaut kurz zu den Fenstern hinauf. Immer noch scheint der Mond hell in den Saal.

»Dieser verdammte Mond! Dies hier ist zwar der kürzeste Weg nach vorn zu den Stellungen, – aber nur bei Dunkelheit kann man ihn benutzen.«

Dicht nebeneinander liegen wir still und warten darauf, daß eine Wolke den Himmel verdunkelt.

»Was haben Sie denn da für ein Ding?« fragt er mich auf einmal leise.

»Ein altes Stativ – auch vom Professor. Er macht damit Aufnahmen von seinen Schätzen. Es ist schon etwas wacklig, aber –.«

»Was denn? Sie wollen Nachtaufnahmen machen? An der Front?«

»Ich will's versuchen!«

Schlagartig wird es dunkler um uns.

»Eine Wolke!« flüstert er. »Schnell, – folgen Sie mir!«

Wir machen mehrere weite Sprünge, landen in einem Graben neben einem Posten, der auf einem hölzernen Podest steht.

»Keine besonderen Vorkommnisse!« meldet er kaum hörbar, und der Leutnant tippt zum Dank nur kurz mit seinem Fausthandschuh an den Helmrand.

»Das ist Bollmann«, sagt er zu mir, »der hat einen ganz miserablen Abschnitt vor sich: Zäune, Hecken, abgebrochene Laternenpfähle, Steinhaufen, Baumstümpfe –.«

Ich steige auf den Tritt zu Bollmann und werfe einen Blick über den Grabenrand. Da klirrt etwas.

»Nanu –?« fahre ich herum.

»Pst!« macht der Leutnant, »nicht so laut! Wir sind hier kaum hundert Meter vom Iwan entfernt!«

Er deutet nach unten.

»Wir haben unsere Maschinengewehre an Ketten gelegt – seit einem Vorfall bei der Nachbarkompanie: Da haben es die Iwans fertiggebracht, einem Posten das MG unter den Händen zu stehlen!«

»Und sind entkommen damit?«

»Natürlich! Womit sollte der Posten denn schießen?! Das ist hier keine Front, wo große Schlachten zu erwarten sind, aber diese kleinen Plänkeleien sind es, die uns zu schaffen machen!«

Inzwischen hatten wir ein Grabenstück erreicht, in dem bereits die vorgesehene Gruppe in weißen Tarnanzügen hockte und auf uns wartete.

»Alles klar?« fragte der Leutnant den Führer der Gruppe.

»Jawohl, Herr Leutnant, – die Scheren sind da. Wenn nur der Mond nicht herauskommt – –.«

»Keine Sorge, seht mal, da zieht eine dicke Wand herauf. Es sieht nach Schnee aus. Aber eine kleine Überraschung habe ich mitgebracht«, und dabei schob er mich

262

vor, »einen PK-Mann! Heute werdet ihr fotografiert bei der Arbeit!«

»Um Gottes willen! Doch nicht etwa mit Blitzlicht –?«

»Keine Angst!« beruhigte ich ihn und zog mein Stativ hervor.

»Leuchtkugeln? – Bloß nicht!«

»Wo denken Sie hin«, warf der Leutnant ein, »wir brauchen Sie ja noch! Aber *eine* Lichtquelle könnte es – drüben – vielleicht doch noch geben, überlegen Sie mal!«

»Jaaah, – wenn der *Iwan* Leuchtkugeln schießt!« sagte der Unteroffizier verschmitzt, und fast hatte ich den Eindruck, daß es ihm nun selber Spaß machen würde.

»Wo erscheinen denn die Bilder nachher? Auch in Magdeburg? Da bin ich nämlich zu Hause!«

»Natürlich! Auf Seite eins im ›Generalanzeiger‹!«

»Na, das wär’ was!«

Als erster kletterte er über die eingebauten Stufen auf den Grabenrand, machte einen kurzen Sprung und warf sich hin. Die anderen folgten ihm nach.

»Jetzt haben wir eine gute Stunde Zeit, bis sie drüben sind«, sagte der Leutnant, »sie kriechen ja im Zickzack von einer Deckung zur anderen. Am besten ist es, wir gehen solange in einen Bunker und wärmen uns auf, damit Ihre Kamera nachher nicht so schnell einfriert.«

Ich hatte ihm bereits von meinen Schwierigkeiten erzählt.

Im Bunker eines Feldwebels gab es Schnaps aus Patronenhülsen. Aber meine Gedanken waren beim Fotografieren. Ich mußte einen Trick finden, wie ich trotz des Einfrierens des Verschlusses Zeitaufnahmen machen könnte. Auf einmal war mir klar: Ich brauchte einen Deckel. Mit einem Deckel hatte schon vor hundert Jahren der alte Daguerre gearbeitet. Ich sah mich im Bunker um: da hing ein Rokokospiegel an der Wand, da waren zwischen den Balken die Ritzen mit roter Seidentapete verstopft, da hing ein geschwungener Messingarmleuchter – aus ›Mon Plaisir‹ – und darauf standen Hindenburgkerzen – wie beim Professor – in einem runden Pappdeckel – – richtig! Das war der gesuchte Deckel!

Als die Stunde um war, standen wir wieder draußen.

»Jetzt müßten sie jeden Augenblick drüben sein«, flüsterte der Posten, der die Gruppe im Fernglas verfolgt hatte. »Zwei Leuchtkugeln hat der Russe inzwischen abgeschossen. Nur zwei! Ob der etwa auch was vorhat –?«

Ich schraubte die Leica mit dem Teleobjektiv auf das kleine Stativ und zog die Stativbeine zu halber Länge aus.

»Viel Glück!« sagte der Leutnant und half mir vorsichtig auf den Grabenrand.

Von nun an hatten alle Bewegungen im Zeitlupentempo zu geschehen. Unendlich langsam stellte ich die Kamera auf, peilte auf gut Glück die Richtung an, die der Posten mir vorher beschrieben hatte, stülpte den Pappdeckel auf das Objektiv, öffnete den Verschluß –.

»Und sobald Leuchtkugeln aufsteigen – ja nicht mehr bewegen!« ermahnte mich leise der Leutnant hinter mir im Graben.

Aber genau dies war das Problem! Im Schein der Leuchtkugeln mußte belichtet werden.

Die Überlegung ergab: den dicken Fausthandschuh herunterziehen, langsam den Deckel abnehmen – das würde etwa vier bis fünf Sekunden beanspruchen. Die Leuchtkugeln der Russen flogen im allgemeinen 12 Sekunden lang, – blieben etwa sieben Sekunden für die Belichtung. Das konnte reichen!

Steif vor Kälte kauerte ich hinter dem Stativ.

Würde man mich entdecken können, wenn Leuchtkugeln aufstiegen? Ob drüben Scharfschützen auf der Lauer liegen? Ich wagte nicht, mich zu rühren.

Hat das überhaupt einen Sinn, dachte ich dann, während der feine Pulverschnee gegen meinen Mantel trieb und mich allmählich zuwehte. Hat das einen Sinn – hier oben auf dem Grabenrand zu hocken – genau an der Stelle, wo die beste Sicht war ins Niemandsland? Wenn die Russen mich bemerken – –.

Irgendetwas zwang mich, nicht aufzugeben. Ich hätte einfach wieder hinabsteigen können, zum Leutnant. Aber ich tat es nicht.

Unendlich langsam vergingen die Minuten. Nichts rührte sich. Ruhe auf beiden Seiten. Das war ungewöhnlich. Nach alter Erfahrung bedeutete es, daß sich irgend etwas anbahnte. Aber was?

Endlich steigt weit hinten eine Leuchtkugel auf – honiggelb. Eine russische also!

In der gleichen Sekunde noch streife ich den linken Handschuh ab, hebe ganz langsam den Arm, nehme den Deckel ab und verharre wie versteinert in dieser Haltung.

Flimmernd beschreibt die gelbe Kugel einen Bogen über den nächtlichen Himmel. Während der ganzen Belichtungszeit beobachte ich gespannt das Gelände. Langsam wandern die Schatten der Baumstümpfe über den Schnee – gespenstisch, wie Polypenarme. Die Gegenlichtwirkung macht jeden Hügel plastisch, läßt jede Einzelheit erkennen.

Jetzt müßte auch ich zu sehen sein – für den Russen. Ich halte den Atem an.

Endlich erlischt die helle Kugel unten im Schnee. Sofort ist es dunkel. Scheinbar dunkler als vorher, weil die Augen noch geblendet sind.

Einige Schüsse fallen. Kugeln pfeifen dicht an mir vorbei.

Die hinter mir im Graben rufen mir leise etwas zu. Aber ich setze erst den Deckel auf das Objektiv, drehe den Film weiter.

Unten im Graben höre ich den Leutnant flüstern, ich solle herunterkommen, es sei nicht zu verantworten – dies alles nur wegen eines Bildes – –.

Ich steige leise hinab. Wir beraten über einen anderen Standort, gehen dann noch weiter nach links, um einen anderen Grabenabschnitt zu finden. Aber keiner ist geeignet. Überall ist die Sicht versperrt durch Trümmer und Mauern und Hügel – –.

So kehren wir zurück zur alten Stelle. Vorsichtig schiebe ich mich wieder über den Grabenrand, stelle das Stativ an der gleichen Stelle wie vorher auf, richte die Kamera etwas mehr nach rechts, lege mich daneben auf die Seite.

Seltsam, denke ich wieder, die Front ist immer noch so unheimlich still. Kein bißchen ›Nachtleben‹! Nur landeinwärts, beim Nachbarbataillon, steigen Leuchtkugeln auf, silbrigweiße. Deutsche. Aber die Entfernung ist zu groß, das Licht zu schwach, als daß ich es ausnutzen könnte für meine Aufnahmen. Allerdings – ich selber mußte wohl sichtbar gewesen sein.

Piuuhh, piuuhh – pfeift es aus dem Dunkel.

Ein Glück, daß mir der Professor noch ein Stück weißer Gardine umgehängt hatte – –.

Und der Scharfschütze scheint Urlaub zu haben.

Eigenartig ist es schon, wie schnell man sich an eine gefährliche Situation gewöhnt, wie man schließlich die Gefahr gar nicht mehr sieht. Bin ich auf dem Wege, ein zweiter Ernst Glunz zu werden: Mir passiert nichts!?

Wie ein Mohammedaner hocke ich da und warte.

Und es lohnt sich! Noch einmal kommt eine Gelegenheit, eine gelbe Leuchtkugel. Fast bleibe ich in der Gardine hängen, als ich den Deckel abnehmen will. Aber dann klappt alles. Ich bekomme sicherlich sogar den Bogen mit aufs Bild, den die Leuchtkugel beschreibt.

Mit leichtem Herzklopfen setze ich den Deckel wieder auf.

Da, plötzlich noch eine Leuchtkugel, – die dritte!

Aber im selben Augenblick bricht eine wilde Schießerei los.

MG- und Gewehrfeuer peitscht aus allen Richtungen, Querschläger gurgeln durch den Schnee.

Ich ergreife das Stativ, springe zurück in den Graben, – da höre ich rechts von uns Handgranaten detonieren, Schreie gellen auf, als rufe jemand um Hilfe. Der Leutnant stürzt den Graben entlang – hin zu dem verwinkelten Abschnitt, wo die Schreie herkamen.

Die ganze Front ist in Aufruhr. Sogar die Pak in der Eremitage am Meer beginnt zu feuern.

Was ist los? Sind unsere Leute entdeckt worden? Ratlos stehe ich einen Moment ganz allein im Graben, laufe dann aber kurz entschlossen dem Leutnant nach.

Da kommt uns einer entgegengestürzt: »Herr Leutnant! Herr Leutnant! Die haben den Bollmann geklaut! Aus dem Postenstand! Drei Russen sollen es gewesen sein!!«

Von allen Seiten kommen Landser mit Gewehren und Handgranaten in den Händen.

»Diese Banditen!« – »Diese Hunde!« schreien alle durcheinander. »Der Bollmann ist weg!!«

»Und wir können nicht einmal mit der Artillerie dazwischenfunken lassen!« ruft ganz laut der Leutnant.

Wenige Minuten später erstirbt der Gefechtslärm. Nur hier und da flackert er kurz und heftig noch einmal auf, für Minuten – und dann herrscht Stille.

Für diese Nacht ist keine besondere Attraktion mehr zu erwarten. Die Vorstellung ist beendet.

Vier Stunden später kommen die drei Mann mit ihren Scheren zurück, zerschunden und fluchend. Und unverrichteter Dinge. Einer ist am Bein verwundet.

Um fünf Uhr wird Tee ausgegeben.

Der Professor ist nach vorn gekommen in den Graben und holt mich in seine Behausung. Er hat mir eine Lagerstatt hergerichtet. Eine bettartige Kiste. Sie ist etwas zu kurz, doch ich lege mich hinein.

Er löscht das Licht. Aber wir können beide lange Zeit noch nicht einschlafen. Wir sprechen von den Russen, von ihrer unverwüstlichen Natur, von ihrer Widerstandskraft gegen Kälte und Hunger, – und unverhofft sind wir im Erzählen bei Rasputin gelandet, jenem sibirischen Bauernsohn, dem die Hofdamen Petersburgs zu Füßen gelegen haben sollen – nicht nur, weil er Unmengen von Wodka konsumieren konnte, sondern weil seine Männlichkeit auch im Schlafzimmer unerschöpflich gewesen sein soll.

Der Professor wußte wirklich interessant zu erzählen – aber mit meinen Gedanken war ich wieder draußen im Graben. Ob das Licht gereicht hatte während der sieben oder acht Sekunden Belichtungszeit –?

Es hatte gereicht!
Auf komplizierten Kurierwegen war es mir gelungen,

die Filme zurückzuschicken zur Kompanie. Und drei Tage später kam Walterchen mit den Bildern im Beiwagen bis an die Salonfront von Peterhof.

Ich hatte schon sein Krad mit dem PK-Auge draußen gesehen, als ich von den Gräben zurückkam, war hineingestürmt in den Keller, und da saß er! Beim Professor! Fast hätten wir uns vor Freude umarmt!

Er hatte viel mitgebracht. Bilder und Zeitungen. Belegexemplare.

Zuerst griff ich zu den Bildern.

Als ich die Ausschnittvergrößerungen betrachtete, die das Labor mit viel Liebe gemacht hatte, erschrak ich. Da waren ganz klein die spanischen Reiter zu sehen, die unsere Leute zurückholen wollten, – winzig zwar, aber doch genau zu erkennen. Und ganz rechts davon waren drei Gestalten sichtbar, – eine gebückt stehend, die beiden anderen kniend und hockend. Unbeweglich hatten sie während der ganzen Belichtungszeit verharrt. Aber etwas anderes war es, was mein Erstaunen auslöste: Das waren nicht *unsere* Leute. Diese Gestalten trugen Pelzmützen und wattierte Mäntel – das waren Russen!

Es bestand kein Zweifel: das mußten die drei gewesen sein, die später Bollmann aus seinem Postenstand gezogen hatten!

Der empfindliche Film hatte durch die lange Belichtungszeit Dinge sichtbar gemacht, die das menschliche Auge gar nicht wahrzunehmen vermochte!

Und so unglaubwürdig oder kurios es klingen mag: Der Bataillonskommandeur erließ am nächsten Tage den Befehl, daß sich ab sofort jeder Posten an einem Bein festzubinden habe. Nötigenfalls sei dafür ein Pfahl einzurammen!

Behauptung

VON DER NARWA ZUR NEWA

Propaganda mit Zielrichtung auf die eigene Truppe: Von der PK 621 im Auftrage der 18. Armee hergestellte Hefte im Format und in der Aufmachung von Illustrierten. Darin wurden dem Soldaten durch ausgewählte, überzeugend wirkende Fotos die Leistungen der Armee aufgezeigt.

Im Frühjahr, als die Sümpfe sich in eine grüne Hölle mit Myriaden von Mücken verwandelten, sollte der Wolchow-Kessel endgültig geschlossen werden – an der ›Erika-Schneise‹. Unzählige Male tippelten Kriegsberichter über die Schwellen der Feldbahn zum Brennpunkt der Kämpfe, zu jener Stelle, die vom Landser schlicht mit einem Körperteil bezeichnet wurde, – zum »Arsch der Welt«.

▲
Mit Mückennetz, Pfeife und Notizblock: Wortberichter Franz Freckmann im ›Schlauch‹ am Wolchow, der zur ›Erika-Schneise‹ führte.

Die Nachschubtransporte ▶ versinken im Schlamm und Morast des Wolchow-Dschungels.

Einzige Verbindung zur ›Erika-Schneise‹: eine Feldbahn. Sogar Münchner Bier in Fässern wird nach vorn gebracht zu den Landsern.

Bilder des Grauens, aufgenommen im zerschlagenen Kessel des russischen Generals Wlassow. Bilder eines erbarmungslosen Krieges, in dem der einzelne Mensch nichts mehr gilt. Bilder einer Sumpfhölle im ›Wald der toten Bäume‹, im ›Geisterwald‹. – Veröffentlicht im Buch »Schlacht am Wolchow«, herausgegeben von der Propaganda-Kompanie der 18. Armee – für den deutschen Soldaten.

Das Panzergrab in der Erika-Schneise:
Ein riesiger sowjetischer Panzer hat sich über einen kleineren geschoben, der bereits bewegungsunfähig geschossen worden war. Nun mahlen seine Raupen in der Luft. Die Mannschaft im unteren Panzer ist eingeschlossen. Links daneben ein dritter sowjetischer Panzer.

◄ Von Granaten umgepflügt ist der Sumpf. In den Trichtern liegen Tote übereinander. Granattrichter, in denen sich das Wasser sammelte, retteten die eingekesselten sowjetischen Soldaten vor dem Verdursten. – Zwei Gefangene pusten den Schleim auf der Oberfläche zur Seite und trinken das Moorwasser, wie sie es seit Monaten getan haben.

Ein verwundeter Soldat der Wlassow-Armee schleppt sich zu den deutschen Linien.
▼

SCHLACHT AM Wolchow

Links:
Über die Schlacht am Wolchow gab die Propaganda-Kompanie der 18. Armee im Dezember 1942 ein Buch heraus, das in Riga gedruckt wurde. Zusammengestellt wurde es von Kriegsberichter Falko Klewe (nach dem Kriege als Journalist in Hamburg), die Umschlagzeichnung schuf Kriegszeichner Heinz Raebiger, der aus russischer Kriegsgefangenschaft (Schweigelager Chabarowsk) nicht mehr zurückkehrte.

Unten links:
PK-Truppe im Steyr-Kübelwagen.
Selbst diese »hochbeinigen« Spezialfahrzeuge der in Österreich aufgestellten Kompanie versackten oft im Gelände, wenn es durch Schlammlöcher ging. Auf dem Kotflügel wurde daher griffbereit ein Stück »Knüppeldamm« mitgeführt. Die beiden Soldaten oben auf dem Gepäck gehören nicht zum Trupp, – sie haben sich nur für dieses »Erinnerungsfoto« hinaufgesetzt.

Unten:
Kriegsberichter Willy Wienhöwer tippt seinen PK-Bericht in einer Kampfpause an Ort und Stelle. Später wurde er durch russische Granatwerfer schwer verwundet.

Belegexemplare!

»Für den Reporter bedeuten sie Erfolg und Anerkennung. In ihnen spiegelt sich sein Leben, seine Arbeit, sein Charakter« – – das hatte einmal ein Chefredakteur vom Ullstein-Verlag in Berlin zu mir gesagt.

Hatte dieses Wort noch Gültigkeit – im Kriege? Bei Goebbels?

Walterchen reichte mir das kleine Bündel mit Zeitungsausschnitten. Es war ein Sammelsurium vom letzten halben Jahr, aus allen Teilen Deutschlands. Und während der Professor ungestört in seiner Ecke arbeitete, machten wir uns gemeinsam daran, die Belege anzusehen, denn auch für Walterchen war ja so manches Bild mit eigenen Erlebnissen und Erinnerungen verbunden und hatte seine ganz spezielle Entstehungsgeschichte.

Gleich obenauf sah ich ein großes Foto, das rot angekreuzt war.

›Gefallene Rotarmisten – sinnlos von ihren Kommissaren in den Tod gejagt‹, stand darunter. Und klein dahinter der Urhebervermerk: ›PK-Kriegsberichter Schmidt-Scheeder‹.

Das Bild zeigte ein weites Feld am Rande eines Waldes, bedeckt mit toten russischen Soldaten. Die meisten lagen vornüber gefallen mit ausgestreckten Armen und Beinen.

Ich stutzte. Wo hatte ich doch diese Aufnahme gemacht? Richtig! Am Peipussee war es, in Estland! – Und jetzt erinnerte ich mich auch, was damals in Wirklichkeit geschehen war.

»Was hast du?« fragte Walterchen. »Stimmt etwas nicht?«

»Das Bild ist echt«, sagte ich, »genauso habe ich es aufgenommen«, und etwas leiser fuhr ich fort, »nur die Unterschrift ist vollkommen verdreht, was sage ich, – gefälscht ist sie! Vom Propaganda-Ministerium! In Berlin!«

Nun wurde er neugierig, in ihm erwachte der Wissenschaftler, der Historiker, der nichts mehr haßte als Geschichtsverfälschung.

Und da er nicht dabei gewesen war, erzählte ich ihm, wie sich in Wahrheit die Sache zugetragen hatte.

»Das war damals, mitten im Sommer, als es noch zügig vorwärts ging, in der Nähe des Peipussees«, begann ich gedämpft, »da hatten sich die Reste einer zusammengeschlagenen russischen Division in ein dichtes Waldgebiet zurückgezogen, – und während das Gros unserer Armee längst daran vorbeigestürmt war, in Richtung auf Narwa und den Finnischen Meerbusen, lag da also immer noch im Rücken unserer Front dieser kleine Kessel[1]).«

»Ich erinnere mich«, sagte Walterchen, »ich war damals gerade mit Berichten zurückgefahren zur Kompanie –!«

»Richtig! Also, um diesen Kessel zu bereinigen, das heißt, um diese Russen dazu zu bewegen, sich zu ergeben, wurde Borutta mit seinem Großlautsprecherwagen eingesetzt. Auf einer Asphaltstraße, die am Rande des Waldes entlangführte, fuhr er einen ganzen Tag lang hin und her und machte von verschiedenen Stellen aus seine Durchsagen. Zuerst – wie üblich – in deutscher Sprache, damit unsere Landser Bescheid wußten und keinen Schreck bekamen, wenn sie plötzlich russische Laute hörten; denn einen Kilometer weiter, am Rande des Peipussees, lag noch eine Maschinengewehrkompanie von uns. Dann ließ er ein paar Schallplatten mit russischer Musik ablaufen, und anschließend folgte der Aufruf eines sowjetischen Hauptmanns: ›Kommt zu uns – ergebt euch – ihr werdet gut behandelt – bekommt zu essen und zu trinken‹ – – na, du kennst das ja –.«

»Ein Hauptmann?«

»Ja, – ein echter sowjetischer Hauptmann! Er war einen Tag vorher gefangen genommen worden und sprach nun – überwacht von unserem Dolmetscher – seine eigenen Leute an, – seine eigenen Kameraden!«

»Gezwungen –?«

---

[1]) Im Bereich der 93. Infanterie-Division.

»Nein, ich glaube sogar, aus Überzeugung. Du weißt ja, wie es zum Schluß in solchen zusammengetriebenen Haufen aussah: es gab keine Verpflegung mehr, kein Verbandszeug für die Verwundeten, keine Medikamente, kein Trinkwasser – –.«

»Na und? Kamen die Russen?«

»Erst nur einzelne, – dann später ganze Kompanien! Es gab einmalige Bilder! Wie sie da abgerissen und abgekämpft mit erhobenen Armen aus dem Wald traten – –!«

»Ihr wart doch nur ein paar Leute, – ist euch da nicht unheimlich geworden?«

»Etwas schon! Zusammen mit einer Handvoll Infanteristen waren wir vielleicht zwanzig Mann. Dazu noch etwa zehn Esten als Freiwillige. Und wir wußten: Hinter jedem Busch, hinter jedem Strauch saßen noch Hunderte von Russen, das Schnellfeuergewehr in der Hand, im Innern mit sich ringend, ob sie den entscheidenden Schritt tun sollten – die Waffen wegwerfen, sich in Gefangenschaft begeben[1]) – –.«

»Verdammt unangenehme Situation! Ich sehe euch direkt mit weichen Knien hinter dem Lautsprecher stehen!«

»Langsam! Unsere Landser waren erfinderisch: sie machten entlang des Straßengrabens kleine Sandhäufchen, legten einen Stock darauf – einen Gewehrlauf darstellend, stülpten einen Stahlhelm darüber – größtenteils sogar die von den russischen Gefangenen! – und täuschten damit Postenstellungen vor, die überhaupt nicht vorhanden waren! Die Russen haben in dieser Verfassung

---

[1]) Den Lautsprechertrupps der PK 621 (18. Armee) war es 1941 beim Vormarsch gelungen, etwa 30 000 Sowjetsoldaten unblutig aus den riesigen Wäldern zwischen Dorpat und dem Peipussee ›herauszulocken‹. Spätere Kampfpropaganda-Unternehmen wie die im Herbst 1943 am Oranienbaumer Kessel von der Waffen-SS gestartete Aktion »Wintermärchen«, sowie die auf den damit gemachten Erfahrungen begründeten Aktionen »Südstern« an der Italienfront und »Skorpion Ost« und »Skorpion West« im ukrainisch-polnisch-slowakisch-tschechischen Raum und an der Rheinfront erzielten zwar noch ganz außerordentliche Ergebnisse, reichten aber nicht mehr an die Erfolge der Lautsprecherwagen der PK 621 im Sommer 1941 heran.

ohnehin nicht mehr so genau hingesehen. Sogar eine Frau kam mit heraus. In voller Uniform – die Bluse vom Gestrüpp vorn aufgerissen – –.«

»Hübsch – –?«

»Rassig! Wild! Aber unversöhnlicher Haß sprühte aus ihren Augen!«

»Kämpferin? – – oder Sanitäterin?«

»Weiß ich nicht – sie trug jedenfalls eine Pistolentasche am Koppel. Die war natürlich leer. Aber das war es ja: Alle, die da kamen, hatten ihre Waffen vorher weggeworfen. Und unsere Esten hätten so gern ein paar schöne Schnellfeuergewehre gehabt!«

»Also holten sie sich welche – aus dem Wald?«

»Das war nicht möglich. Zu gefährlich! Erstens saßen da immer noch Russen, die unschlüssig waren, ob sie nicht doch versuchen sollten, sich durch unsere Linien durchzuschlagen, und zweitens warfen die meisten, die sich ergaben, ihre Waffen tief ins Gebüsch oder in Wassergräben. Nein, – unsere Esten machten es anders: Sie baten den sowjetischen Hauptmann, seine Kameraden aufzufordern, die Waffen mitzubringen. Sie sollten sie einfach in beiden Händen quer über den Kopf halten!«

»Und das taten sie?«

»Ja! Sie machten es genau so, wie es ihnen ihr Hauptmann gesagt hatte – –.«

»Und – was hat das alles mit dem Zeitungsbild hier zu tun?«

»Paß auf, – am Nachmittag fuhren wir hinauf zum Peipussee, zu dieser deutschen Maschinengewehrkompanie. Da kam uns ein wutschnaubender Oberleutnant entgegengestürzt: ›Diese verdammten Bestien! Diese hinterhältigen Bolschewisten! Unser Lautsprecherwagen hat sie doch ausdrücklich aufgefordert, *ohne* Waffen zu kommen. Und das taten sie auch am Anfang – diese Scheinheiligen! Doch plötzlich trat eine ganze Kompanie aus dem Wald – voll bewaffnet – die Gewehre hoch über den Köpfen! Na, da haben wir natürlich hineingehalten. Das war ein Fressen für unsere Maschinengewehre. Wir haben sie alle umgemäht! Alle!‹«

276

Ich konnte nicht mehr weitersprechen.

Walterchen sagte nur leise: »Entsetzlich – –.«

Eine Weile war es still im Raum.

Dann drehte sich der Professor plötzlich zu mir um. Er hatte nun wohl doch zugehört und griff nach der Zeitung.

»Und Sie haben dann die toten Russen – fotografiert?«

»Ja. –«

»Und warum?«

»Ich konnte nicht anders!«

»Mein Gott«, sagte er erschüttert, »da sieht man sie liegen. – Und hier –« er betrachtete jetzt das Bild ganz nah mit seiner Lupe, »da haben einige sogar noch weiße Tuchfetzen in den verkrampften Händen, – und dort einer ein abgerolltes Stück Mullbinde – als weiße Fahne –.«

Walterchen nickte vor sich hin. »Und die alle gingen drauf, – nur weil man vergessen hatte, das mit den Waffen auch in *deutscher* Sprache durchzusagen – –.«

Der Professor legte die Lupe beiseite. Und dann las er noch einmal die Bildunterschrift laut vor: »›Gefallene Rotarmisten – sinnlos von ihren Kommissaren in den Tod gejagt.‹ – – – So wird also Propaganda gemacht! Nein, damit möchte ich nichts zu tun haben. Da ist mir mein Beruf schon lieber, weiß Gott! Und wenn ich Sie, lieber Schmidt-Scheeder, nicht schon ein bißchen kennen würde, müßte ich glauben, Sie selbst hätten diesen Text bewußt so gefälscht. Aber das wäre satanisch! So sind Sie nicht!«

»Hier ist noch ein Bild rot angestrichen«, sagte Walterchen, »auch von dir, Schorsch!«

Es war das mit den Sandhäufchen und den Stahlhelmen. Und ich las: »›Mit solchen Mätzchen wollen die in die Flucht geschlagenen Sowjets unsere siegreich vorstürmende Infanterie täuschen! Der russische Koloß ist bereits so stark geschwächt, daß er zu derartig naiven Mitteln greifen muß!‹ – – Das hat man aus meinem ausführlichen und genauen Bericht gemacht.«

Der Professor sah mich ernst an.

»Nein. Wirklich, – das wäre kein Beruf für mich. Ich

könnte das nicht ertragen. Ich bin Wissenschaftler. Ich suche mein Leben lang die Wahrheit!«

Ich schwieg.

Da war es wieder – mein Thema!

Der alte Major fiel mir ein, diese alte ehrliche Haut, die auch noch an objektive Berichterstattung geglaubt hatte: ›Was dieser Doktor Goebbels da mit Ihnen auf die Beine gestellt hat, – wirklich toll!‹

Und wie sieht die Wirklichkeit aus?

Reporter des Teufels sind wir geworden!

Zu Handlangern des Propaganda-Ministeriums hat man uns befohlen! Was man da nicht wahrhaben will, wird totgeschwiegen. Was nicht in die Richtung paßt, wird einfach umgedreht, zurechtgeschneidert.

Ein Teufelskreis!

War dem zu entrinnen?

Immer wieder habe ich darüber nachgedacht. Immer wieder im Laufe des Krieges. Und jedesmal bin ich zu dem Schluß gekommen: Weitermachen! – Fotografieren! – Alles!

Dokumente schaffen!

Die Wahrheit setzt sich auf die Dauer doch durch, kommt eines Tages ans Licht. Auch wenn es lange dauert, manchmal sehr lange –.

Und vielleicht würden dann Bilddokumente dazu beitragen, den Menschen die Vergangenheit zu zeigen, wie sie wirklich war! Vielleicht könnte die Welt dadurch um ein Pünktchen verbessert werden – wenn man die Schrecken des Krieges sichtbar machte – –.

7 ALARM AM WOLCHOW!
DIE WLASSOW-ARMEE IST DURCHGEBROCHEN!
BRÜCKENKOPF GRUSINO
DER UNHEIMLICHE BALTE

Alarm!

Die Russen sind durchgebrochen!

Wie ein Lauffeuer verbreitet sich die Nachricht an der gesamten Nordfront. Eine starke sowjetische Stoßarmee ist am Wolchow, nördlich des Ilmensees, auf engstem Raum gegen uns angetreten und hat bereits unsere Auffangstellungen überrannt. Zum ersten Mal in diesem Kriege sind wir völlig überraschend in die Rolle des Verteidigers gedrängt worden. Das gesamte Oberkommando befindet sich in höchster Alarmbereitschaft.

Damit begann die tragische Geschichte des russischen Generals, der diese Armee führte, die Historie eines ›Helden der Sowjetunion‹, der später zu den Deutschen überging, um mit einem Freiwilligen-Heer von drei Millionen russischen Kriegsgefangenen den Bolschewismus niederkämpfen zu helfen. Dem Hitler mißtraute. Den die Amerikaner schließlich gefangennahmen. Und den sie mitsamt dem Rest seiner Truppen an die Russen auslieferten – zur ›Liquidierung‹. Sein Name: Andrej Wlassow.

Für mich begann der schicksalhafte Ablauf dieser Tragödie, die ich – bis auf den letzten Akt – miterleben sollte, so:

Wir lagen vorn in der Sappe, der stämmige Artilleriebeobachter Bingo und ich. Und gerade hatten wir darüber gesprochen, daß es eigentlich noch nie so ruhig war, hier an der Front vor Leningrad, wie in den letzten Tagen, als uns ein Bataillonsmelder vom hinter uns liegenden Grabenrand mit ein paar Wortfetzen die Hiobsnachricht zurief.

Gelassen setzte Bingo sein Fernglas ab, drehte sich um. »Mann – nun halt aber die Luft an! Bei uns ist kein Iwan durchgebrochen! Also, – was ist los, du Spinner?«

Um weitere Einzelheiten zu erfahren, schoben wir uns dann doch zurück in den Graben.

Der Melder war noch ganz außer Atem.

»Niemand weiß etwas Genaues«, keuchte er, »aber eines steht fest: Der Russe ist mit einer ganzen Armee angetreten! Am Wolchow ist er durchgebrochen, und nun strömen die russischen Massen durch dieses Loch –.«

»Na, und –?« fragte Bingo lakonisch.

»Der PK-Mann«, sagte er und schaute mich dabei an, »der PK-Mann soll sich sofort in Marsch setzen nach – –.« Er zog umständlich einen Zettel aus der Manteltasche: »– nach Pomeranje!«

»Schade –« sagte Bingo zu mir, »so etwas wie Heimatgefühl bei einer Truppe, das kennst du wohl gar nicht?«

»Tja, du siehst ja – so ist es immer – –.«

Zwei Tage später war ich in Pomeranje, einem der kleinen Dörfer an der Rollbahn nach Tschudowo. Schon von weitem leuchtete mir an einem windschiefen alten Blockhaus das Holzbrett mit dem PK-Auge entgegen.

Ich war überrascht. Ein Gewimmel herrschte hier! Eine Geschäftigkeit! Als man mich wahrgenommen hätte, gab es ein Hallo! Ich kam mir vor wie der verlorene Sohn, der aus der Fremde zurückgekehrt ist. Es rührte mich geradezu, sie alle wieder um mich zu haben: Tammo, Walterchen, Neidhart (auch ihn hätte ich jetzt nicht missen mögen!), Ernstl Glunz und Leo, seinen stillen Fahrer und unermüdlichen Träger von Filmkassetten, Akkus und Wechselsack.

Auch ein paar neue Gesichter kamen zum Vorschein, ein Rundfunkreporter, ein Techniker, ein Fahrer und schließlich noch ein junger Sonderführer, dem die eilig zusammengewürfelte Einsatzgruppe unterstand.

Als das Auf-die-Schulter-Klopfen vorbei war, zog mich Tammo beiseite. »Es sieht ernster aus als wir dachten«, sagte er bedrückt, »man muß sich das einmal vorstellen: Während wir hier sitzen und uns überlegen, wie wir die neue Lage propagandistisch angehen können, strömt die sowjetische Stoßarmee unaufhaltsam über den Wolchow

– in jeder Stunde, in jeder Minute! Russische Spähtrupps auf Skiern sind dicht vor unserem Armeestabsquartier gesichtet worden, – das heißt: fast hundert Kilometer sind sie einfach durchgestoßen! Ohne jeglichen Widerstand! Hinter unserer Front ist doch nichts weiter!«

Und jetzt sah ich zum ersten Mal bei Tammo, was mir Walterchen schon angedeutet hatte: Die Sicherheit, das Unbekümmerte war aus seinem Gesicht gewichen.

Er zog die Augenbrauen zusammen: »Noch nie war unsere Arbeit so wichtig wie jetzt!«

Ich nickte. ›Positive Berichterstattung‹ – wollte ich sagen, verschluckte es jedoch diesmal lieber.

Neidhart warf uns einen lauernden Blick zu. Aber noch sagte er nichts. Er war noch nicht dran. Ach, wie ich sie alle kannte!

Walterchen hatte sich geräuspert; das hieß, er wollte etwas erklären. Die Lage betreffend. Und ich wußte gleich, jetzt kommt etwas Sachliches, druckreif, wie für ein Geschichtsbuch:

»Der Führer dieser 2. sowjetischen Stoßarmee, General Wlassow, war bereits maßgebend an der Verteidigung Moskaus beteiligt. Nunmehr hat Stalin ihm den Auftrag erteilt, Leningrad zu entsetzen. Sein Ziel ist offenbar, in großem Bogen bis nach Peterhof durchzustoßen und unsere gesamte 18. Armee dabei einzuschließen.«

Nun war das Stichwort für Neidhart gefallen!

»Uns einschließen?« rief er empört, »Da werden, wenn es hart auf hart geht, eben mal unsere ›rückwärtigen Dienste‹, unsere Herren Schreibstubenhengste, Zahlmeister, Bäcker, Schneider, Feldpostmeister und was sich sonst noch hinten herumdrückt, zur Knarre greifen müssen und –.«

Walterchen fiel ihm ins Wort:

»Ja, richtig, Schorsch! Du sollst ja auch deine Leica abgeben!«

Ich stutzte und sah ihn fragend an.

»Wirklich, es ist ernst«, sagte er, »gib sie schon her!«

Wenn Walterchen so sprach, dann hatte das einerseits gewiß seine Richtigkeit, – andererseits mußte noch irgend etwas dahinter stecken, denn er griente dabei. Er war ein schlechter Schauspieler.

»Na, warte mal«, sagte er dann verschmitzt, ging in seine Ecke, zog ein Päckchen unter dem Stroh hervor und übergab es mir.

Ich wickelte es aus: eine nagelneue Leica!

»Was soll das –?«

Er machte es spannend.

»Na, sieh sie dir doch einmal genauer an, – da ist oben ein ›K‹ eingraviert!«

»Und –?«

»Das bedeutet ›kältefest‹! Du brauchst also in Zukunft nicht mehr mit deinem Hosentaschentrick zu arbeiten!«

Erfreut griff ich in die rechte Hosentasche, zog meine alte Leica heraus, – doch dann nahm ich sie erst noch einmal fest in beide Hände und betrachtete sie eine Weile nachdenklich.

»Was hast du?« fragte Walterchen, »ist etwas –?«

»Nein, – nichts!«

»Doch, – natürlich!« rief er und lächelte mich an, »ich kann's mir schon denken – ›als wär's ein Stück von mir‹ –, wie?«

Ich mußte zugeben – es war so.

Am nächsten Morgen starteten wir zum ersten Einsatz, um über die neue Situation zu berichten, Ernst Glunz, Tammo und ich. Auftrag: »Schildern Sie, wie der deutsche Soldat auch mit dieser Lage fertig wird! Wie ein in Eile aus rückwärtigen Einheiten aufgestelltes Bataillon die durchgebrochenen sowjetischen Horden zum Stehen bringt und einen eisernen Sperrgürtel errichtet!«

In einer Waldschneise trafen wir auf die Bereitstellung. Wir hatten diesmal nach *hinten* fahren müssen, um an die Front zu kommen! Und danach sah der bunt zusammengewürfelte Haufen auch aus: Schreiber, Kraftfahrer, Küchenbullen, Bautrupps, einzelne Leute aus Veterinär- und Bäckereikompanien – – nur durchsetzt mit einigen kampferprobten Gruppen, die man schnell mit Lastwagen von der Front herbeigeholt hatte. Die Neulinge erkannte man gleich daran, daß sie noch keine weiß gestrichenen Stahlhelme und Gasmasken hatten.

Vorn standen sogar drei Panzer mit laufenden Motoren – als ›moralisches Korsett‹ für die Infanterie, wie Tammo feststellte.

Ich nahm den ersten Panzer in den Sucher. Oben, neben dem geöffneten Turm, stand ein hagerer, nicht mehr ganz junger Unteroffizier und reichte Munition hinein, die ihm sein Richtschütze unten von einem Stapel hinaufgab.

Als er mich mit der Kamera sah, lachte er: »Wir werden's dene scho gebe! Und ›neihaue mit der Kanon‹, daß die Fetze fliege –!«

Ein Schwabe! Ein lustiger Kerl! Wie weiß seine Zähne leuchteten in dem dunklen, zerfurchten Gesicht. Einen Augenblick mußte ich an Luis Trenker denken!

Mit ihm weihte ich meine kältefeste Leica ein.

Einer mit einem grauen Stahlhelm war dazugekommen und wärmte sich am Auspuff die klammen Hände.

»Vorsicht!« rief der Schwabe ihm zu, »aufwärme könnt ihr euch scho, – aber da isch scho so manch einer umkippt – bei diese Auspuffgase – die sind nämlich giftig – das isch ganz gefährlich!«

Ich mußte lachen. Er schwäbelte so herrlich!

Und als sich kurz darauf das Bataillon in Marsch setzte, trotteten wir hinter seinem Panzer her. In der tiefen Spur, die seine Raupen hinterließen, folgten wir mit den Infanteristen.

Am Ende der Schneise gelangten wir auf eine schmale Straße, die bis gestern noch deutscher Nachschubweg gewesen war. Nun sahen wir tote Russen dort liegen, festgefroren, mit dem Gesicht nach unten. Es mußte in der letzten Nacht hier ein Geplänkel gegeben haben. Vielleicht hatten die Sowjets Minen verlegen wollen – gegen unsere Panzer.

»Minensucher vor!« rief auch schon der Schwabe aus dem Turm und hielt an. Pioniere in weißen Tarnanzügen sprangen herbei, stachen mit langen dünnen Stangen in den Schnee.

Ich hatte keine Ruhe mehr, mußte fotografieren, lief vor den Panzer, lief weiter – bis vor die Pioniere. Bis ich alles im Sucher hatte.

Heiser hörte ich Tammos Stimme durch die Stille zu mir herüberdringen: »Mensch – das wird doch nischt! Du stehst ja *vor* den Minensuchern! Da sagt doch jeder ›Das sind hinter der Front gestellte Bilder!‹«

»Kann keiner sagen!« rief ich zurück, »– man sieht doch die toten Russen hier liegen – –.«

»Paß auf, daß du nicht gleich daneben liegst!«

Gewiß. Er hatte recht. Es war leichtsinnig. Aber aller Wahrscheinlichkeit nach hätten hier die Russen nur schwere Minen gegen Fahrzeuge verlegt, die erst bei größerer Belastung losgingen.

Langsam fuhr der Schwabe wieder an, und die Raupen hoppelten über die hartgefrorenen Leiber der Russen hinweg.

Als linker Hand ein Wald begann, verließen die drei Panzer die feste Straße, um sich der Feindeinsicht von rechts her über eine weite Plaine zu entziehen. Nacheinander scherten sie aus, walzten die Fichten nieder, die ihnen im Wege standen.

Jeden Moment mußten wir nun darauf gefaßt sein, auf Truppen der Wlassow-Armee zu stoßen. Keuchend folgten wir wieder der tiefen Raupenspur, die Infanteristen tief gebeugt von der Last ihrer Waffen und Munitionskästen. ›Weg der Härten und Strapazen‹ stand später unter diesen Bildern.

Plötzlich peitschen Gewehrschüsse von rechts über die Plaine zu uns hinein in den Wald. Alles preßt sich flach in die Spur. Was soll schon passieren, – die Panzer sind ja bei uns!

Aber die fahren weiter. Der Schwabe hat anscheinend durch das Rasseln der Raupenketten und das Bersten der Bäume nichts bemerkt. Fünfzig, siebzig, hundert Meter ist er schon von uns entfernt. Wir wagen kaum noch die Köpfe zu heben. MG-Feuer deckt uns ein.

Sekunden vergehen. Immer größer wird der Abstand.

Da, endlich – sie halten! Alle drei.

Langsam drehen sich die Türme nach rechts. Und dann jagen die Sprenggranaten hinaus auf das freie Feld.

Wo ist Ernstl Glunz geblieben?

Schnaufend taucht er neben mir auf. Er hatte eine fallende Fichte von vorn filmen wollen, so daß sie nachher von der Filmleinwand »dem Kinopublikum direkt auf den Kopf fallen würde!« Dabei hätte er sie um ein Haar selbst auf den Schädel bekommen.

Nun lagen wir nebeneinander auf dem Rücken, seitlich von der Schneewand gedeckt, die durch die Raupen gebildet worden war, filmten und fotografierten über unsere Stiefelspitzen hinweg.

Zu unseren Füßen lagen zwei Landser, die Köpfe tief in den Schnee gedrückt. Nach ihren dunklen Stahlhelmen zu urteilen, waren es zwei von den ›Etappenhengsten‹, wie Neidhart sie genannt hatte. Der eine hatte einen rundlichen Schmerbauch – vielleicht ein ›Küchenbulle‹? – und wir beobachteten, wie er sich fortgesetzt mit der rechten Hand – so gut es in seiner Bauchlage ging – bekreuzigte. Seine Linke hielt krampfhaft das Gewehr umklammert.

Der andere hatte nur einmal kurz seinen Kopf gehoben und ihn dann sofort wieder in den Schnee gebohrt. Ich hatte sein altes, zerknittertes Gesicht gesehen während des Moments einer Aufnahme. Es mußte ein seltsames Bild geworden sein – im Vordergrund meine Stiefelspitzen, dahinter das entsetzte, verrunzelte Gesicht des Alten, den Atem vor dem Mund.

Ein junger Feldwebel schob sich heran, während das MG-Feuer über uns hinwegzischte, redete ihm zu, es sei doch gar nicht schlimm – –. Fast väterlich redete er auf ihn ein – mitten im Gefecht. Doch dann wurde er wütend, brüllte ihn an.

Apathisch drehte der Alte den Kopf zur Seite.

Ernst setzte die Kamera ab.

»Scheiße!« sagte er laut.

Da rappelte sich der Alte hoch, schob sich auf Knien an die Schneewand, legte an – und schoß! Wie ein alter Kämpfer! Schuß auf Schuß krachte aus dem Lauf.

»Bravo!« rief Ernstl und ließ seine Kamera wieder surren. Hinter dem eifrigen Schützen war ein MG in Stellung gebracht worden. Der Dicke, der ›Küchenbulle‹, war auf allen vieren vorgekrochen und hatte seinen breiten Rükken dem MG-Schützen als Unterbau zur Verfügung gestellt.

Dies alles hatte sich in wenigen Sekunden abgespielt, während unsere Panzer Granate um Granate zu der Plaine hinüberjagten. Doch dann brach der Feuerzauber ab. Nur einzelne Gewehrschüsse fielen noch hier und da – die Russen hatten sich zurückgezogen.

Einige Minuten lauschten wir noch abwartend in die Stille. Dann hörten wir wieder das Mahlen der Raupenketten. Die Panzer wurden abgezogen – zu anderem Einsatz.

Das Bataillon blieb liegen. Als Sperriegel – –.

Langsam senkte sich die Dämmerung.

Wir wußten, die Nacht würde unendlich lang werden, und richteten uns ein, so gut oder so schlecht es eben ging.

Die Posten wurden eingeteilt, hier und da ein schweres Maschinengewehr aufgebaut.

Einige Landser begannen, unter den umgestürzten Fichten Schneehöhlen zu bauen. Am nächsten Tag sollten Panzer mit angehängten Schlitten Bretter bringen. Und Balken und Öfen. Aber wir wußten auch: am Morgen würde Wlassows Stoßarmee kommen – –.

Wir harrten aus. Hielten uns wach. Hockend. Liegend. Auf einer Unterlage von Fichtenzweigen. Von unseren Zeltbahnen spärlich gegen Wind und Kälte geschützt. Gegen 40 Grad Kälte!

Ab und zu erhoben wir uns, stampften mit den schmerzenden Füßen auf. Ließen uns zuwehen vom Pulverschnee, hörten den Wind heulen in zwei gewaltigen Kiefern, die sich knarrend aneinander rieben – –.

Im Morgengrauen beginnt die russische Artillerie zu wummern. Das Vorbereitungsfeuer für den Großangriff! Schwarz reißt die Erde vor uns auf.

Jeder drückt sich wieder in die Panzerspur, die einzige

Deckung. Heulend surren die Splitter der Baumkrepierer über uns hinweg.

Das Stöhnen und Jammern von Verwundeten ist zu hören. Sanitäter kommen herbeigeeilt, Akjas hinter sich herziehend.

Schlagartig setzt das Trommelfeuer aus.

Da gellt ein Schrei durch den Wald:

»Die Sowjets! Sie greifen an!«

Ich hocke mit Ernstl und Tammo wieder an der alten Stelle. Gebannt starren wir unter unseren Stahlhelmen nach vorn – auf die weiße Plaine.

Und sie kommen!

In dem mannshohen Schnee haben sie sich vorgewühlt, sind bereits dichter vor uns, als wir glaubten. Zu Hunderten quellen sie aus dem Weiß hervor, stapfen todesmutig über die Schneefläche auf uns zu.

Unsere Infanteristen liegen still hinter dem kleinen Wall. Auch die Alten vom Troß und aus den Schreibstuben. Jeder hat seine Kuhle mit Zweigen getarnt.

Kein einziger Schuß fällt.

Bis auf zweihundert Meter, bis auf hundert Meter und noch dichter lassen sie die Sowjets herankommen.

Ernst hat seine Kamera auf den Rand der Raupenspur geschoben, ich blicke durch meinen Sucher – –.

Endlich erschallt der Ruf »Feuer frei!«

Ein einziges Rattern und Prasseln bricht los, und da hinein mischt sich das schaurige »Urrräääh!« der angreifenden Russen.

In breiter Linie, Mann neben Mann, wälzen sie sich auf uns zu. Stur. Wie eine Dampfwalze! Wenn einer fällt, der Nebenmann stapft weiter!

Immer größer werden die Lücken in ihren Reihen, doch – sind sie betrunken? – sie drängen unbeirrt vorwärts. Bis der letzte von ihnen zusammensackt. Dicht vor unserem Waldrand. Im schwarzen Trichterfeld, das ihre eigene Artillerie aufgerissen hat.

Schon taucht auf der Plaine – wie aus dem Nichts – eine zweite Welle auf, schiebt sich vor, über die Leiber ihrer gefallenen Kameraden hinweg –.

Und hinter ihr sehe ich bereits eine dritte Welle!

Mein Gott, denke ich, während Ernstls Kamera neben mir surrt und ich Aufnahme um Aufnahme schieße, – wenn sie uns erreichen, uns überrennen – –.

Wieder sind die vordersten auf achtzig Meter heran, auf siebzig, sechzig – – man kann bereits Gesichter erkennen! –

»Sehr gut, meine Herren, – noch ein bißchen näher, bitte!« höre ich Ernstl neben mir sprechen. Himmel – hat er denn überhaupt keine Nerven?!

Unsere Maschinengewehre halten blutige Ernte – immer größer werden die Lücken –.

Handgranaten fliegen jetzt von hüben und drüben. Pulverrauch und Dreckfontänen verhüllen die Sicht.

Da! Eine gelbe Eierhandgranate kommt geflogen, landet auf dem Fichtenreisig, neben Ernstls Knie.

Jetzt ist's aus mit ihm, denke ich.

Eine Hand schnellt vor, greift zu, wirft – und noch im Flug explodiert die tödliche Ladung.

Das war Tammo gewesen. In blitzschneller Reaktion hatte er sie ergriffen und zurückgeworfen.

Ernstl setzt seine Kamera ab, läßt sich nach hinten heruntergleiten. »Da habt ihr's wieder mal gesehen –!«

Nein, denke ich etwas erbost, das war allein Tammos Verdienst.

Der aber blickt finster nach vorn.

»Die dritte Welle kommt nicht mehr. Fürs erste haben sie wohl genug – aber ich glaube, dieser Wlassow wird uns noch zu schaffen machen – –.«

Die Armeeführung atmete auf. Die provisorischen Sperriegel hatten an den meisten Stellen gehalten.

Doch Wlassow saß mit seiner gesamten Stoßarmee in unserem Rücken – auf dem Westufer des Wolchow.

»Wir, als Propagandisten«, sagte der junge Sonderführer in Pomeranje zu uns, »haben nun die Aufgabe, der Welt klarzumachen, daß dieser Durchbruch der Wlassow-Armee völlig bedeutungslos ist. Wir müssen der Feindpropaganda den Wind aus den Segeln nehmen. – Ist Wlassow westlich des Wolchows, werden wir berichten, daß *wir* östlich des Wolchows sind! Nämlich auf dem Brückenkopf Grusino!«

Bilder würden am meisten überzeugen, meinte er.

So bekam ich den Auftrag, dort hinzugehen.

Ich stehe mitten auf dem Wolchow.

Unmerklich ist die weite weiße Ebene in das Flußbett übergegangen, und nur die Trümmer einer langen Holzbrücke lassen die Breite des mächtigen Stromes ahnen, der sich unter dem Eis verbirgt.

Zersplitterte Balken ragen wirr in den milchigen Himmel, Reste der verschachtelten Holzkonstruktion. Wie Wegweiser markieren sie den Trampelpfad, der hinüberführt zum Brückenkopf Grusino, weit nördlich der Stelle, wo die Wlassow-Armee über diesen Strom gestoßen ist.

Das erste, was ich drüben am östlichen Ufer sehe, ist eine Pak-Stellung, notdürftig am Hang mit Birkenstämmen gegen Feindeinsicht abgedeckt. Die Mündung des Rohres zeigt auf den Fluß. Der Feind kann von allen Seiten kommen!

Die Männer in weißen Tarnanzügen, die ich nach dem Frontverlauf frage, geben nur wortkarg Antwort. Ihre Gesichter sind bärtig und grau. Die Augen wie Striche, geblendet vom ewigen Weiß.

Nur soviel erfahre ich, daß sich die Ruhestellungen der Infanterie oben auf der Anhöhe befinden sollen, in den Kellergewölben einer Ruine.

Geduckt folge ich dem durch Äste und Zweige gekennzeichneten Weg. An manchen Stellen sind Reisigblenden aufgestellt, stehen Holzschilder: »Kopf runter! Feindeinsicht!« Oder: »Scharfschützen!«

Eine ausgetretene Spur führt an eine steile Abwärtstreppe, die unten vor dem Kellereingang endet. Ich öffne eine provisorisch zusammengenagelte Tür, wühle mich durch einen Vorhang von aufgehängten Säcken.

Muffiger Gestank läßt meinen Atem stocken. Und erst nachdem ich mich an die Dunkelheit gewöhnt habe, bemerke ich ein paar Hindenburgkerzen, die in den Gängen flackern.

Die ersten Landser, an denen ich mich vorbeitastete, hatten die Uniformen aufgeknöpft, das Hemd herausgezogen und suchten sich Läuse ab.

In allen Nischen und Winkeln sah ich jetzt Männer liegen, zusammengepfercht auf Gestellen aus Birkenstämmen, dicht übereinander in zwei Etagen. Die meisten schliefen.

Aus einem Seitenstollen kam mir einer entgegen. Offenbar ein Unteroffizier. Er ging tief gebückt, – der Stollen war höchstens anderthalb Meter hoch.

»Bist du der neue –?« fragte er mit heiserer Stimme.

»Nein –« antwortete ich zögernd.

»Na, red' schon, Mensch! Biste von de Artillerie? Beobachter? Na, ejal, – imma rin in de jute Stube, – wir ham noch'n paar Läuse übrig!«

»Danke! Selbstversorger!« sagte ich in seinem Ton, »ich bin PK-Mann, – Bildberichter.«

Der Unteroffizier zog die Stirn hoch.

»Kommen Sie bitte mit, – ich habe da hinten meine Ecke.«

Er hatte mich mit ›Sie‹ angeredet. Ich gehörte nicht zu seinem Haufen. Ich war ja nur Besuch.

»Wir können ruhig per ›du‹ bleiben«, sagte ich, »bin auch kein höheres Tier als du!«

Er maß mich skeptisch. »Man kann ja nie wissen. – Also gut, komm mit!«

Gebückt folgte ich ihm. Er hatte eine niedrige Schlafstelle aus armdicken Ästen. Munitionskisten, zu verschiedenen Höhen aufgestapelt, stellten Tische und Sitzgelegenheiten dar. Was mir aber noch auffiel, war eine Anzahl von Beilen, die in einer Reihe hintereinander standen.

Ich zog meinen Mantel aus und hockte mich auf eine der Kisten.

»Warm ist es wenigstens hier«, sagte der Unteroffizier und reichte mir seine Feldflasche zum Trinken. Ich roch sofort, daß Schnaps darin war und sagte, mit einem Auge zwinkernd: »Prost!«

»So was können wir hier gebrauchen«, begann er langsam, »die Stellungen draußen am Hang sind saumäßig. Nur bei Dunkelheit können wir nach vorn gehen. Laufgräben gibt es kaum. Tagsüber hocken die Posten in ihren Erdlöchern und können sich nicht rühren. Der Iwan schießt auf jeden einzelnen Mann. Aber das Schlimmste sind die Erfrierungen. Der Hang fällt nach Osten ab, hat immer den eisigen Wind. Oft genug schon mußten wir Kameraden aus ihren Löchern ziehen, weil sie allein nicht mehr herauskonnten.«

Er hielt mir seine Hände hin: »Siehst du die blauen Stellen? Das sind Frostbeulen, – das geht noch, aber – – die Leute, die wir zurücktragen müssen, abends, und die die Sanis nach hinten bringen, auf Akjas verpackt, die sehen wir hier nicht wieder. Ein paar Tage später erfahren wir dann, daß ihnen die Beine amputiert werden mußten. Das ist Grusino! Brückenkopf Grusino!«

Er machte eine Pause und steckte sich umständlich seine Pfeife an.

»Das wird aber baald aaanders –«, sagte da gedehnt eine Stimme aus dem Dunkel.

Ich drehte mich überrascht um.

Ein Landser war herangekrochen gekommen, hatte sich zu uns über die Kisten gebeugt, die Ellenbogen aufgestützt und das stoppelbärtige Gesicht in die Fäuste gestemmt. Es war ein Vollmondgesicht, von roter, rissiger Haut überzogen. Die Augen hatte er zu schmalen Schlitzen zusammengekniffen, aber trotz der Dunkelheit sah ich, wie er sie langsam zu dem Unteroffizier hinübergleiten ließ, ohne dabei den Kopf zu bewegen.

»Das wird aber baald aaanders – –« wiederholte er geheimnisvoll noch einmal in breitem, baltischem Dialekt. Dabei verzog er das Gesicht zu einem Grinsen, das im flackernden Schein der Kerzen etwas seltsam Hintergründiges hatte, und ließ den Blick kurz zu den Beilen hinuntergleiten.

Aber der Unteroffizier schien nicht auf seine Anspielungen eingehen zu wollen, steckte die Pfeife in den Mund und brachte sie mit tiefen, kräftigen Zügen wieder in Schwung. »Die Russen drüben, die sind erstklassig

ausgerüstet. Dicke wattierte Mäntel! Und vor allem: Filzstiefel!«

Bedächtig stieß er einige blaue Wolken in den Raum.
»Die können sich drei Tage und drei Nächte damit in den
Schnee legen, – ein Stück Pferdefleisch in der Tasche.
Und am vierten Tage greifen sie plötzlich an. Frisch wie
aus dem Bett! Erfrierungen kennen die nicht!«

Eine Zeitlang schwiegen wir. Dann begann der mit dem
baltischen Dialekt wieder: »Alle paar Tage rennen sie gegen unsere Stellungen an, diese Bestien. Bis jetzt haben
wir sie immer noch erwischt. Hundert tote Russen liegen
auf dem Hang, oder zweihundert, vielleicht auch dreihundert. Und alle haben Filzstiefel an – dicke Filzstiefel –!«

»Das Läusesuchen ist hier unsere Hauptbeschäfti-
gung«, unterbrach ihn der Unteroffizier, als wollte er vom
Thema ablenken. »Es ist übrigens interessant: wo Läuse
sind, da sind keine Wanzen!«

Aber der andere gab keine Ruhe. »Ein paar Dutzend
Russen liegen ganz dicht vor unseren Stellungen –.«

»Hör doch endlich auf damit!« sagte der Unteroffizier
ärgerlich.

Ein Windzug blies die Flammen der Kerzen zur Seite.
Vorn war die Tür aufgegangen. Die Essenholer waren gekommen. Den Schnee von den Füßen stampfend,
schwenkten sie ihre Kübel vom Rücken. Und schon
drängte sich alles um sie. Kochgeschirre klapperten.

Die meisten wärmten die dicke Suppe auf den rotglühenden Öfen auf. Dann hockten sie in den Ecken und löffelten. Jeder war jetzt mit sich selbst beschäftigt.

Gespenstisch malten Kerzen, die auf der Erde standen, ihre Schatten an die Wand. Ich hob die Kamera, sah
durch den Sucher. Schade, – das Licht reichte nicht aus,
um eine ganze Ecke mit allem Drumherum aufs Bild zu
bekommen.

Da grinste mich wieder der Balte an. Er hatte offenbar
eine Idee. »Hast du es schon mal mit Zusatzladungen für
Granatwerfer probiert? Das gibt ein herrliches Feuerwerk! Nehme es manchmal zum Feueranmachen, wenn
das Holz ist zu naß!«

292

Er holte ein paar leere Konservendosen aus der Ecke, brach die Deckel ab und baute aus ihnen eine Plattform für die Pulverladung. Dann zerriß er ein paar ringförmige, weiße Gebilde – ›Zusatzladungen‹, wie sie zur Verlängerung der Reichweite der Kartuschladung zugefügt werden – und schüttete den Inhalt auf die Blechdeckel.

»Fertig –?« fragte er.

»Fertig!«

Der Balte bog den Kopf zur Seite, zündete ein Streichholz an und warf es auf das Pulver.

Pufff!

Eine grelle Stichflamme schoß hoch.

»Wieder was gelernt«, sagte ich, »bis jetzt habe ich es nur mit dem Pulver von Gewehrpatronen gekannt –.«

»Brennt ja viel zu laangsaaam«, griente der Balte, »verwackeln ja aalle Köpfe! Nein, – bin ich immer für radikales Mittel, – etwas gefährlicher, aber – nu ja – –.«

Der Unteroffizier schob sich dazwischen und reichte mir ein Kochgeschirr. Auf der Vorderseite waren zwei Buchstaben eingeritzt.

»H. L. –« sagte der Balte, »Helmut Lechmann. War ein feiner Kerl. Wenn du willst, kannst du es behalten – der braucht keins mehr –.«

»Heute gibt's Erbsensuppe«, sagte der Unteroffizier, »oder ißt du lieber dicke Bohnen? Die gibt's morgen!«

»Und übermorgen gibt's wieder Erbsen. Die esse ich lieber«, sagte der Balte und beugte sich über sein Kochgeschirr, »da ist immer Speck drin.«

Mit dem Löffel angelte er so lange in der Suppe herum, bis er ein fettes Stück erwischt hatte, und hielt es hoch, um es uns zu zeigen: »Habe ich doch gesagt! In den Erbsen ist immer fetter Speck!«

Hinten in der Ecke sagte eine Stimme: »Herrschaften, hier hat wieder einer einen toten Vogel in der Tasche! Der stinkt so, daß einem die Zähne stumpf werden und die Fensterscheiben beschlagen!«

»Ich seh keine Fensterscheibe«, brummte ein anderer, »und warmer Mief ist besser als kalter Ozon!«

Eine Weile löffelten wir alle stumm.

Dann begann der Balte wieder: »Du bleibst ein paar Tage?«

Ich nickte und aß weiter.

»Da kannst du in der Koje vom Lechmann schlafen. Ist noch kein Ersatzmann gekommen –.«

Wieder trat eine Pause ein. Er kaute auf dem fetten Stück herum. Aber immer wieder sah er mich an, und ich fühlte, da mußte noch etwas sein, das er mir anvertrauen wollte, das er loswerden wollte. Und plötzlich unterbrach er sein Schmatzen und Schlürfen und begann unvermittelt mit dem, was ihn anscheinend dauernd beschäftigte: »Wenn heute nacht Schneetreiben ist, holen wir uns Filzstiefel. Echte russische Walinkis!«

Ich hatte sofort begriffen: Das also war es!

»Aber die Russen sind doch stocksteif gefroren«, entgegnete ich, »wie wollt ihr ihnen denn da die Walinkis ausziehen?«

»Ausziehen –?« grinste der Balte, und dabei machte er eine Kopfbewegung zu den Beilen hinüber, »da müssen wir schon mitnehmen die gaanzen Beine – –«.

Ich hatte ein Stück Speck auf dem Löffel und ließ es zurückfallen ins Kochgeschirr.

»– – dann werden wir sie stellen vor den warmen Ofen hier, – und nach einer Stunde oder so – werden wir sie umdrehen, – da fallen die Beine heraus gaaanz alleine, und wir haben Walinkis in den´ Händen!«

Es schneite in dieser Nacht nur wenig.

Gegen Mitternacht nimmt mich der Unteroffizier mit zu den Stellungen. Schmale Pfade, in denen der Schnee festgetreten ist, führen hinunter zum Hang. Fahles Mondlicht hinter einer dünnen Wolkendecke erhellt spärlich die Kraterlandschaft. Zersplitterte Baumkronen zeichnen sich bizarr vom Blaugrau ab. Die Front ist auffallend still.

Die ersten Postenstellungen, die wir erreichen, sind flache Kuhlen, in denen die Landser auf Fichtenreisig liegen. Etwas besser ausgebaut ist die Deckung des ›Vorgeschobenen Beobachters‹. Hier läßt mich der Unteroffizier zurück und geht allein weiter.

Der V. B. sitzt auf einer Kiste. Es ist kaum Platz für zwei; ich rücke dicht an ihn heran.

»Noch eine halbe Stunde«, sagt er, »dann werde ich abgelöst. Scheint nichts los zu sein heute nacht – –.«

Gemeinsam beobachten wir das Vorfeld und sprechen nur wenig miteinander, um besser hören zu können. Vom angestrengten Sehen tränen mir die Augen. Ob ich überhaupt bei Tage hier Aufnahmen machen könnte? Bei *der* Feindeinsicht?

Ein leises Geräusch läßt mich auffahren. Auch der V. B. hat es gehört. Es klang, wie wenn Eisen auf Eis schlug. Aber sofort ist es wieder ruhig.

Angespannt versuche ich etwas zu erkennen.

Bewegte sich dort nicht einer?

Wieder höre ich etwas, sehe eine Bewegung, dort, wo die Toten liegen. – Der Balte! Der Satanskerl – fährt es mir durch den Kopf. Jetzt ist er am Werk!

Rechts schießt ein Posten eine Leuchtkugel ab. Flimmernd taucht sie das Vorfeld in ein unwirkliches Licht, die Schatten der Baumstümpfe schleichen über den Schnee.

Da durchzuckt es mich plötzlich.

»Russen!« sage ich leise zum V. B.

Kaum wahrzunehmen sind die Bewegungen der Anschleichenden. Und schon eröffnet ein Maschinengewehr der Sowjets das Feuer.

Instinktiv ziehe ich den Kopf ein, reiße den V. B. mit herunter in die Deckung. Haarscharf pfeifen die Kugeln über uns hinweg, zischen in den Schnee, schlagen klatschend in die Stämme vor uns.

»Urräääh – Urräääh!« hören wir die Angreifer brüllen. In weit auseinandergezogenen Linien stürmen sie den Hang herauf.

Von allen Seiten hämmern unsere Maschinengewehre, fliegen Handgranaten über die Deckung.

Der V. B. hat den Hörer vom Feldfernsprecher genommen. Beherrscht gibt er das Feuerkommando an seine Batterie durch: »Fünfte Ladung, Aufschlag, ganze Batterie, von Grundrichtung hundertdreißig weniger, Feuerbereitschaft melden! – In zwanzig Sekunden Feuerüberfall!«

Am ganzen Hang um uns tobt der Kampf. Gezieltes Gewehrfeuer peitscht in die ohne Deckung liegenden.

Ich zähle wieder gewohnheitsmäßig die Sekunden, – noch zehn, noch fünf, drei, zwei, eins – da rauschen die ersten Lagen unserer Artillerie vom anderen Ufer des Wolchows her über uns hinweg, krepieren dumpf am Hang, reißen schwarze Löcher. Splitter zirpen und singen.

Getroffene Russen brüllen auf. Die nicht verwundet sind, entkommen. Der Angriff ist zusammengebrochen. Wie immer an diesem mörderischen Hang.

Der Gefechtslärm ebbt ab. Vereinzelte Gewehrschüsse noch hier und da. Dann ist es wieder still. Nur das Stöhnen der Verwundeten ist noch eine Weile zu hören.

Ein paar Minuten später kommt die Ablösung für den V. B.

»Für heute nacht werden wir wohl Ruhe haben«, sagt er nur. Dann schleichen wir uns zurück.

Im Keller riecht es nach Gewehröl, Pulver und Blut.

Einen Toten und drei Verwundete hat es gegeben. Einer davon liegt besinnungslos im Gang.

»Kopfschuß –«, sagt der Sanitäter, »das Gehirn ist verletzt. Er fühlt aber nichts. Ist vollkommen bewußtlos.«

»Wird er durchkommen?«

»Kaum –«, meint er kopfschüttelnd, während er die beiden anderen in Decken einwickelt.

»Er röchelt doch noch –« sage ich.

»Das ist immer so. Wir nennen es das Gehirnsröcheln. Am nächsten Morgen sind sie tot – –.«

Dann kommt einer die Treppe heruntergepoltert. Der Balte! Er stößt eine Reihe saftiger Flüche aus und hält die rechte Hand auf seinen linken Oberarm gepreßt. Streifschuß. Aber er will nicht zurück zum Hauptverbandsplatz.

»Die brauchen mich doch hier«, sagt er. Und: »– wenn richtiges Schneetreiben ist, dann – –.«

Der Sani gibt ihm eine Tetanusspritze, verbindet ihn.

Hitler wünschte für sich persönlich PK-Berichte über die noch geheimgehaltenen Raketenwaffen ›Do-Werfer 42‹. Die PK 621 (im Nordabschnitt der Ostfront) setzte daraufhin Film-, Bild-, Rundfunk- und Wortberichter bei einer Werfer-Abteilung an, die zwar noch nicht im Einsatz war, aber für die Erfüllung des Hitler-Wunsches ein Übungsschießen hinter der Front veranstaltete. Mit Sonderkurier wurde das erarbeitete Berichtermaterial nach Berlin geschickt. Auf dem weiteren Dienstweg über das OKW ging jedoch einiges schief: Die neuen Waffen waren so geheim, daß selbst die Zensuroffiziere sie nicht kann-

ten und für Beutewaffen (Stalinorgel!) aus dem Osten hielten. Und so erschienen eines Tages sogar einige Fotos davon im ›Völkischen Beobachter‹ mit der Bildunterschrift: »Russische Beutewaffen – in deutsche Hände gefallen!« – Der Leiter einer japanischen Abordnung in Berlin bat darauf beim OKW, diese »Beutewaffen« einmal selbst besichtigen zu dürfen und deutete auf die Fotos in der Zeitung. Jetzt erst bemerkte man hier die Panne und wies den Bittsteller verlegen ab. Der Japaner steckte den ›Völkischen Beobachter‹ mit betonter Sorgfalt wieder in die Tasche und lächelte vielsagend – –.

12. Juli 1942:

General Andrej Andrejewitsch Wlassow, der einstige Retter Moskaus, mit seiner Köchin Maria Woronowa nach der Gefangennahme in Tuchowetschi im Wolchow-Kessel. Bei der Trennung von ihr, als sie am 15. Juli in Siverskaja zum Arbeitseinsatz geschickt wurde, schenkte er ihr zum Andenken seine goldene Uhr.

Sieger und Besiegter:

General Wlassow zeigt dem Oberbefehlshaber der 18. Armee, General Lindemann, auf der Karte, wo sich sein Generalstab zuletzt aufgehalten hat und welchen Weg er nach dem Zusammenbruch seiner Armee gemeinsam mit seiner Köchin eingeschlagen hatte, um zu versuchen, aus dem Kessel zu entkommen und die russischen Linien zu erreichen.

General Wlassow entwickelte in deutscher Gefangenschaft den Plan, das Stalin-Regime mit Hilfe einer Armee von drei Millionen gefangengenommener Russen zu stürzen. Allein Hitler lehnte ihn ab. Die PK mußte bereits angelaufene Aktionen einstellen. Jegliche PK-Berichte wurden gesperrt. Trotzdem wurden in Estland ohne Hitlers Wissen einige russische Bataillone aufgestellt.

Ein Leutnant der Freiwilligen-Verbände (nur erkenntlich am Ärmelabzeichen) bildet seine Landsleute am neuesten deutschen Maschinengewehr, dem MG 42, aus. ▶

Erst als es zu spät war, besann ▶ sich die deutsche Führung auf Wlassow. Am 14. November 1944 erließ er in einem Staatsakt das ›Prager Manifest‹ und gründete das ›Komitee zur Befreiung der Völker Rußlands‹. – Das Bild zeigt von links: General Toussaint, SS-Obergruppenführer Lorenz, Wlassow.

Wlassow besichtigt Verbände der russischen Befreiungsarmee.
▼

Von der PK fotografiert – von der Zensur gesperrt: Freizeit in Paris

Die in Paris stationierten Soldaten konnten sich in Abendkursen auf das Abitur und auf ein Studium vorbereiten. Im Winter 1942 hatten Soldaten von der Ostfront sogar Paris als Urlaubsort angeben können, – bis später eine generelle Sperre für die Seine-Stadt verhängt wurde.

Um der illegalen, unkontrollierten Prostitution Einhalt zu gebieten, sah sich die Kommandantur gezwungen, der ›Straße‹ Konkurrenz zu machen. Feste Bordelle mit günstigen Preisen unterboten die ›Illegalen‹.

Im Bordell für Unteroffiziere und Mannschaften bewegten sich die Damen frei in einem eleganten Etablissement mit von unten beleuchteter Tanzfläche.

Abendkurse im Aktzeichnen nach Modell für Studenten der Hochschule für bildende Künste.

Das gab's für den deutschen Landser in Paris: Fahrrad-Taxis. Sie waren mehr originell als nützlich, – aber doch eine Verdienstquelle für den Fahrer.

»Du mußt mit zurück!«

»Nein«, brummt der Balte.

»Doch! Du mußt mir helfen, die Verwundeten zurückzubringen, allein kann ich nicht drei Akjas ziehen – über den Wolchow.«

»Nein!« sagt der Balte,

»Wenn ich einen hier liegen lassen muß und der mir dann draufgeht – –.«

»Der da? Der mit dem Gehirnsröcheln? – Ich weiß doch Bescheid –.«

Der Sanitäter gibt noch nicht auf. Er hat so seine kleinen Mittel, die fast immer wirken.

»Wenn du vorn bleibst, bekommst du kein Verwundetenabzeichen!«

Doch der Balte grient ihn nur an.

»Verwundetenabzeichen? Für die Schramme? Das kaaanst du dir in den Aaarsch stecken!«

Aber dann geht er doch mit und zieht den Finnenschlitten mit dem Hirnverletzten über den Wolchow.

Dreimal gab es Erbsensuppe und dreimal Bohnen.

Die vom Schnee zugewehten Panzerabwehrkanonen am Wolchow habe ich fotografiert und das von Trichtern übersäte Vorfeld der Front – vom höchsten Punkt der Ruine aus. Die Männer an den Granatwerfern mit Rauhreif in den Bärten habe ich im Bild festgehalten und die vorschleichenden Störungssucher der Nachrichtentruppe –.

Am Abend des sechsten Tages war der Balte wieder da. Ohne Verwundetenabzeichen und in bester Laune – starkes Schneetreiben hatte eingesetzt – –.

Gleich in der ersten Nacht war er wieder draußen.

Gegen Morgen sah ich ihn im Schein meiner Taschenlampe zu seiner Schlafstatt schleichen. Der Lichtkegel meiner Lampe huschte durch das Gewölbe, wanderte langsam am rotglühenden Ofen vorbei und blieb hängen an einer Gruppe stehender Russenbeine in dicken Filzstiefeln.

Acht zählte ich – in Reih und Glied ausgerichtet.

8 MIT MÜCKENNETZEN DURCH DEN ›GESPENSTERWALD‹ DAS PANZERGRAB AM WOLCHOW DIE STALINORGEL

Mit kurzen Schritten trippelte Ernstl Glunz vor mir über die Schwellen der Feldbahn, die zur Durchbruchstelle hinführte, der berüchtigten ›Erika-Schneise‹.

Jetzt trugen wir Mückennetze über den Stahlhelmen. Der Frühling hatte die Urwaldlandschaft in eine grüne Sumpfhölle verwandelt. Gräben und Schützenlöcher waren im Schlamm versunken. Autos und Lastwagen blieben im Morast stecken, Pferde kämpften sich, bis zur Brust eingesunken, durch den Lehmbrei und begruben sich selbst darin, wenn sie stürzten.

Fieberdünste stiegen aus den Sümpfen auf. Myriaden von Mücken standen in Schwärmen darüber.

Ernstl blieb stehen, drehte sich zu mir um, hob das Mückennetz und wischte sich den Schweiß aus dem Gesicht.

»Bin gespannt, ob sie heute zu ist oder offen – diese verfluchte Erika-Schneise.«

Ich holte die paar Schritte auf, die er mir voraus war, und blieb dann ebenfalls stehen.

»So leicht wird es sich dieser Wlassow nicht gefallen lassen, daß wir den Sack endgültig zumachen. Steckt ja immerhin eine komplette Stoßarmee drin in diesem unübersehbaren, endlosen Waldgebiet!«

»Pfui Deibel!« rief Ernstl, spuckte vor sich hin und zog das Mückennetz wieder herunter. »Nicht mal sprechen kann man, ohne daß einem die Biester in den Mund fliegen. Also, soviel ich weiß, hatten wir ihn schon mindestens ein Dutzend Mal zugemacht, diesen Sack –.«

»Das letzte Mal nur für ein paar Stunden –.«

»Kein Wunder – der Wlassow weiß ja schließlich, worum es geht, und kämpft wie ein Löwe.«

Er druckste etwas herum und horchte anscheinend in sich hinein. »Ich glaube, ich muß mal –.«

»Groß –?«

»Leider! Aber bei diesen Mücken – –?«

»Ich kann ja hinter dir wedeln!«

»Ach was, – eine Weile geht's noch!«

Wir gingen weiter.

Jede Ecke hatte hier ihren Namen. ›Wald der toten Bäume‹, ›Gespensterwald‹, ›Geisterwald‹, – soweit der Blick reichte, ragten nur kurze kahle Stümpfe in den Himmel. Schwarze Pfähle, die einst Bäume waren. Selbst die jungen elastischen Birken waren in Mannshöhe abrasiert. Alle paar hundert Meter zweigten schmale Knüppeldämme von der Feldbahn ab, wie von einer Schlagader. Jeder Weg führte zur Front, ob links oder rechts.

Artillerieeinschläge hauten hinter uns in den Sumpf. Der Russe streute die Bahnlinie ab. Wie immer.

Siebenmal war ich diesen Weg schon gegangen, mit Tammo. Jetzt lag er hinten in Pomeranje mit Wolhynischem Fieber. Walterchen hatte es zum Glück gleich erkannt. Alle paar Stunden wechselte sein Zustand. Eben noch schweißgebadet phantasierend, war er urplötzlich wieder klar im Kopf, als sei nichts gewesen. Dann wollte er aufspringen und an die Front – zur Erika-Schneise. Aber zwei, drei Stunden später stieg das Fieber erneut so an, daß es ihm das Bewußtsein raubte –.

Ein Plattenwagen kommt uns entgegengerollt. Drei Gefangene schieben ihn, zwei Landser mit Gewehren gehen hinter ihnen her. Leere Bierfässer liegen darauf – ›Löwenbräu‹, aus München! Daneben hocken zwei Verwundete.

»Wie ist die Lage?« ruft Ernstl ihnen zu, »ist zu oder offen?«

»Zu!« ruft der eine zurück, »wie es allerdings im Moment ist, weiß ich nicht!«

Unerwartet halten die Gefangenen an, sprechen lebhaft miteinander, gestikulieren.

Die Posten heben argwöhnisch ihre Gewehre.

Aber die Russen schütteln die Köpfe, zeigen zur Seite.

»Ich glaube, die müssen auch mal –!« sagt Ernstl lachend.

Der Obergefreite geht auf den größten von ihnen zu, hebt den Daumen und weist damit zur Seite.

Zufrieden tritt der Russe herunter von den Gleisen, watet durch den Schlamm an einen Granattrichter, der bis zum Rand mit braungrünem Wasser gefüllt ist, beugt sich tief nieder, pustet mit spitzem Mund auf die Oberfläche, bis der grünliche Schleim zur Seite ausweicht, dann taucht er den Mund ein und schlürft das stinkige Wasser.

Erstaunt sehen wir zu.

Der Obergefreite hebt zwei Finger: die anderen beiden dürfen auch. Wir filmen und fotografieren sie dabei. Die Russen lachen, wischen sich den Mund und rollen mit dem Wagen weiter.

»Das sind unsere Gegner!« sagt Ernstl, »gegen diese Naturburschen sollen wir hier kämpfen! Wenn ich den Modder trinken würde, wäre ich in drei Tagen tot. – Da ist ein trockener Stamm, machen wir mal Pause!«

Wir setzen uns hin und rauchen. Vor jedem Zug lüften wir das Mückennetz an und schieben die Zigarette darunter.

»Die vorn haben Bier bekommen! Münchner Bier!« sagt Ernstl. »Es ist erstaunlich, wie bei uns der Nachschub klappt, sogar hier –.«

»– Am Arsch der Welt! Wäre ja schön, wenn wir noch was davon abbekämen, – einen Durst habe ich – und einen Hunger dazu, ha! So ein gebratenes Filetsteak, das wär doch mal was!«

»Dabei fällt mir was ein! Kennst du eigentlich die Geschichte schon, Schorsch, – die von den eingeschlossenen Russen –?«

»Nein. Erzähl!«

»Du weißt doch, daß im Winter da hinten irgendwo in den dichten Wäldern am Wolchow eine kleine sowjetische Einheit gelegen hat, die den Anschluß verpaßt und sich dann eingeigelt hatte –?«

»Mm, erinnere mich, – unsere Infanterie hatte auf Skiern ein Stoßtrupp-Unternehmen dorthin gemacht und sich eine blutige Nase geholt –. Warst du nicht selber dabei?«

»Klar! Das war vielleicht eine Skipartie! Wir haben uns Holzklötze an die Stiefelabsätze genagelt, damit die Skibindungen hielten. – Die Russen haben sich damals verdammt hartnäckig verteidigt. Es gab Tote und Verwundete auf beiden Seiten. Einen Gefallenen mußten wir sogar zurücklassen, einen Gefreiten. Nur, um unser Leben zu retten.«

»Ich hab's gehört. Die Russen sollen wie wahnsinnig um sich geschossen haben. Wurden ja aus der Luft versorgt.«

»Aber eines Tages kamen die Flugzeuge nicht mehr. Unsere Posten am Wolchow hatten sonst immer das Brummen gehört. Wahrscheinlich hatte der Iwan den kleinen Haufen abgeschrieben. Es ging ja schließlich um wichtigere Dinge als um so eine verlorene Einheit, die zu nichts mehr nutze war.«

»Und wo ist sie geblieben?«

»Vor einer Woche hat man abermals einen Vorstoß dorthin unternommen. Meyer zwo vom Labor hat es mir erzählt, und der weiß es von Rutkowski – der war nämlich als Bildberichter dabei und hat Aufnahmen gemacht, Bilder, sage ich dir – –! Also: unsere Leute waren natürlich diesmal auf alles gefaßt, – bewaffnet bis an die Zähne! Aber was sahen sie? Ein völlig verhungerter Russe kam auf Knien auf sie zugekrochen – wie ein Tier – der einzige Überlebende! Zu schwach, sich aufzurichten! In der Hand hielt er ein Kochgeschirr, und darin war – du wirst es nicht glauben! – das Geschlechtsteil eines Mannes. Und als unser Dolmetscher ihn fragte, was er damit wollte, griff er mit der Hand hinein, steckte es in den Mund und verschlang es.«

»Vor den Augen des Dolmetschers –?«

»Alle haben es gesehen. Der ganze Stoßtrupp!«

»Und wo waren die anderen Russen geblieben?«

»Man fand ein paar Dutzend Totenschädel – fein ordentlich zu einer Gruppe zusammengestellt, daneben die größeren Knochenteile. Und viele Feuerstellen. Was ich dir jetzt sage, wirst du kaum für möglich halten, – aber es existieren Fotos davon: unserm toten Gefreiten haben sie die Hosen heruntergezogen, ihn auf den Rükken gelegt, den Mantel hochgekrempelt, die Beine zum Winkel aufgestellt, ein Feuer darunter gemacht und geröstet. Dann haben sie mit dem Taschenmesser – –.«

»Hör auf – –.«

»Du glaubst es nicht? – Den verhungerten Russen hat man mitgenommen und im Lazarett wieder aufgepäppelt. Da hat er's erzählt. Zuerst haben sie den Gefreiten verzehrt, – auf der Aufnahme, die Rutkowski genau von der Seite gemacht hat, sieht man gestochen scharf, wie die Knochen – Schienbein und Oberschenkel – säuberlich abgekratzt sind. Keine Faser hängt mehr daran. – Dann haben sie die eigenen Toten gegessen. Inzwischen waren von den Verwundeten welche gestorben, und dann verhungerten und erfroren welche – und die Teile, die sie zunächst nicht wollten, haben sie im Kochgeschirr beiseite gestellt – für den Notfall! Die Leber soll immer am besten geschmeckt haben, sagte er, – der eine, der übrig geblieben war – – nur Salz hat ihnen gefehlt.«

Ich mache einen tiefen Zug aus der Zigarette.

»Warum hat er denn im letzten Moment diese Sachen aus dem Kochgeschirr noch verschlungen – – als er gefangengenommen wurde –?«

»Man hat ihn später im Lazarett auch danach gefragt, aber er konnte sich nicht mehr daran erinnern. Er muß vollkommen irre gewesen sein vor Hunger, völlig vertiert, – wahrscheinlich glaubte er, die Deutschen wollten sie ihm wegnehmen – seine Reserven für den Notfall – –.«

»Wenn du mir nicht sagen würdest, daß Rutkowski es fotografiert hat – –.«

»Ich habe die Fotos selbst in der Hand gehabt. Meyer zwo hat eine kleine Serie von fünf Bildern davon zusammengestellt und gleich ein paar Dutzend kopieren lassen. Für eine Flasche Kognak gibt er sie weg. Manchmal kommen Zahlmeister und so – du weißt ja – –.«

Ja. Ich wußte – –.

Nach zwei Stunden haben wir den Divisionsstab erreicht, der der Erika-Schneise am nächsten liegt.

306

Sie ist noch zu, erfahren wir. Der Kampf ist in die letzte entscheidende Phase getreten. Wlassow versucht verzweifelt, der Umklammerung zu entkommen und sich durch seine alte Durchbruchstelle wieder zurückzuziehen.

Man schickt uns weiter zum Regiment. Von dort zum Bataillon. Von dort zur Kompanie, die an der kritischen Stelle liegt. Es ist wie immer: in kürzester Zeit, auf kürzestem Wege sind wir am Brennpunkt.

Wir geraten mitten hinein in einen Angriff der Russen von Osten her, der den Riegel aufbrechen soll.

»Panzeralarm!« Nur dieses eine Wort beherrscht jeden hier. Urplötzlich sind wir mitten im Kampfgeschehen.

Pioniere eilen über schmale Birkenstämme, die über den Sumpf gelegt sind, zu den Minenlagern.

Die russische Artillerie beginnt mit einem Trommelfeuer aller Kaliber. Wir suchen im Schlamm Deckung, im Nu sind wir naß und dreckverschmiert. Nur die Kameras sind noch sauber. Wir halten sie hoch, so gut es geht, und drücken zwischendurch auf den Auslöser, egal, was wir erwischen.

»Zusammenbleiben!« rufe ich Ernstl zu. Und als er kurz seinen Kopf hebt, sehe ich, daß er mich anlacht. Das Mückennetz hat er hochgeschlagen. Jetzt ist er wieder ganz in seinem Element. Wie ist er nur zu der Patentlösung gekommen: ›Mir passiert nichts‹ Alles, was er tut, ist dadurch völlig beherrscht.

Bei ihm gibt es keine falschen Reaktionen, keine Schrecksekunden!

Den Kommandorufen entnehme ich: die deutsche Infanterie setzt zum Gegenangriff an, Artillerie wird sie unterstützen. Und schon bricht auch von unserer Seite ein mörderisches Trommelfeuer los.

Neben den Pionieren liegen wir unter der Feuerglocke des Artillerieduells, die meisten Geschosse jagen über uns hinweg. Die Männer fluchen und stöhnen. Sie nutzen die Zeit, verlegen ihre Minen, kriechen zurück, holen neue. Nur eine schmale Gasse für unsere Infanteristen wird freigelassen.

Motorengeräusche dröhnen herüber, zwischen den Einschlägen ist das Rasseln der Panzerraupen zu hören. Hart knallen die ersten Abschüsse aus den Panzerkanonen. Die Granaten zerfetzen die kümmerlichen Reste der Baumleiber.

Alles preßt sich in den Morast. Wir liegen in dem Gewirr von Birkenstämmen eines zerschossenen Knüppeldammes. Ein T 34 taucht auf, hält direkt auf uns zu. Gleich muß er auf eine Mine laufen. Nein! Er dreht ab, weicht aus, kurvt herum und schießt; fährt auf eine freie Stelle zu, sucht Schußfeld. Da erwischt ihn die Pak!

Drei, vier Schuß nur, und das Ungetüm bleibt liegen.

Aber drüben, im Osten, brummen schon wieder Motoren, mahlen Ketten.

In diesem Augenblick summt etwas am Himmel. Winzige Punkte sind zu sehen.

Die Artillerie verstummt. Auf beiden Seiten. Flugzeuge sind für sie die größte Gefahr.

»Deutsche!« brüllt ein Pionier.

Sie kurven hinter der Schneise. Über den Bereitstellungen der Russen. Werden die Piloten ihre Ziele ausmachen können – in diesem Dschungel? Immer enger ziehen sie die Kreise, dann kippen sie ab über die Tragflächen.

»Stukas!!« gellt der Ruf durch die Schneise. Die Landser richten sich vor Freude halb auf. Alle Augen sind gebannt nach oben gerichtet.

Mit Sirenengeheul stürzen die Maschinen fast senkrecht herunter. Wie oft haben wir dieses faszinierende Schauspiel schon mitangesehen, und immer wieder ist es erregend, wenn sich die Bomben dicht über dem Boden lösen, die schwarzbraunen Rauchpilze in den Himmel wachsen, die Erde erzittert. Auf dem Moorboden ist die Erschütterung besonders stark zu spüren – sekundenlang.

Ernst läßt die Kamera surren. Stukas an sich sind nichts Neues. Aber er hält seine Arriflex kniend und mit zurückgebeugtem Oberkörper so, daß er anschließend nach unten schwenken kann und die Pioniere ins Bild bekommt, wie sie hastig hin und her kriechen, Minen verlegen, sie entsichern. Hände voll Dreck darauf werfen.

Ich springe hinüber zu ihm. Weit rechts habe ich während des Stukaangriffs etwas entdeckt.

»Da drüben! Sieh mal, – zwei russische Panzer – übereinander!« schreie ich.

»Toll! – Los! Ran! Solange die Stukas noch da sind!« antwortet er.

Nur mühsam können wir uns vorarbeiten. Immer wieder müssen wir mit eingezogenen Köpfen hastig über umgestürzte, zerschossene Bäume klettern, immer wieder versinken wir im Sumpf. Nur selten können wir kurze Sprünge machen, von Trichter zu Trichter.

Schweißgebadet lassen wir uns sinken. Zwischen dem Kleinholz eines vom Artilleriefeuer umgepflügten Knüppeldammes.

Wir liegen mitten in der Erika-Schneise.

An dieser Stelle hatte Wlassow unsere Front aufgebrochen. Im Winter! Am 13. Januar 1942. Die gesamte 2. Stoßarmee und Teile der 52. und 59. Armee sind über dieses Fleckchen Erde gestapft, bei 40 Grad Kälte und brusttiefem Schnee! Tausende von Fahrzeugen sind ihnen durch diese kaum kilometerbreite Frontlücke gefolgt, – auf hartgefrorenem Boden, und später, bei Tauwetter, durch unergründlichen Schlamm. Erbarmungslose Kämpfe haben sich hier abgespielt, um diese Schneise – fünf Monate lang! Die Verluste an Toten und Verwundeten der Sowjets werden bereits auf über 100 000 geschätzt – –.

Ernstl setzt seine Kamera an, nimmt das Panorama auf.

Gewehrschüsse peitschen an uns vorbei. MG-Feuer sichelt durch die Schneise.

An der Hauptkampflinie im Osten lebt der Gefechtslärm wieder auf. Die Sowjets versuchen mit aller Kraft, den Resten der Wlassow-Armee doch noch den Rückzug zu ermöglichen.

»Wenn unsere Kampfflieger nicht hier gewesen wären, – wer weiß – –« sagt Ernstl, während wir uns vorsichtig durch das zerhackte, zerwühlte, tausendmal umgepflügte Gelände arbeiten, – auf die beiden Sowjetpanzer zu.

Endlich liegen wir den stählernen Ungetümen gegenüber: ein kleinerer Panzer, tief in die Erde gedrückt von einem zweiten, einem riesigen Stahlkoloß, der sich über ihn geworfen zu haben scheint wie ein Raubtier. Furchterregend sehen sie aus. Wie ein Sinnbild roher Kraft. Und doch: sie sind ohnmächtig! Bewegungsunfähig!

Wir warten eine Weile und beobachten. Nichts rührt sich!

Dicht vor ihnen breitet sich ein Granattrichter von mehreren Metern Durchmesser aus, der voll Wasser ist. Im Hintergrund ragen zerfetzte Baumstümpfe in den Himmel – wie Finger.

Ernstl liegt mit der Kamera vor dem Granattrichter, macht einen Schwenk von der Spiegelung im Wasser nach oben hin.

»Ein Denkmal!« sagt er. »Eine Laune des Kriegsgottes! Hingestellt für die Herren Kriegsberichter – fix und fertig zum Fotografieren – mit kompletter Kulisse, mit Vordergrund und Hintergrund! Wie mag *das* nur zustande gekommen sein –.«

Ich schiebe mich neben ihn.

»Zuerst muß der kleine liegengeblieben sein, – vielleicht durch den Granateinschlag bewegungsunfähig geworden – –«

» – – und dann ist der Riese von hinten aufgefahren und hat sich mit solcher Wucht auf ihn hinaufgeschoben –«,

» – daß seine Raupen links und rechts ins Leere griffen, weil er breiter war!«

»So könnte es gewesen sein –.«

Neugierig kriechen wir näher heran.

Da entdecken wir, seitlich der beiden, noch einen dritten Panzer. Er trägt vorn die Nummer 212. Sein Turmluk steht weit offen. Und neben ihm liegen tote Russen. Einige gekrümmt auf der Seite, andere auf dem Rücken mit offenen Augen. Deutlicher Verwesungsgeruch geht von ihnen aus.

»Wahrscheinlich die Besatzungen der beiden großen

Panzer – von Maschinengewehren durchsiebt«, sagt Ernstl.

»Und die vom kleinen darunter –?«

»– – konnten nicht raus. Lebendig begraben. Im eigenen Panzer!«

»Ob sie noch leben –?«

Ich suche mir einen Stein, krieche vorsichtig heran, klopfe gegen die Seitenwand, horche.

Keine Antwort.

»Towarischi!« (Genossen!) rufe ich und klopfe erneut.

Es dauert kurze Zeit, dann kommt tatsächlich Antwort aus dem Innern. Klopfzeichen.

»Towarischi! Towarischi!« rufe ich mehrmals, presse das Ohr an die Seitenwand.

»Towarischi –!« höre ich sie drinnen antworten. Mehrere Stimmen schreien durcheinander. Sie scheinen uns für Russen zu halten. Ich verstehe nichts. Aber ich weiß, daß sie leben, daß sie uns für ihre Befreier halten, daß sie auf Rettung hoffen, – die nicht möglich ist.

Ernst Glunz lauscht mit an der Stahlwand. Deutlich hören wir sie jetzt sprechen und immer wieder klopfen, mit Eisenstücken. Manchmal klingt es wie zerbrochene Glokken.

»Ob vielleicht doch irgendwo eine Klappe ist, die sich von außen öffnen ließe?« frage ich Ernstl.

Er wiegt den Kopf. »Sie glauben jetzt, wir seien Russen. Wenn wir sie befreien – und sie sehen, daß wir Deutsche sind –.«

»Maschinenpistolen haben die immer im Panzer mit! Aber glaubst du wirklich, daß sie auf uns schießen würden – – auf ihre Befreier?«

»Verrückte Situation! Komm, wir suchen mal die Seiten ab!«

Ich krieche herum, kratze an einigen Stellen den Dreck mit den Fingern herunter. Ernstl sucht hinten, dort, wo sich der große draufgeschoben hat.

Vorn treffen wir wieder zusammen.

»Nichts –« sagt er.

»Auch nichts«, sage ich.

Wieder zischt Maschinengewehrfeuer durch die Schneise, Einige Geschosse klatschen unmittelbar neben uns gegen die Stahlwände. Querschläger singen durch die Luft.

An der tiefsten Stelle, zwischen den aufgedunsenen Leibern der toten Russen, nehmen wir Deckung, warten ab, bis der direkte Beschuß nachläßt.

»Nach Norden!« rufe ich Ernstl zu; dann trennen wir uns, arbeiten uns einzeln durch das Trichterfeld. Jeden Moment kann ein neues Spektakel beginnen.

Ist die Schneise nun eigentlich offen – oder zu?

Sie ist Kampfgebiet. Niemandsland. Also zu.

Da bricht ein jaulendes Pfeifen los, ein Ächzen, ein Stöhnen – ein Quieken, wie von Schweinen vor dem Schlachten.

Die Stalinorgel!

Wo ich gerade bin, lasse ich mich in den ersten besten Granattrichter rutschen.

Und schon fauchen die Salvengeschosse heran. Nur Deckung! denke ich und presse mich an die Lehmwand des Trichters, verkrampfe die Hände in ein paar Wurzeln. Nur Deckung! Denn ich weiß, was jetzt über mich hereinbricht: achtundvierzig Einschläge! Achtundvierzig Raketen werden hier niedergehen – achtundvierzig!

Es ist wie ein Erdbeben.

Es poltert und poltert und poltert – –.

Wenn ich doch jetzt bei Ernstl Glunz läge, dem Unverwundbaren!

Ich habe das Gefühl, die nächste Rakete müßte in meinen Trichter fallen, genau auf meinen Rücken. Steht der Zeitpunkt meines Todes fest? Der Tag, die Stunde – diese Sekunde jetzt? Wenn eine dieser Raketen mich zerriß, in tausend Stücke, als wäre ich nie auf der Welt gewesen – hatte es so kommen *müssen?* Ergibt sich alles im Leben zwangsläufig? Oder hängt es von Kleinigkeiten ab? Wie würde es weitergehen, wenn ich mich vorhin umgedreht hätte – wenn Ernstl gerade etwas gerufen hätte – wenn ich nicht gerade diesen Trichter genommen hätte, sondern einen anderen – wenn... –

312

Noch einmal erzittert die Erde, an die ich mich presse. Ganz nahe ist die letzte Rakete niedergegangen. Baumwurzeln und Schlamm regnen auf mich.

Dann ist es vorbei.

Rauchschwaden ziehen ab.

Ich bleibe noch liegen. Ich lebe!

Nur mein Hirn arbeitet: So also war es mir vorbestimmt. Folgerichtig und zwangsläufig. Auch, daß ich ausgerechnet in *diesen* Trichter sprang!

Ein Schweißtropfen rinnt mir von der Nase.

Langsam besehe ich den Ort, wo ich überlebte, das Stückchen Erde, das so weich war, in dem ich geborgen war: meine Füße stecken in einer grünlich schimmernden Wasserlache am Boden des Trichters. Auf der anderen Seite liegt ein toter Russe mit dem Kopf nach unten. Nur ein Teil seines Rückens und die Beine ragen heraus. Dicke, blaue Fliegen surren darauf herum.

Vorsichtig schiebe ich den Kopf über den Trichterrand.

Dicht vor mir gähnt ein frischer, schwarzer Krater. Das muß der letzte harte Schlag gewesen sein.

Aber nichts bewegt sich. Es ist vollkommen still. Die Sonne steht hoch am blauen Himmel. Es muß Mittag sein.

Wo ist Ernstl?

Ich rufe nach ihm. Erst nur leise. Dann immer lauter. Nach allen Richtungen.

Keine Antwort.

Wenn es ihn nun doch erwischt hatte –? Wenn ich irgendwo seine Kamera fände – mit den letzten Aufnahmen – –.

Ich nehme meine Leica, fotografiere die Stelle, wo ich gelegen habe, die Wurzeln, den Lehm, das Wasser mit dem Toten – – wenn ich ein Album hätte, – dieses Bild würde ich einkleben.

Auf den Knien krieche ich hinaus, richte mich auf, rufe.

Im Süden sehe ich unter der Sonne die schwarze Silhouette des schweren Panzers schräg über dem kleinen. Dort waren wir noch zusammen gewesen.

Es ist ein ungeschriebenes Gesetz, sich dort zu suchen, wo man zuletzt war. Ich arbeite mich mühsam zurück bis zum ›Panzergrab‹. Der Gefechtslärm ist wieder angeschwollen. Überall ist Front, überall können versprengte Russen auftauchen, die sich durchschlagen wollen.

Darum rufe ich nur gedämpft.

Endlich kommt Antwort: »Hier – beim Panzergrab!«

Gott sei Dank! Auch er hat es überstanden. Es ist ihm nichts geschehen – wie immer!

Und dann erfahre ich: Er hat die Einschläge der Stalinorgel gefilmt. Natürlich! Wie konnte es anders sein!

Bevor wir zurückgehen, hebt er den Kopf, lauscht zur Seite hin.

»Hörst du?« sagt er leise, »sie klopfen wieder – –.

Als ich etwa zehn Tage später noch einmal an die Stelle kam, war die Erika-Schneise endgültig ›zu‹. Eine Gruppe von Panzerjägern erzählte mir, daß sie noch tagelang Klopfen und Geräusche aus dem ›eisernen Sarg‹ gehört hätten.

Aber nun klopften sie nicht mehr – –.

9 WEISSE NÄCHTE
WLASSOWS SEKRETÄRIN: »NASDAROWJE!«
»NICHT SCHIESSEN, – GENERAL WLASSOW!«

Sommersonnenwende – an der Erika-Schneise.

Ernstl Glunz hat auf die Uhr gesehen: Mitternacht. Und man kann noch im Freien die Zeitung lesen! So hell sind die Nächte – die weißen Nächte – –.

Im Norden glüht es rosa und violett, und im Süden, am türkisblauen Nachthimmel, liefern sich deutsche Jäger und russische Ratas erbitterte Luftkämpfe. Einige Maschinen sehen wir am Horizont abstürzen – wie brennende Fackeln.

Die Nacht hatten wir vorn verbracht. Erst am frühen Morgen waren wir die zwei Kilometer in dem schmalen Schlauch zurückgetippelt bis zu dem Birkenwäldchen, in dem der Divisionsstab lag.

Den ganzen Winter und den Frühling hindurch hatte hier der Gefechtslärm gedröhnt, hatte der Geschützdonner die kleinen Bunker auf dem moorigen Grund erbeben lassen. Heute ist es zum erstenmale still. Die Schlacht ist entschieden, die Armee des Generals Wlassow geschlagen. Zerschlagen. Im Kessel zusammengedrängt.

Aber wo ist General Wlassow?

Wir waren wieder mal zur rechten Zeit zum Stab zurückgekommen, denn vor dem Bunker des Ic stand eine gefangene Russin in Uniform. Sie trug einen erdfarbenen, lehmverschmierten Rock, einen zerfetzten Russenkittel, die übliche Soldatenmütze mit dem Sowjetstern, und auf dem Rücken ein kleines Bündel mit ihren Habseligkeiten. Hinter ihr hockten zwei müde Landser, die das ›Flintenweib‹ aus dem Kessel zum Verhör hierhergebracht hatten.

Lachend und in bester Laune trat der Hauptmann aus seinem Bunker, stieg die paar Stufen herauf, gefolgt von dem alten Divisionsdolmetscher.

»Da scheinen wir einen guten Fang gemacht zu haben«, rief er uns zu, »machen Sie man ein paar Aufnahmen von ihr – die Person soll erklärt haben, sie sei die Sekretärin von General Wlassow gewesen. Nun, – vielleicht kann sie uns einen Fingerzeig geben, wo wir ihren Chef finden können – lebend oder tot. Lieber natürlich – lebend!«

Ernstl flüsterte mir zu: »Interessantes Täubchen! Steht ja eine hohe Belohnung auf den Kopf ihres werten Prinzipals – vierzehn Tage Sonderurlaub, – zig Flaschen Schnaps –.«

Der Hauptmann war auf die Gefangene zugetreten, musterte sie kurz und wandte sich dann an den Dolmetscher: »Fragen Sie sie zunächst noch einmal, ob sie auch wirklich die Sekretärin von Wlassow war. Sieht gar nicht so aus. Und was heißt überhaupt – ›Sekretärin‹?!«

Der Dolmetscher, ein untersetzter Fünfziger (er war 1917 aus dem zaristischen Petersburg vor den Sowjetzs geflohen), sprach eine Weile mit der Gefangenen. Er hatte die gleiche Gewohnheit wie die meisten seiner Berufskollegen, zuerst einmal ein längeres Zwiegespräch zu führen, ohne zwischendurch eine Übersetzung ins Deutsche zu geben.

Der Hauptmann wurde ungeduldig.

»Nun, – was sagt sie?« wollte er wissen.

»Sie behauptet, sie wäre tatsächlich die Sekretärin von Wlassow gewesen und verlangt, entsprechend behandelt zu werden.«

»Ach nee!« platzte der Hauptmann heraus, »sieh mal einer an – etwa als große Dame, wie? Einzelzimmer mit Bad und so –!« Er mäßigte sich aber gleich wieder und wollte nun wissen, ob sie wohl sagen könne, wo der General sich jetzt aufhalte.

Das habe er sie schon gefragt, erklärte der Dolmetscher, doch sie behaupte, darüber nichts aussagen zu können, da sie ihn schon seit einigen Tagen nicht mehr gesehen habe.

»Wo zuletzt? Und wann?« Des Hauptmanns Stimme wurde merklich schärfer. Er war bekannt als guter ›Verhörer‹! »Kann sie überhaupt beweisen, daß sie mit ihm zusammen war, oder will sie sich hier nur interessant machen? Ich habe keine Lust, mich von dieser zerlumpten Person an der Nase herumführen zu lassen!«

Der Dolmetscher zuckte die Achseln, redete erneut auf die Russin ein. Sie war nicht sehr groß, hatte aber eine gut proportionierte Figur, soweit man dies in ihrer schäbigen Uniform erkennen konnte. Ihr Gesicht war rund – sie schien überhaupt noch ganz wohlgenährt – und es war nicht zu leugnen, daß ihre Züge trotz der slawischen Derbheit eine gewisse Intelligenz verrieten. Und ihre Hände – das war mir gleich aufgefallen – waren keine Bäuerinnen- oder Arbeiterinnenhände.

Der Dolmetscher schien an einem toten Punkt angelangt zu sein. Etwas ratlos wandte er sich an den Hauptmann: »Sie bittet darum, sich umziehen zu dürfen. Erst dann will sie erzählen, was sie weiß«.

»Umziehen?!« Der Hauptmann blickte sprachlos von dem Dolmetscher zu der Gefangenen hinüber.

»Ja, sie sagte, sie möchte sich waschen und – sich umziehen. Das könne sie verlangen«, wiederholte der Dolmetscher.

»Wie stellt sie sich denn das vor, das Frauenzimmer?! Wir haben doch hier keine Theatergarderobe!«

Die Russin schien die Empörung des Hauptmanns auch ohne Übersetzung verstanden zu haben. Ihre Zähne nagten an ihrer Unterlippe, aber sie blieb stumm, zerrte ihr Bündel vom Rücken und stellte es trotzig vor sich auf die Erde.

»Da hat sie ihre Sachen drin«, versuchte der Dolmetscher zu vermitteln, »Vielleicht ist es doch besser, wir tun ihr den Gefallen. Andernfalls will sie kein Wort mehr sagen!«

Wie zur Bekräftigung ihrer Forderung hatte die Gefangene ihren Kopf stolz erhoben, und ihre wachen hellgrünen Augen hielten fast herausfordernd dem strengen Blick des Hauptmanns stand. Nein, das war nicht der Gesichtsausdruck aller sonstigen Gefangenen aus dem Kessel –.

»Na gut«, sagte da der Hauptmann, sich abwendend. »Wenn uns das weiterhilft, soll sie sich in Gottes Namen umziehen. Aber hier draußen, wo die Landser rumlaufen, geht das natürlich nicht. Ist ja immerhin ein – Weib! Also, sagen Sie ihr, sie könne in meinen Bunker gehen. Stellen Sie ihr meine Schüssel mit Wasser hin, und dann lassen Sie sie allein. Die zwei Mann bleiben als Posten vor der Tür stehen, bis sie fertig ist.«

Der Dolmetscher übersetzte kurz das Gesagte und wies auf den Bunker. Huschte ein kleines, triumphierendes Lächeln über ihre Züge oder täuschte ich mich? Sie nahm stumm ihr Bündel auf, schritt gelassen zum Eingang.

»Einen Moment, bitte – stoi!« rief Ernstl Glunz plötzlich,

seine Kamera aufnahmebereit im Arm. Die Russin wandte sich um, und schon ließ er den Apparat surren – mit einem gezielten Schwenk langsam von oben nach unten, vom Kopf bis zu den Füßen.

Ich begriff sogleich, was er im Sinn hatte: er wollte, wenn sie wieder herauskam, nach erfolgter ›Renovierung‹ abermals einen Schwenk machen, dann aber von unten nach oben, so daß es später bei der Vorführung des ganzen Streifens wie ein Zaubertrick wirken würde: eine Verwandlung in Sekundenschnelle vom uniformierten Flintenweib zur Panjenka in Frauenkleidung. Er machte solche kleinen filmischen Tricks gern, und sie verfehlten auch nie ihre Wirkung.

Er konnte allerdings nicht ahnen, wie überraschend gerade diesmal sein ›Gag‹wirken würde.

»Karascho – spassiwa!« rief er, seine Kamera absetzend und der Russin freundlich zunickend.

Der Hauptmann war inzwischen in den Bunker vorausgegangen, hatte ein paar wichtige Papiere vom Tisch an sich genommen und gab nun den Weg für die Gefangene frei, die der Dolmetscher hinunterbegleitete. Als er zurückkam, hörten wir, wie von innen die Tür verriegelt wurde.

»Wenn die nun erzählt, wo Wlassow steckt, – wer bekommt dann eigentlich die Belohnung?« fragte Ernstl schmunzelnd und hielt uns sein piekfeines silbernes Zigarettenetui hin, das sein besonderer Stolz war.

Der Dolmetscher grinste mit wichtigtuender Miene.

»Ohne mich würde ja keiner ein Wort verstehen, – aber keine Sorge! Ich krieg den Urlaub sowieso nicht – da paßt *der* schon auf!« Dabei wies er mit dem Kopf in die Richtung des Hauptmanns, der zu einem kleinen Verschlag gegangen war, in dem seit Beginn der Kesselschlacht sein Wagen gut getarnt abgestellt war und in den er sich nun abwartend gesetzt hatte, um weiter seine Lagekarten zu studieren.

Ernstl krauste die Stirn. »Der Ic ist doch auch hier unentbehrlich, für den ist es besser, wenn er das Wort ›Urlaub‹ gleich aus seinem Wortschatz verschwinden läßt.

318

Außerdem gehört es zu seinem Aufgabenbereich, solche Dinge zu erledigen. Ein Polizist bekommt ja auch keinen Urlaub, wenn er einen Verbrecher fängt! – Aber wie steht's mit uns, Schorsch?«

Ich sog an meiner Zigarette. »Urlaub! Weiße Betten! Keine Wanzen! Baden gehen –! Und das alles nur, weil uns die Kleine da erzählt, wo Wlassow steckt? Wäre nicht auszudenken!«

»Langsam! Wir haben ihn ja noch nicht! Wer weiß, wo er sich versteckt hält, umgeben von einigen Getreuen, die ihn sicherlich bis zur letzten Patrone verteidigen –.«

Wir waren in unserem Gespräch bei allerlei Vermutungen und Überlegungen angelangt, als wir plötzlich im Bunker das Telefon klingeln hörten.

Der Dolmetscher pochte an die Tür, der Hauptmann kam aufgeregt angelaufen, aber aus dem Innern klang nur die helle Stimme der Russin; sonst rührte sich nichts.

»Ich muß an mein Telefon«, tobte der Hauptmann, »ist denn das Weib immer noch nicht fertig?!«

Aus dem Bunker klang wieder die Stimme.

Der Dolmetscher übersetzte: »Jetzt steht sie gerade nackt da und wäscht sich!«

»So etwas habe ich noch nicht erlebt!« schnaubte der Hauptmann. »Eine Russin blockiert den halben Divisionsstab, nur, weil sie sich waschen muß!«

Wutentbrannt raste er zur nahen Fernsprechvermittlung, um das Gespräch umlegen zu lassen zu seinem Schreiberbunker.

Ernstl feixte. »Wäre eine schöne Bildserie für den ›Völkischen Beobachter‹: Nackte Russin telefoniert mit deutschem General vom Bunker des – Abwehroffiziers!«

Ich mußte lachen. Im Geiste sah ich sie splitternackt auf dem Tisch sitzen, den Telefonhörer in der Hand, und für den General völlig unverständliche russische Worte in die Muschel plappern –.

Weniger humorvoll faßte der Dolmetscher die Lage auf. Er schien sich etwas mitschuldig zu fühlen an der ungewollt heraufbeschworenen Situation. Mit beiden Fäusten trommelte er gegen die Tür: »Dawai! Dawai!!«

Seelenruhig antwortete die helle Stimme aus dem Innern.

»Gott sei Dank! Jetzt zieht sie sich an!« seufzte er beruhigt.

Aber es dauerte noch geraume Zeit, bis sich die Bunkertür langsam öffnete.

Keiner von uns dreien konnte zunächst etwas sagen, so verblüfft waren wir von dem unerwarteten Anblick, der sich uns bot. In einem enganliegenden weinroten Samtkleid stand da eine reizende schlanke Gestalt vor uns – eine absolut charmante junge Frau. Ihr vorher unter der Soldatenmütze verstecktes Haar fiel jetzt in halblangen rotbraunen Locken über ihre Schultern, rahmte das frisch gewaschene Gesicht höchst vorteilhaft ein, und ihre vollen Lippen waren tatsächlich mit einem Lippenstift nachgezogen!

Sie trat einen Schritt auf uns zu, ihre hellgrünen Augen sahen uns leicht herausfordernd mit einem kleinen überlegenen Lächeln an, als wollte sie sagen: ›Seht ihr, meine Herren Deutschen, wir Russinnen können Soldaten sein, dreckig wie Frontschweine. Aber in einer Viertelstunde verwandeln wir uns zurück in eine kultivierte Frau! Ja, ja, – Kultura! Kultura! meine Herren!‹

Selbst der Hauptmann blieb in respektvoller Entfernung vor ihr stehen, als er zurückkam. Stumm ließ er den Blick an ihr heruntergleiten. Sogar schwarze Schuhe hatte sie an! Ohne Strümpfe allerdings. Dafür hatte sie braungebrannte Beine. Sie hatte ganz richtig spekuliert: Inmitten der unrasierten Landser, der Sumpflöcher und Erdhöhlen wirkte ihre Sauberkeit doppelt stark. Und nicht nur ihre Sauberkeit – –!

»Gehen Sie wieder mit ihr hinein!« sagte der Hauptmann zum Dolmetscher und strich sich nachdenklich das Kinn. Mich schickte er zum Fourier mit dem Auftrag, etwas Anständiges zu essen und zu trinken zu besorgen. Er käme später auch wieder in seinen Bunker, wenn sie sich gestärkt hätte, – zunächst müsse er zum Herrn General zur Besprechung.

Ich lief befehlsgemäß eilig zum Fourier: »Der Hauptmann hat gesagt, du sollst was Anständiges zu essen bringen, – im Ic-Bunker sitzt eine Dame!«

Der sah mich blöd an, als er mich in seinem Heiligtum zwischen all den Kostbarkeiten an Konservendosen, Würstchen und Kommißbroten erblickte: »– 'ne Dame, sagst du? Rede doch keinen Quatsch! Mit mir kannste deutsch reden!«

»Na komm doch mal rüber, kannst dich ja selbst überzeugen!«

Der Fourier folgte mir ungläubig.

Vor dem Bunker machte Ernstl gerade wieder eine Aufnahme von ihr – den Schwenk zurück, von unten nach oben, genauso wie ich es erwartet hatte.

»Tatsächlich!« rief der Fourier. »– 'ne dufte Puppe! Wohl wieder so 'ne Tänzerin von de Truppenbetreuung! Wie kommt die bloß hier an den Arsch der Welt?!«

Er lief auf sie zu und wollte ihr die Hand geben. Da fuhr der Dolmetscher dazwischen. »Siehst du denn nicht, daß hier gefilmt wird? Außerdem ist das keine Tänzerin, sondern eine echte Russin!«

Man sah ihm an, daß er es mit einem gewissen Stolz sagte. Im Herzen war er noch immer Russe geblieben. »Ja, ja«, fügte er mit Befriedigung hinzu, »jetzt sieht man es ihr an, daß sie die Sekretärin von Wlassow gewesen sein kann!«

»Wat denn –?« stutzte der Fourier, »von dem Wlassow, der überall gesucht wird? Für den es zwei Wochen Sonderurlaub, Orden, Freßpakete, Beförderung und Schnaps gibt??« – Er hatte in seinem Eifer noch einiges mehr hinzugedichtet und kratzte sich am Hinterkopf, wobei er seine Mütze nach vorn ins Gesicht schob. »Na gut, wenn der Hauptmann befohlen hat, – – aber wenn sie sagt, wo der Wlassow steckt, möchte ich dafür auch gern mit von der Partie sein!«

Als er zurücklief, hörten wir ihn vor sich hin murmeln: »– drei Wochen Urlaub – vielleicht sogar vier – –.«

Im Bunker setzten wir uns um den Birkentisch. Neben Nadja – so hieß die schöne Russin – der Dolmetscher und ich, auf der anderen Seite Ernstl Glunz. Und dann kam der Fourier und tischte auf: Sauerbraten! Ein verwundetes Pferd von der Artillerie hatte geschlachtet werden müssen, erklärte er dazu. Er servierte ihn kalt auf Blechtellern, und sogar an Eßbestecke hatte er gedacht, die zusammenklappbaren kombinierten Löffel und Gabeln, wie sie an der Front üblich waren. Dazu gab es Kommißbrot und Münchner Bier. Es war ein Festmahl. Und Nadja zeigte trotz der primitiven Verhältnisse, daß sie gewohnt war, sich kultiviert zu benehmen.

Der Dolmetscher redete erneut lange mit ihr. Er kam so in Fahrt, daß er immer wieder vergaß, uns etwas von ihren Aussagen zu übersetzen. Doch wir ließen nicht locker, und allmählich entstand aus vielen Bruchstücken ein ungefähres Bild des Generals Wlassow, dieses Mannes, der in einer glänzenden Karriere vom Bauernsohn zum Armeeführer aufgestiegen war:

1933 heiratete er eine junge Ärztin aus einem Nachbardorf, deren Eltern als Kulaken (Großbauern) von den Sowjets enteignet worden waren – –. 1938, gerade zum Oberst befördert, wurde er nach China kommandiert und war ein Jahr lang militärischer Berater bei Tschiang-Kai-Schek – – drei Jahre später, als die Deutschen vor Moskau standen, ernannte ihn Stalin zum Oberbefehlshaber der 20. Armee – er rettete Moskau, wurde zum ›Helden der Sowjetunion‹ erklärt und dekoriert mit dem ›Orden der Roten Fahne‹ – –.

»Ja, – und nun sitzen wir hier im Morast am Wolchow und suchen ihn!« sagte Ernstl Glunz. »Fragen Sie doch noch einmal, ob sie uns nun endlich etwas über die letzte Zeit hier im Kessel berichten will – wer zuletzt in seiner Begleitung war und so – -.«

Nadja schien mit sich zu ringen, was sie preisgeben dürfte und was nicht. Auf einmal begann sie:

Anfang April, als nach dem ungewöhnlich harten Winter eine Schlammperiode einsetzte, wie man sie seit Jahren nicht erlebt hatte, sei überraschend Maria Woronowa beim Stab aufgetaucht. Sie sei direkt von Frau Wlassow gekommen, der sie in den letzten Jahren im Haushalt und bei der Beaufsichtigung des Kindes geholfen hatte.

Keine Gefahren habe sie gescheut, sich über den Wolchow bis zu Wlassow durchzuschlagen. Und als sie den entkräfteten General gesehen habe, hätte sie sich entschlossen, als Köchin bei ihm zu bleiben. Wahrscheinlich sei sie auch jetzt noch in seiner Begleitung – –.

Nadja machte eine kleine Pause. Und was sie dann etwas leiser hinzufügte, stimmte uns nachdenklich inmitten dieser trostlosen Umgebung: Bei ihrer Ankunft im Kessel habe Maria Woronowa dem General einen Brief von seiner Frau mitgebracht, und auf der Rückseite des Briefes seien als Gruß die Umrisse eines Händchens seines Sohnes nachgezeichnet gewesen – –.

Einen Augenblick war es still im Bunker.

Dann brach Ernstl Glunz das Schweigen. »Wir werden die russische Seele wohl nie ergründen – – Kinderhändchen für den General – Frauen an der Front – – bei dem Schlamassel – –.«

Da tauchte der Hauptmann wieder auf.

»Nun? Was weiß sie über Wlassow?«

Der Dolmetscher zog die Schultern hoch. »Alles sagt sie, – nur nicht das, was wir wissen wollen!«

Der Hauptmann breitete seine Karte aus, zeigte Nadja die Stelle, an der sie sich jetzt befand. »Fragen Sie sie, wo sie Wlassow zuletzt gesehen hat!«

Nadja glitt mit dem Finger über die ihr vertraute russische Landkarte – es war eine mit kyrillischen Schriftzeichen – und deutete auf einen bestimmten Punkt.

»An dieser Stelle sei Wlassows Stabsquartier durch deutsche Artillerietreffer völlig zerstört worden«, übersetzte der Dolmetscher, »es habe Tote und Verwundete gegeben –.«

»Stimmt!« rief der Hauptmann lächelnd, »und weiter –?«

»Wlassow habe sich Sorgen gemacht um seine Leute und um sie. Mehrmals habe er angedeutet, sie würden sich trennen müssen, weil das, was er vorhabe, zu gefährlich sei. Und eines Tages sei er dann auch verschwunden gewesen – mit seinem ›Denschtschik‹ (Burschen), seiner Köchin und einigen Offizieren. Wahrscheinlich habe er versuchen wollen, sich durch die deutschen Linien durchzuschlagen. Auf keinen Fall habe er den Deutschen in die Hände fallen wollen.«

»Wie hieß sein Bursche?« fragte der Hauptmann barsch.

Nadja schwieg. Der Ton des Hauptmanns war ihr zu scharf.

»Holen Sie alles aus ihr heraus, – alles, was nur irgendwie interessant für uns sein könnte«, befahl der Hauptmann, »und machen Sie mir sofort Meldung, wenn etwas Neues dabei ist, das uns weiterbringen könnte. Notfalls muß eben Schnaps bewilligt werden!« Dann ging er wieder.

Der vom Hauptmann erwähnte ›Notfall‹ war selbstverständlich sofort gegeben. Eine ganze Flasche echten Wodka brachte der Fourier. Nadja bekam das Zahnputzglas des Hauptmanns, und wir tranken aus unseren Trinkbechern.

»Nasdarowje!« rief Nadja und stieß mit uns an.

Der Dolmetscher kam schnell in Stimmung. Man sprach über sein Rußland, über sein gutes altes Petersburg! Nadja erzählte und erzählte, ihre Worte klangen weich und waren plötzlich voller menschlicher Wärme. Aber nur selten kamen wir überhaupt noch dazu, Fragen dazwischen anzubringen. Wenn wir sie unterbrachen, ging sie jedoch jedesmal höflich darauf ein: Ja, es gäbe Frauenbataillone. Ja, es stimme, daß Frauen vollwertige Offiziere werden könnten. Ja, es sei richtig, daß hohe Offiziere sogar ihre Frauen mit in den Krieg nähmen. Oder ihre Geliebten! Jawohl, sie selbst habe auch eine Pistole getragen, – Prost! Nasdarowje!

Die erste Flasche war leer.

Schon stand die zweite auf dem Tisch.

»Nasdarowje! Nasdarowje!« schallte es nur noch in dem engen Bunker. Nadja trank ihr Glas jedesmal mit einem Zuge leer.

Ich schielte zu Ernstl hinüber. »Merkst du schon was –?«

»Was soll ich merken?« fragte er etwas dumm zurück.

324

»Die säuft uns langsam unter den Tisch –!«

»Unsinn!« lachte er. »Das wäre ja noch schöner! Von mir aus kann das noch stundenlang so weitergehen! Ex – Nadja!«

Aber dann wurden wir doch etwas vorsichtiger und füllten immer weniger in unsere Trinkbecher. Denn nach jedem Austrinken hielt Nadja ihr Zahnputzglas umgekehrt in der Luft über den Tisch, so daß die letzten Tropfen auf die Landkarte fielen, und wir mußten das gleiche mit unseren Bechern tun.

Plötzlich schüttelte sie sich vor Lachen.

»Was ist – –?« drängten wir den Dolmetscher.

Der lallte bereits. »Nichts Wichtiges – – aber – komisch! Eben sagte sie, ihr General habe immer nur Milch getrunken. Und darauf habe ich erwidert: Darum hat er auch die Schlacht verloren! Ein russischer General – und nur Milch trinken – ha, ha, haa!«

Bei der dritten Flasche begann Nadja zu singen. Es mußten traurige Lieder sein – dem Dolmetscher standen Tränen in den Augen. Aus den paar Brocken, die er noch auf deutsch von sich gab, schlossen wir, daß er an seine eigene Zeit dachte, an seine Ausbildung als Kadett auf der zaristischen Offiziersschule im alten Petersburg, an seinen Vater, der unter dem Zaren General war und dann 1917 mit der ganzen Familie nach dem Westen hatte fliehen müssen, an seine Brüder, die in Berlin Taxichauffeure geworden waren oder Balalaika spielten in einem russischen Restaurant in der Nürnberger Straße – –.

Schwermütig sang er mit Nadja Strophe um Strophe eines langen Liedes, starrte dabei geistesabwesend auf die weißen Birkenstämme an der Bunkerdecke, als zöge dort seine Jugendzeit noch einmal an ihm vorüber.

Ernstl hatte den Kopf auf den Tisch gelegt. Er schien doch nicht viel zu vertragen – der Sohn des Direktors vom Hotel ›Kaiserhof‹! Ich selber hielt mich auch nur noch mit Mühe aufrecht und stellte fest, daß ich die Flaschen auf dem Tisch nicht mehr ganz scharf sah. Da trat der Hauptmann wieder ein. Stumm musterte er die seltsame Runde.

Ein letztes schwaches Sonnenlicht fiel durch das Scherbenfenster auf den Schauplatz unseres dienstlichen Auftrages, und der Hauptmann konnte wohl kaum im Zweifel darüber sein, daß wir uns heldenmütig für die Erfüllung desselben geopfert hatten.

Nur Nadja machte den Eindruck, als hätte sie Wasser getrunken. Ich hob gewaltsam meinen schweren Kopf und sah sie wie durch einen dünnen Schleier. Mit einer liebenswürdigen Geste bat sie den Hauptmann, Platz zu nehmen. Dann rüttelte sie den Dolmetscher wach, der sie mit leicht verdrehten Augen ansah, und sprach auf ihn ein.

Mühsam riß er sich zusammen: »Sie will etwas sagen, Herr Hauptmann! Etwas Wichtiges!«

Ich wischte mir mit der Hand über die Augen und stieß Ernstl Glunz an: »Kopf hoch! Aufpassen!«

Gespannt starrten wir auf Nadjas Mund und dann auf den des Dolmetschers. Langsam übersetzte er:

»Herr Hauptmann! Sie haben vorhin nach dem Namen des Burschen von General Wlassow gefragt, – ich habe das nicht vergessen. Ich werde Ihnen diesen Namen jetzt nennen – denn Sie haben mich anständig und korrekt behandelt, und Sie würden ihn früher oder später ohnehin erfahren, auch ohne mich. Aber Sie sollen wissen: dieser Mann ist ein Russe! Ein Russe, der seinen General nie im Stich lassen würde. Wenn *er* lebt, lebt auch Wlassow. Und wenn Wlassow tot ist, wird auch er tot sein!«

Und dann nannte sie den Namen.

Der Hauptmann erhob sich. »Meine Hochachtung vor dem besiegten Gegner, der sich tapfer geschlagen hat!« sagte er und deutete zu Nadja hin eine leichte Verbeugung an, während der Dolmetscher es übersetzte. Dann rief er seinen Schreiber herbei.

»Bringen Sie meine Akten und mein Telefon hinüber in Ihren Bunker!«

Er räumte das Feld. Für Nadja! Der Dolmetscher bettete sie liebevoll auf Stroh – als Alleinherrscherin im Ic-Bunker – und deckte sie mit der großen Kamelhaardecke des Hauptmanns zu.

Wochen hindurch wurde nach Wlassow gefahndet, unzählige Male hatte es blinden Alarm gegeben – wo sollte man in diesem Sumpf suchen – –.

Die Hoffnung, Wlassow ›tot oder lebendig‹ zu finden, war bereits aufgegeben worden, da erreichte uns in der Nacht zum 12. Juli beim XXXVIII. Armeekorps die alarmierende Nachricht, der legendäre General sei am Abend zuvor in der Nähe von Jam-Tesowo bei einem Feuergefecht zwischen deutschen Soldaten und versprengten Sowjets getötet worden. Die Gesichtszüge des Toten seien zwar durch Verwundungen entstellt, es handele sich jedoch eindeutig um den Oberbefehlshaber. Diese Aussage habe Wlassows Bursche gemacht, der mit einem Oberschenkelschuß in Gefangenschaft geraten sei und sich in Jam-Tesowo in Gewahrsam befinde.

Im Morgengrauen sitzen wir bereits im Kübelwagen und fahren durch das unwegsame Sumpfgelände des Wolchowkessels; neben mir Ernstl Glunz, vorn rechts der Dolmetscher, Sonderführer (Z) Klaus Poelchau, und am Steuer Hauptmann von Schwerdtner, der Nachrichten-Offizier des Korps. Auftrag: Wlassows Leiche identifizieren!

Nur mühsam wühlt sich der schwere Wagen durch die morastige Erde, vorbei an Trichtern, zerschossenen Bäumen. Mückenschwärme summen um unsere Netze. Aus der Ferne flackert der Feuerschein brennender Dörfer herüber.

Rot erglüht das Land, als die Sonne aufgeht.

Kein Grün ist zu sehen auf weite Strecken. Im ›Totenwald‹ liegen die Bäume hingemäht wie von einem Orkan.

Während der Hauptmann krampfhaft das Lenkrad umklammert, um nicht von der Fahrtrichtung abzukommen, hält der Sonderführer schußbereit die Maschinenpistole in den Händen. Aus jeder Mulde können überraschend Versprengte auftauchen, verzweifelte, verhungerte Einzelgänger oder auch kleine Trupps, die sich zusammengeschlossen haben und um ihr Leben laufen.

Mehrmals bleiben wir stecken in tiefen Schlammlöchern. Alle Kräfte müssen wir jedesmal einsetzen, um das schwere Gefährt wieder herauszuwuchten.

In einem Dorf, von dessen Blockhäusern nur noch die Schornsteine stehen, liegen verwundete russische Soldaten und Zivilisten. Eine alte weißhaarige Frau kriecht in der Asche ihres niedergebrannten Hauses herum und sucht irgend etwas. Es sind trostlose Bilder, die wir in der Eile des Vorbeifahrens aufnehmen können –.

An einer anderen Stelle stoßen wir auf Hunderte von Tragbahren unter freiem Himmel, einen Verbandsplatz der Russen. Wir halten kurz, um uns anhand der Karte zu orientieren. Da sehen wir: die meisten auf den Tragbahren sind bereits tot. Nur auf einigen liegen noch Lebende, – hilflos und verlassen.

Es riecht nach vermodertem Laub. Ein süßlicher Leichengeruch vermischt sich damit und erregt in mir das Gefühl von Übelkeit.

Schweigend schreiten wir zwischen den Reihen hindurch. Nur zaghaft setzt Ernst Glunz hier und da die Kamera an die Stirn. Sein Gesicht ist verschlossen. – Fotografieren? Das hier ist die Kehrseite des Krieges, des Soldatentums. Ohne Dienstgradabzeichen und ohne Ordensschnallen – –.

Nirgends ist jemand zu sehen, der noch aufrecht gehen könnte. Kein Arzt. Kein Pflegepersonal, soweit der Blick reicht über die unzähligen Bahren mit Toten und Verwundeten. Ein paar Schritte vor uns beobachten wir, wie einer sich rührt, sich um seinen Nachbarn bemüht. Vielleicht, um ihm zu helfen. Aber als wir näher hinzutreten, erschauern wir. Wir erkennen, daß er sich mit dem Messer ein Stück aus dem Oberschenkel seines toten Kameraden schneidet. Um selbst zu überleben!

Ernst Glunz wendet sich ab von der schaurigen Szene. Sein Blick scheint durch mich hindurchzugehen, ohne mich zu erfassen. Dann schüttelt es ihn. »Da hast du es wieder«, sagt er, »das ist unser Gegner! Wenn er durchkommt mit dem Leben, wenn er sich hinüberrettet zu seiner Front, zu seiner Heimat, – steht er morgen wieder mit dem Bajonett vor uns – –!«

Hauptmann von Schwerdtner klappt die Karte zusammen, steckt den Kompaß ein. Weiter!

Als wir durch das Dorf Tuchowetschi fahren, halten wir kurz beim Starost, einem alten Russen, der von den Deutschen als Bürgermeister eingesetzt worden ist. Er empfängt uns überaus höflich und bittet uns, gleich zwei Partisanen mitzunehmen, die er am Abend vorher festgesetzt habe, als sie um Lebensmittel baten. Aber Hauptmann von Schwerdtner winkt ab, verschiebt das auf später.

Zunächst einmal müßten wir unseren Auftrag erfüllen. Weiter!

In Jam-Tesowo erfahren wir vom Ortskommandanten, man habe Wlassows Leiche bereits aus dem Sumpf hierhergebracht. Sie liege in einem Bauernhaus.

Wir sehen den Toten an, filmen und fotografieren ihn. Er ist von großer Statur und trägt den langen Mantel eines Generalleutnants. Auch der als besonderes Merkmal im Steckbrief erwähnte Goldzahn kann an der entsprechenden Stelle festgestellt werden.

Dann wird Wlassows Bursche vernommen. Seine Aussagen klingen glaubhaft: Wochenlang sei er mit seinem General und der Köchin Maria umhergeirrt. Bis zuletzt hätten sie die Hoffnung gehabt, sich nach Osten durchschlagen zu können. Allein der Hunger habe sie immer wieder nachts in kleinere Ortschaften getrieben, in denen sie keine Deutschen vermuteten. Dabei seien sie deutschen Soldaten in die Arme gelaufen und sofort beschossen worden. General Wlassow sei tot zusammengebrochen und er selbst verwundet und gefangengenommen worden. Wo die Köchin geblieben sei, wisse er nicht.

Hauptmann von Schwerdtner gibt Wlassows Leiche zur Bestattung frei und erstattet über Funk Meldung an das Armeekorps. »Der Stabschef wird die Nachricht sofort ans Führerhauptquartier weitergeben«, sagt er danach zufrieden lächelnd zu uns.

Auf der Rückfahrt kommen wir wieder durch Tuchowetschi. Wir sind bereits am Ende des Ortes angelangt,

329

da erinnert sich Sonderführer Poelchau an die beiden Partisanen, von denen der Starost gesprochen hatte. Hauptmann von Schwerdtner hat nicht viel Meinung, – er will nun schnellstens zurück zum Stab. Aber schließlich entscheidet er sich doch, noch einmal umzukehren. »Ansehen können wir sie uns ja mal, – vielleicht sind es sogar welche von Wlassows Stab – –.«

Er dreht um, fährt zurück zum Starost.

Der alte weißhaarige Russe verbeugt sich tief vor uns und führt uns dann hinüber zu einem fensterlosen Schuppen.

Mit wenigen Handgriffen öffnet er die von außen verriegelte Tür.

Abwartend stehen wir rings um den Starost, Hauptmann von Schwerdtner mit der Maschinenpistole im Anschlag, Ernst Glunz und ich mit den Kameras.

Aber nichts rührt sich.

Sonderführer Poelchau ruft in den dunklen Raum auf russisch hinein, der Mann solle herauskommen.

Da geschieht etwas, das niemand von uns erwartet hätte.

Aus der Dunkelheit tritt eine mächtige Gestalt mit erhobenen Händen und spricht mit tiefer Baßstimme in gebrochenem Deutsch:

»Nicht schießen, – General Wlassow!«

In dem verwitterten Gesicht glitzert eine große Hornbrille – zwei dunkle Augen sehen uns achtunggebietend an.

Hauptmann von Schwerdtner läßt seine Maschinenpistole sinken, Sonderführer Poelchau erstarrt.

Der Mann in der Offiziersuniform ohne Rangabzeichen geht langsam auf Poelchau zu, greift mit der linken Hand bedächtig in seine Blusentasche, zieht ein kleines Etui aus rotem Saffianleder heraus und überreicht es ihm: seine Papiere. Sie weisen ihn als Oberbefehlshaber der 2. sowjetischen Stoßarmee aus – von Stalin persönlich unterschrieben.

Hauptmann von Schwerdtner sieht dem Dolmetscher über die Schulter, blickt zu dem Gefangenen hinüber:

»Wirklich! Er ist es: General Andrej Andrejewitsch *Wlas-sow!*«[1]).

Die gleich hinter ihm aus dem Dunkel tretende Frau ist seine Köchin – Maria Woronowa!

10 DEUTSCHE WLASSOW-ARMEE AUS DREI MILLIONEN KRIEGSGEFANGENEN? VIERZEHN TAGE MIT WLASSOW UNTERWEGS

»Sieger und Besiegter« lautet die Bildunterschrift für die deutschen Zeitungen zu der Aufnahme, die am nächsten Tage hinten beim Stab der 18. Armee entsteht. Der deutsche General Lindemann, der den Wolchow-Kessel zusammenschlug, und Wlassow, – beide schauen sie über den großen Kartentisch hinweg in die Kamera. Und nachdem der Verschluß geklickt hat, lächeln sie sogar. Ich traue meinen Augen kaum – sie stehen nebeneinander wie zwei Freunde, nicht wie erbitterte Gegner! Noch nie habe ich etwas Derartiges gesehen – –.

Und einige Wochen später – ich war gerade wieder hinten bei der Kompanie – fiel mir bei den Fotolaboranten ein hektisches Treiben auf. Niemand erfuhr jedoch, was im Dunkeln hinter den verschlossenen Türen geschah. Die Laboranten antworteten ausweichend auf jede Frage. Und Meyer zwo, ihr Chef, schwieg. Sogar mir gegenüber war er zugeknöpft, der allgewaltige und gestrenge Herr Labor-Unteroffizier.

---

[1]) Sämtliche in diesem Zusammenhang aufgetretenen Rätsel konnten später gelöst werden:
Der angebliche Bursche Wlassows war in Wirklichkeit der seines Stabschefs Winogradow. Er hatte den General nur decken wollen; Wlassow hatte einen Goldzahn an der gleichen Stelle wie Winogradow; und seinen Mantel hatte er ihm gegeben, weil Winogradow malariakrank war und ständig fror. – Der richtige Bursche von Wlassow blieb verschollen.

Doch nun reizte es mich erst recht, der Sache auf den Grund zu kommen. Unter dem Vorwand, meine letzten Filme einmal ansehen zu wollen, schlenderte ich mit harmloser Miene ins Negativ-Labor. Und schon im Vorraum machte ich eine Entdeckung. Berge von Bildern lagen auf dem Tisch aufgestapelt. Ich drehte eines um: Wlassow und Lindemann am Kartentisch! Ich sah die anderen Stapel nach – alles die gleichen Bilder. Hunderte, schätzte ich – –.

Unerwartet kam Meyer zwo hinzu, ertappte mich mit den Fotos in der Hand.

»Na, nun weißt du es«, sagte er, »aber behalt es um Gottes willen für dich, sonst – –.«

»Keine Sorge –!« beruhigte ich ihn und sicherte ihm zu, mit keinem Menschen darüber zu sprechen.

»Ja«, stöhnte er, »10 000 Vergrößerungen 13 x 18 sollen wir davon herstellen! Für solche Mengen sind wir hier ja eigentlich gar nicht eingerichtet –.«

»Natürlich nicht –« pflichtete ich ihm bei, »allein schon das Trocknen ist sicherlich ein Problem! Ihr habt doch nur diese eine alte Trockenpresse, diese quietschende –.«

Meyer zwo war offensichtlich froh, daß mal jemand Verständnis für seine Sorgen hatte. Er stieß einen leisen Fluch aus. »Alle sechs Minuten können nur neun Stück getrocknet werden. Tag und Nacht geht es – wenn das alte Ding das man überhaupt durchhält!«

»Was will man denn bloß mit so vielen Wlassow-Fotos?« wagte ich nun weiter zu fragen.

Er sah mich prüfend an. Dann packte er aus.

»Also gut, – du weißt sowieso schon fast alles, – und außerdem ist der Wlassow ja nun mal ›dein Fall‹. Man hat sich die Sache mit den Fotos lange überlegt. Es gäbe verschiedene Möglichkeiten, sie den russischen Frontsoldaten in die Hände zu spielen: man kann sie mit Propagandagranaten der Artillerie hinüberschießen, mit unseren Prop-Raketen hinüberjagen, oder mit einem neu erprobten Propagandaballon hinüberschweben lassen. Dafür müßte allerdings der richtige Wind herrschen, sonst kommen die Fotos womöglich über unserer eigenen Front heruntergeflattert. Nein, – nichts von all dem! Man hat sich angesichts der großen Bedeutung der Angelegenheit zu einer Sonderaktion entschlossen: Spähtrupps der Infanterie werden die Bilder nachts in die russischen Stellungen werfen!«

»Und was soll das –?«

»Ach –? Du weißt wirklich noch nichts von der Sache? Wo du doch überall dabei warst –?«

»Nein, – ehrlich! Diesmal hab ich keine Ahnung. Erzähl schon!«

»Pst! Feind hört mit!« sagte er und zog mich in seinen kleinen Raum, wo er einen Schreibtisch und ein paar Regale für Bilder stehen hatte. Wir waren allein. Nur das Plätschern des Wässerungswassers klang leise vom Labor herüber, und ab und zu hörte ich den Bügel der Trockenpresse quietschen.

»Also«, begann er fast flüsternd, »dieser Wlassow will eine Drei-Millionen-Armee aufstellen! Aus russischen Kriegsgefangenen! In deutsche Uniformen stecken will er sie. Und kurz neu ausbilden – nach deutschen Kommandos sogar – –.«

Ich war im Moment so überrascht, daß ich sicherlich ein sehr dummes Gesicht gemacht habe.

»Woher willst du denn das wissen?« fragte ich erstaunt.

Er druckste etwas herum.

»Die Dolmetscher – –« sagte er dann und begann auf einmal zu lächeln, »– weißt du – – da ist einer dabei, der hat eine Russin zur Freundin oder wie man so sagt – –.«

»Aha –!« ermunterte ich ihn.

Aber nun brach er in ein schallendes Lachen aus und schüttelte sich so, daß ich kaum noch etwas verstand. Erst als seine Lachsalve abgeklungen war, wiederholte er noch einmal: »Nein! Dieser Dolmetscher, Schorsch! Hähähähähä! Der bügelt jeden Morgen – hähähä – eine von den Russinnen, die hier für die Kompanie Holz hacken, hä, – jeden Morgen um sechs! Da wackelt bei ihm die ganze Bude. Die zieht sich gar nicht erst aus, – damit keine Zeit verloren geht – hähähä! – denn um sieben steht sie mit den anderen Hilfswilligen schon wieder vor ihm angetreten und läßt sich – zur Belohnung! – zum Küchendienst von ihm einteilen – die ist dann noch ganz naß – –!«

»Und was hat das alles mit Wlassow zu tun?«

»Oh – eine ganze Menge! Dieser Dolmetscher vertraut mir so manches an – unter vier Augen. Er ist ein kleiner, älterer Herr – aus der guten alten Zeit, na, du kennst ja die Typen. Aber noch ganz schneidig ist der Kerl. Sogar den Rang eines deutschen Hauptmanns hat er kürzlich bekommen. Und eines Tages fragte er mich, ob ich nicht mal eine Aufnahme von seiner Panjenka machen könnte – so zum Andenken. Sie ist Kriegerwitwe. Na, ich hab ihm den Gefallen getan und ein paar Bilder von ihr gemacht. Eines sogar mit oben frei – Schorsch, ich war erstaunt, wie stramm die obenrum gebaut war! Kurz, – seit dem Tage sind wir Freunde, und er erzählt mir alles, was er so beim Stab zu dolmetschen hat – –.«

Verrückt ist die Welt! Weil die Russin so stramme Brüste auf seinen Bildern hatte, erfahre ich, was man vorhat mit 10 000 Wlassow-Fotos! Und noch mehr vertraut mir der Labor-Chef an:

Schon drei Tage nach seiner Gefangennahme sei Wlassow nach Winniza zum OKH gebracht worden. Der Dolmetscher habe gesehen, wie er seiner Köchin Maria auf dem Bahnhof Siwerskaja zum Abschied seine goldene Uhr geschenkt habe – –. Von diesem Wlassow würden wir noch viel hören – – er habe sich zum Ziel gesetzt, Stalin und sein Regime zu stürzen – – nur jetzt und mit Hilfe der Deutschen wäre das überhaupt möglich – – auf die Befreiung vom Bolschewismus würden alle warten, ob Offiziere oder Bauern – –.

Nur wenigen war damals bekannt, was bereits in diesem Zusammenhang alles geschah. Es sei daher an dieser Stelle erwähnt:

Wlassow war in ein von Graf Stauffenberg genehmigtes Vernehmungslager der Abteilung ›Fremde Heere Ost‹ gebracht worden, in dem sich ständig bis zu 100 hohe

334

Offiziere der Roten Armee befanden. Hier bekam er besonders guten Kontakt zum Kommandeur der 41. Gardedivision, Wladimir Bojarski, der verwundet gefangengenommen worden war. Beide waren sich darüber im klaren, daß Offiziere der Roten Armee nicht zu den Deutschen überlaufen würden, solange diese als Eroberer kämen, daß sie aber dazu bereit wären, wenn ihnen eine russische Befreiungsarmee gegenüberstünde.

Tatsache ist, daß schon im Herbst 1942 mehr als 800 000 russische Soldaten auf deutscher Seite gegen das sowjetische Regime als Hilfswillige (Hiwis) und zum Teil sogar schon bei der kämpfenden Truppe eingesetzt waren[1]) – ohne daß dies überhaupt der obersten deutschen Führung bekannt war oder bekannt werden durfte! Da bis dahin immer wieder alle Versuche gescheitert waren, Hitler zu einer Änderung seiner Ostpolitik zu veranlassen, hatte man gehofft, ihm nun bei günstiger Gelegenheit den bekannten und geachteten General Wlassow als Führer einer russischen Freiheitsbewegung schmackhaft machen zu können. – Zunächst jedoch hatte alles ohne Hitlers Wissen geschehen müssen – –.

Und das war der Grund, warum sogar im Labor der Propaganda-Kompanie 621 der 18. Armee vor Leningrad alle Vorbereitungen ›geheim‹ geschahen.

»Der Führer mißtraut diesem Wlassow«, sagte der Laborleiter nachdenklich, »aber vielleicht hat er nur noch nicht den richtigen Einblick oder ist falsch unterrichtet worden – –. Sobald er sich jedoch einmal näher damit befaßt, wird er schon erkennen, welche ungeheure Chance sich da bietet! Und darum arbeiten wir hier schon voraus. Denn, wenn Adolf eines Tages grünes Licht gibt, soll alles wieder mal hopp – hopp schnell gehen!«

---

[1]) Bereits nach den ersten Wochen des Rußlandfeldzuges hatte der Kommandeur der 134. deutschen Infanterie-Division allen Gefangenen die Einstellung als gleichwertige Soldaten angeboten; Ende 1942 bestand fast die Hälfte der Division aus ehemaligen Sowjetsoldaten. – Unter ausschließlich russischer Führung waren auch die RNNA (Russische Nationale Volksarmee) in Ossintorf und die RONA (Russische Volksbefreiungsarmee) in Lokotj entstanden.

»Was hier in die Wege geleitet wird, geschieht also, ohne daß Hitler etwas davon weiß?«

»So ist es! In der Nähe von Reval üben sogar bereits russische Bataillone kräftig nach deutschen Kommandos und – mit deutschen Maschinengewehren! Es ist kaum zu glauben, – aber wir haben PK-Aufnahmen davon entwickelt, die Kollegen von dir gemacht haben. Aber, bitte, streng vertraulich: ›Pst! Feind hört mit!‹«

Wen meinte er eigentlich in diesem Falle mit dem ›Feind‹? Offensichtlich – Hitler! Man trug also ein Geheimnis vor ihm, dem obersten Befehlshaber, mit sich herum!

Und eines Tages gehörte ich selber offiziell zu den ›Eingeweihten‹: Vom Kompaniechef erhielt ich den interessanten Auftrag, Wlassow auf seiner ersten Probefahrt, auf der er zur Bevölkerung besetzter Gebiete sprechen sollte, zu begleiten.

Es ist ein sonniger Morgen und ringsum herrscht friedliche Stille in dem kleinen russischen Dorf weit hinter der Front. Da wirbelt eine Kolonne von sechs offenen Kübelwagen den Staub der ungepflasterten Straße auf und hält vor einem Blockhaus. Die Wagen sind besetzt mit schwerbewaffneten Soldaten.

Ich stehe mit der Kamera bereit. Aus dem Haus tritt General Wlassow und nickt mir freundlich zu, als ich ihn fotografiere; er hat mich sofort wiedererkannt.

Seine Phantasieuniform wirkt wie eine Kreuzung zwischen einem Gauleiter und einem General: leuchtend braunes Tuch, dekoriert mit viel goldener Litze, an den Hosen breite rote Biesen.

Sein Gang ist aufrecht. Man sieht es ihm an, er ist kein Gefangener mehr. Die Soldaten sind nicht dazu da, ihn zu bewachen, sondern ihn zu beschützen. Er ist wieder ganz der General. Der deutsche Feldwebel grüßt ihn in strammer Haltung.

Über staubige Straßen, durch einsame Wälder, über weite Felder führt die Fahrt. Gelegentlich läßt er halten. Vor einem einsamen Bauernhof läßt er alle Leute zusammentrommeln. Es sind nur etwa ein Dutzend. Entsprechend kurz ist seine Ansprache, die er mit leidenschaftlichen Gebärden an sie richtet. Und er findet Beifall!

Ich frage den Dolmetscher, der ihn auf Schritt und Tritt begleitet, was er den Bauern gesagt habe.

»Es ist sein Programm, das er mit wenigen Worten umrissen hat«, erklärt er mir nur kurz, »später einmal mehr darüber – –.«

Ein Glas Milch läßt sich Wlassow geben. Ich muß an Nadja denken und lache vor mich hin, so daß der General mich plötzlich erstaunt ansieht. Aber schon geht die Fahrt weiter. Fast wie ehemals Hitler bei seinen Wahlreisen macht er es: je mehr Leute er antrifft, um so länger ist seine Rede.

Abends spricht er in einem größeren Ort. Der Saal ist bis auf den letzten Platz besetzt mit russischen Zivilisten. Und ich erlebe die ungeheure Ausstrahlung, die von diesem Mann ausgeht. Wenn er mit seiner Hünengestalt auf die Bühne tritt, herrscht absolutes Schweigen im Saal.

Eine Weile betrachtet er stumm sein Publikum – und läßt sich betrachten. Dann erst beginnt er mit leiser, tiefer Baßstimme langsam zu sprechen, indem er Wort für Wort plastisch hervorhebt. Die Menge unten im Saal scheint kaum noch zu atmen, blickt gebannt zu ihm empor. Wie zu einem Verschwörer. Und allmählich steigert sich seine Stimme, wird heftiger, erregter, beginnt zu poltern und bricht schließlich los wie ein Ungewitter. Wie eine Naturgewalt!

Die Zuhörer applaudieren, blicken mit leuchtenden Augen zu ihm empor. Und ich sehe: das ist kein Theater. Das muß ehrliche Überzeugung sein.

Zwei Stunden spricht Wlassow so.

Ich frage den Dolmetscher wieder: »Was sagte er?«

Und auch er scheint begeistert zu sein. »Dieser Mann ist großartig! Dieser Mann hat die Kraft, alle mitzureißen – eines Tages Rußland zu beherrschen!«

»Das würde ich ihm auch zutrauen! Man sieht ja, wie er seine Zuhörer fesselt, sie unwiderstehlich mitreißt – aber, womit schafft er das?«

Der Dolmetscher muß selbst erst nachdenken. Dann hat er es.

»Der General beginnt von seiner Schlacht zu erzählen, von der grausamen Schlacht, die er verloren hat! Daß er habe zusehen müssen, wie seine Regimenter, seine Kompanien trotz aller Opfer in Eis und Schnee und später in den Fiebersümpfen schließlich doch geschlagen, aufgerieben und vernichtet wurden. Und er sagt ihnen, daß er geläutert aus diesem furchtbaren Kampf hervorgegangen sei, daß er eingesehen habe: die Deutschen sind stärker, der Krieg ist für Rußland verloren. Er will nun sein Vaterland vor dem sicheren Untergang retten!«

»Und das Volk applaudiert! Wehe uns, wenn – – Partisanen uns verfolgen – –.«

»Wenn er gesprochen hat, ist die Gefahr vorbei! Wer ihn gehört hat, glaubt an ihn!«

»Und was verspricht er ihnen – für die Zukunft?«

»Er hat ein Drei-Punkte-Programm. Das verkündet er am Schluß seiner Rede wie ein Evangelium: Erstens will er sofort den Krieg beenden, zweitens Stalin absetzen und drittens einen neuen, friedlichen russischen Staat aufbauen, der durch starke wirtschaftliche Zusammenarbeit mit Deutschland gesunden soll. Deutschland braucht landwirtschaftliche Produkte – und Rußland Industrieprodukte, meint er.«

»Und wie soll die praktische Durchführung aussehen?«

»Na, das ist ja bekannt: Drei Millionen russische Gefangene sollen unter seinem Kommando gegen Stalin kämpfen! Soviel sind bereits vorhanden. Und sobald die antreten, werden die Bolschewisten in Massen überlaufen zu uns, es wird eine Flutwelle geben,– und damit wäre der Krieg beendet!«

»Und Wlassow wird der neue Zar von Rußland –?«

»Hm–«, lachte er, »so ähnlich!«

Vierzehn Tage lang habe ich ihn begleitet, den General in der Phantasieuniform. Überall, wo er sprach, trug sich das gleiche zu. Das Volk hing an seinen Lippen, es vertraute gläubig dem Mann mit der massigen Figur und der beschwörenden Stimme.

Selbst schon fasziniert von ihm, beobachtete ich, wie er immer mehr hineinwuchs in seine Rolle, die ihm das Schicksal zugetragen zu haben schien.

Und ich fühlte, daß er voller Zuversicht war, völlig aufging in seiner Idee: der Rettung seines Volkes – seines heiligen Rußland – –.

In jenen Tagen machte ich Dutzende von Aufnahmen von ihm, darunter viele Porträtstudien während seiner Reden. Und ich muß sagen: er posierte niemals, wenn er meine Kamera auf sich gerichtet sah. Alles, jede Bewegung, jede Geste war absolut natürlich und überzeugend – und das war es wohl auch zum großen Teil, was ihm das Vertrauen der Massen einbrachte.

Einmal feierten wir – ein paar Mann von der Eskorte des Generals, sein Fahrer und ich – in unserem Tagesquartier den Geburtstag des Dolmetschers, der einige Flaschen Wodka organisiert hatte.

Auf einmal stand der General im Zimmer. Wir erhoben uns, und der Dolmetscher erlaubte sich, ihn gehorsamst zu einem Glas Wodka einzuladen.

Ein Lächeln glitt über das sonst immer so ernste Gesicht Wlassows. Dann ergriff er das dargebotene Glas und – trank es mit einem Zuge leer. »Nasdarowje! – Towarische – auf deutsch-russische Waffenbrüderschaft!«

Mit Walterchen habe ich später noch oft darüber diskutiert, welchen anderen Verlauf die Weltgeschichte vielleicht genommen haben würde, wenn dieser Mann sein Programm hätte verwirklichen können – –.

Doch dann kam jener Tag, an dem ich den General nachts zum Stab der Armee begleitete und im Dunkeln vor dem Hause auf seine Rückkehr wartete. Ich wußte, bei unserer Kompanie lagen die Tausende von Wlassowbildern bereit, bedruckt mit einer Aufforderung an die Bolschewisten zum Überlaufen. Es fehlte nur noch der Startschuß – die Zusage Hitlers – und die gewaltige Aktion hätte beginnen können.

Zwei Stunden wartete ich in dieser Nacht auf Wlassow.

Als sich dann aber endlich die Tür öffnete und im Lichtschein seine Silhouette sichtbar wurde – da war es nicht mehr der Mann, den ich kannte, den ich so oft kraftvoll und aufrecht auf der Bühne hatte stehen sehen, der unbewegt alle Strapazen seiner Propagandafahrt auf sich genommen hatte, unerschütterlich im Glauben an seine Mission – nein, was ich jetzt sah, war eine zusammengesunkene Gestalt, war ein gebrochener Mann, dessen ausgestreckte Hände nach einem Halt an dem Geländer der Holztreppe zu suchen schienen.

Was war geschehen?

Es war die Stunde, in der er erfahren hatte, daß er seine Drei-Millionen-Armee nicht aufstellen dürfe.

Weil ihm Hitler mißtraute.

Ich sah noch, wie er die Stufen tastend hinunterstieg, kurz stehen blieb und tief atmend den Blick zu den Sternen am Himmel erhob. Ahnte er damals bereits sein Schicksal als Renegat – als Verfemter von beiden Seiten, von Gegnern auf Tod und Leben –?

Dann schlug die Tür seines Wagens hinter ihm zu, und er verschwand in Richtung seines Quartiers im Dunkel der Nacht.

Ich habe ihn nie wiedergesehen.

Bald danach erließ Generalfeldmarschall Keitel im Auftrage Hitlers einen Befehl, in dem es hieß, »der kriegsgefangene General Wlassow« müsse wegen unverschämter Äußerungen auf einer Reise im Bereich der Heeresgruppe Nord ... wieder in ein Gefangenenlager gebracht werden. Falls er versuchen sollte, noch einmal eine Rolle zu spielen, sei er sofort der Gestapo zu übergeben.

Soweit kam es jedoch nicht. Wlassow kam als »Ehrenhäftling« nach Berlin-Dahlem.

Ende 1944, als die Rote Armee vor den Toren Deutschlands stand, durfte er seine Befreiungsarmee doch noch aufstellen. Ausgerechnet Himmler, der Reichsführer SS, unterstützte ihn dabei.

Aber jetzt war es zu spät.

Bei Kriegsende begab sich Wlassow mit zwei Divisionen russischer Soldaten in amerikanische Gefangenschaft.

Die Amerikaner jedoch lieferten ihn mitsamt dem Rest seiner Krieger an die Sowjets aus; und am 1. August 1946 wurde Andrej Andrejewitsch Wlassow in Moskau gehenkt.

11 ERBSENSUPPE BEI GOEBBELS

»Haben Sie einen Entlausungsschein?« fragte der Feldjäger an der Sperre in Riga.

Ich setzte meinen Holzkoffer ab und zeigte meine Papiere vor.

»– Lehrgang – – nach Berlin – – in Ordnung!«

Vom Propaganda-Ministerium war für eine Anzahl von Frontberichtern urplötzlich ein Lehrgang angesetzt worden. Wer Glück hatte, war dabei.

Ich hatte Glück! Das bedeutete: Für einige Wochen der Ostfront den Rücken kehren, Wiedersehen mit Berlin, mit dem Kurfürstendamm.

Als der Zug nach drei Tagen und drei Nächten Fahrt in den Bahnhof Zoo einlief, war es mir, als wäre ich in einer anderen Welt. Die Mädchen auf der Joachimsthaler Straße trugen kurze Röcke und zeigten ihre Beine. Im Ufa-Palast am Zoo lief ein Zarah-Leander-Film, und die Diva schaute mit träumerischen Augen von einer riesigen Reklamewand auf mich herab. Es war alles so unwirklich.

»Woll'n Se mit, junger Mann?« rief eine Frauenstimme. Es war die Schaffnerin vom ›Zwanziger‹. Jemand nahm mir den Koffer ab, schob ihn auf den Autobus. Man sah mir wohl an, daß ich aus Rußland kam – –.

Der Lehrgang an sich war enttäuschend gewesen. Jeden Morgen hatten die Kriegsberichter von allen Fronten brav in der Reimann-Schule am Victoria-Luise-Platz auf der Schulbank gesessen. Darunter viele mit bekannten Namen. Viele, die ich zum letztenmal sah –.

An den ersten Tagen hatten wir noch andächtig den Worten gelauscht, die vorn auf dem Katheder gesprochen wurden. ›Weisungen‹ waren erteilt worden – z. B.: Wir sollten vorstürmende Truppen immer *so* fotografieren, daß sie von links nach rechts liefen, um sie – in Gedankenverbindung mit der Landkarte – nach Osten stürmend zu zeigen; oder: Unter allen Umständen sei zu vermeiden, daß *deutsche* Gefallene auf den Bildern zu sehen wären, dafür möglichst viele russische, am besten haufenweise. Nach einigen Fragen aus unseren Reihen erkannten wir, daß die neunmalklugen Herren Lehrer selber noch nie an der Front gewesen waren!

Nun, – ›Es geht alles vorüber, es geht alles vorbei –‹ beruhigten wir uns und dachten uns unser Teil.

Um so mehr allerdings spitzten wir uns alle auf den plötzlich verkündeten offiziellen Höhepunkt des Berlin-Aufenthalts, eine Einladung zu Dr. Goebbels.

›Der Herr Minister lassen bitten!‹ meinte ein Kollege von der Marine ironisch grinsend dazu.

Nun sollten wir ihn also persönlich kennenlernen, den Hexenmeister!

Berlin, Wilhelmplatz.
Reichsministerium für Volksaufklärung und
Propaganda.

Als ich die große breite Freitreppe hinaufstieg, dachte ich, eigentlich sollte dies jetzt hier ein ganz großer Augenblick in meinem Leben sein: Ich war eingeladen von meinem derzeit höchsten Chef!

Je weiter ich jedoch in dem großräumigen Gebäude vordrang, desto mehr beschlich mich Beklommenheit. Das gleißende Licht der Kristallüster, die dicken Teppiche, das leuchtende Weiß der Wände, die goldgelben Vorhänge, die hohen Fenster, – alles bedrückte mich.

In diesem von Hitlers Chefarchitekten Speer neugestalteten Prachtbau erwachte in mir überhaupt nicht das

Gefühl, daß dies ja im Grunde mein ›Zuhause‹ sein müßte – so, wie es im kleinen bei meiner Zeitung in Bremen die Redaktion gewesen war. Denn jetzt, im Kriege, landeten doch alle meine Arbeiten in diesem Ministerium und wurden hier ausgewertet für Tausende von Zeitungen. Nein, ich fühlte mich hier – nach drei Jahren Krieg – eher deplaciert.

Im Empfangssaal standen bereits viele Berichterkollegen aller Sparten, die ›große Familie‹, zu der ich nun mal gehörte. Aber ich hatte den Eindruck, auch die anderen ›Familienmitglieder‹ fühlten sich nicht so recht wohl. Zurückhaltend flüsterten sie miteinander und bemühten sich offenbar, nur ja keinen Fehler zu machen, nur ja nicht aufzufallen.

Von allen Fronten, von verbündeten und besetzten Ländern waren sie da: aus Norwegen, Dänemark, Holland, Belgien, Frankreich, Italien, Griechenland, Jugoslawien, Kreta, Afrika, Rußland und Finnland – Marineberichter aus Japan – U-Boots-Leute vom Atlantik.

Pünktlich auf die Minute um elf Uhr betritt Dr. Goebbels den Saal, gefolgt von einigen Herren. Er trägt einen uniformmäßig geschnittenen Rock, einen weißen Umlegekragen mit dunklem Binder und eine lange schwarze Hose. Seine Erscheinung wirkt äußerst gepflegt. Mit einem Lächeln auf dem braungebrannten Gesicht bleibt er stehen und hebt die rechte Hand zum Deutschen Gruß. Er tut dies auf seine eigene Art, hält die Hand weit über die Schulter nach hinten, die leicht gewölbte Handfläche – nach oben geöffnet – fast waagerecht.

Wir Kriegsberichter haben zu ihm hin ›Front‹ gemacht, Haltung angenommen und erwidern den Gruß mit steif ausgestreckten Armen.

Mit einer einladenden Geste, wieder begleitet von einem äußerst charmanten Lächeln, weist er auf die über den ganzen Saal verteilten kleinen weißgedeckten Tische und setzt sich selbst mit ein paar Herren seines Gefolges an einen der vorderen.

»Anscheinend ›Höhere Berichter‹, die da neben Goebbels sitzen«, sagt mein Gegenüber, ein großer blonder blauäugiger Wortberichter in heller Tropenuniform.

»Was ist das denn, ›Höhere Berichter‹?« fragt mein linker Nachbar in Marineuniform leise.

»Das sind Leute, die das Gras wachsen hören«, sagt der Afrikamann, »die bei ganz besonderen Anlässen die Leitartikel schreiben – Spitzenklasse!«

Mahnend legt er den Finger auf den Mund: »Pst!«

Denn nun erhebt sich Goebbels.

So nahe habe ich ihn noch nie vor mir gesehen.

Wie klein und schmalbrüstig ist er doch, fährt es mir durch den Sinn. Wo nimmt dieser Mann nur die Energie und Willenskraft her, die Massen immer wieder zu verzaubern, aufzupeitschen, oder zu bändigen – ganz nach seinem Willen – –.

Und Goebbels spricht.

Er begrüßt die von allen Fronten anwesenden Kriegsberichter – sogar aus Afrika sei einer gestern noch mit dem Flugzeug gekommen, flicht er in seine Rede ein und nickt zu unserem Tisch herüber –, alle wären nun hier wie in einer großen Familie versammelt.

Raffiniert! dachte ich. Mit wenigen Worten versteht er es, sogar uns zu packen. Denn kurz vorher noch hatte ich ja selber vermeint, ich müßte mich hier wie in einer Familie zuhause fühlen können.

Und schon packt er weiter zu: Uns alle vereine doch etwas Großes, Gemeinsames! Alle, die heute hier versammelt wären, hätten sich bereits im Feuer an der Front bewährt, gleich dem Soldaten mit der Waffe – hätten getreu ihrem Eid auf den Führer ihre Pflicht getan. Es sei ihm darum ein Bedürfnis gewesen und habe ihm am Herzen gelegen, diesen Männern seiner PK einmal persönlich gegenüberstehen zu können und ihnen für ihren Einsatz zu danken.

Aller Augen hängen an ihm.

Ja, ich finde es wieder einmal bestätigt: Von ihm geht tatsächlich eine so bezwingende Ausstrahlung aus, wie ich sie kaum bei den größten Schauspielern von Bühne und Film erlebt habe. Seine Stimme – auch ohne Mikrofon von erstaunlicher Tragweite – hat etwas ungemein Melodisches, und das Pathos, das bei gewissen Worten wie ›Opferbereitschaft‹ – ›Führer‹ – ›große Familie‹ mitschwingt, klingt aus seinem Munde absolut echt und keineswegs gekünstelt.

Oh ja, er ist ein Meister der Rhetorik! (Er war der einzige unter den NS-Politikern, der – ohne auch nur einen einzigen Buchstaben zu verschlucken – das Wort ›Nationalsozialismus‹ brillant aussprach.)

Ich sehe an den Mienen der Kameraden, daß auch sie an diesem Mann bewundern, wie er mühelos aus dem Augenblick heraus improvisiert und zugleich dabei ein einwandfreies druckreifes Deutsch spricht. Und niemals haftet seiner Rede etwas Papierenes an.

Er macht eine kleine Pause, scheint in Gedanken vorauszueilen und bereits das zu formulieren, was er nun noch sagen will. Seine Stimme wird um eine Nuance eindringlicher:

»Etwas möchte ich Ihnen bei dieser Gelegenheit auch sagen, meine Herren Kriegsberichter: Noch nie hatte ein Volk *diese* Mittel in der Hand, für alle Zeiten festzuhalten, was geschah. Und in *Ihre* Hände ist es gelegt, zu berichten über dieses gewaltige Geschehen, das wir miterleben dürfen als Zeugen der größten Zeit unseres Volkes! Aus Ihren Berichten und Bildern wird dereinst die Geschichte geformt werden – zur Erhebung für kommende Geschlechter.

Ich weiß gut, wie hart und entsagungsvoll Ihre Arbeit oft genug ist. Schon so mancher von Ihren Kameraden hat seine Treue zum Führer mit dem Tode besiegelt.«

Er hielt wieder einen Moment inne. Sein Blick glitt über unsere Reihen, als wollte er jeden einzelnen von uns ansprechen.

»Um etwas möchte ich Sie in dieser Stunde bitten: Hadern Sie nicht mit uns, meine lieben Freunde, wenn gelegentlich einmal Bilder oder Berichte von Ihnen nicht ausgewertet werden. Wir wissen genau, wie schmerzlich und enttäuschend es zuweilen für Sie sein kann, wenn gerade ein Material, das Sie für besonders gut gelungen halten, im Archiv verschwindet. Es hat dadurch nichts an seinem Wert verloren! Keinesfalls! Es wird dereinst vom Heldenkampf unseres Volkes Zeugnis ablegen. Es werden Dokumente einer späteren Chronik sein!

Wir wissen sehr wohl: Hinter jedem Ihrer Objektive, meine Herren Bildberichter, steht ein Mensch, – ein Mensch mit seinen persönlichen Gefühlen, mit seiner ihm eigenen Art, die Dinge zu sehen. Bei vielen von Ihnen offenbart sich zuweilen sogar der Künstler. – Doch was wir benötigen, ist einzig und allein die für einen heiligen Zweck eingesetzte *positive* Berichterstattung, die das Volk in der Heimat braucht.

Das wahre Antlitz des Krieges ist rauh! Sie selbst, die Sie es alle Tage vor sich haben, werden die Härte, die Grausamkeit, die aus manchen Ihrer Bilder spricht, gar nicht mehr empfinden. Jemand aus Ihren eigenen Reihen hat einmal das für einen Fachmann so treffende Wort ›fabrikblind‹ geprägt. Wer tagtäglich in der gleichen Fabrikhalle arbeitet, dem erscheint nichts mehr ungewöhnlich darin. Je länger Sie an der Front sind, um so mehr wird Ihnen das blutige Antlitz des Krieges zu einem gewohnten Bild. Doch bedenken Sie, daß die Heimat diese Dinge mit anderen Augen sieht! Und gibt es nicht genug Erfreuliches zu berichten in unserer großen Zeit? Stürmen unsere tapferen Soldaten nicht mit glänzenden Augen und freudigen Herzens von Sieg zu Sieg?

Im Krieg gilt nun einmal nur eines: Gut ist, was uns nützt – schlecht hingegen, was uns schaden und hindern könnte, den Sieg zu erringen!«

Alle im Saal saßen stumm und regungslos da. Und ich glaube, es erging sehr vielen wie mir. Ich war verblüfft über die Offenheit, mit der er die Dinge beim Namen nannte.

Ich hatte während seiner Ausführungen an Tammo denken müssen und bedauerte, daß er diese Stunde hier nicht miterleben konnte. Um ihm alles möglichst genau berichten zu können, hatte ich unter dem Tisch in meinem Notizbuch in Stichworten die Rede mitgeschrieben. Sie prägte sich mir dadurch so stark ein, daß ich glaube, sie hier ziemlich wortgetreu wiedergegeben zu haben.

Doch nun huschte über das Gesicht des ›Doktors‹ wieder das breite, strahlende Lächeln. In ironischem Ton sagte er:

»Meine Herren, ich hätte Sie gern mit etwas Besserem bewirtet als man Ihnen gleich servieren wird. Es gibt – leider – nur eine bescheidene Erbsensuppe, – ich bin nun mal kein Ernährungsminister, sondern – Propagandaminister! Dafür aber kann ich Ihnen nach der Suppe einen anderen Genuß bieten – in meiner Eigenschaft als Propagandaminister: Drüben im Theatersaal wird Sie eine Schar ausgewählter Künstler mit ihrem Können erfreuen, Künstler von der Bühne, vom Film und vom Varieté. Alle waren sofort bereit, eine kostenlose Sondervorstellung für Sie zu geben, als ich ihnen sagte, daß es sich um Kriegsberichter aller Fronten handele. – Ich wünsche Ihnen guten Appetit!«

Dann setzte er sich. Junge Mädchen servierten die Erbsensuppe.

Allmählich löste sich die Spannung, und aus dem anfänglichen Gemurmel wurde bald eine allgemeine, ungenierte Unterhaltung ringsum.

Auch an unserm Tisch waren wir schnell ins Gespräch gekommen durch die humorvolle Art des Kollegen von Rommels Afrika-Korps. Ich erzählte von der Kälte in Rußland – er von der Hitze im schwarzen Erdteil: Da habe sein Kameramann sich einmal ein tolles Stück geleistet. Um die Hitze zu demonstrieren, hätten sie Spiegeleier gebraten auf den heißen Platten eines Panzers. In der Wochenschau sei dieser Gag ganz groß herausgekommen. Millionen von Menschen wäre es heiß über den Rücken gelaufen, als sie es sahen.

Doch dann hielt er verschmitzt die Hand vor den Mund und beugte sich zu mir herüber: »Natürlich alles Unsinn! So heiß scheint selbst in Afrika nicht die Sonne, daß man auf dem Panzer Spiegeleier braten könnte. Aber der Kameramann hatte es sich nun mal so schön ausgedacht, und die Panzergrenadiere fanden die Idee auch so großartig – da haben sie eben ein bißchen nachgeholfen und von innen eine Lötlampe gegengehalten. – Was haben wir darüber gelacht!«

Die jungen Mädchen boten jetzt Zigaretten und alkoholfreie Getränke an. Unser hoher Gastgeber aber hatte sich unauffällig erhoben, begrüßte hier und da einige Berichter, die er kannte, und setzte sich auch einige Male zu der einen oder anderen Gruppe an den Tisch.

Ich hatte dadurch mehrmals die Gelegenheit, ihn aus allernächster Nähe zu beobachten.

Er hinkte. Bei jedem Schritt zog er leicht schleifend sein linkes Bein nach, so geschickt er es auch zu kaschieren suchte. Es sah aus, als hätte er einen Klumpfuß. (›Den hat Gott gezeichnet!‹ wurde von seinen Gegnern insgeheim getuschelt.)

Er hatte ein schmales Gesicht, einen fast dreieckigen Kopf: Die hohe, breite Stirn stand in einem Mißverhältnis zu den eingefallenen Wangen und dem schmächtigen Kinn. Doch seine großen braunen, lebhaften Augen beherrschten das Antlitz derart, daß man kaum dazu kam, über diese Disharmonie wie über seine ganze mißratene Gestalt nachzudenken. Diese Augen konnten alles sein: mitreißend, faszinierend, spöttisch, ironisch, kritisch, unerbittlich hart, strafend und drohend, und gleich auch wieder gütig, mitleidsvoll, ja sehnsuchtsvoll verträumt.

Nur *eines* waren sie nicht: sie waren nicht die Augen des Prototyps, den er selbst propagierte, des nordischen Menschen, den Hitler im ›Lebensborn‹ züchten wollte.

Dieser Mann, der so fanatisch für die Reinrassigkeit des deutschen Volkes kämpfte – war selbst alles andere als das Wunschbild seines Ideals.

Mich beschlich ein unheimlicher Gedanke: Spielte er in eigener Person nicht die erstaunlichste Rolle in dem Teufelskreis seiner Propaganda? Er, der alle überragende Kopf im Führungsstab der Partei, der geniale Hexenmeister?

Ich schreckte aus meinen Gedanken auf. Soeben hatte sich Goebbels mit erhobener Hand an einem Tisch verabschiedet und kam jetzt auf uns zu.

Kameramann Stanislaus Proszowski aus Wien filmt an der Leningrad-Front Soldaten der spanischen ›Blauen Division‹. Die temperamentvollen Spanier bestehen darauf, für die Wochenschau einen Stierkampf vorzuführen. Den Stier stellt der Divisionshund dar.

Fernkamera-Trupp des OKH im Einsatz: Leica mit Tele 1000 mm.

Obwohl im Aufstellungsplan festgelegt war, daß ein ›leichter Kriegsberichtertrupp‹ aus einem Wort- und einem Bildberichter zu bestehen habe, kam es oft zu anderen Kombinationen. Besonders Film- und Bildberichter, die vielfach gemeinsame Ziele verfolgten, gingen häufig ›wilde Berichterehen‹ ein. Bei keiner Truppe wurde soviel improvisiert, wie bei der PK!
Ein solches Gespann bildeten bei vielen Fronteinsätzen u. a. der Filmberichter Ernst Glunz (»Mir passiert nichts!«) und der Bildberichter Georg Schmidt-Scheeder.

Arbeiten der Kriegszeichner, die an der Front entstanden.

Heinz Raebiger: Posten im Graben, Winter 1943.

Kurt Krohne: Spähtrupp, der einen Flußübergang über den Jagata vor Kehra erkundete, kehrt mit verwundetem Kameraden zurück. 20. August 1941.

Weißruthene

Armenier

Porträtstudien des Kriegszeichners Heinz Raebiger, die er in verschiedenen Gefangenenlagern machte. Er selbst geriet 1945 in sowjetische Gefangenschaft und wurde zuletzt 1955 in einem Schweigelager bei Chabarowsk gesehen.

Mongole

Georgier

Flugblattaktionen – per Freiballon

Für den Versand von Flugblättern ins feindliche Hinterland setzte die PK Ballons ein, die Ziele in einer Entfernung bis zu 50 km noch ziemlich genau bestreuten.

Nach den gemessenen Windverhältnissen und unter Berücksichtigung von Temperatur, Luftfeuchtigkeit, Luftdruck, Gasfüllung und Beförderungsgewicht wurde der Startplatz bestimmt. Bei einem Eigengewicht einschließlich Nutzlast von ca. 14 kg hatte der Ballon eine Steiggeschwindigkeit von 4 m/sec und erreichte in etwa 9 Minuten eine Höhe von 2200 m, in der er dann mit der Windgeschwindigkeit weiterschwebte. Der mit einem Auslöseuhrwerk versehene Abwurfbehälter konnte 10 000 Flugblätter aus Rotationspapier in der Größe DIN A 5 aufnehmen. Das Auslösen erfolgte in vier Abteilungen in Abständen von 5 Sekunden. Nach dem Entleeren wurde ein Sprengsatz gezündet, der den Ballon zerstörte.

Bei einer Fallgeschwindigkeit von 1 m/sec benötigten die Flugblätter nun noch 2200 Sekunden (rund 36 Minuten) und legten dabei nochmals fast 20 km freiflatternd zurück.

▲
Ballontrupp der PK 621 vor Leningrad. Um eine größere Streudichte zu erreichen, wurden meist mehrere Ballons in kurzen Abständen auf die Reise geschickt.

Vom Lkw aus wird der Ballon aus Flaschen mit Wasserstoff gefüllt. Die Hülle besteht aus gasundurchlässigem pergamentartigem Papier. ►

Wir sprangen ruckartig auf, aber schon winkte er leutselig ab und setzte sich ohne Umstände zu uns.

Zuerst sprach er mit dem jungen Rommel-Mann, lobte den schneidigen Einsatz der Berichter unter den besonders harten Bedingungen der afrikanischen Sonne. Dort sei wohl der ›Wüstenfuchs‹ sicherlich das dankbarste Motiv.

Ohne Übergang wandte er den Kopf zu mir, sah mich ein paar Sekunden lang stumm an, und – seltsam – ich begriff sofort, wozu mich seine Augen aufforderten.

»Bildberichter Schmidt-Scheeder«, sagte ich, »PK 621, Nordabschnitt«.

Er nickte leicht. »Von Anfang an dabei. Und immer vorn.«

Ich dachte: Ob er wohl an jedem Tisch die gleichen Bonbons verteilt? – Nein, ihm traute ich diese geistige Armut eigentlich nicht zu.

Es entstand eine kleine Pause. Er schien etwas zu überlegen.

Ich war äußerst gespannt, worauf er nun zu sprechen kommen würde. Ob es überhaupt etwas von mir gab, das sich in seinem Gedächtnis verankert hatte bei der Vielzahl der täglich von allen Fronten eingehenden Berichte?

Jetzt hatte er es wohl gefunden, und ein kleines Schmunzeln glitt über seine Züge.

»Wenn ich mich nicht sehr irre, dann habe ich einmal ein paar recht ausgefallene Aufnahmen von Ihnen in der Hand gehabt: die Möbel der Kaiserin Katharina – mit den originellen Holzschnitzereien – –.«

Bevor ich noch etwas erwidern konnte, lachte er ganz ungezwungen auf, wobei sich seine Mundwinkel bis zu den Ohren zu ziehen schienen: »Ausgezeichnet fotografiert! Zwar nicht zur Veröffentlichung geeignet – aber meine Herren hatten viel Spaß daran!«

Er erhob sich. »Heil Hitler!«

Wir sprangen auf – ich sah ihm verblüfft nach.

»Darf ich bitten, meine Herren?« – Mit diesen Worten dirigierte er uns wenige Minuten später in den anliegenden Theatersaal. Kaum hatten wir auf den Stühlen Platz genommen, öffnete sich auch schon der Vorhang. Ein buntes Programm rollte ab: eine Koloratursängerin der Berliner Staatsoper, ein Jongleur vom ›Wintergarten‹, darauf ein Zauberkünstler von der Berliner ›Scala‹, eine Solotänzerin, eine Gruppe Equilibristen mit tollen Sprüngen und hinreißender Komik, und zum Schluß eine Tanzgruppe von ausgesucht hübschen Mädchen mit schönen Beinen.

Während es langsam im Saal wieder hell wurde, stand Goebbels auf, drehte sich zu uns um, warf seine rechte Hand in gewohnter Weise weit zurück über die Schulter, lächelte und schritt in dieser Haltung mit seinem Gefolge an uns vorbei aus dem Saal – ein souveräner Herrscher in seinem Reich.

Noch war er es!

Noch stand er auf dem Höhepunkt seiner Macht.

Doch sein Countdown lief schon präzise auf die Stunde Null zu: Keine drei Jahre hatte er mehr zu leben.

Wann mag er, der so Hellhörige, das leise Ticken des Uhrwerks zum erstenmal selbst gehört haben? –

12 BRÜCKENKOPF KIRISCHI
DAS IST DIE HÖLLE
»MIT ROTEN BIESEN ÜBER DEN WOLCHOW«

Ja, da lag es wieder vor mir in der Morgensonne – das vertraute kleine russische Dorf Meshno, und dort ›blickte‹ mir auch das PK-Auge von einem Baum herab entgegen, schwarz und weiß auf ein Brett gemalt. Das taktische Zeichen der PK 621. Still und friedlich sah es hier aus, fast hundert Kilometer hinter der Front, von wo aus ich unzählige Male zu meinen Einsätzen gestartet war.

Da war sie wieder, die breite ungepflasterte Dorfstraße mit den hübschen, sauberen Blockhäusern links und rechts, mit den hellen Birkentoren, die im Laufe der Zeit

354

vor jedem Quartier von unseren Troßleuten errichtet worden waren, mit dem Labor von Meyer zwo, der Arbeitsstaffel ›Wort‹, den Werkstätten für die Grabenlautsprecher und die vielen anderen technischen Geräte. Und zwei Tage später saß ich schon mit Tammo im Kübelwagen. Ziel: Brückenkopf Kirischi.

Wir wußten: Dieser Brückenkopf am Ostufer des Wolchow ist jetzt das am heißesten umkämpfte Stückchen Erde im gesamten Nordabschnitt. Wenn es den Russen gelänge, die Barriere an dieser Stelle aufzubrechen, konnten sie damit die gesamte Ostfront in Bewegung bringen. Uns war klar, daß uns kein leichter Einsatz bevorstand.

Neidhardt brachte uns so weit vor wie möglich, dann kehrte er um. Da vorn am Wolchow gab's nichts mehr zu fahren – –.

Links ab von der Rollbahn nach Tschudowo, ein Stück der Tigoda entlang in Richtung Dratschewo, lag der Stab der 11. ostpreußischen Infanterie-Division. Die Unterkünfte bestanden aus knapp einen Meter tief in die Erde gegrabenen Bunkerlöchern, deren Kuppeln mit Grasplatten belegt waren.

Es regnete in Strömen, als wir ankamen.

Zur Behausung der Ic-Schreiber, bei denen wir mit unterkommen sollten, führten ein paar glitschige Stufen aus dünnen Birkenstämmen hinunter. Unten, direkt vor dem Eingang, befand sich ein Loch, in dem sich das Regenwasser sammelte.

»Unsere Graskuppel ist natürlich nicht wasserdicht«, erklärte der Feldwebel, der uns empfing, »Tag und Nacht tropft es von der Decke – wie in einer Tropfsteinhöhle. Wir haben schon Zeltbahnen aufgespannt, – aber auch die helfen nicht viel!«

Wir sahen es. Mit Wasser gefüllt hingen sie dickbauchig unter der niedrigen Bunkerdecke. Der Boden, mit einem Rost aus dünnen Stämmen ausgelegt, schwankte bei jedem Schritt im Lehmbrei. Gegenüber dem Fenster, das aus einer Doppelreihe von leeren Flaschen bestand und ein mattes grünliches Licht hereinfallen ließ, waren

zwei Liegestätten aus Birkenstämmen in die Wandni-
schen eingelassen.

»Machen Sie sich's ruhig bequem!« meinte der Feldwebel zu uns. »Nachts haben wir Hochbetrieb, da haben
Sie den Bunker hier ganz für sich allein, denn wir machen
dann Dienst im ›Geschäftszimmer‹, in dem komischen
Verschlag, den Sie vielleicht vorhin vis-à-vis gesehen haben. Wir sind ja nur zwei Mann, – ein Unteroffizier und
ich. Nachts können Sie also in unseren Nischen schlafen,
das heißt, wenn Sie schlafen können, – und am Tage
kommen wir abwechselnd rüber und legen uns für ein
paar Stunden hin.«

Als er sich gebückt zum Gehen wandte, rutschte er
fast in das Wasserloch und drehte sich noch einmal zu
uns um. »Ach ja, da ist noch etwas – beinah hätte ich's
vergessen! So alle zwei, drei Stunden muß das Loch leergeschöpft werden, sonst saufen Sie über Nacht ab, – der
Eimer steht draußen vor der Tür!«

Mit vorsichtigen Schritten stapfte er durch den Lehm
davon.

»Doppelzimmer mit fließendem Wasser«, bemerkte
Tammo mit einem Blick auf die Rinnsale aus den Seiten-
wänden.

Wir wickelten die Schreibmaschine und die Leicas in
unsere Zeltbahnen und krochen abends frühzeitig auf
die Birkenstämme. Tipp – tipp – – töpp – topp – tipp –
tipp – machte das Fallen der Wassertropfen.

Im halbwachen Zustand vernahm ich nach einiger Zeit
ein neues Geräusch. Eine Ratte? Nein. Es war das Kochgeschirr, das neben meinem Kopfende an einem rosti-
gen Nagel hing. Es begann leise zu zingern. Die russische Artillerie, drüben auf dem Brückenkopf, hatte ihr
Feuer verstärkt. Ich nahm das Blechding und legte es unter meinen Kopf.

Mein Blick fiel auf das Leuchtzifferblatt eines Weckers,
der in der Ecke des Flaschenfensters stand. Halb elf! Verdammt! Das Loch mußte längst leergeschöpft werden!

Ich sprang hinunter, machte mich an die Arbeit.

Zehn Eimer voll waren es.

Dann lag ich wieder mit offenen Augen auf dem Rükken und lauschte. Das Wummern auf Kirischi wurde mit
jeder Minute stärker. Der Brückenkopf lag etliche Kilometer entfernt – da mußte schon etwas los sein, wenn
man es bis hierher so deutlich hörte – –.

Immer öfter schaute ich zu dem Leuchtzifferblatt hinüber.

Um halb eins begann das Flaschenfenster leise zu klirren. Der ganze Boden bebte jetzt.

Tammo, der unter mir lag, bewegte sich.

»Bist du wach?« fragte ich leise.

»Schon lange. Es ist ja nur noch ein einziges Grollen da
drüben, einzelne Einschläge kann man gar nicht mehr
unterscheiden – –.«

Ich wand mich aus dem Lager heraus, zündete eine
Hindenburgkerze an und stand auf, um wieder Wasser
schöpfen zu gehen. Als ich das Loch leer hatte, ging ich
hinüber zu dem Verschlag, wo der Feldwebel saß.

»Ihr könnt wohl nicht schlafen –? fragte er mit einem
bitteren Lächeln. »Ja, – so geht es Nacht für Nacht – seit
wir hier sind. Was hat dieses Fleckchen Erde, diese verdammte Anhöhe, schon an Opfern gefordert! Stalin hat
befohlen, diesen verhaßten Brückenkopf unter allen Umständen einzunehmen, – so sagten Gefangene aus. Und
Hitler hat den Befehl gegeben, ihn zu halten, – koste es,
was es wolle!«

»Und es kostet –?« fragte ich nachdenklich.

Der Feldwebel nahm für einen Augenblick seine Brille
ab und sah mich an.

»Alle vier Wochen eine Division –« sagte er langsam
und in einem Ton, der sein Entsetzen darüber erkennen
ließ, »alle vier Wochen 15 000 Mann!«

Sein Telefon schrillte. Er hatte Hochbetrieb jetzt. Wortlos ging ich zurück in unseren Bunker.

Ich erzählte es Tammo, das mit dem Stalin-Befehl und
dem Hitler-Befehl. Und daß jeden Monat eine Division
ausblute.

Wir rechneten: Drüben lag ein Regiment – eine Division hat vier Regimenter – also war jede Woche ein Regi-

ment dran! Ein stolzes Regiment von über 3000 Mann – –
Tote – Verwundete – Verstümmelte –.

Wir sprachen kaum noch und horchten nur auf das
pausenlose Trommelfeuer, das Klirren der Flaschen in
dem improvisierten Fenster.

»Da drüben muß die Hölle los sein –« sagte Tammo
leise.

Ich sah in Gedanken unsere Landser in den abgesoffe-
nen Gräben. Dann drängten sich mir die Bilder der Gegenseite auf: hundert Meter weiter saßen die Russen genauso in Schlamm und Dreck – unter der Feuerglocke
der deutschen Artillerie. Ich wollte Tammo sagen, was
ich dachte, aber ich überlegte lange, ob ich es tun sollte.
Schließlich tat ich es doch:

»Mir erscheint der ganze Krieg manchmal wie ein großes Spektakel, das nur um seiner selbst willen stattfindet.
Da steht ganz schlicht Befehl gegen Befehl, und dann
wird geschossen – mal sehen, wer es besser kann! Und
hier hören wir die Geräuschkulisse dazu, zu diesem
Spektakel. Das grollende Rumoren, das unaufhörliche
Wummern – das Flaschenklirren – wie eine makabre To-
tentanz-Musikuntermalung – –.«

Tammo sah mich eine Weile betroffen an. Die flak-
kernde Hindenburgkerze auf der Kiste beleuchtete gespenstisch sein Gesicht.

»Was redest du da, Schorsch? Drehst du durch? Hast
du einen Bunkerkoller –?«

Er schüttelte verständnislos den Kopf. »Hör zu! Wir
dürfen uns nicht engagieren! Denk an unser Gespräch
damals in La Panne, – wir saßen auf den Brettern, die die
Tommies über die Lastwagen gelegt hatten – als Landungsbrücke – du weißt –.«

Ich erinnerte mich. Da war es wieder, das alte Thema!
Aber ich schwieg.

Gegen halb fünf ging Tammo zum Wasserschöpfen,
und bald danach kam der Feldwebel die Stufen herunter-
gerutscht.

»Aufstehen, meine Herren, es ist fünf Uhr!«

Wir sprangen auf.

»Waschen –?« fragte Tammo.

»Nur abtrocknen!« rief ich.

»Meine Herren Kriegsberichter«, sagte der Feldwebel in halb dienstlichem und halb ironischem Ton, »der Herr Hauptmann, unser Ia, läßt bitten! Sie möchten mal zu ihm kommen!«

Wir tapsten durch den Matsch hinüber.

Der junge Hauptmann – eine elegante Erscheinung – hatte eine überraschende Mitteilung für uns:

»Also, passen Sie auf! Der Herr General wird morgen früh selbst zum Brückenkopf Kirischi hinübergehen, um sich persönlich einen Eindruck von seinen Grenadieren und den Stellungen in vorderster Linie zu verschaffen. Der Herr General wünscht, daß Sie ihn dabei begleiten! Eine schöne Gelegenheit für Sie, mal einen Divisionskommandeur vorn im Dreck an der Front zu schildern, im Stahlhelm und so – –. Sie verstehen schon!«

Tammo strahlte ihn an. »Jawoll, Herr Hauptmann!«

»Sie stehen also morgen früh um sechs Uhr feldmarschmäßig vor dem Bunker des Herrn Generals bereit. Das wär's für heute!«

Wir machten eine zackige Kehrtwendung und begaben uns zurück in unseren Bunker.

Da lag der Feldwebel schnarchend auf der oberen Liege. Tammo nahm stillschweigend den Eimer und schöpfte das Wasserloch leer, dann verkroch er sich in seiner Koje, und ich hockte mich auf eine Kiste.

Später kam der Unteroffizier die Stufen heruntergeschlittert und löste den Feldwebel ab.

Mittags gab es Bohnensuppe. Am Abend wurde Tee ausgegeben. Und nachts lagen wir wieder wach auf den Birkenstämmen.

Das Trommelfeuer steigerte sich genauso wie in der ersten Nacht – das Flaschenfenster begann zu klirren.

»Ich finde es großartig«, sagte Tammo auf einmal, »daß der General morgen hinübergeht zu seinen Leuten. Das muß ein Kerl sein! Kann ein toller Bericht dabei herauskommen!«

»Vor allem Bilder!« ergänzte ich. »Der General mit

Stahlhelm beim Vorrobben – im Granattrichter – neben Verwundeten – –.«

Es rumorte ununterbrochen. Und es regnete unaufhörlich. Drüben mußte jedes Loch, jede Deckung voll Wasser stehen.

Die Stunden schlichen dahin. Öfter als nötig stand ich auf und schöpfte das Wasserloch leer.

Um fünf Uhr kam der Feldwebel.

»Es ist soweit!«

Wir aßen eine Scheibe Kommißbrot, tranken einen Schluck kalten Kaffee, schnallten die Koppel um, setzten die Stahlhelme auf. Ich hängte mir die beiden Leicas um, steckte Reservefilme ein, und um halb sechs machten wir uns auf den Weg.

Grau und fahl dämmerte der Tag über dem Bunkerdorf. Keine Menschenseele war zu erblicken.

Punkt sechs standen wir vor dem Generalsbunker. Er war größer und höher als alle anderen. Schon über dem Eingang waren dicke Balken zu erkennen, und die Kuppel war mit Dachpappe abgedeckt.

Wir umschlichen ihn von allen Seiten, aber nirgends entdeckten wir Anzeichen dafür, daß sich drinnen etwas rührte.

Der starke Regen hatte etwas nachgelassen. Auch das Rumoren an der Front war schwächer geworden.

»Mir scheint, hier schläft alles«, sagte Tammo leise.

Ich nickte. »Vor ein paar Stunden war hier noch Hochbetrieb, und jetzt ist alles wie ausgestorben.«

»Du«, sagte Tammo auf einmal, »da drüben tut sich was!«

Es war der Koch, der verschlafen aus seinem Bunker gekrochen kam und Feuer in der Feldküche zu machen begann, um den Morgenkaffee für die Mannschaft zu kochen.

Tammo sprach ihn an: »Guten Morgen! Kannst du uns sagen, ob der General schon aufgestanden ist?«

Der Koch machte einen mürrischen Eindruck und ließ sich bei seiner Arbeit nicht stören.

»Der General –?« sagte er nur und schüttelte den Kopf.

360

»Der Alte hat sich man gerade erst hingelegt, – habt ihr denn nicht gehört, was drüben auf Kirischi los war? Die im Generalsbunker haben doch wieder bis fünfe durchgearbeitet!«

Tammo sah mich ratlos an, dann den Koch.

»Aber um sechs wollte doch der General – –.«

Der Koch wurde fast böse. »Ihr hört doch, der General pennt jetzt. Ist schließlich auch nur ein Mensch. Und nicht mehr der Jüngste. Gönnt sich sowieso nur ein paar Stunden Schlaf vormittags. So gegen zehn mache ich ihm einen extra starken Kaffee, damit er wieder auf die Beine kommt, und dann geht der Laden hier auch schon bald wieder rund!«

Tammo nickte verständnisvoll. »Klar! Um zehn wäre es für Kirischi auch zu spät. Die ruhigste Zeit an der Front ist nun mal nur der ganz frühe Morgen – – alte Erfahrung!«

Noch eine Stunde schlichen wir in dem schlafenden Bunkerdorf umher, dann gaben wir es endgültig auf.

Im Bunker schnarchte der Feldwebel. Ich schöpfte das Wasserloch leer, und der Ia-Hauptmann ließ uns ausrichten, daß der Herr General am nächsten Morgen um sechs auf den Brückenkopf gehen würde.

»Na also!« sagte Tammo erleichtert.

Nachts lagen wir wieder in den Nischen und horchten auf das ununterbrochene Poltern und Wummern, das von Kirischi herüberdrang. Unsere Gedanken kreisten nur noch um den Brückenkopf.

»Die Russen müssen ja Unmengen von Munition haben«, flüsterte Tammo.

»Ja, ich stelle mir gerade vor, – wie sollen da bloß die Verwundeten zurückgebracht werden – –.«

»Nicht einmal die Toten können sie begraben drüben!«

Wir lagen wach. An Schlaf war nicht zu denken.

Bis um fünf hörten wir das Klirren des Flaschenfensters.

Um sechs standen wir erneut feldmarschmäßig vor dem Generalsbunker. Und wieder rührte sich nichts. Gar nichts.

Um halb sieben kam der Koch aus seinem Bunker.

»Erst um zehn, meine Herren! Erst für zehn ist der extra starke Kaffee bestellt!« rief er uns entgegen und begann Feuer unter seinem Kessel zu machen.

Tammo schüttelte enttäuscht den Kopf. »Wenn er morgen wieder nicht kommt, – was dann?« sagte er verärgert. »Wir müssen doch schließlich was tun hier. Dann gehen wir eben alleine rüber!«

Der Tag verging wie alle anderen. Der Ia ließ uns ausrichten, am nächsten Morgen wäre es soweit – – abends gab es Tee, und nachts lagen wir wach in unseren Nischen. Das Warten zerrte mehr an unseren Nerven als jede andere noch so anstrengende Aktivität.

Bis um fünf Uhr klirrte wieder das Flaschenfenster.

Um sechs standen wir abermals vor dem Generalsbunker, – und an diesem Morgen war es endlich soweit. Der Koch hatte schon um fünf Uhr angefangen, den extra starken Kaffee zu kochen – –.

Kurz nach sechs Uhr stieg der General aus dem Bunker: ein breitschultriger Mann, etwas vornüber geneigt, mit einem bäuerlichen Gesicht, dessen Haut von feinen Rissen durchzogen war. Er hatte bereits seinen Stahlhelm auf. Nun sollte also das große Unternehmen vonstatten gehen, der Gang auf den Brückenkopf Kirischi.

Der Adjutant, der ihm folgte, ein schlanker, drahtiger Hauptmann mit umgehängter Maschinenpistole, nickte uns lässig zu.

Wir bauten unser Männchen.

Jovial dankte der General, berührte mit der Rechten kurz seinen Helmrand, warf einen Blick auf meine Kameras und ging mit schweren Schritten voran.

Durch morastiges, mit Büschen bestandenes Gelände erreichten wir nach einer guten halben Stunde den Wolchow, diesen von dichten Wäldern umgebenen, heißumkämpften Strom, der zwischen dem Ilmensee und dem Ladogasee die Front bildete und den jeder Landser hier oben haßte und verwünschte. Als ich ihn das letzte Mal gesehen hatte, bei Grusino, war er zu Eis erstarrt. Nun floß er breit und träge vor uns dahin.

Wir waren genau auf die Stelle gestoßen, wo die Reste

der zerschossenen, zerbombten Brücke aus dem Wasser ragten. Über die Eisenträger waren Bretter gelegt als Laufstege. Dürftige Reisigblenden, rechts und links wie Geländer entlanggezogen, sollten beim Hinübergehen vor Feindeinsicht schützen.

Und drüben sahen wir ihn nun liegen, den wie ein Vulkan grollenden und polternden Brückenkopf: eine kahle Anhöhe, über der hoch oben eine rote Staubwolke stand. Endlose Trichterfelder, überzogen von Schwaden aus Pulverdampf und aufgewirbelter Erde. Braunschwarze Rauchpilze, die in ununterbrochener Folge in den diesigen Himmel wuchsen und wieder in sich zusammenfielen.

Der General hat sich hingekniet, das Fernglas angesetzt. Aber er schüttelt den Kopf. Von einem Sturmboot, das uns abholen sollte, ist nichts zu sehen.

Hintereinander gehen wir am Ufer entlang, der General als erster. Ab und zu duckt er sich unwillkürlich – eine Reflexbewegung – wenn Einschläge in unserer Nähe liegen.

»Wo bleibt denn nur dieses komische Sturmboot?« murrt er ungeduldig.

Er legt sich hin, sucht wieder mit dem Fernglas das jenseitige Ufer ab, schüttelt unwillig den Kopf. »Nichts!«

Plötzlich wendet er sich an mich. »Sehen Sie dort den Draht? Der muß ja zu irgendeiner Einheit führen – hinter uns im Buschwerk. Laufen Sie dem Draht nach, fragen Sie, wo das Sturmboot liegt! Beeilen Sie sich!«

Ich laufe, so schnell ich kann. Aber es vergehen doch Minuten, bis ich auf den Bunker einer Nachrichteneinheit stoße.

»Sturmboote –?« sagen die Strippenzieher, »die liegen auf dem Grunde des Wolchows! Das letzte hat der Iwan vor einer Viertelstunde abgeschossen!«

Ich renne zurück.

Als ich wieder zu unserer Stelle komme, steht Tammo allein da.

»Ein komischer Kauz ist das«, sagt er, »du warst kaum weg, da schimpfte er schon ›Wo bleibt denn der Kerl?‹ –

und dann ist er mit seinem Adjutanten losgestiebelt –
über die Brücke – mit seinen auffälligen roten Biesen an
den Hosen!«

»Und wir –?«

»Sollen nachkommen!«

»Also los! Über die Brücke!«

Wir ziehen die Köpfe ein, rennen, erreichen die Lauf-
planken, schleichen an den Reisigblenden entlang, kommen atemlos hinüber. Am Ende der Brücke treffen wir
auf ein Gewirr von geborstenem Eisen, wir müssen klettern. Von einem Träger zum andern. Da kommt uns jemand entgegengekrochen. Ein verwundeter Russe, auf
dem Wege zum Gefangenenlager, zum Verbandsplatz.
Mit zwei Ästen, die ihm als Krücken dienen, schiebt er
sich mühsam vorwärts. Im Durcheinander der Eisenstre-
ben bleibt er dicht über mir hängen. Den kleinen Sprung
nach unten, auf ein breites Trägerstück, schafft er nicht
mehr. Angsterfüllt blickt er zu mir herunter. Ich packe ihn
bei den Beinen –, da schreit er auf wie ein Wahnsinniger.
Meine Hände sind voll Blut, – ich habe in seine Wunde
gefaßt. Er fällt auf mich, umklammert mich. Sein rechtes
Bein verdreht sich dabei nach hinten, hängt kraftlos herab. Langsam lasse ich ihn an mir entlanggleiten. Ganz
dicht vor mir habe ich sein schmerzverzerrtes Gesicht,
sehe für Sekunden seine Augen: dunkelbraune, wehmü-
tige Augen – –.

Schüsse peitschen durch die Reisigblende. Weiter!
Einmal noch drehe ich mich um, sehe, wie er sich langsam kriechend mit seinen Stöcken auf den Planken da-
hinschiebt.

»Müssen uns beeilen – – der General –!« ruft Tammo.

Ein letzter Sprung von den Brückentrümmern. Wir sind
drüben.

Wieder diese rote Staubwolke über uns auf der Höhe.
Wo müssen wir hin? Wo ist der General geblieben?

Wir hasten am Ufer entlang, von Trichter zu Trichter.
Fauchend gurgeln Geschosse heran. Schwere Brocken.
Und genau dieses Fleckchen Erde wühlen sie um, wo wir
liegen, umherirren, suchen. Ob die Russen den General

bemerkt haben? Ob er noch nahe bei uns in einem Trichter liegt?

»Deckung!« brüllt Tammo. Und dann bricht ein Orkan los. Noch zehnmal so stark wie vorher. Die Trichter greifen ineinander. Der Himmel verdunkelt sich, alles ist aufgewühlt und in Bewegung.

Inferno! – Das ist die Hölle!

Ich drücke mich in die tiefste Stelle, warte die nächsten Einschläge ab, mache mich bereit zum Sprung – vielleicht rettet gerade dieser Sprung mir das Leben! – da sehe ich: ein Arm ragt aus dem Erdreich, scheint nach mir zu greifen. Erde rutscht. Der Arm liegt frei. Ohne Körper. Nur Uniformfetzen – –.

Ich will springen, sacke zurück in ein Loch. Vor mir kracht es. – Liegen bleiben! – Durchlöcherte Stahlhelme kullern zu mir herab. Wieder bebt der Boden, Körperteile wirbeln durch die Luft.

»Tammo!« brülle ich. Aber ich weiß, er kann mich nicht hören bei diesem Krachen und Bersten, bei diesem infernalischen Getöse.

Vor mir liegt ein Totenschädel.

Erde rieselt auf mich herab, ich rutsche. Als ich den Kopf wieder anhebe, liegt der einzelne Schädel nur noch eine Handbreit vor meinen Augen. Ich kann in die Schädelöffnung hineinsehen. Ein Granatsplitter muß ihm die obere Partie abgerissen haben. Zentimeterlange Maden kriechen darin herum.

Ein zersplittertes Stück Brett fällt auf meine Schulter. Es steht etwas darauf: ›Gefr. Gerhard Kre . . .‹ lese ich. Und jetzt begreife ich: Das war der Soldatenfriedhof, von dem der Ic-Feldwebel erzählt hatte. Die russische Artillerie hatte ihn gleich am ersten Tag der neuen Offensive umgepflügt.

Tammo kommt in meinen Trichter gesprungen.

»In Ordnung –? Weiter! Der General – –!«

Wir hasten die Anhöhe hinauf, der roten Wolke entgegen. Mir versagen fast die Knie. Aber wir schaffen es. Und wir sehen: die unheimliche Wolke schwebt über einem riesigen Backsteingebäude. Nur die Außenmauern

365

stehen noch. Es muß eine Fabrik gewesen sein, und jetzt hämmert die russische Artillerie mit schwersten Kalibern in diese Ruine. Sie scheinen drüben zu wissen, daß der Regimentsstab darin liegt. Bei jedem Einschlag wirbelt roter Gesteinsstaub auf. Unaufhörlich – –.

Innerhalb der Mauern haben wir für Sekunden das Gefühl der Geborgenheit. Aber es täuscht. Jeder zehnte Schuß mindestens trifft genau von oben hinein – auf die Bunker des Stabes.

Ein Leutnant, mit Karten unter dem Arm, steigt hinab in den hintersten Unterstand. Wir ihm nach.

»Es ist offensichtlich alles Schicksal«, sagt er seelenruhig zu uns, »wir sind gerade umgezogen –« und begrüßt uns mit einem Kopfschütteln und einem Lächeln. »Der alte Bunker, zehn Meter weiter, hat einen Volltreffer bekommen – kurz nachdem wir ihn geräumt hatten! Eigentlich hatten wir ihn noch gar nicht aufgeben wollen, – aber weil unser Oberst nach vorn gegangen war zu den Stellungen, habe ich mir gedacht, derweile könnte ich eigentlich –.«

»Und der General«, unterbrach Tammo ihn, »ist der Herr General vielleicht mitgegangen?«

»Ja, zum Glück!« entgegnete der Leutnant. »Der Herr General ist mit dem Oberst – –.«

In dem Moment krachte ein schwerer Einschlag gegenüber von uns in die Backsteinwand. Der Unterstand bebte. Ich wurde in eine Ecke geschleudert. Tammo und der Leutnant fanden sich hinten auf der Erde wieder. Roter Staub erfüllte die Luft.

»Alles in Ordnung?« fragte hustend der Leutnant.

Ja. Es war alles in Ordnung. Uns hatte nur die Druckwelle erwischt. Die Bunkertür war in den Raum geschleudert worden. Das Flaschenfenster war in Scherben gegangen.

»Eigentlich schade, daß der Herr General das nicht erlebt hat!« lächelte der Leutnant sarkastisch.

Er gab uns ein paar Tips, wie wir nach vorn in die Gräben kämen, und wir verabschiedeten uns.

Auf halbem Wege etwa kommen wir an einer Stellung

vorbei. Schwere Granatwerfer. Es wäre besser, wenn wir für einige Zeit in den Stollen kämen, rät man uns.

Wir kriechen in die niedrigen Bunker. Tammo ist erregt und zündet sich mit zitternden Händen eine Zigarette an. Im Aufglimmen des Streichholzes sehen wir: da liegen Landser in den Schlafnischen. Ein alter Obergefreiter, der sich zu uns auf die Kiste hockt, weist mit dem Kopf hinüber zu den Liegenden. »Die sind tot«, sagt er kurz.

Hatten wir richtig gehört?

»Ja, ja – die drei da sind tot«, wiederholt er noch einmal, »wir haben bloß keinen Platz, sie zu beerdigen. Keinen ruhigen Platz – –.«

Draußen hören wir unsere Granatwerfer blupp – blupp – blupp machen.

»So ist das eben«, fährt der Alte fort, »der Iwan greift Tag und Nacht an – eine Welle nach der andern läuft hier auf. Vorne liegen die Toten übereinander. Russen und Deutsche durcheinander.«

Er stützt den Kopf auf die Hand. Sein Gesicht ist grau und fahl, der Bart stoppelig gewuchert, die Wangen sind eingefallen.

»Noch drei Tage«, sagt er, »dann bin ich wieder drüben am andern Ufer und werde mich rasieren. Wenn ich nicht inzwischen neben denen da liege – –.«

Für Minuten schien es ruhiger geworden zu sein.

Wir schlichen weiter durch die Gräben. Nach vorn.

Niemand nahm Notiz von uns. Nicht einmal, während ich fotografierte. Wenn wir gelegentlich einen Blick zugeworfen bekamen, hielt man uns wohl für die Ablösung. Für Neue, von hinten.

Einen Feldwebel, der uns noch ansprechbar erschien, fragte Tammo etwas. In ostpreußischem Dialekt antwortete er: »Nu, – wie soll jeh'n? Wo Ostpreußen steh'n, kommt käin Iwan durrch! Kommt mal mit, – ich will euch unsern Jraben zäijen – –.«

Gebückt schlich er voran. Ich ahnte, was er uns zeigen wollte –.

Als er an einer Ecke den Kopf kurz über den Grabenrand streckte, sagte Tammo: »Mach ein Bild von ihm –.«

Ich hielt die Kamera hoch, so daß ich ihn und das Vorfeld gleichzeitig draufbekam; erst dann richtete ich mich ganz auf und warf selber einen Blick über den lehmigen, nassen Rand nach vorn: Da lagen die Angreifer, nebeneinander, übereinander, mit aufgedunsenen Leibern – –.

Der Feldwebel kroch weiter, jetzt auf allen vieren, denn vor uns war der Graben stückweise eingestürzt; dann richtete er sich halb auf, drückte sich an die Wand und ließ uns vorbei.

»Aufpassen hier!« rief er und beobachtete uns dabei. Es war die tiefste Stelle des Grabens. Ein zäher Lehmbrei füllte den ganzen Grund aus.

Tammo ging voraus. Plötzlich hörte ich, wie unter seinem Fuß etwas röchelte.

»Hier liegen noch welche vom letzten Winter –« sagte der Feldwebel und nickte mir mit einem bitteren Grinsen zu, »da liegt einer drunter, der röchelt immer, wenn man ihm auf die Brust tritt – und da hinten haben wir einen, der winkt mit der Hand hinterher, wenn man drübergeht. Der Herr Oberst hat neulich auch zufällig draufgetreten – –.«

Tammo versuchte einen Bogen um die Stelle zu machen, rutschte aus, griff in den Lehm.

Der Feldwebel griente. »Sie wollten ihm wohl ›juten Tag‹ sagen«, spöttelte er. »Wir wissen nicht mal, ob das ein Deutscher oder ein Russe ist.«

In einer Kuhle stand ein schweres MG, Handgranaten lagen mit heraushängenden Porzellanköpfen wurfbereit auf der Brüstung. Die beiden Posten stierten apathisch nach vorn.

Ich schaute über das MG hinweg. Immer das gleiche Bild. Leiber – Trichter – sonst nichts. Immer das gleiche Trommeln der Einschläge, dieses harte Krachen, das Spritzen der Erde –.

Eine Detonation, nicht weit hinter uns, läßt uns zusammenfahren.

Heiseres Schreien dringt herüber. »Helft mir! Helft!«

Der Feldwebel und einer vom MG sind sofort bei dem Verwundeten, packen ihn, schleifen ihn durch den Graben, bis zu einem Stollen. Sein linkes Bein hängt nur noch an ein paar Sehnenfäden und pendelt hinterher. Aber er scheint nun bewußtlos zu sein, empfindet nicht mehr, was ihm geschehen ist.

»Der Knochen ist durch –« sagt der Feldwebel, und der vom MG schneidet ihm die Hose auf, hat plötzlich einen Lederriemen zur Hand, bindet den Oberschenkel damit ab, holt zwei Verbandspäckchen aus der Tasche.

»Wir werden ihn zurückbringen –« sagt Tammo.

Der Feldwebel beugt sich über den Verwundeten, zieht ihm die Augenlider hoch. »Aus!« sagt er. »Der hat ausjelitten.«

Wir packen ihn in eine Zeltbahn und nehmen ihn mit nach hinten. Vorbei an dem Loch mit dem Lehmbrei. Vorbei an den Granatwerfern – an den primitiven Bunkern – –.

An der Mauer, hinter der Fabrik, legen wir ihn nieder. Roter Staub rieselt auf ihn herab – –.

Spät am Abend kamen wir über den Wolchow zum Bunkerdorf zurück. Wir waren beide total erschöpft und todmüde.

»Wo kommt *ihr* denn jetzt her?« fragte der Ic-Feldwebel bestürzt. »Ihr sollt euch sofort beim General melden! Kinders, der Alte ist außer sich!«

Wir sahen ihn verständnislos an.

»Na, bitte«, sagte Tammo achselzuckend. Und sofort gingen wir hinüber zum großen Befehlsbunker und meldeten uns in strammer Haltung vom Brückenkopf Kirischi zurück.

»Was?« brüllte uns der General an und richtete seinen breiten Oberkörper empört hinter dem Arbeitstisch auf. »Was? Sie wollen mir erzählen, Sie seien auf dem Brückenkopf gewesen? Feiglinge sind Sie! Erbärmliche Feiglinge! Sie sind überhaupt nicht drüben gewesen! Sie haben sich gedrückt! Und jetzt wollen Sie mich obendrein noch anlügen! Unverschämtheit! Ich werde –.« Er hielt einen Moment inne und maß uns mit vor Wut sprühenden Augen.

»Wo kommen Sie jetzt erst her?« rief er mit überschnappender Stimme.

Tammo antwortete: »Wir sind vor fünf Minuten vom Brückenkopf Kirischi zurückgekommen, Herr General.«

»Mir können Sie nichts vorlügen!« schnaubte der Kommandeur. »Los! Erzählen Sie, wo Sie gewesen sein wollen! Wie sieht es drüben aus? Wo ist der Bunker des Regimentskommandeurs? Wenn Sie dort gewesen sind, dann müssen Sie es ja schildern können, – also los, meine Herren Kriegsberichter! Bitte!«

Ich warf einen Blick zu Tammo hinüber und sah, daß er kreidebleich geworden war. Ich fürchtete fast, er könnte seine Beherrschung verlieren.

Aber er riß sich zusammen. Und dann schilderte er sachlich der Reihe nach, was wir gesehen und erlebt hatten: Daß der Bunker des Regimentskommandeurs einen Volltreffer bekommen habe, nachdem der Herr General ihn verlassen hatte. Daß die Bunkertür des neuen Stollens vom Luftdruck eingedrückt worden sei, – daß der Soldatenfriedhof wie umgepflügt aussehe – –.

»Stimmt –!« rief mehrmals der General dazwischen und sah Tammo überrascht an. »Stimmt alles, tatsächlich! Ich habe es vom Oberst telefonisch erfahren!«

Und plötzlich griff er mit der Hand in eine Ecke hinter dem Tisch, zog eine Flasche Cognac hervor und goß drei große Gläser voll.

»Ich habe Ihnen unrecht getan!« sagte er auf einmal in verändertem Ton. »Ich sehe, Sie sind tatsächlich drüben gewesen!«

Mit strahlendem Gesicht reichte er Tammo und mir ein Glas. »Prost! Meine Herren! Alles in Ordnung!«

Tammo und ich nahmen unsere Gläser vorschriftsmäßig an den dritten Knopf von oben, dann erwiderten wir beide »Prost, Herr General!« und stürzten den Cognac hinunter.

»Also, – nichts für ungut«, sagte der General lächelnd, »und wenn Sie etwas schreiben, äh – – einen verwundeten Obergefreiten habe ich übrigens selber zurückgebracht bis zum Verbandsplatz. Der machte ein ganz erstauntes Gesicht, als er sah, daß es sein General war, der ihn stützte – –. Vielleicht können Sie das in Ihrem Bericht mit verwenden – –. Aber zeigen Sie ihn mir, bevor Sie ihn weitergeben. Ich möchte ihn erst lesen.«

Dann waren wir wieder draußen.

Und jetzt war es mit Tammos Beherrschung vorbei. »Ich soll schreiben? Über ihn? Wo ich doch gar nicht dabei war!«

»Muß ja nicht gleich heute sein«, versuchte ich ihn zu beruhigen.

Am nächsten Morgen machte Tammo einen Rundgang durch das Bunkerdorf, unterhielt sich hier und da mit den Männern. Und als er zurückkam, war er angetrunken.

»Ich schreibe morgen – –« sagte er.

Aber am nächsten Tag schrieb er auch nicht. Er habe Kopfschmerzen, redete er sich heraus. Und am übernächsten Tag wurde es ebenfalls nichts. Er kam mit einer ganzen Flasche Rum an, die er sich für sein Taschenmesser eingetauscht hatte, und betrank sich. Ich hörte ihn nur etwas murmeln, aber ich verstand nichts.

Jemand kam die Stufen herunter. Hoffentlich nicht der Hauptmann, dachte ich. Es war nur der Feldwebel.

»Schon dreimal hat heute der General gefragt, ob denn euer Bericht noch nicht fertig sei.«

Ich zeigte auf Tammo.

»Um Gottes willen –« rief der sonst so freundliche Feldwebel entsetzt, »wenn das der Alte erfährt! Der kann sehr unangenehm werden! Der General hat ja bestimmt Verständnis dafür, daß man sich mal so richtig einen hinter die Binde gießt, – aber – –.« Er schüttelte den Kopf und ging hinüber in seinen Verschlag.

Ich setzte mich auf die Kiste und überlegte. Was würde passieren, wenn morgen der General wieder fragte und noch immer keine Zeile geschrieben war? Nicht auszudenken!

Aber warum eigentlich wollte Tammo nicht schreiben? Es war mir vollkommen unerklärlich. Noch niemals hatte ich etwas Derartiges mit ihm erlebt.

War er beleidigt? Fühlte er sich in seiner Ehre angegriffen, weil der General daran gezweifelt hatte, daß wir drüben gewesen waren? Oder hätte nach seiner Auffassung der General den ganzen Tag drüben auf Kirischi bleiben müssen – als Vorbild?

Unzählige Fragen gingen mir durch den Kopf. Auch aus der Sicht des Generals versuchte ich den Fall zu durchleuchten.

Warum war der General überhaupt drüben gewesen? Warum hatte der alte Herr diese Bravourleistung vollbringen wollen, die eigentlich über seine Kräfte hinausging?

Hatte er seinen Soldaten in schwerster Bedrängnis das Gefühl geben wollen: Seht, euer General ist bei euch, er kennt eure Nöte!?

Oder hatte er sich selbst wie allen anderen einmal beweisen wollen, was für ein Kerl er noch war?

Wenn man es von der menschlichen Seite betrachtete, mußte man sogar Mitgefühl und Bewunderung für ihn aufbringen, – für den ›alten Herrn‹. Er hatte es schließlich gewagt – er, der älteste von allen, die je in der Hölle von Kirischi im Granattrichter gelegen haben.

Ich faßte einen Entschluß: Ich nahm Tammos Schreibmaschine und begann zu tippen. Wenigstens ein Anfang sollte vorhanden sein. Vielleicht gelang es mir, Tammos Stil ungefähr zu treffen.

Die Überschrift war klar: »Mit roten Biesen über den Wolchow!«

Aber dann saß ich fest. Mehrmals zog ich den Bogen wieder aus der Maschine, nahm einen neuen Anlauf. Doch nachdem die ersten Sätze gefunden waren, sprudelten die Zeilen nur so dahin: Ich ließ den General mit seinen roten Biesen über die Brückentrümmer klettern, ließ ihn drüben im Trommelfeuer von einem Granattrichter in den anderen springen, ließ ihn das Gesicht in den Sand pressen, Einschläge neben ihm krachen, Schwaden von Pulverdampf dahinziehen und die rote Wolke über ihm stehen – es war eine wahre Pracht! Und drüben, in der Fabrikruine, ließ ich ihn das erleben, was *wir* erlebt hatten. (Die toten Landser bei den Granatwerfern, das Röcheln und die winkende Hand im Graben verschwieg ich, ebenso den Totenschädel des Gefreiten Gerhard Kre... auf dem ›Soldatenfriedhof‹ – –.) Und ganz zum Schluß ließ ich noch den verwundeten Obergefreiten auftauchen, den er – wie er uns selbst erzählt hatte – zurückgebracht hatte zum Verbandsplatz. Mit seinen kräftigen Fäusten packte ihn der General drüben im Trichterfeld, lud ihn sich halb auf die Schulter und schleppte ihn über den Wolchow – –.

Es war schon nach Mitternacht, das Flaschenfenster begann zu klirren. Da wurde Tammo wach und sah mich mit glasigen Augen an.

»Was machst du denn da noch?« fragte er.

Ich hielt ihm die drei Seiten entgegen. »Der Bericht!«

Er runzelte die Stirn. »Wie kommst *du* denn dazu, den Bericht zu schreiben?«

»Du wirst lachen«, erwiderte ich, »aus Vernunftsgründen! Du hast mir doch selbst einmal erklärt, mitunter müsse man die Menschen zu ihrem Glück zwingen – sonst verschlafen sie es womöglich!«

Er kniff die Augen zusammen. »Du – aus Vernunftsgründen?!«

»Ja, mein Guter, du warst nämlich im Begriff, die größte Dummheit deines Lebens zu machen – oder willst du durchaus mal ein Bewährungs-Bataillon kennenlernen? – Na also! Und da sagte ich mir: *Gefühl* plus *Vernunft* – das ist die Formel! Compris?«

Ein paar Sekunden lang sagte er gar nichts. Dann stieg er von seiner Lagerstatt, ergriff meine Bogen und las sie aufmerksam durch.

Als er damit fertig war, sagte er ironisch grinsend: »Nicht schlecht! Ganz mein Stil – vor zwei Jahren allerdings!« Doch gleich wurde seine Miene wieder hart: »Das ist kein PK-Bericht, kein echter. Wir waren schließlich beide nicht dabei! Du hast einfach einen Helden aus ihm gemacht – und was für einen!«

Ich zuckte die Achsel. »Na, und?«

Langsam hob Tammo die Seiten empor und zerriß sie vor meinen Augen. »Da –« sagte er, »aus Gefühlsgründen!«

In dem Augenblick ging die Tür auf.

Der Feldwebel stand da und sah uns entgeistert an.

»Der Alte tobt! Er will unbedingt den Bericht sehen! Sofort! Herrschaften, der meldet es der Armee, hat er geschnauzt! Oder – habt ihr ihn heimlich etwa schon weggeschickt? Ohne ihn dem Alten zu zeigen? Das wäre ja *noch* schlimmer!«

Tammo überlegte einen Moment.

»Ich will dich nicht mit hineinreißen, Schorsch«, sagte er plötzlich ernüchtert, »hast du einen Durchschlag?«

Ich hatte einen.

»Unter welchem Namen soll der Bericht laufen?« fragte ich.

»Natürlich unter deinem!«

Ich setzte meinen Namen ein, dazu den Vermerk ›Kriegsberichter der PK 621‹. Dann nahm mir der Feldwebel die Bogen aus der Hand und stürzte davon.

Nach einer halben Stunde kam er wieder. Er strahlte.

»Ihr könnt eben doch etwas! Der Alte hat sich gleich fünfzehn Kopien davon bestellt! Der ist ganz hingerissen von seinen Taten! Allen Freunden und Verwandten will er ein Exemplar schicken. Und vor allem den Vermerk ›Kriegsberichter‹ und ›PK‹ soll ich nicht vergessen, – der macht den Bericht so amtlich – –!«

Am Morgen haben wir uns von dem liebenswerten alten Feldwebel verabschiedet und den Divisionsstab verlassen. Vierzehn Tage danach erfuhren wir, daß dem General der 11. ostpreußischen Infanterie-Division das Ritterkreuz verliehen worden sei.

Später übergab mir Walterchen ein Belegexemplar des ›12-Uhr-Blattes‹ aus Berlin. Auf Seite zwei rechts war rot angestrichen der Bericht: »Mit roten Biesen über den Wolchow!«

13 STALINGRAD
GOEBBELS UND DIE ANTI-PK DES
GENERALS VON SEYDLITZ

Stalingrad!
Über Stalingrad sind nach dem Zweiten Weltkrieg viele
Bücher geschrieben worden. Aus der Sicht eines PK-
Mannes soll nun berichtet werden
erstens: vom Schicksal der Kriegsberichter im Kessel,
zweitens: was Goebbels aus dieser gewaltigen Niederlage machte,
drittens: wie die Sowjets versuchten, ihren Sieg propagandistisch zu nutzen.

Am 10. Januar 1943 beginnt der letzte große Ansturm
der Sowjetrussen auf die von den Deutschen besetzte
Stadt. Mit 5000 Geschützen trommeln sie auf die ver-
eisten Trümmer, auf das Fleckchen Erde an der Wolga,
das den Namen Stalins trägt. Eine Hoffnung, aus dem
Einschließungsring zu entkommen, besteht für die noch
übrig gebliebenen rund 100 000 Mann (einst 300 000)
der 6. Armee des Generaloberst Paulus nicht mehr.
Sie kämpfen um ihr Leben gegen einen vielfach überlegenen Feind, – bei eisiger Kälte, seit Monaten nur noch
unzulänglich aus der Luft versorgt, mit einem Minimum
an Ausrüstung, Munition und Verpflegung.
PK-Berichter schildern aus dem Kessel, mit welcher
Verzweiflung der Kampf um jedes einzelne Haus und
schließlich nur noch um Ruinen geführt wird, wie der Abstand zwischen den Kämpfenden immer kürzer wird.
Manchmal – so berichten Sie – sind es nur wenige Meter,
die die erbitterten Gegner voneinander trennen: Während im Keller bereits die Russen sitzen, kämpft in den
Mauerresten über ihnen noch eine deutsche Gruppe mit
dem MG, – bis zur letzten Patrone.
Solche Berichte werden in Berlin gebraucht. Insbesondere Fotos von Einzelkämpfern in Ruinen sind gefragt.
Am 23. Januar – knapp zwei Wochen nach Beginn der

Großoffensive – nehmen die Russen den leichenübersäten Flugplatz Pitomnik bei Gumrag ein. Damit ist die Verbindung zur Außenwelt endgültig abgeschnitten.

Mit der letzten Kuriermaschine werden auch die letzten belichteten Filme aus dem Kessel herausgebracht. Was danach noch gefilmt und fotografiert wird, bekommt Goebbels nicht mehr zu sehen.

In der Schlußphase des Kampfes wurden die PK-Männer als Infanteristen eingesetzt. Ihr weiteres Schicksal ist so in Dunkel gehüllt, daß kaum jemals geklärt werden wird, wer von ihnen gefallen ist oder in der Gefangenschaft starb.

Von den 23 eingeschlossenen PK-Männern der Heeres-PK 637 (Breslau) kehrte nur einer zurück: Oberleutnant Oswald Zenkner. Er erlebte als Augenzeuge die geschichtliche Stunde der Kapitulation des Feldmarschalls Paulus im Keller des Warenhauses UNIWERMAG mit. Anschließend trat er mit den 90 000 völlig erschöpften Landsern – seit fünf Tagen hatte es kein Brot mehr gegeben – den Leidensweg in die Gefangenschaft an, der mit einem 36 Stunden dauernden Marsch durch Schnee und Eis, ohne Pause und ohne Verpflegung begann und in flecktyphus- und ruhrverseuchten Lagern endete. Von 90 000 kamen 5000 mit dem Leben davon.

Oswald Zenkner gehörte zu ihnen.

Sein Weg führte über die Stationen: Beketowka, Jelabuga 97, Wjatskize Poljany, Kasan, Saporoshe 100/5, Schtscheglowka/Donezrevier, Colodnaja.

Erst nach dreieinhalb Jahren hatte seine Frau ein Lebenszeichen von ihm erhalten, und am 22. September 1949 stand er ihr im blauen Monteuranzug mit einem selbstgebastelten Holzkoffer in Mannheim-Friedrichsfelde gegenüber, wo er seinen Redaktionsstuhl bei der ›Schwetzinger Zeitung‹ wieder einnahm.

Von drei bereits als verschollen gemeldeten Berichtern eines kleinen PK-Trupps der Luftwaffe kehrte sechs Jahre später der Rundfunkberichter Karl Viertel überraschend aus der Gefangenschaft zurück. (Er wog weniger als 100 Pfund bei einer Körpergröße von 1,85 m.)

**Einzige Lichtquelle: Leuchtkugel ›Sternbündel weiß‹. An der Leningradfront bei Mga,
Winter 1942/43.**

Stalingrad-Fotos, die um die Welt gingen:
Dicht zusammengedrängt steht eine kleine Gruppe, – ein Offizier, zwei Unteroffiziere und drei Mann – die Reste einer Kompanie? Eines Bataillons? Verzweifelt wird ein aussichtsloser Kampf um jede Ruine geführt.

Auf dem Flugplatz Stalingradski, der nach dem Verlust von Pitomnik provisorisch hergerichtet worden war, schieben die völlig entkräfteten Soldaten rückwärtiger Dienste bei eisiger Kälte eines der schweren Versorgungsflugzeuge, eine Ju 52, auf die Startbahn.

Mit der letzten Maschine, die Stalingrad verließ, wurden noch belichtete Filme der Kriegsberichter herausgebracht. Der Bildberichter Friedel Ruschke, der während des Todesmarsches in die Gefangenschaft zusammengebrochen war und den zwei PK-Kameraden Stunde um Stunde mitgeschleppt hatten, starb anschließend im Gefangenenlager Lysobaja.

Die Generale
gegen Hitler

Sowjetisches Flugblatt in Millionenauflage: Der Aufruf der 50 Generale »An Volk und Wehrmacht«, Moskau, 8. 12. 1944.
Vorn links mit Ritterkreuz: Generalfeldmarschall Paulus, ehem. Oberbefehlshaber der 6. Armee (Stalingrad).
Rechts mit Ritterkreuz und Eichenlaub: General von Seydlitz.

Von der Zensur gesperrt

Kriegsberichter sollten vorn beim Angriff dabei sein, um ›Dokumente‹ zu schaffen, hatte Goebbels gesagt. Aber nicht jede Aufnahme wurde freigegeben. Fotos von Toten und Verwundeten mit vor Schmerz verzerrten Gesichtern blieben im Sieb des Propaganda-Ministeriums hängen. – Nach dem Kriege bekam die Öffentlichkeit auch diese einst ›unerwünschten‹ Aufnahmen zu sehen – nunmehr als Dokumente über die Schrecken des Krieges.

Sanitäter in vorderster Linie: Einem von ▶ ihnen hat ein Granatsplitter den linken Arm zerfetzt. Seine eigenen Kameraden sind herbeigeeilt, binden ihm den Oberarm ab. Wenn er den Schock übersteht, wird er mit einem Armstummel weiterleben.

Auf dem Felde bei Nemmersdorf in Ostpreußen: Ein im Kampfgeschehen umgekommenes Kind.
▼

Diese kleine Gruppe war ab Mitte Januar 1943 infanteristisch in einer Schlucht am Zaritzabach eingesetzt. Erstaunt sahen die Landser eines Nachts Sowjetfahrzeuge mit vollem Licht umherfahren und hörten nun erst von der Kapitulation. Sie zerschlugen ihre Gewehre, traten die Munition in den Schnee und trotteten zum Sammelplatz ihres Abschnitts ›Stalingrad-Mitte‹.

In Zwölferreihen setzte sich eine Menschenschlange zum Marsch ins Gefangenenlager in Bewegung. Tag und Nacht und immer weiter – ohne Halt. Plötzlich stellten sie entsetzt fest: es ging immer im Kreis herum! Wer nicht mitkam, wurde erschossen. Vom Ende des Zuges her hörte man ständig das Krachen der MP-Salven.

Nach jeder Runde vermehrten sich die dunklen Flecke am Marschweg im Schnee, berichtete Karl Viertel; allmählich wurden es lange Reihen, aus denen verkrampft und gefroren die Arme der Erschossenen aufragten.

Die drei PK-Kameraden hielten sich in dem ›Todeskarussell‹ dicht aneinander.

Der Bildberichter Friedel Ruschke drohte zusammenzubrechen. Seine beiden Kameraden, selbst schon am Ende ihrer Kräfte, schleppten ihn mit – Stunde um Stunde.

Am 2. Februar 1943 – während sie in Stalingrad durch den Schnee torkelten – erschien in der Luftwaffen-Zeitschrift DER ADLER Nr. 3/43 ein doppelseitiger Bericht von Karl Viertel – sein letzter.

Gleichzeitig mit dem Belegexemplar erhielt seine Frau die Nachricht, daß er als vermißt galt.

Friedel Ruschke überlebte den Todesmarsch nicht lange. Er starb im Lager Lysobaja, wo Flecktyphus wütete.

Das Schicksal des Dritten, Heinz Lindner, blieb ungeklärt.

Über die Kapitulation im UNIWERMAG-Keller, die Oswald Zenkner miterlebte, berichtete die WILDENTE im Februar 1958:

»Bei den Kapitulationsverhandlungen ... erklärte der

verhandlungsführende Beauftragte auf deutscher Seite, Herr Feldmarschall Paulus möchte als Privatperson betrachtet werden und ließe fragen, ob er seine Ordonnanzen und seine Proviantvorräte mit ins Gefangenenlager nehmen dürfe. Es handelte sich dabei um 12 Ordonnanzen und Burschen und an 7 Kisten mit Konserven aller Art.«

Kurz vor der Kapitulation war noch bekanntgegeben worden: »Wer kapituliert, wird erschossen. Wer die weiße Flagge zeigt, wird erschossen. Wer abgeworfene Lebensmittel nicht abliefert, wird erschossen. . .«

Als die Generale den Keller über eine schmale Treppe verlassen hatten, krachten Schüsse. Ein deutsches MG schoß auf sie. Zwei Offiziere brachen tot zusammen. (Oberst Schilling und Rittmeister Bethge.)

Oswald Zenkner tauchte im Strom der 90 000 unter.

Die Generale wurden von den Russen sofort mit äußerstem Entgegenkommen behandelt. Nach wenigen hundert Metern durch den Schnee gelangten sie in einen Raum, in dem die Russen heißen Tee und Brötchen für sie vorbereitet hatten.

Und sofort waren auch Fotografen zur Stelle, die die deutschen Generale zusammen mit dem russischen General Schukow fotografierten.

Schukow fragte von Seydlitz, den Kommandierenden des LI. Armeekorps: »Warum sind Sie eigentlich nicht ausgeflogen?«

Seydlitz, Offizier alter Schule (sein Vater war Generalleutnant und vor dem Ersten Weltkrieg Kommandant von Danzig), konterte nur kurz: »Ich bleibe bei meinen Männern!«

Aber man schickte ihn nicht zu seinen Männern, zu den neunzigtausend.

General Walther von Seydlitz, der schon Wochen zuvor die Katastrophe von Stalingrad vorausgesagt und die Kriegsführung Hitlers als Dilettantismus schärfstens verurteilt hatte, wurde zusammen mit 21 anderen Generalen der 6. Armee in das Generalslager Woikowo südlich Moskau gebracht. Man hatte ihn wohl von Anfang an als

Schlüsselfigur für eine mögliche sowjetische Propaganda-Aktion angesehen.

Wie reagierte nun Goebbels auf diese größte militärische Niederlage, die es bis dahin gab?

Totschweigen konnte er den Verlust von 300 000 Mann nicht. Denn diese Armee hinterließ Millionen von Frauen und Kindern, von Leidtragenden in jeder Stadt, jedem Dorf, jeder Straße.

Wie man ihn kannte, hätte man erwarten können, er würde alle Register ziehen, um von Stalingrad abzulenken, die Niederlage zu bagatellisieren.

Überraschend schlägt er in seiner Propaganda einen gewagten, einen außergewöhnlichen Weg ein, den Untergang der Dreihunderttausend nicht zu einer Demoralisierung führen zu lassen.

Er wählt düstere Farben.

Nichts darf geschmälert, nichts verschwiegen werden. Das Volk soll wissen, daß es schlimm steht!

Er greift zurück auf historische Beispiele: Auch Rom war einmal in Gefahr, als es von Hannibal bedroht wurde. Es triumphierte dennoch – trotz Cannae! Als der Schrekkensruf »Hannibal ad portas!« durch die Straßen gellte, verhüllten die römischen Senatoren ihre Häupter in der Toga. Aber sie kapitulierten nicht. Das einst so mächtige Karthago jedoch ging unter. Über die Stelle, an der es gestanden hatte, ging der Pflug hinweg – –.

Goebbels macht Stalingrad zum deutschen Cannae.

Erstmals läßt er den Sonderbericht des Oberkommandos der Wehrmacht mit dumpfen Trommelwirbeln einleiten:

». . . Ihrem Fahneneid bis zum letzten Atemzuge getreu, ist die 6. Armee unter der vorbildlichen Führung des Generalfeldmarschall Paulus der Übermacht des Feindes . . . erlegen. . . . Eines aber kann schon heute gesagt werden: Das Opfer der Armee war nicht umsonst . . .«

Danach erklingt der zweite Satz aus Beethovens V. Symphonie.

Vier Tage Nationaltrauer werden angeordnet.
Goebbels' Rundfunkmann Hans Fritzsche soll das Geschehen kommentieren. Bei seiner Suche nach militärischen Sachverständigen – um sich selbst abzusichern! – verfällt er darauf, zwei Generale um Stellungnahmen zu bitten. Sie unterbreiten ihm mühsam ausgearbeitete Vorträge mit Entschuldigungen, Rechtfertigungen und erquälten optimistischen Auslegungen. Fritzsche telefoniert mit Goebbels und gibt ihm den Inhalt durch. Goebbels' Antwort: »Das kann man dem deutschen Volk nicht antun. Werfen Sie den Dreck in den Papierkorb!«

Fritzsche, der alte Routinier, tritt ohne jegliche Unterlagen ans Mikrofon und spricht zehn Minuten aus dem Stegreif – frei nach Goebbels' Weisung: ›Offen und ehrlich‹ die Größe der furchtbaren Niederlage zugeben! Er beschönigt nichts. Er beschwört den Ernst der Stunde.

Alle Zeitungen in Deutschland erscheinen mit einem schwarzen Trauerrand. Kinos und Vergnügungsstätten werden geschlossen.

Die Propagandafachleute im Ausland, in Washington wie in London, verstehen Goebbels nicht mehr. Ist er geisteskrank geworden? Was mutet er seinem Volk zu? Trauermusik im Rundfunk! –

Pressechef Otto Dietrich erleidet einen Nervenzusammenbruch und muß sich ins Bett legen. Himmler trägt sich mit dem Gedanken, die Pressezensur selbst in die Hand zu nehmen und neue Nachrichten erst wieder durchzugeben, wenn es einen Sieg zu melden gibt.

Aber Goebbels ist nicht geisteskrank.

Sein erstaunliches Experiment gelingt: Die Menschen überwinden den Schock, glauben ihm, daß die Niederlage von Stalingrad, dieses gewaltige Opfer, »einen Sinn« gehabt haben muß. In mythischer Verklärung ruft er ihnen zu: »Das Heer der Gefallenen hat die Waffen nicht niedergelegt. Es marschiert in Wirklichkeit in den Reihen der kämpfenden Soldaten mit!«

Die Menschen in den Städten, in den Dörfern, auf dem Lande, sie trauern um ihre Toten, sie tragen alles Leid dieses Krieges, sie sehen ihren Besitz unter den Bombenteppichen der Fliegerangriffe in Schutt und Asche fallen, – aber sie können eines nicht verleugnen: die Offenheit, mit der ihnen die deutsche Führung so unverhohlen die Wahrheit gesagt hat. Goebbels hat sie nicht belogen. Also: Goebbels lügt nicht!

Und nun kann er ihnen sagen, was er will, fordern, was er will, dieser Hexenmeister – –.

Zwei Wochen später, in seiner Sportpalast-Rede, die er in nächtlicher Arbeit bis ins kleinste Detail auf Wirkung aufgebaut hat, nimmt er Stalingrad zum Anlaß, den Totalen Krieg[1]) zu fordern.

»Sieg oder Bolschewisierung« ist seine Parole. Und während er die zehn Fragen, die den ›Totalen Krieg‹ betreffen, aufzählt, wird er immer wieder von frenetischen Beifallskundgebungen unterbrochen. Ein Stenograph notierte: »Die Masse springt wie elektrisiert von ihren Plätzen, wie ein Orkan braust ein vieltausendstimmiges »Ja« durch das weite Rund . . .«

Goebbels gelingt etwas Einmaliges, etwas Unfaßbares: Mit Hilfe der Kulisse der 5000 im Sportpalast verwandelt er für Millionen Hörer an den Volksempfängern die Niederlage von Stalingrad in eine zum Letzten entschlossene Kampfbereitschaft.

Er stellt, auf dem Höhepunkt angelangt, fest: »Die Nation ist zu allem bereit. Der Führer hat befohlen, wir werden ihm folgen . . .«

Und er beendet diese Rede – wie man sagt, die beste, die er jemals gehalten hat – mit den Worten: »Nun Volk steh auf, und Sturm brich los!«

Im Triumph trägt man Goebbels von der Rednertribüne. Dann flüchtet er in einen kleinen Nebenraum, wo seine Frau Magda und einige seiner engsten Mitarbeiter auf ihn warten. Er ist so heiser, daß er nur noch flüstern kann. Diejenigen, die dicht neben ihm stehen, erschrekken.

---

[1]) Das Wort stammt ursprünglich von General Ludendorff, der gegen Ende des Ersten Weltkrieges die gesamte deutsche Wirtschaft umstellen wollte, was ihm aber nicht gelang.

Was Goebbels jetzt sagt, ist erst nach Kriegsende bekannt geworden. Er flüstert:»Diese Stunde der Idiotie! Wenn ich den Leuten gesagt hätte, springt aus dem dritten Stock des Columbushauses, sie hätten es auch getan – –.«

Und was machten die Sowjets aus der Niederlage der Deutschen in Stalingrad? Wie nutzten *sie* den bis dahin größten Sieg ihrer Geschichte propagandistisch aus?

Ihre Aufmerksamkeit richtete sich von Anfang an fast ausschließlich auf die gefangengenommenen Generale. Mit ihrer Hilfe glaubten sie, auf die Deutschen einwirken zu können.

Die Erfahrung der Sowjets in Kriegspropaganda gegenüber dem Feind war noch gering, es mangelte ihnen an Einfühlungsvermögen in die deutsche Mentalität. Ihnen fehlte der Fachmann.

Sie spannten daher Emigranten ein, deutsche Kommunisten, die aus dem Hitler-Reich geflüchtet waren.

Diese veröffentlichten in der Zeitung der Kriegsgefangenen ›Das freie Wort‹ einen Aufruf zur Gründung eines ›National-Komitees Freies Deutschland‹ mit der Aufforderung an alle Offiziere und Soldaten, sich am Kampf gegen Hitler zu beteiligen.

Unterzeichnet hatten ihn: Pieck, Ulbricht, Weinert, Becher, Mahle und auch einige Soldaten.

Da man aber feststellte, daß damit die Generale noch nicht stark genug persönlich angesprochen wurden, schlugen die Russen außerdem noch die Bildung eines ›Offiziersbundes‹ vor. Für das Spitzengremium wurden – in Abwesenheit! – die Generale von Seydlitz, Dr. Korfes (295. Inf.-Div.) und Lattmann (14. Panzer-Div.) ausgewählt.

Völlig überraschend brachte man sie eines Nachts nach Lunjowo und stellte sie den Mitgliedern des inzwischen entstandenen ›National-Komitees Freies Deutschland‹ gegenüber, unter ihnen Graf Einsiedel, Hetz, Stößlein sowie Unteroffiziere und Mannschaften, meist überzeugte Kommunisten, die als alte Hitler-Gegner schon früher zu den Russen übergelaufen waren.

Sie waren der erste Stein des Anstoßes und lösten heftige Diskussionen unter den Generalen aus. Seydlitz lehnte es strikt ab, sich mit Deserteuren an einen Tisch zu setzen. Die Gewinnung der Generale schien gescheitert.

Erstaunen löste daher am nächsten Morgen die Nachricht aus, daß sich von Seydlitz, Korfes und Lattmann, ohne weitere Gründe anzugeben, zur Mitarbeit bereiterklärt hätten. Und General von Seydlitz übernahm die Führung des Offiziersbundes.

Wie war das möglich, was war geschehen?

In einer nächtlichen Sitzung hatte der NKWD-General Melnikow den drei Deutschen höchstoffiziell ›im Auftrage der sowjetischen Regierung‹ eine Reihe von Zusicherungen gemacht, die sie ›vor die schwerste Entscheidung ihres Lebens‹ stellte:

Gelänge es dem ›Offiziersbund‹, die Führung der deutschen Wehrmacht zu einer Aktion gegen Hitler zu bewegen und den Krieg zu beenden, bevor er auf deutschem Boden ausgetragen würde, so wolle sich die Sowjetregierung für ein deutsches Reich in den Grenzen von 1937 (ohne Österreich) einsetzen. Die deutsche Wehrmacht würde sogar bestehen bleiben, lediglich eine demokratische Regierung, durch Freundschaftsverträge mit der Sowjetunion verbunden, sei Bedingung.

Eine schriftliche Bestätigung des Gesagten gab Melnikow jedoch nicht.

Seydlitz hätte die Mitwirkung unter Berufung auf seinen Soldateneid ablehnen können. Warum er es nicht tat, darüber sagte er 1969 bei seiner Vernehmung in Deutschland:

»... Die Erfahrungen von Stalingrad hatten uns zu der eindeutigen Überzeugung gebracht, daß Hitler die deutsche Armee und das deutsche Volk rücksichtslos weiter in den Abgrund führen würde ...

... Wenn auch nur ein Funken einer Möglichkeit bestand, die von den Russen zugesagten Grenzen von

1937 zu erhalten, ... so glaubten wir uns einer Mitwirkung nicht entziehen zu dürfen. Ob die Russen es damals ehrlich meinten? Wir hofften und glaubten es!«

Ungeduldig warteten die Russen nun auf den Start der großen Propagandawelle.

Endlich, im Herbst 43, mehr als ein halbes Jahr nach der Kapitulation in Stalingrad, ist es soweit. Der Offiziersbund veröffentlicht in großer Auflage seinen Aufruf ›An die deutschen Generale und Offiziere, an Volk und Wehrmacht‹.

Er trägt die Unterschriften von 95 Offizieren mit Dienstgrad und Truppenteil, von Generalen, Truppenoffizieren, Ärzten, Zahlmeistern, Intendanturräten, Wehrmachtspfarrern, Kriegsgerichtsräten und einem Obersturmführer der SS-Totenkopf-Division. An erster Stelle steht der Name des Generals Walther von Seydlitz.

Im Text heißt es:

»Wir, die überlebenden Kämpfer der 6. Armee, der Stalingrad-Armee ... wir wenden uns an Euch am Beginn des fünften Kriegsjahres, um unserer Heimat, unserem Volk den Rettungsweg zu zeigen.

Ganz Deutschland weiß, was Stalingrad bedeutet.

Wir sind durch eine Hölle gegangen.

Wir wurden totgesagt und sind zu neuem Leben erstanden.

Wir können nicht länger schweigen! ...

... Stalingrad war der Wendepunkt. Es folgten Kaukasus und Kubangebiet, Afrika und Sizilien, der Zusammenbruch Italiens – Schlag um Schlag. Die Sommeroffensive der deutschen Wehrmacht ist gescheitert. Die Rote Armeee hat Orel und Belgorod, Charkow, Taganrog und das Donezbecken zurückgewonnen und stößt gegen den Dnjepr vor. Die Heimat wird von schwersten Luftangriffen erschüttert. Der Zweifrontenkrieg steht unvermeidlich bevor. Der Sturz Mussolinis, die Auflösung der faschistischen Partei, das Ausscheiden Italiens aus dem Krieg, der mit Sicherheit zu erwartende Abfall Finnlands, Ungarns und Rumäniens sind Etappen auf dem Wege zur vollkommenen Isolierung Deutschlands, verhängnisvoller als 1918. Jeder denkende deutsche Offizier versteht, daß Deutschland den Krieg verloren hat ...

... Wir Generale und Offiziere der 6. Armee sind entschlossen, dem bisher sinnlosen Opfertod unserer Kameraden einen tiefen geschichtlichen Sinn zu geben[1]). Sie sollen nicht umsonst gestorben sein! Aus der bitteren Erkenntnis von Stalingrad soll die rettende Tat hervorgehen. Wir sprechen vor allem zu den Heerführern, den Generalen, den Offizieren der Wehrmacht ... Deutschland erwartet von Euch den Mut, die Wahrheit zu sehen und demgemäß kühn und unverzüglich zu handeln ... Fordert den sofortigen Rücktritt Hitlers und seiner Regierung! ...

... Es lebe das freie, friedliche und unabhängige Deutschland!«

In dieser ersten Verlautbarung steht nichts von einer Aufforderung zum Überlaufen. Die Kampfansage gilt zunächst nur Hitler und seinem Regime.

Eine besondere Merkwürdigkeit in der Führung des sowjetischen Propagandakrieges mit Hilfe gefangengenommener Generale stellten individuelle Briefe an höhere deutsche Militärs dar, in denen diese zu entschlossenem Handeln gegen Hitler aufgefordert wurden.

So richtete von Seydlitz u. a. einen offenen Brief an den Oberbefehlshaber der 9. Armee, Generaloberst Model. Darin heißt es:

»Sehr geehrter Herr Model!

... Nach den Erfahrungen der letzten zwei Monate ist sehr zu bezweifeln, ob, wie Sie behaupten, die Wehrmacht fähig ist, die Front jederzeit zum Stehen zu bringen. Der Dnjepr ist bereits an mehreren Stellen von den Russen überschritten. Hinter dem deutschen Ostheere stehen keine Reserven, die die Lage wesentlich ändern könnten. Vor ihm steht der drohende Winter und die Ge-

---

[1]) Goebbels hatte 7 Monate zuvor bereits gesagt, daß das Opfer von Stalingrad »einen Sinn« haben müßte.

fahr der Vernichtung der materiellen und lebendigen Kraft der Truppe.

Die katastrophale Entwicklung der militärischen und politischen Lage verdankt Deutschland einzig und allein der maßlosen und dilettantischen Führung Adolf Hitlers. Es ist eine Zumutung, von den deutschen Soldaten noch Vertrauen zu einer so ›weisen‹ Führung zu fordern. Sie haben auch, wie ich überzeugt bin, erkannt, daß Adolf Hitler den Krieg nicht mehr gewinnen kann, sondern ihn nur noch sinnlos verlängert, weil ihm vor dem Ende graut.

... Darum, Herr Generaloberst, handeln Sie nach Ihrer besseren Einsicht. Sie, wie alle Befehlshaber der deutschen Wehrmacht, tragen die Verantwortung für das Schicksal Deutschlands in ihrer ganzen Schwere. Zwingen Sie Adolf Hitler zum Rücktritt! Räumen Sie den russischen Boden und führen Sie das Ostheer an die deutsche Grenze ...«

gez. v. Seydlitz, General der Artillerie,
Präsident des Bundes Deutscher Offiziere,
17. Oktober 1943

Der ersehnte Erfolg auch dieser Art von Propaganda blieb jedoch aus, obwohl derartige ›offene Briefe‹ in Massen über der deutschen Front niedergingen. Die Soldaten – vom Gefreiten bis zum General – reagierten ablehnend auf die Argumente der Bewegung ›Freies Deutschland‹. Überwiegend verachteten sie den Verrat der Generale.

In Lunjowo herrschte Bestürzung.

Unter der Führung von Weinert verkündeten die Emigranten: Von nun an heißt unsere Parole nicht mehr allein ›Kampf gegen Hitler‹, sondern wir werden die deutschen Soldaten direkt zum Überlaufen auffordern.

Lange Zeit hatten sich die Offiziere um Seydlitz dagegen gewehrt. Nun jedoch schien es keine andere Möglichkeit mehr zu geben: Rettung des Vaterlandes durch Aufforderung zum Überlaufen, zum Desertieren!

Und schon bietet sich eine erfolgversprechende Gelegenheit, die neue Parole anzuwenden. Im Raum Tscher-kassy am Dnjepr sind zwei deutsche Korps (mit etwa 6 Divisionen) von den Russen eingekesselt.

An diesem Brennpunkt soll die größte Aktion des ›National-Komitees‹ angesetzt werden.

General von Seydlitz bereitet alles auf das sorgfältig-ste vor. Er hofft, den beiden Korps das Schicksal der 6. Armee ersparen zu können.

Von Lunjowo aus spricht er selbst über den Sender ›Freies Deutschland‹ zu den eingekesselten Divisionen. Er gibt den Soldaten für den Fall der Kapitulation Garan-tien für ihr Leben, Verpflegung, Bekleidung, Unterkunft und Heimkehr bekannt.

Am 8. 2. 1944 begibt sich ein russischer Generalstabs-oberst als Parlamentär in den Kessel und überbringt ein Ultimatum Schukows. Er wird von den Deutschen korrekt empfangen, aber zurückgeschickt. Das Ultimatum zur Kapitulation bleibt unbeantwortet.

Jetzt läßt Seydlitz Tausende von Flugblättern auf die deutschen Linien herabwirbeln. Sie enthalten wieder die Aufforderung zum Überlaufen und die bereits genannten Garantien der Russen.

Seydlitz wird zum PK-Mann der Sowjets!

Von einem Bauernhaus aus spricht er über Funk die deutschen Offiziere und Mannschaften direkt an, Jagd-flieger werfen Briefe ab, die er an den ihm gut bekannten General Lieb persönlich gerichtet hat, weitere Kopien davon werden zur Sicherheit durch zurückgeschickte deutsche Gefangene an Lieb im Kessel überbracht – kaum ein Brief verfehlt den Empfänger, wie sich später herausstellt.

Gespannt warten General von Seydlitz und die Männer vom ›Komitee Freies Deutschland‹ auf die Antwort. Fun-ker fangen aus dem Kessel vereinzelt das Wort »verstan-den« auf.

Doch weiter geschieht nichts.

In der Nacht vom 16./17. Februar 1944 brachen die bei-den Armeekorps ohne Artillerievorbereitung aus dem Kessel aus. In erbittertem Kampf gelang es ihnen, entgegenkommende deutsche Panzer zu erreichen. 20 000 bis 25 000 Mann entgingen der Gefangennahme, etwa 15 000 fielen den Russen in die Hände. Die Zahl der Toten, unter denen sich auch der kommandierende General eines der beiden Korps, General Stemmermann, befand, ist nicht mehr festzustellen. Sie soll sehr hoch gewesen sein.

Ratlosigkeit und Niedergeschlagenheit herrschte beim Komitee und beim Bund der Offiziere.

Am meisten verzweifelt war Seydlitz selbst.

Er, der ehrenwerte Offizier, der als Artillerist im Ersten Weltkrieg trotz dreimaliger Verwundung weiterkämpfte, bis die Russen die Geschütze seiner Batterie (am 20. August 1914) überrannten, und der trotz einer vierten Verwundung (im Sommer 1915) diesen Krieg bis zum letzten Tag mitmachte, – fand bei seinen einstigen Kameraden und Untergebenen kein Gehör, und schon gar keine Zustimmung.

Was konnte der Grund dafür sein, daß diese Propaganda-Aktion, die er aus innerster Überzeugung und mit soviel Aufwand und persönlichem Einsatz gestartet hatte und für die er seinen alten klangvollen Namen einsetzte, effektiv keinen Erfolg zeitigte?

Die deutschen Soldaten schienen immun zu sein gegen jede Feindpropaganda. Was beflügelte sie, den Kampf gegen alle vernünftig vorgebrachten Argumente so hartnäckig weiterzuführen?

Die Redlichkeit des Generals steht außer Zweifel. Aber er hatte sich in ein für ihn unbekanntes Gelände begeben. Er hatte das blanke Parkett der Politik betreten – mit Generalsstiefeln. Noch dazu auf dem Spezialgebiet der Propaganda, wo es besonders blank ist. Spiegelblank! Und glatt!

Hatte er vergessen, daß es in Berlin jemanden gab, der es gewohnt war, sich äußerst geschickt darauf zu bewegen?

Seydlitz war angetreten – gegen Goebbels! Gegen einen Fachmann, der dieses Handwerk seit zwanzig Jahren ausübte, dem *jedes* Mittel recht war, das zum Ziele führte, und der die Mitarbieter eines ganzen Ministeriums dafür einspannen konnte.

Goebbels hätte wahrscheinlich nur satanisch gelächelt, wenn er dem aufrechten General gegenüberstanden hätte, der sich seine Erfolglosigkeit nicht deuten konnte. In weniger als fünf Minuten hätte er ihm aufzählen können, wie er in diesem Punkte bereits vorgesorgt hatte, wie er – neben seinen großen Propagandaaufgaben – so ganz mit der linken Hand diese scheinbar unerklärliche Immunität bei den Deutschen erzeugt hat: Seit Jahren bereits hatte er jede Gelegenheit benutzt, den Gegner im Osten als grausam, heimtückisch und hinterhältig hinzustellen. Presse und Rundfunk, und natürlich auch seine Propaganda-Kompanien, hatten Anweisung bekommen, niemals den Ausdruck ›Russen‹ zu benutzen, sondern stets nur von ›Bolschewisten‹, ›Untermenschen‹ und ›Bestien‹ zu sprechen. Gefangenschaft sei daher schlimmer als der Tod. Und: Verrat sei das Verwerflichste, das einem deutschen Soldaten widerfahren könne – –.

Und nun wollte der Herr General – so mir nichts dir nichts – eine eigene Anti-PK aufziehen?

Da kommen Herr General etwas zu spät! Der Zug ist bereits abgefahren! –.

Seydlitz hatte keine Chance.

Der Soldat an der Front fürchtete die Schrecken des Bolschewismus, fürchtete um Frauen und Kinder. Dieser Gedanke verlieh ihm den Mut der Verzweiflung.

Daran änderte sich auch nichts, als Feldmarschall Paulus, der Oberbefehlshaber der Stalingrad-Armee und bis dahin vergeblich umworbene rangälteste General in Woikowo, nach dem mißglückten Attentat auf Hitler (20. Juli 1944) dem Bund der Offiziere beitrat. Er war der elfte von 22 Stalingrad-Generalen, und bald darauf konnte der Bund mit 50 Generalen von den verschiedensten Fronten aufwarten.

Ein Flugblatt vom 8. 12. 1944 im Illustriertenformat und Kupfertiefdruck zeigte eine ganzseitige Fotomontage fast sämtlicher Porträts in voller Generalsuniform, im

Vordergrund Paulus und von Seydlitz, beide mit dem Ritterkreuz. Seydlitz sogar mit ›Ritterkreuz und Eichenlaub‹.
Aber selbst dieses Riesenaufgebot hatte nicht den er-
hofften Erfolg.

Wie sollte auch der Soldat an der Front begreifen, daß
gerade *die* Kommandeure sie zum Überlaufen aufforderten, die ihnen eben noch das Letzte im Kampf gegen den
Bolschewismus abverlangt hatten, die eben noch befördert worden waren und von Hitler hohe Auszeichnungen
entgegengenommen hatten.

Als die ersten von General von Seydlitz unterzeichneten Aufrufe im Herbst 1943 in Berlin bekannt geworden waren, stellte Goebbels sie einfach als ›plumpe Fäl-
schungen‹ der Feindpropaganda hin. Erst nachdem sich
diese Fiktion nicht mehr aufrechterhalten ließ, wurde
Seydlitz unter Anklage gestellt und vom Reichskriegsge-
richt am 26. 4. 1944 in Abwesenheit zum Tode verurteilt.

Nach der Kapitulation Deutschlands hofften die Offiziere in Lunjowo auf eine baldige Heimkehr, wie man es
ihnen zugesagt hatte und wie sie selbst es Überläufern
tausendfach versprochen hatten. Schmerzlich war daher
ihre Enttäuschung, als fast ausschließlich Absolventen
der Antifa-Schulen nach Deutschland fuhren, die als
Funktionäre in der sowjetischen Besatzungszone eingesetzt werden sollten.

Seydlitz wurde nach Woikowo zurückverlegt, später
mit Paulus zusammen auf einer Datscha untergebracht,
wo man ihn ohne sein Wissen politischen Eignungsprü-
fungen unterzog.

Er bestand diese Prüfungen nicht. Seine Gespräche
waren abgehört worden. Seydlitz' Bursche Bruno Mül-
ler, den man ihm während der ganzen Jahre belassen
hatte, entdeckte im Fußboden eine Abhöranlage.

Sieben Jahre nach Stalingrad, am 23. 5. 1950 wurde der
Kriegsgefangene Seydlitz verhaftet, in die Butyrskaja,
das berüchtigte Moskauer Gefängnis, gebracht, in eine
fensterlose Zelle gesperrt und aus fadenscheinigen
Gründen zum Tode verurteilt. Nach der Bekanntgabe des

Urteils beobachtete man zwei Stunden lang seine Haltung und gab ihm dann seine Begnadigung zu 25 Jahren Gefängnis bekannt, von denen er über fünf Jahre zumeist in Einzelzellen verbrachte.

Ende 1955 traf er im Auffanglager Friedland ein und sah nach 14 Jahren Trennung seine Frau und seine Familie wieder. Das elf Jahre zuvor über ihn in Dresden verhängte Todesurteil wurde aufgehoben.

Als ich im Januar 1976 den fast 88jährigen General in Bremen besuchte[1]), trat mir ein schlanker, aufrechter Mann an der Tür entgegen. Und wenn es mir seine besorgte Frau nicht gesagt hätte, wäre es mir kaum aufgefallen, daß er fast blind war.

Über eine schmale Treppe führte er mich hinauf ins obere Stockwerk, wo er in einem kleinen Zimmer mit Blick in die Nachbargärten einen einfachen Schreibtisch stehen hatte.

Äußerste Ordnung herrschte auf der schmalen Fläche der Tischplatte. Einige Aktendeckel waren für meinen Besuch bereitgelegt.

Was er mir als erstes in die Hand gab, waren einige PK-Aufnahmen aus dem Kessel von Demjansk. (Der sensationelle Erfolg von Demjansk hatte Seydlitz 1942 schlagartig berühmt gemacht.)

»Sehen Sie, Herr Schmidt-Scheeder, diese PK-Fotos, die ein Kollege von Ihnen gemacht hat, habe ich Hitler in die Hand gegeben, um ihm die Strapazen und Leiden vor Augen zu führen, denen die Truppe in Eis und Schnee ausgesetzt war. ›Sehen Sie, mein Führer‹ habe ich damals zu Hitler gesagt, ›so lagen meine Männer im deckungslosen Gelände, im russischen Winter dem Schneesturm ausgesetzt – –‹. Aber Hitler hat sich die Aufnahmen gar nicht angesehen. Sie interessierten ihn überhaupt nicht. Er hat sie wortlos beiseite geschoben – –.«

Der alte Herr erkannte die Bilder nicht mehr, aber er

---

[1]) General Walther v. Seydlitz-Kurzbach starb am 28. 4. 1976.

wußte genau, was darauf ist. Sein Gedächtnis war phänomenal.

Meinen Namen prägte er sich ein, die Straße, die Hausnummer, die Telefonnummer.

Und immer wieder spürte ich, wie sehr es ihm am Herzen lag, zu erläutern, daß seine einstige Handlungsweise sich nur darauf gründete, die unvermeidbare Niederlage Deutschlands nicht zu einem völligen Untergang werden zu lassen, und wie es ihn bedrückte, noch heute geächtet zu werden von denen, die sagen: Verrat bleibt Verrat!

So, wie ihm, habe ich einmal General Wlassow gegenübergesessen, diesem massigen russischen Riesen.

Gibt es eine Parallele zwischen ihm und Seydlitz?

Beide handelten aus Patriotismus. Beide wollten ihr Volk retten. Beide wollten einen Diktator beseitigen. Beide scheiterten. Und beide wurden zum Tode verurteilt.

Seydlitz sogar zweimal. Einmal von den Deutschen, einmal von den Russen. Aber er überlebte!

Wlassow wurde gehenkt. Sein Diktator hatte den Krieg gewonnen.

14 ROMMEL IN AFRIKA
    DAS FOTO DER ›ACHSEN-SALLY‹

Während im russischen Winter die Kriegsberichter bei klirrendem Frost und mit ›kältefest‹ gemachten Kameras ihre Aufnahmen schießen, kämpfen in Nordafrika ihre Kollegen in hellen Khaki-Uniformen gegen den Ghibli an, den heißen Sandsturm aus der Sahara, – gegen den Flugsand, der überall eindringt und ihre Geräte zu zerstören droht.

Der Krieg in Afrika ist ganz anders als sie sich das vorgestellt hatten. Sie fotografieren keine Oasen mit Dattelpalmen, keine Beduinenmädchen mit schwarzen, feurigen Augen, keine malerischen Kamelkarawanen. Sie fotografieren den Kampf in Hitze und Staub gegen Hunger, Durst, Sand, Salzwasser, Malaria, Gelbfieber, Skorpione, Fliegen, Mücken und Sandflöhe, gegen feindliches Granatfeuer und Fliegerbomben, gegen Engländer, Neuseeländer, Südafrikaner, Australier und später auch noch gegen Amerikaner und de-Gaulle-Franzosen.

Ursprünglich hatte Rommel den Italienern mit dem Unternehmen »Sonnenblume« auf dem schwarzen Kontinent nur ein wenig zu Hilfe kommen sollen[1]. Mit Erstaunen hatten die deutschen Kriegsberichter nach ihrer Ankunft die sogenannten ›Abwehrstellungen‹ der Italiener gefilmt, Von ›Stellungen‹ in dem Sinne, wie die Deutschen sie anzulegen pflegten, war nichts zu sehen. Alles schien nur der Bequemlichkeit zu dienen. Die italienischen Offiziere speisten sogar an der Front von feinem Tafelgeschirr, ihr Essen war wesentlich besser als das der Unteroffiziere und dies wiederum besser als das der Mannschaften.

Was die deutschen PK-Männer an der italienischen ›Front‹ vor ihre Objektive bekamen, waren elegante Uniformen, Zelte mit Tischen, Stühlen und Betten. Die Öffentlichkeit bekam diese Bilder nicht zu sehen. Goebbels ließ sie sofort sperren.

Rommel war entsetzt über die Frontgepflogenheiten der Bundesgenossen und ließ sie das auch deutlich fühlen. Es scherte ihn wenig, daß ihm die Offiziere des Generals Gariboldi bald nachsagten, er wirble nur unnütz Staub auf, wenn er sich über die Lebensart der italienischen Truppe aufrege. Rommel begann daher den Krieg in der Wüste nach *seinen* Methoden, führte einen Bewegungskrieg mit blitzschnellen Angriffen, Rückzügen, Ausweichmanövern, Täuschungen und Scheinangriffen.

Er irritierte den Gegner und wirbelte Staub auf – diesmal im wahrsten Sinne des Wortes. Auf Lastwagen montierte alte Flugzeugmotoren läßt er durch die Wüste pre-

---

[1] Als Mussolini im März 1938 seine Zustimmung zum Anschluß Österreichs an das Deutsche Reich gegeben hatte, gab Hitler ihm die Zusicherung, er werde ihm das nie vergessen und im Falle irgendeiner Gefahr auf Biegen und Brechen zu ihm stehen.

schen, um den Engländern mit unheimlichem Lärm und gewaltigen Staubwolken einen Aufmarsch von Unmengen von Panzern vorzutäuschen, während er seine in Wirklichkeit noch recht bescheidenen Panzereinheiten an andere Stellen dirigiert hat. Die PK-Aufnahmen davon, die einen unerwünschten Einblick in die Trickkiste des listenreichen Generals gewährt hätten, wurden gar nicht erst nach Berlin geschickt.

Rommel war jedoch keineswegs propagandafeindlich. Im Gegenteil! Die Kriegsberichter drängten sich geradezu um ihn, und wer ihn bei seinen Exkursionen begleiten durfte, war sicher, mit einem Sack voll interessanter Neuigkeiten und überraschender Geschichten an seine Schreibmaschine zurückzukehren.

Denn Rommel war kein General, der nur von seinem Gefechtsstand aus kommandierte[1]. Wenn er nicht gerade aus der Luft mit seinem Fieseler-Storch die britischen Stellungen inspizierte, kurvte er unten im Wüstensand zwischen den Fronten umher, um neue Streiche für seine ›Gespensterdivision‹ auszuhecken[2].

Er fährt dabei einen britischen ›Mammut‹, einen erbeuteten feindlichen Befehlspanzer! So ist nun mal der Krieg in Afrika – die Deutschen haben englische Beutefahrzeuge, die Engländer deutsche. Oft ist es schwer zu erkennen, wen man eigentlich vor sich hat. Es ist nicht verwunderlich, daß sich für die wachen Journalisten immer wieder neue Möglichkeiten ergeben, über die Frontabenteuer des Generals zu berichten. Mancher wahrheitsgetreue PK-Bericht mutet dabei wie eine Münchhausen-Geschichte an.

---

[1] Erwin Rommel, mit 49 Jahren der jüngste Feldmarschall der Welt (23. 6. 1942), gehörte später der Widerstandsbewegung an und wurde von Hitler zum Selbstmord durch Gift gezwungen.

[2] A. I. Berndt, ein junger PK-Offizier, der vom Prop.-Min. zu Rommel versetzt worden war, mußte noch am ersten Abend einen Erkundungsvorstoß hinter die britischen Linien unternehmen. Er kehrte mit einigen britischen Gefangenen zurück und hatte damit seine Bewährungsprobe bestanden. – Ständiger Begleiter Rommels in Nordafrika und in der Normandie war der Kriegsberichter und Militärschriftsteller Freiherr von Esebeck.

Einmal gerät Rommel in einen Sandsturm und entschließt sich, die Zwangspause für einen Besuch in einem gerade erreichten Feldlazarett auszunutzen. Es wundert ihn gar nicht, daß deutsche und britische Verwundete durcheinander liegen, daß die Ärzte allen Nationalitäten angehören. Auch das ist nun einmal so in Afrika. Als ihn ein neuseeländischer Arzt herumführt, fällt ihm jedoch auf, daß ihn die deutschen Verwundeten so merkwürdig ansehen und ihm Zeichen zu geben versuchen. Plötzlich stellt Rommel fest, daß er sich ohne Zweifel in einem britischen Lazarett befindet. Rings um ihn sind britische Soldaten! Der freundliche Neuseeländer aber scheint ihn für irgendeinen alliierten General zu halten, vielleicht für einen Polen. Höflich begleitet er Rommel zu seinem ›Mammut‹. Der klettert auf den Befehlspanzer, öffnet das Turmluk. Doch bevor er hineinsteigt, gibt er sich zu erkennen: Er habe die Versorgung der deutschen Verwundeten sehr zufriedenstellend gefunden und könne versichern, daß die britischen Verwundeten in den deutschen Lazaretten ebensogut behandelt würden! Mit einem Knall schließt er den Deckel und ruft seinem Fahrer zu: »Nichts wie weg! Das sind Tommies!«

Derartige Husarenstreiche sind für die Wortberichter ›Bonbons‹! Mit ihren Berichten machen sie ihn zum populärsten General Deutschlands.

Sein legendärer Ruf geht sogar über die eigene Front hinaus. Die Engländer, die ihn ›desert fox‹ (Wüstenfuchs) nennen, erzählen sich die gleichen Geschichten. Um die Sympathien für ihn nicht überhand nehmen zu lassen, sieht sich der britische General C. J. Auchinlek (Commander in Chief Middle East Forces) sogar genötigt, eine Gegenpropaganda zu starten. In einem Geheimbefehl an seine Offiziere heißt es:

»Es besteht die Gefahr, daß unser Freund Rommel eine Art Zauberer oder Kinderschreck für unsere Truppen wird, denn die Männer sprechen zu viel von ihm. Er ist auf keinen Fall ein Übermensch, obgleich er wirklich sehr energisch und fähig ist.

Selbst wenn er ein Übermensch wäre, würde es höchst

unerwünscht sein, daß unsere Leute ihm übernatürliche Kräfte zuschreiben. Ich fordere Sie daher auf, mit allen Mitteln den Eindruck zu verwischen, daß Rommel mehr darstellt als einen gewöhnlichen deutschen General . . . und legen Sie allen Kommandeuren nahe, daß diese Angelegenheit vom psychologischen Standpunkt aus besonders wichtig ist.«

Als Postskriptum setzt Auchinlek, der große Kontrahent Rommels, darunter: »Ich bin nicht eifersüchtig auf Rommel!«

Daß die Kriegsberichterstattung in Afrika nicht nur aus ›Münchhausen-Geschichten‹ bestand, davon sprechen die hohen Verlustziffern, insbesondere die der beiden Luftwaffen-Kriegsberichterkompanien 6 und 7 während der Phase der Operationen über dem Mittelmeer und in Nordafrika. Die WILDENTE gibt Verluste von 25 % der Einheiten an. (Von 16 Filmberichtern fanden acht den Tod.)

Als die ›Heeresgruppe Afrika‹ – wie sie sich seit Februar 1943 nannte – der Übermacht der gelandeten Amerikaner nicht mehr standhalten konnte, zeichnete sich auch hier (3 Monate nach Stalingrad) die Wende ab. Mehr als 250 000 Mann gingen am 11. Mai in die Gefangenschaft.

Die Kriegsberichter, in der Mehrzahl die Reste der Panzer-PK 699, der Prop.-Zug Tunis und Fallschirmjäger, denen es nicht gelungen war, nach Sizilien zu entkommen, rissen die dritte Seite (mit der Angabe des Truppenteils: ›Propaganda-Kompanie‹) aus ihren Soldbüchern und begaben sich in Tunesien in Gefangenschaft. Manche von ihnen führte der Weg bis nach Oklahoma. Dort stellten sie dann fest, daß sie ihre Zugehörigkeit zur PK gar nicht hätten zu tarnen brauchen. Die USA erkannten PK-Männer als Soldaten an. Sie durften sich frei bewegen und sich nach Lust und Eignung bei den Farmern nützlich machen.

Eine weite Reise machten auch die von den Kriegsmalern der PK in Afrika gemalten Ölgemälde.

Die australische Illustrierte THE AUSTRALIAN MAGA-

ZINE veröffentlichte 1954 ein Gemälde als farbiges Titelbild, sowie 8 weitere im Innern des Blattes. Im Begleittext heißt es: »Die Bilder sollten nach Hitlers Sieg ein Wehrmachtsmuseum schmücken. Statt dessen hängen jetzt 28 ausgewählte Gemälde im australischen Kriegsmuseum in Canberra – als Geschenk der US-Army!«

Nach dem Rückzug nach Sizilien und Italien verlagerten sich die Aktivitäten der PK immer mehr auf die Kampfpropaganda. In den monatelangen harten Stellungskämpfen in den Abruzzen, bei Nettuno, vor Monte Cassino, ging es nur noch darum, die Kampfmoral des Gegners zu schwächen.

Die alliierten Truppen setzten sich inzwischen aus Engländern, weißen und farbigen Amerikanern und sogar aus Brasilianern, Polen, Rumänen, Indern und Israelis zusammen. Für sie alle wurde eine Propaganda-Zeitung im echt amerikanischen Zeitungsstil über die Front geschickt und auch eine spezielle Nebenausgabe für Brasilianer beigefügt.

Erstmalig wurde hier die Warnung vor der »bolschewistischen Gefahr, die eines Tages nicht nur Deutschland, sondern die gesamte westliche Welt bedrohen werde«, in der Propaganda ausgesprochen.

Stärker aber wirkten bei den zumeist noch sehr jungen amerikanischen Soldaten Slogans, in denen man ihr Verhältnis zum weiblichen Geschlecht ansprach.

»Mädels lieben keine Krüppel!« rief man den GI's zu und legte ihnen nahe, zu desertieren und sich in die Büsche zu schlagen.

Ganz besondere Erfolge erzielte die deutsche Propaganda dabei mit einer Frau, die sich die »Achsen-Sally« nannte.

Sie war Italo-Amerikanerin und glühende Verehrerin Hitlers und Mussolinis. Mit einschmeichelnder Stimme verstand sie es, bei den Amerikanern im original New Yorker Slang genau den richtigen Ton und auch den richtigen Nerv zu treffen: »Hallo boys, how are you tonight? ... Axis Sally ist talking to you ... you poor silly dumb lambs, well on your way to be slaughtered!«

Da sie bei ihren dear boys auch tatsächlich Überläufer-Erfolge erzielte, war sie im alliierten Hauptquartier gefürchtet.

Sie sang ›Lili Marleen‹ in englischer Fassung, und ihre Stimme gefiel anscheinend den Amerikanern besonders gut.

Wie Gefangene aussagten, wünschten sich die GI's drüben nichts sehnlicher als ein Foto von ihrer geliebten Achsen-Sally. Man glaubte, sie müßte bildschön sein, doch sie war es leider nicht. Die PK-Männer griffen daher zu einer List: Sie fotografierten eine unbekannte blonde Römerin und gaben diese als ›Axis Sally‹ aus. In Millionenauflage wurde das Bild mit kleinen Propagandaraketen zu den amerikanischen Stellungen hinübergeschossen. Und jedes Foto trug als Faksimile die Widmung: »With love from Axis Sally«.

Sehr verwirrt waren daher später die amerikanischen MP-Soldaten, als sie 1945 die ›hübsche‹ Sally verhaften sollten, nun aber der echten gegenüberstanden. Sally selbst klärte den großen blonden MP-Leutnant auf und machte sich nichts daraus, zugeben zu müssen, daß sie keine Schönheit sei. Die Genugtuung, die Gegner so lange an der Nase herumgeführt zu haben, entschädigte sie vollauf. Lachend ließ sie sich abführen – und auch der gutaussehende, braungebrannte Leutnant lächelte, wie auf einem INP-Foto zu sehen ist.

›Achsen-Sally‹ wurde von einem amerikanischen Gericht wegen Landesverrats zu zehn Jahren Gefängnis verurteilt.

15 UMORGANISATION DER PK

Sommer 1943.
Vier Jahre Kriegsberichterstattung von allen Fronten.
Zwei Jahre PK-Einsatz im Osten.

Der Höhepunkt ist überschritten. Ein Wendepunkt markiert sich – im Kriegsgeschehen und auch bei der PK-Truppe.

Die Wortberichter haben geschrieben über Siege, Vormärsche, Panzerschlachten und Gefangenenkolonnen. Sie hatten nicht zu lügen brauchen!

Sie haben geschrieben – geschrieben – geschrieben – –. Eine Viertelmillion Seiten wäre ihr Buch dick!

Nun ist ihre Sprache ausgelaugt.

133 von ihnen sind gefallen oder vermißt.

Die Bildberichter haben das gleiche Geschehen mit der Optik festgehalten, die großen Schlachten, die kleinen Kämpfe um Brücken, Waldstücke, Bunker.

106 stehen auf der Verlustliste.

Tausende von Kilometern haben die Filmberichter zurückgelegt – die Filmkamera auf dem rechten Unterarm – durch Schnee und Sand und Sümpfe, über endlose Knüppeldämme, durch endlose Wälder – –.

62 fanden den Tod.

Rundfunkberichter haben die Geräuschkulisse des Krieges auf primitiven Wachsplatten mitgeschnitten, bis endlich Leutnant Dr. Karl Holzamer zusammen mit dem Sonderführer (Z) Willi P. Borgmann die ersten transportablen Magnetofongeräte erproben konnte. Von harten Einsatzflügen, die bis über die ›Flakfestung‹ Moskau führten, brachte Leutnant Holzamer Berichte mit, die im mörderischen Abwehrfeuer der Sperrzonen entstanden waren und die es in solcher Eindringlichkeit bisher nicht gegeben hatte.

45 Rundfunkberichter haben bis Oktober 1943 bei Berichtereinsätzen ihr Leben verloren.

Die Lautsprecher der PK haben Zigtausende von Gefangenen während des siegreichen Vorwärtsstürmens unblutig aus den Wäldern geholt.

Nun ist die Wende da, die Zeit der großen Siege vorbei. Der Marsch zurück beginnt. Ohne Jubel, ohne Fanfaren.

Aber Berichte von ›Absetzbewegungen‹ sind nicht erwünscht.

Der Film könnte rückwärts laufen. Man kennt die Orte schon und die Namen.

Die Berichterstattung wird gedrosselt, die Zahl der Kriegsberichter abgebaut. Viele werden zur Infanterie versetzt.

Sonderführer werden wieder zu Gefreiten oder Unteroffizieren.

Die Kampfpropaganda dagegen wird verstärkt. (Die Panzer-PK 697 unterhielt sogar eine komplette zweite russische Prop.-Kompanie zur Betreuung russischer Freiwilligenverbände.)

›Umorganisation‹ heißt das Stichwort, unter dem sich vieles verbirgt.

Die Propagandatruppe war seit Kriegsbeginn so stark angewachsen, daß ihre Gesamtstärke von einst 3650 Mann nunmehr mit rund 15 000 Mann einer kriegsstarken Division entsprach. Man darf sich allerdings von der Größe dieser Zahl nicht blenden lassen, – schon im Ersten Weltkrieg war das Verhältnis von Frontkämpfern zur Gesamtzahl der eingezogenen Soldaten etwa 1 : 7 gewesen. Bei der PK wurde das Gros gestellt von Kraftfahrern, Kradmeldern, technischem Personal, Laboranten, Schreibern, Geräteverwaltern und einer dadurch wiederum erforderlichen größeren Zahl an Versorgungsmannschaften vom Koch bis zum Schuhmacher.

Nun hatte sich die Notwendigkeit einer ›strafferen Lenkung‹ ergeben, wie es hieß, und man schuf die Dienststelle des ›Chef der Propagandatruppen im OKW‹ mit nunmehr einem General an der Spitze, dem bereits genannten Generalmajor Hasso von Wedel. Schlagartig hob sich damit das gesamte Dienstgradniveau! Stabsoffiziere bis einschließlich zum Oberst schossen wie Pilze aus dem Boden.

Gleichzeitig bildete man bei den Heeresgruppen neu die Dienststellen des ›Stabsoffiziers für Propaganda‹ – im Militärjargon ›Stoprop‹ genannt – die allerdings jeweils nur noch über einen einzigen Heeres-Kriegsberichterzug verfügten.

Die Propaganda-Kompanien bei den Armeen befaßten

sich von nun an fast ausschließlich mit reiner Kampfpropaganda.

DER ABSOLUTE HÖHEPUNKT DER PK

Nach der Umgruppierung 1943 sah der Plan insgesamt folgende Propagandaeinheiten vor:

Für das *Heer*
  7 Heeres-Kriegsberichterzüge (bei den 7 Heeresgruppen)
21 Propaganda-Kompanien (bei den 21 Armeen)
  8 Propaganda-Abteilungen (für die besetzten Gebiete)
  1 Ostpropaganda-Abteilung z. b. V. mit einer nur als ›laufend veränderlich‹ zu bezeichnenden Zahl von Ostfreiwilligen-Propagandazügen.

Für die *Luftwaffe*
  8 Kriegsberichter-Abteilungen
    mit zusammen 25 Kriegsberichterzügen, dem Kriegsberichterzug ›Hermann Göring‹ und 6 bis 8 Propagandazügen zur Truppenbetreuung.

Für die Marine
  3 Kriegsberichter-Abteilungen zu je 3 Halbkompanien,
  1 selbständige Kriegsberichter-Kompanie ›Italien‹
  1 Kriegsberichtertrupp des Befehlshabers der U-Boote

Für die *Waffen-SS*
  1 Kriegsberichter-Standarte ›Kurt Eggers‹ mit ihren Untergliederungen für die Kampfpropaganda.

Hinzu kommen noch die Ausbildungs-, die Ersatz-, die Einsatzabteilung und − last not least! − der umfangreiche Propagandagerätepark. Rund 15 000 Mann insgesamt.

Alles in allem eine durchaus ansehnliche Organisation!

Die Aufstellung macht deutlich, in welche Größenordnung die PK in den vier Jahren seit 1939 aufgestiegen ist.

Man ersieht daraus aber auch, daß beim Heer der Begriff ›Kampfpropaganda‹ nun in den Vordergrund gerückt ist.

Bewegliche Druckereien wurden eingerichtet, Millionen von Flugblättern hergestellt und von Flugzeugen abgeworfen oder mit Hilfe von kleinen Raketen, Ballons und sogar durch Drachen an Seilwinden zum Feind hinübergeschickt.

Die Berichterstattung trat in eine neue Phase ein. Nur noch die ›Spitzenreiter‹ blieben auf ihrem Platz; der Rest kam zur Infanterie.

Unter den Wortberichtern behaupteten sich in erster Linie die sogenannten ›höheren Berichter‹, die über einen geschliffenen Stil und eine große Allgemeinbildung verfügten.

Einer der höchstdekorierten Offiziere dieses Genres war Hauptmann Günther Heysing[1]) von der Berichterstaffel des OKH. Entsprechend der Vielseitigkeit seiner Fronteinsätze waren auch seine Auszeichnungen: E.K.I., Verwundetenabzeichen, Nahkampfspange, Frontflugspange, Panzerkampfabzeichen und ›Rollbahnorden‹ für seinen Einsatz an der Ostfront. Wegen der Verschiedenartigkeit dieser Orden – von der Panzertruppe bis zur Luftwaffe auf seiner Infanterie-Uniform (I. R. 67, Seeckt-Regiment in Spandau) – wurde er auf einer Informationsfahrt sogar einmal als Spion verdächtigt!

Diese ›höheren Berichter‹ hatten anderen gegenüber etwas voraus: sie durften ›Verteilerwünsche‹[2]) für ihre Berichte anmelden. Und da bekannt war, daß Hitler jeden Morgen das Berliner ›12-Uhr-Blatt‹, die ›Deutsche Allgemeine Zeitung‹ und natürlich den ›Völkischen Beobachter‹ las, konnte man auf diesem ungewöhnlichen Weg

---

[1]) Nach dem Kriege gab Günther Heysing mehr als 15 Jahre lang ein durch Spenden finanziertes Informationsblatt für ehemalige PK-Angehörige, DIE WILDENTE, heraus. Damit gelang es ihm, ungezählte Schicksale von PK-Männern, die bei der Kapitulation in alle Winde verstreut waren, durch Berichte von Heimkehrern aus den Gefangenenlagern zu klären.

[2]) Die von den Propaganda-Kompanien in Berlin eingehenden Fotos durchliefen die militärische und die politische Zensur und wurden dann vom Propaganda-Ministerium nach einem bestimmten Schlüs-

durch scheinbar neutral geschriebene PK-Berichte an ihn herankommen und ihm gelegentlich Probleme, wie etwa notwendige Frontbegradigungen oder Verstärkung des Nachschubs, in geschickt umschriebener Form plausibler unterbreiten, als das dem Truppenführer selbst möglich gewesen wäre. Die ›Fortschrittlichen‹ unter den Generalen begriffen dahr sehr schnell, wie wertvoll PK-Berichte mitunter für das geschickte Lancieren bestimmter Wünsche ins Führerhauptquartier sein konnten. – Eine so merkwürdige Variante der PK-Arbeit, bei der die Zielrichtung um 180 Grad geschwenkt wurde und der Schuß praktisch nach hinten losging, mochte Goebbels bei der Erschaffung seiner Propagandatruppen mit Sicherheit nicht vorausgeahnt haben!

Auch an der Heimatfront wurden Journalisten als Spitzenberichter eingesetzt.

So nahm Werner Höfer als Sonderberichterstatter der ›Nationalsozialistischen Korrespondenz‹ das Erlebnis einer Rüstungstagung, zu der Albert Speer eingeladen hatte, zum Anlaß für einen längeren, sprachlich sehr ausgefeilten Bericht über das Thema ›Luftrüstung gegen Luftterror‹, der u. a. auch in den ›Bremer Nachrichten‹ vom 30. September 1943 veröffentlicht wurde.

Darin heißt es:

»... Die Soldaten als die Träger des Kampfes und der Taktik und die Rüstungsschaffenden als Männer der Arbeit und der Technik sind aus verwandtem Holz geschnitzt: sie tun schweigend und unverdrossen mehr als nur ihre Pflicht. Wenn sie auch zu sentimentalen Erwägungen keine Zeit haben, so heißt das nicht, daß sie gefühllos sind für die Leiden, die viele unserer Volksgenos-

---

sel an die fünf deutschen Bilderagenturen verteilt: Pressebildzentrale (PBZ), Weltbild, Atlantic-Foto, Scherl-Bilderdienst und Presse-Hoffmann. Diese Agenturen, die die in- und ausländische Presse mit Bildmaterial bedienten, zahlten für die honorarfreien Fotos der Kriegsberichter jeweils kleine Beträge in einen von Goebbels geschaffenen Fonds, aus dem später einmal kriegsversehrte Journalisten und Hinterbliebene von gefallenen Kriegsberichtern eine Unterstützung erhalten sollten. – Nach dem Kriege hat niemand wieder etwas davon gehört.

sen augenblicklich erdulden müssen. Da sie mitfühlen, wollen sie auch mithelfen, das Ausmaß dieser Leiden so weit wie möglich einzudämmen. Das wird erfolgreich nur gelingen, wenn das ganze Volk, seine kämpfenden und seine arbeitenden Teile, in einer einzigen Kameradschaft mit Hand anlegen ...«

Im Fettdruck heißt es weiter:

»... Wenn heute ein Volksgenosse an seinem Werkplatz oder im Luftschutzkeller schwach zu werden droht, so mag er bedenken, daß es nur noch eine übersehbare Spanne Zeit durchzuhalten gilt, um nach der ständig fortschreitenden Wirkung unserer Abwehr wieder zum Gegenschlag überzugehen ...«

16 UNGARN 1945: SEPP DIETRICHS LETZTE GROSSOFFENSIVE
JOACHIM FERNAU: »DER SIEG IST GANZ NAHE«

Der Krieg rollte weiter – nach seinen ureigensten Gesetzen, – auch 1944.

Ein neuer Frühling war angebrochen – bereits der fünfte. ›Dieses Jahr wird die große Wende bringen!‹ prophezeite der unerschütterliche Dr. Goebbels in Berlin. Und Zarah Leander sang: ›Ich weiß, es wird einmal ein Wunder geschehn‹ – – – während die Engländer begannen, nachts in Stärken von bis zu tausend Bombern über deutschen Städten zu erscheinen, um ihre Luftminen, Phosphorkanister und Brandbomben abzuwerfen, und der Volksmund dafür das Wort ›Bombenteppich‹ prägte.

Frühling –?

Für uns im Osten bedeutete er nichts weiter, als daß wir unsere weißen Tarnanzüge auszogen und die Front sich wieder in die gewohnte Schlammwüste verwandelte. Alles war zur Routine geworden.

Überall bröckelte die Front. Nun auch am Wolchow.

Und Kirischi war tatsächlich der entscheidende Punkt, an dem es den Sowjets gelang, die Wolchowfront aufzubrechen.

Damit geriet die gesamte Front vor Leningrad in Bewegung.

Aber Berichte von Rückzügen sind ›unerwünscht‹!

So bildet sich aus der Situation heraus ein neuer Stil der Berichterstattung: Die Wortberichter verlegen sich auf Schilderungen hervorragender Taten von Einzelkämpfern. Die Bildberichter entdecken die Großaufnahme von Landsergesichtern: Bärtig, verdreckt, grimmig, verbissen zeigen sie das Antlitz des Frontkämpfers, in dem sich die Härte des Kampfes spiegelt. Mit dem Teleobjektiv, das den Hintergrund unscharf werden läßt, entstehen an vorderster Front ›Porträts‹, die in ihrer schonungslosen Realität von ergreifender Eindringlichkeit sind. Mitunter kann man sie durchaus als den Versuch einer künstlerischen Darstellung des Themas ›Krieg‹ mit den Mitteln der Fotografie bezeichnen.

Wie eine Welle erfaßt die neue Darstellungsart bald alle Bildberichter im Osten. Man fotografiert ›indirekt‹. Man bemüht sich, Begriffe sichtbar zu machen: Wachsamkeit – Durchhalten – Siegeswille – Erschöpfung – –.

Sogar die Vernichtung eines Panzers fotografierte ich indirekt: Die Reaktion im Gesicht eines blutjungen Grenadiers, der erst drei Tage an der Front war und vom Graben aus zusah, wie ein alter Obergefreiter einen T 34 mit einer Hohlhaftladung erledigte. »Er brennt! Er brennt!!« schrie er mit weit aufgerissenen Augen und geschwollener Halsschlagader – und die gleichen Worte setzte der Chefredakteur der ›Berliner Illustrirten‹ unter dieses Titelbild.

Im Juni 1944 springt das Interesse am Kriegsgeschehen auf den Westen über. Die Invasion hatte begonnen. Und im Juli läßt uns eine andere Sensation aufhorchen: Attentat auf Hitler!

Inzwischen fluten die Divisionen im Nordabschnitt zurück – zurück – zurück –. Die Russen stoßen bereits auf Danzig vor!

Ich aber war ganz plötzlich im Februar 1945 vom hohen Norden versetzt worden zur Heeresgruppe Süd. Das Stichwort ›fabrikblind‹ mußte für mich beim OKW diesen Landschaftswechsel im sechsten Kriegsjahr ausgelöst haben. Sogar mit Tammo, der schon früher nach dem Süden gekommen war, sollte ich wieder zusammentreffen; das hatte ich bei der Durchreise in Berlin erfahren. Man wollte das alte, bewährte Gespann anscheinend neu aufzäumen!

Als ich auf dem kleinen ländlichen Bahnhof, der einen unaussprechlichen ungarischen Namen hatte, ankam und meinen Rucksack auf den Rücken schwingen wollte, sprang sogleich ein behender, lebhafter Kutscher auf mich zu und machte mit Daumen und Zeigefinger die Bewegung des Geldzählens: »Pengö? Pengö?«

Ich hatte Pengö, und ich nickte.

Diensteifrig nahm er mir mein Gepäck ab, warf es auf sein einspänniges Gefährt, und – schwupp – saß ich neben ihm auf dem Kutscherbock.

Mir war, als wäre ich in einer anderen Welt!

Ich war mitten aus dem Winter gekommen, Kurland war grau und öde, – und hier schien hell die Sonne vom blauen Himmel. Die Räder unseres Pferdewagens mahlten nicht durch Schnee, sondern klapperten lärmend über ein Kopfsteinpflaster, die Häuser links und rechts waren aus Stein gebaut und hübsch weiß angestrichen. In jedem Garten war ein kleiner Steinbackofen zu sehen.

Und vor einem der weißen ›Märchenhäuser‹ hing auch das PK-Zeichen. Wir hielten. Ich zahlte mit einem rosagrauen Schein, ohne recht zu wissen, wieviel er überhaupt wert war – der Kutscher schmunzelte jedoch ganz zufrieden! – und dann stand ich vor der Tür, hinter der sich – hoffentlich!! – Tammo befand.

Leise drückte ich die Klinke herunter, trat ein.

Da saß jemand in einem Korbstuhl an einer Schreibmaschine.

»Tammo –?« fragte ich fast flüsternd.

Er drehte sich um, – und ich erschrak.

Ein verhärmtes, schmales Gesicht schaute zu mir auf.

410

Das sollte Tammo sein? Er schien um ein Jahrzehnt gealtert.

Doch behende sprang er auf, lief auf mich zu, faßte mich bei den Schultern, schüttelte mich und schrie: »Mensch! Schorsch! Du alte Seele! Du – – –!« Und dabei schwenkte er mich herum und führte mit mir einen Freudentanz auf, daß die Dielen knarrten.

»Peschke!« rief er einem kleinen, blassen Obergefreiten zu, »Peschke, bring den besten Ungarwein, den wir haben! Diese Stunde muß gefeiert werden!«

Peschke schien hier das ›Mädchen für alles‹ zu sein, Schreiber, Koch, Telefonist und Fahrer des letzten Kriegsberichterzuges der Heeresgruppe Süd. – Tammo hatte erstaunlicherweise noch einen Wagen.

Und Peschke tischte auf. Nicht nur Wein! Aus einem Nachbarhaus, wo er sich anscheinend mit einer Ungarin angefreundet hatte, brachte er kurze Zeit später einen Teller mit heißen, duftenden Pfannekuchen herbei.

»Palatschintas heißen die Dinger hier«, erläuterte Tammo. »Überhaupt, Schorsch, – hier ist alles ganz anders! Eigentlich ist es ein Jammer, daß wir jahrelang da oben im Norden herumkrauchen mußten. Ungarn! Das ist dagegen ein wahres Paradies!«

Immer wieder klopfte er mir auf die Schulter. Er freute sich wie ein Kind.

»Übrigens, was weißt du über die anderen alten Kumpels, Neidhart und so – – was machen die?«

»Neidhart? Ist zur Infanterie gegangen. Mit dem Autofahren ist's vorbei. Im Norden gibt's nur noch Rucksackreporter!«

»Und Walterchen?«

»Zuletzt in Riga gesehen – wahrscheinlich auch zur Infanterie. Aber einen neuen Wortberichter hatten wir noch bekommen – als wir eingeschlossen waren – in der Festung Kurland, einen gewissen Peter von Zahn. Kluger Kopf! Dreimal habe ich mit ihm Schach gespielt. Und dreimal habe ich verloren!«

»Peter von Zahn, sagst du? Nie gehört!«

»Mir erzählte er, daß man ihn mehrere Monate lang in

Berlin verhört habe – wegen des Attentats auf Hitler. Er wohnt im gleichen Hause wie irgendwelche Verschwörer, ich weiß nicht, wer – –.«

»Glaubst du, daß er etwas mit dem 20. Juli zu tun hatte –?«

»Keine Ahnung! In Kurland ist er erst kurz vor Weihnachten aufgetaucht. Hoffentlich überlebt er diesen verdammten Krieg – würde ihn gern wiedersehen – –.«

Tammo sog an seiner Pfeife. »Hm, es sieht nicht rosig aus – auch hier nicht. Die Lage ist auf deutsch gesagt – beschissen!«

Und wieder fielen mir seine harten Gesichtszüge auf. Wie strahlend hatte er damals in Paris ausgesehen!

»Sag mal ehrlich«, fragte ich ihn, »schreibst du immer noch aus Begeisterung, aus Idealismus?«

Er lachte bitter. »Ich weiß, was du meinst, und vielleicht hast du recht, Schorsch. Hinter meinen Berichten steckt keine Überzeugungskraft mehr. Ich kann es kaum ertragen, wenn ich auf die Landkarte sehe: Deutschland – nur noch ein schmaler Streifen von rechts unten nach links oben, und bald vielleicht auch das nicht einmal mehr. Das Großdeutsche Reich – vorbei!«

Ich schwieg. So hatte ich ihn noch nie reden gehört.

Doch noch einmal trat etwas ein, das die Flamme in Tammo aufs neue auflodern ließ, das ihn schüttelte, ihn hin und her riß wie in einem Taumel, einem Fieberwahn. Es war an jenem sonnigen Märzmorgen 1945, an dem ich durch Panzergeräusche geweckt wurde – –.

Aufgeregt kam er hereingestürzt und schrie mich an: »Schorsch, draußen stehen zwanzig Panzer auf der Straße!!«

»Russen –?«

»Quatsch! Deutsche! Lauter neue Tiger! Es wimmelt nur so von Soldaten. Es geht los, sage ich dir! In Richtung Budapest!«

War er nicht mehr bei Sinnen?

Ich sprang auf, zog mich hastig an und rannte mit ihm hinaus.

Tatsächlich! In den Seitenstraßen stauten sich die

›Tiger‹! Und auch auf den Verladerampen des Bahnhofs standen Panzer in langen Reihen. Ganze Güterzüge mit frischen Truppen rollten heran.

Von den Landsern erfahren wir, was bis zu dieser Minute streng geheimgehalten worden war: Die besten Panzer-Grenadier-Divisionen sind eingetroffen, überraschend bereitgestellt fast über Nacht! Namen berühmter SS-Panzer-Divisionen werden genannt. Und Sepp Dietrich führt sie! (Er hatte sich den Tarnnamen ›Höherer Pionier-Führer der Heeresgruppe Süd‹ zugelegt, um nicht die Aufmerksamkeit der Russen auf das bevorstehende Unternehmen zu lenken.)

Vom Raum nördlich des Plattensees aus soll nach Osten durchgestoßen werden bis Budapest, dann nach Norden eingeschwenkt und in einer einzigartigen Umfassungsschlacht nach Vereinigung mit einer Armee, die angeblich an der Weichsel von Heinrich Himmler neu aufgestellt worden sein soll, die gesamte russische Streitmacht eingekesselt und vernichtet werden.

Es klingt alles so unglaubwürdig, so nach Geisterarmee – aber es ist nicht zu leugnen: da stehen die Panzer vor uns! Nagelneu! Zu Hunderten!

Tammo ist entflammt, seine Niedergeschlagenheit wie weggeblasen. »In wenigen Tagen sind wir in Budapest! Kennst du Budapest? Nein? Ich auch noch nicht! Los, alter Kumpel, es geht wieder vorwärts!«

Wir fuhren hinunter bis an den Plattensee, vorbei an der idyllischen Halbinsel Tihany, entlang den Hängen der Weinberge.

In einem sonnendurchfluteten Park lag der Stab eines Armeekorps. Tische und Stühle aus dem Schloß standen im Freien. Der Ic, ein Major, empfing uns mit Wein.

»Ich bin nicht mehr zuständig!« rief er uns entgegen. »Aber setzen Sie sich, trinken Sie mit mir!«

Tammo sah mich verwundert an.

»Jawohl, meine Herren Kriegsberichter«, fuhr der Major unbekümmert fort und schwenkte fröhlich sein

Glas. »Ich bin meines Amtes enthoben! Informationen bekommen Sie beim Ia!«

Er ist betrunken, dachten wir.

Doch plötzlich wurde er ganz ernst und sachlich und erklärte uns, was vorgefallen war.

Er hatte – wie üblich – seine Lagekarte ausgearbeitet, darauf präzise die Stellungen des Feindes, die Einheiten, die Stärken eingezeichnet. Aber noch etwas mehr hatte er diesmal mit seinem Rotstift auf dieser Karte dargestellt: die zu erwartenden Angriffe und Bewegungen des Feindes! Mit großen roten Pfeilen hatte er nördlich von Stuhlweissenburg unsere eigene Frontlinie durchstoßen, und zwar genau an unseren schwächsten Stellen: wo ungarische Bataillone ohne schwere Waffen lagen. Diese roten Pfeile hatte er weitergeführt auf Veszprem zu – auf die deutschen Nachschubbasen und Treibstofflager, und dort hatte sein Rotstift einen großen Kreis gemacht. Das hieß: So wird es kommen! So werden die Sowjets uns einschließen!

Er nahm uns mit ins Haus und zeigte uns sogar diese Karte.

So etwas hatten wir noch nicht erlebt. Ein deutscher Stabsoffizier sagt das Ende der eigenen Einheiten voraus! Und wird nicht erschossen dafür? Sondern sitzt vergnügt im Park und trinkt Wein! Am frühen Morgen schon!

War ihm das Leben so gleichgültig?

(Für eine ähnliche Prophezeiung wurde wenige Wochen später der Ic der Heeresgruppe, Oberst Graf Rittberg, standrechtlich erschossen. Er hatte beim Mittagessen im Offizierskasino u. a. gesagt, Wien könnte nur drei Tage gehalten werden.)

Wir gingen also zum Ia.

Und der war wieder ganz anderer Meinung als der Major.

Selbstverständlich würden wir durchstoßen bis Budapest. Und dann einschwenken nach Norden. Und die Russen schlagen. Und einkesseln! Nur müßten wir noch ein paar Tage mit dem Angriff warten. Es habe zuviel geregnet. Die Wiesen seien zu naß, der Boden zu weich,

414

die schweren Panzer würden darin stecken bleiben – –.

Die Tage vergingen.

Es regnete wieder. Der Boden wurde noch weicher. Und der Streifen Deutschland auf der Landkarte noch schmaler. Man durfte nicht mehr warten. Man griff an. Bei völlig aufgeweichtem Boden.

Ein kurzer, heftiger Feuerschlag der schweren Waffen hatte die Offensive eröffnet. Zu Hunderten standen die Panzer bereit. Die jungen SS-Grenadiere stürmten vor – mit einem Elan, wie wir ihn seit dem Polenfeldzug nicht mehr erlebt hatten. Ihre Augen glühten. Sie waren bereit, Deutschland zu retten. In letzter Stunde!

Junge Gesichter waren es.

Sehr junge – –.

Wir lagen im nassen Gras nebeneinander, Tammo und ich.

»Hättest du das gedacht?« rief er, und sein Gesicht war plötzlich wieder glatt und strahlend.

Ein leicht verwundeter Grenadier warf sich einen Augenblick neben uns hin. »Unsere Spitze ist schon drüben – die kleine Holzbrücke in unserer Hand!« rief er uns atemlos zu, »der Iwan läuft um sein Leben! Wir haben es geschafft!«

Tammo sprang auf. »Dieser blöde Major! Hier erlebst du es selber, wie es vorwärts geht!«

In altgewohnter Weise stürmten wir mit den Infanteristen von Deckung zu Deckung, legten Kilometer um Kilometer keuchend und mit hängender Zunge zurück.

Der Tag war lang. Die Nacht hindurch wurde weiter gekämpft. Und auch am nächsten Tage noch ging es vorwärts.

Doch am dritten Tage leisteten die Sowjets erbitterten Widerstand. Immer mehr Verwundete gab es bei uns. Als gehetzte, ausgepumpte Gestalten schleppten sie sich zurück.

»Wo bleiben unsere schweren Waffen?« riefen sie verzweifelt. »Wir verbluten vorn – und die Panzer kommen nicht nach! Wo bleiben sie, zum Teufel noch mal?!«

Wir wußten die Antwort.

Unsere Tiger waren steckengeblieben. In den nassen Weiden. Hier einer und dort einer. Überall.

Die Straßen waren vermint.

Nur die leichten Schützenpanzerwagen, die nicht so tief einsanken, schlugen sich noch durch.

Doch jetzt hatten die Russen ihre gefährlichste Waffe eingesetzt: die Artillerie. Unsere Grenadiere lagen unter einer Feuerglocke, kein Schritt vorwärts war mehr möglich. Die Geschütze des Gegners niederzuringen, wäre Aufgabe unserer Luftwaffe gewesen. Oder unserer Panzer. Aber beides fehlte. Die Infanterie opferte sich vergeblich – –.

Und dann kam die Schreckensnachricht: Die Sowjets sind durchgebrochen! Nördlich Stuhlweissenburg! Wir sind eingekesselt – abgeschnitten – bei Veszprem! Genau wie der Ic es auf seiner Karte eingezeichnet hatte!

Das bedeutete: Kein Nachschub mehr. Keine Verpflegung. Keine Munition. Kein Benzin für die wenigen Panzer, die noch nicht im Boden versunken waren!

Und die Folge davon: Die deutsche Front löst sich auf in ein Chaos.

Verzweifelt kämpfen noch einzelne Gruppen, bis ihnen die Munition ausgeht. Dann irren sie durch das Gelände. Ohne Ziel, ohne Führung.

Zwei Landser mit provisorischen Verbänden an Armen und Beinen, denen wir in der Dunkelheit der Nacht begegnen, stehen noch völlig unter dem Eindruck des Erlebten. In abgehackten Sätzen berichten sie von ihrem Divisionskommandeur, mal der eine, mal der andere sprechend:

»Der Alte, der General, wollte ja durchaus mitfahren in unserem Schützenpanzerwagen, um den Angriff zu leiten!« – »Mitten hinein in die Schlacht!« – »In den Feuerhagel der Russen!« – »Unser fahrender Sarg ist sofort lahmgeschossen worden, von der Seite her zischten die Gewehrkugeln der Sowjets durch die dünnen Panzerplatten, – na, ihr kennt das ja!« – »Jeder hat dabei was abbekommen! Und der General, der war auch schon

verwundet und halb bewußtlos.« – »Den mußten drei
Mann über Bord werfen, der war so dick und schwer!« –
»Wir konnten ihn doch nicht in dem Sarg liegen lassen!
Da hätte er allein nicht rausgekonnt. Und wäre restlos
durchsiebt worden.« – »Wo er geblieben ist? Keine
Ahnung! Jeder ist um sein Leben gelaufen – –.«
Gemeinsam ziehen wir weiter.
Wohin?
Zurück! Hoffentlich zurück!
Im Morgengrauen schließen sich uns noch ein paar
Grenadiere an, die keine einzige Patrone mehr besitzen,
– zerlumpte Gestalten, die sich durchgeschlagen haben,
deren Uniformen zerfetzt sind. Junge Menschen, wie wir
sie vor wenigen Tagen noch mit lachenden Gesichtern
und glühenden Augen sahen, bereit zu kämpfen – oder
zu sterben, wenn es nötig sein sollte. – Jetzt sind sie am
Ende ihrer Kräfte, zerschunden, hungrig, durstig, müde,
erledigt. –
Auch Tammo ist völlig erschöpft.
Mehr als die körperliche Anstrengung dieses ungewissen Umherirrens ohne Verpflegung und ohne Schlaf hat
ihn der völlige Zusammenbruch der Offensive mitgenommen, die so optimistisch begonnen hatte.
Durch dichtes, verwuchertes Gestrüpp schleichen wir
uns dahin mit einem Häuflein Menschen, das der Zufall
zusammengewürfelt hat. Einer, ein Feldwebel, hat noch
die Kraft, zu führen. Hinter uns gehen zwei Verwundete
mit dicken Verbänden – SS-Männer, einer davon sogar
mit zwei Sternen. Ab und zu legen wir Pausen ein, um die
Schwächsten nachkommen zu lassen. Jeden Augenblick
sind wir darauf gefaßt, auf Russen zu stoßen. Was dann
geschehen wird, weiß niemand.
Mittags rasten wir in einer Talsenke.
Tammo liegt neben mir.
»Das kann doch alles nicht wahr sein«, sagt er gequält,
»es wäre doch ein Verbrechen – –.
Er braucht eigentlich nicht weiterzusprechen. Ich kann
mir denken, was er sagen will. Aber er redet weiter, –
vielleicht, damit es auch die anderen hören: »– es wäre

ein Verbrechen, diesen Krieg auch nur noch einen einzigen Tag weiterzuführen, wenn – –«.

»Wenn – –?«

»Wenn wir nicht noch eine entscheidende Waffe hätten!«

»Eine Wunderwaffe –?!«

»Ja. Eine Wunderwaffe! Die alles mit einem Schlage entscheidet! Der Führer hat sie. Er muß sie haben! Aber er wendet sie nicht an. Noch nicht! Er soll einmal gesagt haben: ›Gott verzeihe mir die letzten fünf Minuten dieses Krieges!‹«

»Und daraus schließt du, daß er noch eine Wunderwaffe hat!? Warum aber läßt er die besten Jungen verbluten und setzt sie nicht ein? Ob es nicht doch nur eine dieser genialen Propagandaparolen von unserm Meister Goebbels ist?«

Tammo schüttelte abwehrend den Kopf.

»Nein, nein. Hitler *muß* noch etwas haben. Eine Bombe. Eine ganz furchtbare Bombe, die ganze Städte verwüstet. Nur setzt er sie nicht ein – – weil sie zu grausam ist –.«

Nachdenklich, als versuche er sich zu konzentrieren, spricht er weiter. »Ich habe da mal etwas gehört – von einem Professor Hahn – von Atomen und Kernspaltung – ich verstehe ja nichts davon – aber es wird mir immer klarer: Hitler *muß* diese Bombe bereits haben, – sonst wäre es doch ein Verbrechen, diesen Krieg noch weiterzuführen – –.«

Der SS-Mann mit den zwei Sternen, der mit dem Rücken zu ihm liegt, hebt seinen verwundeten Arm hoch und dreht sich langsam zu ihm um. Seine Augen scheinen nur noch aus Pupillen zu bestehen und sind auf Tammo gerichtet. Flüsternd sagt auch er – zu unserer Überraschung: »Ja, ihr habt recht! Es *wäre* ein Verbrechen! Es wäre –!«

Ein alter, schmächtiger Obergefreiter, der hinter ihm zusammengesunken am Boden kauert, sieht ihn müde an und greift mit schwacher Stimme in das Gespräch ein: »Du meinst also auch, er hat sie – die Bombe?«

418

»Natürlich hat er sie – – Deutschland hat die besten Wissenschaftler der Welt! Der Führer zögert nur noch – –.«

»Und woher weißt du das so genau? Das mit der Bombe?«

Der SS-Mann verzieht gereizt sein Gesicht. »Du liest wohl auch keinen ›Völkischen Beobachter‹? Schon im letzten Sommer hat's dringestanden, ich hab's mir genau gemerkt: Daß wir bloß noch ein halbes Jahr durchzuhalten brauchten, dann wär's soweit, dann wüßten wir alles – – und das halbe Jahr ist jetzt um!«

Mit der Stiefelspitze stößt er Tammo gegen den Oberschenkel: »Du, – den Bericht hat ein Kollege von dir geschrieben – aber einer, der mehr weiß als du, – ein Kriegsberichter von der SS!«

(Es handelte sich offensichtlich um den Artikel »Das Geheimnis der letzten Kriegsphase« im ›Völkischen Beobachter‹ vom 30. August 1944. Darin hieß es: »Spätere Zeiten werden einmal klar und deutlich sehen, daß es auf Millimeter und Sekunden ankam, und daß es auszurechnen gewesen sein mußte, warum Deutschland siegte.« Der Bericht endete mit den Worten: »Der Sieg ist wirklich ganz nahe.«)[1]

Auf den Knien kommt der Feldwebel zu uns herangekrochen, legt sich neben den SS-Mann. »Nein, ich bin da

---

[1] Der Urheber, Joachim Fernau, nahm in der ›ZEIT‹ Nr. 8 vom 24. Februar 1967 zu seinem PK-Bericht Stellung und gab eine überraschende Aufklärung für dessen Entstehung: »... Im August 1944 schrieb ich jenen Bericht, der niemals als Zeitungsartikel für Deutschland gedacht war. Er wurde als Rede in französischer Sprache über Radio Paris gesendet... Der Sinn der französischen Sendung war, bei den Partisanen den Glauben an eine etwa schon gefallene Kriegsentscheidung und den Glauben an den Erfolg ihres Terrors zu erschüttern. Das gelang schlagartig und hielt... wochenlang an. In jener Zeit hätten auch Sie durch das Partisanengebiet fahren können, ohne aus dem Fenster eines Bäckerladens hinterrücks erschossen zu werden. Die Radio-Rede wurde nach ihrem offensichtlichen Erfolg dann von der Berliner militärischen Pressestelle an die Zeitungen gegeben. Darauf hatte ich keinen Einfluß, ich wußte es nicht einmal. Zu dieser Zeit befand ich mich bereits wieder im Fronteinsatz.«

ganz anderer Ansicht. Ich sage: Die Bombe zu *werfen*, *das* wäre ein Verbrechen! Und das sieht Hitler selber ein, – und so hat er das auch gemeint mit diesem ›Gott verzeih mir die letzten fünf Minuten‹ – –.« Er hebt den Kopf und blickt zum Himmel auf. »– – aber – so sehr hat es doch Hitler eigentlich sonst gar nicht mit dem ›Lieben Gott‹ –?«

Der alte Obergefreite versucht den Schlußstrich zu ziehen. »Alles Blödsinn, was ihr da redet. Erst sagt der eine, es wäre ein Verbrechen, die Bombe *nicht* zu werfen, und dann sagt der andere, es wäre ein Verbrechen, die Bombe zu *werfen*. Was ist nun das größere Verbrechen: die Bombe zu werfen? oder sie nicht zu werfen –?«

Er zieht die Mundwinkel herunter und fährt fort: »Ich meine, dazu braucht man nicht einmal an den ›Lieben Gott‹ zu glauben, um zu fühlen, daß die Anwendung einer solchen Bombe, die Hunderttausende von Menschen auf einen Schlag vernichtet, ein Verbrechen wäre!«

Eine Weile schweigen wir.

Wir sind alle zu erschöpft, um uns zu ereifern. So bleibt es zunächst dabei, daß jeder seine Meinung sagt.

Dann richtet sich der SS-Mann auf, hebt seinen in Mullbinden gewickelten Arm und flüstert heiser: »Und ich sage euch, die Bombe *wird* fallen!«

Wir waren für Minuten in einen Halbschlaf gesunken.

»Auf!« hörte ich die Stimme des Feldwebels, »wir müssen weiter – –!«

Mühevoll erhoben wir uns und trotteten apathisch hinter ihm her.

Frische Granattrichter machten uns stutzig.

Wir schlängelten uns zwischen ihnen hindurch.

Ich öffnete die Lederkappe meiner Kamera, stellte den Verschluß ein. – Diesen seltsamen Menschenhaufen – Krieger waren es ja kaum noch! – mußte ich festhalten. So, wie er sich hier stumm dahinschleppte.

Ich blieb etwas zurück, visierte den Ausschnitt an.

Da ertönte ein leises Zischen.

»Deckung! Granatwerfer!!« schreit einer.

Zu spät!

Das Geschoß ist genau in die Gruppe gefahren.

Alle liegen verstreut am Boden. Einer windet sich, auf dem Rücken liegend. Er war vor Tammo gegangen, hatte die Hauptwirkung der Explosion abgefangen, die Splitter in den Bauch bekommen. Noch einmal bäumt er sich auf, streckt sich, erschlafft.

Tot.

Es war der Feldwebel.

Tammo ist meterweit durch die Luft geflogen.

»Das Bein ist ab!« höre ich ihn schreien.

Rund um uns rauschen Granaten nieder.

Weit entfernt kann die russische Stellung nicht sein, aber plötzlich hört das Granatwerferfeuer auf. Ob sie uns überhaupt erkannt hatten?

Es bleibt still.

Nur noch das Jammern und Stöhnen der Verwundeten ist zu hören. Die Grenadiere helfen sich gegenseitig, legen einen in eine Zeltbahn –.

Ich bin bei Tammo.

»Dein Bein ist nicht ab!« mache ich ihm klar. – Er scheint einen Schock zu haben.

Mit dem Taschenmesser schneide ich ihm den rechten Stiefel auf.

Blut, kleine Dreckklumpen, Metallsplitter.

Ich packe ihn bei den Schultern, schleife ihn in den Trichter, den ich als Vordergrund für meine Aufnahme genommen hatte, wühle mein Verbandspäckchen aus der Hosentasche, wickle die Binde um sein Bein, so fest ich kann.

Langsam fängt er sich wieder.

Da höre ich Panzergeräusche. Es können nur Russen sein.

Sie nähern sich schnell. Immer deutlicher wird das Rasseln der Ketten, das Knacken der Zweige. Ist der Boden hier hart genug, Panzer zu tragen?

Als ich den Kopf über den Trichterrand hebe, sehe ich: Keine dreißig Meter entfernt kommt ein erdbrauner T 34 und rollt direkt auf uns zu!

Wenn er uns zwischen die Raupen nimmt, denke ich noch – –.

Aber er ruckt, dreht zur Seite. Der Fahrer muß den Feldwebel liegen gesehen haben. Mit der linken Raupenkette zerquetscht er ihn.

Da bröckelt Erde auf uns nieder.

Die rechte Raupe mahlt an unserem Trichter vorbei.

Das Panzergeräusch entfernt sich.

Der tote Feldwebel hat uns vielleicht das Leben gerettet – –.

Wir entkamen dem Kessel.

Querfeldein hatten wir uns vorwärts gequält. Tammo hatte seinen rechten Arm um meine Schulter gelegt und war mühsam mitgehumpelt.

Und dann hatten wir das, was man im Kriege sehr oft haben muß – einfach Glück! Wir trafen auf eine Bucht des Plattensees, fanden einen Kahn, erreichten damit das andere Ufer, wo noch deutsche Einheiten lagen.

Ich habe daneben gestanden, als ein Sanitäter die Tetanusspritze bei Tammo ansetzte. Ich habe gesehen, wie man ihn auf eine Trage legte, ihn in einen Sanka schob und die Türen zuklappte, – wie der Wagen mit ihm davonfuhr und in einer Staubwolke verschwand.

Nun war die kleinste Einheit der deutschen Wehrmacht noch kleiner geworden, unsere jahrelange Reporterehe zu Ende gegangen. Vom Kriegsberichtertrupp »Wort und Bild« war nur noch der Bildberichter übrig. Ich war allein.

17 UNTERNEHMEN »JAGUAR« IN RUSSISCHER
    UNIFORM
    »TOWARISCH SCHMIDT-SCHEEDER«

Mein Ziel ist, zurückzukommen zum Stab der neuen 6. Armee.

Wie ein verirrter Landsknecht ohne Herrn ziehe ich dahin, in zerrissener Uniform, unrasiert, ungewaschen, hungrig, müde – –.

Stunden später bekomme ich Anschluß an die Reste des zurückflutenden Heeres. Auf der Landstraße sehe ich die Wagen eines Divisionsstabes und melde mich beim Ic.

»Können Sie etwas über die Lage sagen?« fragt er mich aufgeregt, »seit gestern sind sämtliche Verbindungen zu unseren Regimentern abgerissen. Wir wissen überhaupt nicht mehr, wie die Front verläuft. Alles flutet kopflos zurück.«

Als ich erzähle, was ich erlebt habe, staunt man mich an wie einen Geist. Das war doch nicht möglich: Da ist einer, der aus dem Kessel entkommen ist! –

Was ich weiß, sage ich. Lasse mir Verpflegung geben und trampe weiter mit zurückrollenden Fahrzeugen, fast hundert Kilometer – bis zum Armeestab. Hier würde ich mich erst einmal verschnaufen können.

Und wirklich! Hier hinten funktioniert noch alles wie immer, läuft die Kriegsmaschinerie noch auf vollen Touren!

Man weist mir – wie in ganz normalen Zeiten – ein Quartier an. Ein PK-Mann sei auch dort.

Ich treffe auf Stanislaus. Ur-Wiener und ältester Kameramann der deutschen Wehrmacht, ein ›Original‹. Ursprünglich war er als polnischer Dolmetscher eingezogen worden. Doch – als er nach dem Polenfeldzug ›arbeitslos‹ geworden war – hatte er sich seine eigene alte hölzerne Filmkamera aus Wien kommen lassen und damit idyllische Landserszenen buchstäblich mit der Handkurbel ›gedreht‹ – – bis man auf ihn aufmerksam wurde und ihm eine moderne Arriflex mit Elektromotor anvertraute.

Er war zu den Jüngeren immer wie ein Vater gewesen, der gute alte Stanislaus, mit seinem kleinen grauen Bärtchen auf der Oberlippe und seinen lebendig funkelnden Augen, denen man die 50 Jahre nicht ansah. Wir würden also eine neue Reporterehe zusammen eingehen, war mir klar. Eine etwas ungleiche Ehe, – ich hätte sein Sohn sein können – aber wahrscheinlich war er der richtige Partner für das, was uns bevorstand.

Zunächst einmal sorgte er dafür, daß ich wieder ein Mensch wurde. Ich mußte mich gründlich waschen. Eimerweise brachte er heißes Wasser herbei. Dann bekam ich gut zu essen und zu trinken, und anschließend steckte er mich in ein richtiges weißes Bett.

Als ich gerade wieder bei Kräften war, brachte uns ein Melder den Befehl, sofort zum Ia zu kommen.

Und damit bahnte sich das letzte Abenteuer dieses Krieges für mich an – und zugleich wohl auch das unglaublichste. Aber – es ist absolut wahr und durch Zeugen zu belegen.

Wir schnallten also um und gingen hinüber zum Stab.

Ein älterer Major mit einem hageren, schmalen Gesicht, das ich noch nie gesehen hatte, empfing uns auffallend jovial.

»Meine Herren«, sagte er ohne Umschweife, »ich habe einen Sondereinsatz für Sie!«

Der Major kniff die Augen zusammen und sah uns abwechselnd an.

»Sind Sie bereit, ein Unternehmen mitzumachen, das hinter die russischen Linien führt? Keinen gewöhnlichen Spähtrupp – damit Sie mich recht verstehen! – sondern eine Sonderaktion von etwa drei Tagen Dauer –.«

Er legte eine kleine Pause ein, dann beugte er sich leicht zu uns hinüber und sagte leise: »Sie werden dabei russische Uniformen tragen!«

Mich durchfuhr es wie ein elektrischer Schlag. Stanislaus sagte mir später, mein Lächeln sei momentan eingefroren. Und auch er selbst sei völlig verwirrt gewesen.

»Russische Uniformen – –?« wiederholten wir beide ungläubig.

»Jawohl«, sagte der Major, »Sie haben ganz richtig gehört, Sie werden russische Uniformen tragen. Der Einsatz ist natürlich freiwillig.« Er druckste etwas herum, und ich hatte das Empfinden, daß er das Wort ›freiwillig‹ nur routinemäßig gesagt hatte und nun überlegte, wie er es überspielen könnte. Wie zur Erläuterung fuhr er fort: »Ich möchte jedoch gleich erwähnen, daß man an höherer Stelle von Ihnen erwartet, daß Sie mitmachen. Sie sind die einzigen Kriegsberichter – Film und Bild – im Bereich der gesamten Armee, ich kann also nicht auf andere zurückgreifen, wie etwa bei einem Infanteristen oder einem Pionier. Es gibt niemanden, den ich an Ihrer Stelle nehmen könnte. Und – es ist bereits alles vorbereitet!«

Der Major lehnte sich in seinem Sessel zurück und wartete wieder einen Moment, wobei er ein freundliches Lächeln um seine sonst so harten Mundwinkel spielen ließ, anscheinend, um die Angelegenheit damit etwas zu verharmlosen.

Stanislaus warf mir verstohlen einen Blick zu. Ich verstand, was er damit sagen wollte: Die Sache stinkt!

Ich schaute nach unten, um dem Major nicht in die Augen sehen zu müssen und um Zeit zu gewinnen. In der Magengegend hatte ich ein unangenehmes Gefühl. In russischen Uniformen – ausgerechnet wir als Kriegsberichter! Ich sah mich schon drüben bei den Sowjets an einem Baum hängen.

»Aber, Herr Major«, sagte ich schnell, bevor er weiterredete, »wir können doch gar nicht Russisch!«

Doch er schien diesen Einwand vorausgeahnt zu haben und winkte ab. Daran sei selbstverständlich bereits gedacht worden. Im übrigen würde die Sache für uns ganz harmlos sein.

»Sie sollen als reine Kriegsberichter daran teilnehmen«, bemerkte er in leutseligem Ton, »ohne jeglichen Spionage- oder Sabotageauftrag, nur damit später einmal auch über derartige Unternehmen Dokumente vorhanden sind, verstehen Sie? Damit spätere Generationen einmal lückenlos in Film und Bild sehen können, was ihre Väter für das Großdeutsche Reich geleistet haben!«

Jovial bot er uns Zigaretten an und betonte immer wieder, daß alles vorbereitet sei, daß wir keinerlei Spionage zu treiben brauchten, sondern »lediglich so ein paar Bilder von diesen tollkühnen Einsätzen mutiger Männer« festhalten sollten.

»Und wenn Sie zurückkehren, meine Herren, steht Ihnen selbstverständlich ein Sonderurlaub zu!« spielte er seinen größten Trumpf aus.

Sonderurlaub! Das schoß mir ebenso blitzartig durch den Kopf, wie vorher der Schock mit den russischen Uniformen. Und vielleicht war wirklich alles nicht so schlimm. Vielleicht bekamen wir gar keine Sowjets zu sehen drüben. Vielleicht – – vielleicht – –.

Ich schielte zu Stanislaus hinüber. Der sah unentschlossen den Major an, drehte dann langsam den Kopf zu mir.

Der Major trommelte ungeduldig mit den Fingern auf die Lehne seines Sessels.

»Ich warte, meine Herren Kriegsberichter! Ich könnte mir kaum vorstellen, aus welchen Gründen Sie nicht mitmachen wollten. Oder haben Sie etwa Angst?«

Er hob herausfordernd seine Kinnspitze etwas an.

»Einzelheiten über das Unternehmen kann ich Ihnen erst mitteilen, wenn Sie zugesagt haben. Anders geht es leider nicht – aus Geheimhaltungsgründen. Also –?«

Stanislaus richtete wieder seine dunklen Augen auf mich. Anscheinend wollte er mir nicht vorgreifen. Ich sollte selber für mich entscheiden. Aber praktisch war die Entscheidung längst gefallen. Uns blieb gar keine Wahl.

Ich nickte leicht mit dem Kopf zu ihm hin.

»Wenn du meinst – –« sagte er leise, und dann zum Major hin gewandt: »Also gut, Herr Major, – mache mer mit!«

Die Art, wie er es sagte, war vollkommen unmilitärisch. Aber so war er nun mal. Außerdem war er nicht mehr der Jüngste, und sein Wiener Charme entschuldigte manches, was sonst bei alten Preußen Anstoß erregt hätte.

»Ich hab's ja gewußt«, sagte der Major zufrieden, »natürlich sind Sie einverstanden. Dann kann ich Sie jetzt in die Einzelheiten einweihen. Also: Das Unternehmen läuft unter dem Decknamen ›Jaguar‹ und wird durchgeführt von der Frontaufklärungsabteilung 206.«

Er stand auf und rief aus dem Nebenzimmer einen jungen Leutnant herein, der vermutlich schon auf uns gewartet hatte und den er als Einsatzführer vorstellte.

»Im Augenblick heißt er Menzel für uns«, erklärte er lachend, »alle paar Tage hat er einen anderen Namen, – ich glaube, seinen richtigen weiß er selber schon nicht mehr!«

Dann ließ er uns mit ihm allein.

Der Leutnant hatte weißblondes Haar und ein weiches, fast mädchenhaftes Gesicht, in dem mir besonders seine vollen, sinnlichen Lippen auffielen. Nur seine kalten, berechnenden graublauen Augen schienen mir in einem seltsamen Kontrast dazu zu stehen.

Mit einem undurchsichtigen Lächeln streckte er uns die Hand entgegen, und gleich bei den ersten Worten fiel mir sein rollendes »R« auf und ein Akzent, der mich an den Balten mit den Filzstiefeln erinnerte.

»Im Moment bin ich noch in deutscher Uniform«, sagte er mit gedämpfter Stimme, »aber Sie würden mich nicht wiedererkennen – als sowjetischen Leutnant, mit Ordensschnalle und allen Schikanen – –.«

Er musterte uns kurz, besonders Stanislaus – er war ihm wohl etwas zu alt – wiegte leicht den Kopf hin und her und sagte: »Na, gut – – setzen wir uns!«

Lässig nahm er auf dem Sessel des Majors Platz, schlug die Beine übereinander und wies mit einer Handbewegung auf das Sofa, das ihm gegenüber hinter einem kleinen Rauchtisch stand.

»Sie möchten also Einzelheiten wissen«, begann er lebhaft. »Nun – wann es wirklich losgeht, das weiß ich selbst noch nicht, nur eines steht fest: Es wird eine pfundige Sache werden! Diesmal fahren wir mit vierzehn Panzern rüber – –.«

Stanislaus unterbrach ihn: »Verzeihung, – mit vierzehn Panzern? Und dann in russischen Uniformen?«

»Mit russischen Panzern natürlich! Ach, ich dachte, Sie wüßten das schon. Mit echten, guten russischen T 34!«

Ich erschrak.

»Mit vierzehn T 34 – das ist ja ein ganzer Heerhaufen! Wie soll das denn vor sich gehen –?«

Leutnant Menzel beugte sich wohlgefällig zurück.

»Ganz einfach, meine Herren! Wir suchen uns einen geeigneten Frontabschnitt aus, lassen von unserer Infanterie und Artillerie, und was wir sonst noch haben, einen ordentlichen Rabatz machen, täuschen einen Angriff vor, locken den Iwan aus den Löchern – und sobald dabei ein allgemeines Durcheinander entstanden ist, mogeln wir uns rüber auf die andere Seite. Bei Nacht natürlich!«

»Und drüben?« fragte Stanislaus.

»Drüben? Machen wir allerlei Unfug! Benehmen uns wie eine versprengte sowjetische Panzereinheit, lassen uns zu essen und zu trinken geben, empfangen Schnaps und Zigaretten und sogar Munition für unsere Panzer!«

Mir kam das alles so unglaublich vor, daß ich kaum wußte, was ich zuerst fragen sollte.

»Sie sprechen also russisch?«

»Selbstverständlich! Genauso gut wie lettisch oder deutsch.«

»Und die Mannschaften – die in den Panzern –?«

»Sprechen nur russisch – es sind nämlich Russen!«

»Gefangene?«

»Gefangene, Überläufer, – was weiß ich! Hauptsache, sie machen mit. Und das tun sie! Die fahren wie die Teufel mit den Kisten!«

»Und welche Aufgaben haben sie drüben?«

»Alle möglichen – da wird frei improvisiert! Begegnen wir beispielsweise einem Verpflegungstroß, der nach vorn zu seiner Einheit will, erzählen wir den Leuten, daß ihr Truppenteil inzwischen Stellungswechsel gemacht habe, und schicken sie in die falsche Richtung. Ganze Munitionskolonnen werden wir umleiten und in den Urwald schicken! Fernsprechleitungen werden wir anzapfen und falsche Befehle durchgeben – –!«

»Sie haben auch Funkverbindung mit der deutschen Seite?«

»Diesmal ja! In einem der Panzer fährt ein deutscher Fliegeroffizier mit und sagt der Luftwaffe lohnende Ziele durch, – in einem weiteren sitzt noch ein Artillerieoffizier!«

Während die sowjetischen Truppen bereits vor Danzig stehen, rufen Plakate – von Druckereien der PK hergestellt – in der Festung Kurland zum äußersten Widerstand auf. Zwei Armeen sind hier von den Sowjets eingeschlossen, – aber noch treffen Reserveeinheiten ein, hauptsächlich Genesene aus Lazaretten. Sogar Freiwillige der norwegischen Waffen-SS gehen im Winter 1945 im Libauer Hafen noch an Land (Bild rechts). – Per Schiff gelangten diese PK-Aufnahmen nach Deutschland, kamen aber nicht mehr zur Veröffentlichung.

Letzte PK-Aufnahmen, die das Propaganda-Ministerium nicht mehr erreichten: Rückzug in die ›Alpenfestung‹. – Verzweifelt versuchen Soldaten im April 1945, die schweren Lastwagen der Wehrmacht über die Alpenpässe der Steiermark zu ziehen.

Stalins Sohn, Jakob Dschugaschwili, Oberleutnant und Batteriechef der Roten Armee, nach seiner Gefangennahme am 16. Juli 1941 bei Witebsk.

Erst im Februar 1968 – mehr als 20 Jahre nach Kriegsende – hat ein amerikanischer Reporter NS-Dokumente aus den Archiven des US-Außenministeriums ›ausgegraben‹, die den Fall des im Frühjahr 1943 in einem deutschen KZ auf der Flucht erschossenen Stalin-Sohnes in einem neuen Licht erscheinen ließen. Nach den aus dem Konzentrationslager Sachsenhausen stammenden Dokumenten soll Jakob Dschugaschwili-Stalin nach vorangegangenem Streit mit anderen Häftlingen in den äußeren Absperrungszaun gelaufen und dabei befehlsgemäß erschossen worden sein. Wie weiter bekannt wurde, sollen die Amerikaner mit Rücksicht auf Stalin diese Tatsache geheimgehalten haben.

Jakob Dschugaschwilis Leiche im Stacheldraht des Konzentrationslagers.

А вы знаете

кто это?

134 St.

Eine Reihe von Aufnahmen, die Stalins Sohn als prominenten Gefangenen in Gesellschaft deutscher Offiziere zeigte, wurde für ein Flugblatt verwendet, das die sowjetischen Soldaten zum Überlaufen aufforderte. Major Walter Reuschle (links unten) kostete die Tatsache, daß er darauf neben Jakob Stalin-Dschugaschwili sitzend abgebildet war, zehn Jahre seines Lebens. Er wurde nach Kriegsende von den Amerikanern verhaftet und an die Russen ausgeliefert. Erst nach Stalins Tod wurde er wieder entlassen.

Von russischen
Kriegsberichtern foto-
grafiert:
Joseph Goebbels, der
Initiator der neuen
Waffengattung, der
Propaganda-Kompa-
nien. Die deutsche PK
war zum Muster für
die Welt geworden. –
Goebbels' halb ver-
kohlter Leichnam im
Garten der Reichs-
kanzlei in Berlin.

Bei Ende des Krieges sind Kriegsberichter in Uniform auch bei den Alliierten im
Westen wie im Osten eine Selbstverständlichkeit: Amerikanische und russische
Kriegsberichter fotografieren das Zusammentreffen der alliierten Truppen bei
Torgau an der Elbe am 26. April 1945.

Von amerikanischen
Kriegsberichtern foto-
grafiert:
Der Kommandeur der
58. sowjetischen Gar-
dedivision, General-
major Russakow
(rechts) und der Kom-
mandeur der 69. ame-
rikanischen Division,
Generalmajor Rein-
hard, schütteln sich
die Hände.

»Auch in russischer Uniform?«

»Selbstverständlich! Wir werden doch kein Risiko eingehen!«

Leutnant Menzel zog ein Zigarettenetui heraus und hielt es uns hin.

»Bitte, – leider nur Papyrossy, von drüben, aber ich habe mich schon so an das Kraut gewöhnt. Drüben sind wir nämlich als Panzereinheit angesehene Leute – da kriegen wir alles und werden verwöhnt – –.«

Stanislaus drückte mit Kennermine das lange Pappmundstück breit. Ich tat es ihm gleich, zog Streichhölzer aus der Tasche und reichte dem Leutnant Feuer.

»Streichhölzer – – haben schon manchen verraten! Wenn Sie sich später umziehen – Sie bekommen Original-Uniformen von Gefangenen, mit abgestoßenen Ärmeln, kleinen Löchern und so weiter, – natürlich sauber gewaschen! – dann denken Sie bitte daran, falls man vergißt, sie Ihnen abzunehmen. Sie bekommen selbstverständlich russische Streichhölzer!«

Wir sogen an den Pappmundstücken und stießen die Rauchwolken in die Luft. Durch die bleiverglasten Fenster am Ende des Raumes fielen die letzten Strahlen der untergehenden Sonne.

»Werden wir beide – mein Kollege und ich – nun in verschiedenen Panzern untergebracht werden?« fragte Stanislaus nach einer Weile.

»In den Panzern?« lachte der Leutnant. »*In* den Panzern ist gar kein Platz! Da sitzen unsere Bedienungsmannschaften. Nein, – Sie liegen hinten drauf!«

»Ganz frei – –?«

»Warum nicht?! Da haben Sie immer frische Luft!«

Stanislaus kratzte sich am Kopf.

»Wenn nun aber Artilleriebeschuß einsetzt –?«

»– da werden Sie eben abspringen, wir werden schon halten dann – – Panzer sind breit und geben viel Deckung!«

»Und wenn es weitergeht – und wenn ich wieder hinauf muß –?«

»– dann werden Ihnen meine Leute schon helfen!«

»Und wenn wir drüben sind und ein echter Russe – ich meine, einer von drüben – kommt und fragt uns etwas?«

»– da werden wir Ihnen ein großes Pflaster über den Mund kleben – dann sind Sie eben schwer verwundet, können nicht sprechen!«

»Wenn nun aber einer etwas fragt, was ich durch Kopfnicken beantworten könnte, – es würde doch auffallen, wenn ich überhaupt nicht reagierte – –.«

»Nicht reagieren? Nun, wir haben so viele Leute, die für Sie antworten können und sagen, Sie seien dumm oder so – – auf jedem Panzer werden zusätzlich fünf echte Russen liegen!«

»Und wenn wir nun mal – unser Geschäft verrichten müssen, drüben, wenn wir vom Panzer klettern, – wie sollen wir da noch unterscheiden, welcher Russe zu unserer Einheit gehört und welcher nicht?«

»Sie bleiben einfach die ganze Zeit auf dem Panzer liegen, bis wir wieder zurück sind. Sie bekommen zu essen und zu trinken von meinen Leuten. Und wenn Sie mal müssen, – nun, Herrgott noch mal, dann machen Sie meinetwegen in die Hosen! Immer dieses ›Und-wenn – Und-wenn‹!«

Leutnant Menzel schien ärgerlich zu sein. Es entstand eine kleine Pause.

Ich versuchte, mir alles genau vorzustellen.

»Wie soll ich übrigens mit der Leica Aufnahmen machen, ohne daß es jemand merkt –?«

»Ganz einfach: Sie liegen auf dem Panzer mit den anderen vier oder fünf Russen, und die werden Sie schon decken. Sie müssen eben hinter dem Rücken, über die Schulter – was weiß ich – mit der Kamera schießen – –.«

»– und *was* soll ich fotografieren?«

»Na, alles, – drüben die Einheiten, wie sie da liegen, wie sie rumlaufen, wie sie essen, wie die Iwans – –. Gott, was weiß ich!«

»Und – wie soll ich unbemerkt filmen – mit der großen Kamera?« fragte Stanislaus gespannt.

»Herrgott noch mal, wir geben Ihnen eine Zeltbahn oder einen Sack, darunter halten Sie die Kamera!«

434

Er wußte auf alles eine Antwort. Unsere Fragen schienen ihm lästig zu sein. Es entstand wieder eine längere Pause.

Blaue Dämmerung breitete sich im Raum aus. Menzel hatte sich in seinem Sessel weit zurückgelehnt und schaute gegen die Decke.

»Wenn es Sie beruhigt«, sagte er nach einer Weile, »dieses Unternehmen ist bereits das fünfte, das ich durchführe –.«

Er hatte sich eine neue Papyrossy angesteckt und stieß die Rauchwolken in dünnem Strahl in die Höhe.

»Den ersten Einsatz machte ich mit zwei Panzern. Als wir zurückkamen, hatte ich drei: einen haben wir von drüben mitgebracht! Später fuhr ich mit vieren, dann mit sieben. Einer fiel unterwegs aus, an den Raupen war etwas gebrochen. Na, den haben wir gleich in der Spezialwerkstatt reparieren lassen –.«

»Drüben?«

»Komische Frage! Drüben! Wo denn sonst, häh?«

Für ihn war immer alles ganz einfach. Aber eine entscheidende Frage mußte ich doch noch stellen:

»Was geschieht, wenn drüben die Russen Verdacht schöpfen? Oder ist das noch nie vorgekommen?«

Er sah mich listig von der Seite an.

»Doch, – das ist schon vorgekommen. Mehrmals sogar!«

»Und? Was geschieht dann?«

»Eine offene Schießerei müssen wir unter allen Umständen zu vermeiden suchen – –.«

Er zögerte etwas. Anscheinend sprach er nicht gern über diese Dinge. Aber da wir ja nun dazugehörten, begann er langsam und bedächtig zu erzählen:

»Als wir das letzte Mal drüben waren – – war da so ein Oberst, ein Regimentskommandeur, der mir nicht gefiel. Er fragte zuviel. Gewiß, ich kannte mich gut aus, konnte alles beantworten, hatte ja vorher sorgfältig die Gefangenen verhört und wußte über manches besser Bescheid als ein sowjetischer General. Ich wußte die Decknamen der einzelnen Truppenteile, kannte die Kommandeure, wußte sogar, wie sie aussahen und ob sie soffen oder nicht! Nur dieser eine, dieser mißtrauische Kerl, mußte trotz allem etwas gemerkt haben. Und schließlich konnte ich nicht seinetwegen das ganze Unternehmen gefährden. Mir blieb keine andere Möglichkeit, – er mußte beseitigt werden – –.«

Er klopfte die Asche von der Zigarette und ließ sie einfach auf den Teppich fallen. Dann fuhr er noch etwas leiser fort:

»Wir haben da unsere verabredeten Zeichen, der Wladimir und ich, – der Wladimir, das ist mein Vertrauter. Man nennt ihn auch den ›Töter‹. Darauf ist er besonders stolz. Nun, wenn mir also einer nicht gefällt, dann nehmen Wladimir und ich ihn in die Mitte und fordern ihn auf, sich mal einen Panzer von uns näher anzusehen. Auf dem Wege dorthin ziehe ich mein Zigarettenetui aus der Tasche und biete ihm eine Papyrossy an. Das ist das Zeichen für Wladimir. Mit einer Hand hakt er ihn unter, mit der anderen setzt er ihm die Pistole aufs Herz und drückt ab. Ich hake ihn ebenfalls unter, und gemeinsam legen wir ihn auf den Panzer. Der Fahrer fährt mit ihm ein Stück weg und wirft ihn in den nächsten tiefen Graben!«

Entsetzt hatte ich ihm zugehört.

Stanislaus reagierte realisistischer: »So ein Knall muß doch aber erst recht auffallen –?!«

»Bruderherz!« lachte Menzel, »hat Wladimir doch Schalldämpferpistole. Die macht nur leise knack –« und dabei klopfte er mit dem Mittelfinger einmal leicht auf die Tischplatte, »hören Sie, – so macht das nur. Mehr hört man nicht!«

Mir wurde immer unheimlicher zumute. Ich überlegte, ob es nicht doch einen Weg gäbe, wieder loszukommen von diesem Unternehmen. Aber wir hatten zugesagt, – wenn auch, ohne recht zu wissen, was uns eigentlich bevorstand – waren nun eingeweiht, gehörten nunmehr dazu – –.

Auch Stanislaus war unruhig geworden und rutschte nervös auf dem Sofa hin und her. Leutnant Menzel schien es zu bemerken.

436

»Ich werde Ihnen Wladimir vorstellen«, sagte er, »vielleicht beruhigt *das* Sie!«

Wieder fielen mir dabei seine sinnlichen Lippen auf und das leichte spöttische Grinsen um die Mundwinkel. Akkurat legte er für einen Moment die gespreizten Finger seiner Hände aufeinander. Klavierspielerhände, dachte ich. Zarte, schlanke, bewegliche Hände. Merkwürdig, daß ein Mensch mit solchen Händen so vom Töten sprechen konnte, so, als erzählte er etwas besonders Witziges aus seiner Lausbubenzeit.

Er erhob sich und ging mit federnden Schritten ins Nebenzimmer.

Ich hoffte, einen Augenblick mit Stanislaus allein zu sein, um kurz mit ihm über alles sprechen zu können, aber er kam sogleich zurück, gefolgt von einem Mann von riesiger Gestalt.

»Wladimir – der Töter!« sagte Menzel und machte dabei die Handbewegung, mit der man jemanden vorstellt.

Vor uns stand ein Hüne von fast zwei Metern mit breiten, eckigen Schultern. Er trug die Uniform eines deutschen Soldaten ohne Dienstgradabzeichen, doch zunächst sah ich vor dem hohen Fenster nicht viel mehr als seine Silhouette.

»Er scheint zwei Pakete zu tragen«, sagte Menzel belustigt, »aber das sind keine Pakete – das sind Hände!«

Wladimir trat jetzt ganz ins Zimmer, so daß wir im Dämmerlicht sein Gesicht erkennen konnten. Gewiß, er hatte einen bulligen Schädel mit breiten slawischen Backenknochen. Aber unter seinen dichten schwarzen Augenbrauen blickten zwei kindliche, fast träumerische Augen hervor. So, wie er da stand, flößte er einem nicht die geringste Angst ein. Vielmehr erweckte er die Vorstellung, daß man sich sicher fühlen könnte, wenn man ihn zum Freund hätte. In der Tat – diesen Urmenschen als Beschützer zu haben – das mußte etwas Außergewöhnliches sein!

Reglos verharrte er und beobachtete uns. Er wollte sich unsere Gesichter einprägen, sagte Stanislaus später über diese erste Begegnung.

»Na – –?« machte Menzel und sah ihn an, als wenn er ihn aufmuntern wollte, etwas zu tun.

Da fuhr Wladimir mit einem Ruck zusammen, streckte den Kopf nach vorn, warf den rechten Arm steil nach oben und rief »Heil Hitler!«

Wir mußten lachen.

Auch Menzel lachte zufrieden mit und klopfte ihm auf die Schulter.

»Karascho! Wladimir!«

Dann wandte er sich wieder uns zu.

»Ist er nicht ein Prachtkerl! Ich liebe ihn – wie meinen Bruder. Er kann so weich sein, so sentimental. Wenn ich ihm ein hartes Wort sage, weint er wie ein Kind – –.«

Er nickte wie zur Bekräftigung vor sich hin.

»– – aber wenn ich ihm sage: töte den und den – –« jetzt sah er uns abwechselnd scharf an und stieß dabei wieder die wachsfarbenen Finger aufeinander, »– dann tötet er ihn! Wenn es sein muß, mit seinen Händen!«

Stanislaus ging auf Wladimir zu und reichte ihm die Hand. Ich tat es ihm nach. Und ich war erstaunt, wie zart sein Händedruck war.

»Dobre denj!« rief ich, fügte aber gleich auf deutsch hinzu, daß ich nicht viel mehr auf russisch wüßte, als eben so ein paar Redewendungen.

Wladimir sah Menzel an, er hatte nichts verstanden, und Menzel übersetzte es ihm. Nun lachte er und zeigte seine prächtigen Zähne.

»Wen er mag, dem liest er förmlich den Wunsch von den Augen ab«, sagte Menzel, »nur, wen er *nicht* mag – –.«

Er lachte kopfnickend, zog sein Zigarettenetui aus der Tasche und hielt es uns hin.

Zufällig stand ich zwischen ihm und Wladimir.

Entrüstet wies ich die Zigaretten zurück.

Menzel sah mich verblüfft an. »Was ist los –?«

Ich klopfte mit dem Mittelfinger einmal leicht auf die Tischplatte und blickte dabei bedeutungsvoll zu Wladimir hinüber.

Jetzt begriff Menzel und brach in ein fast mädchenhaftes Kichern aus. Wladimir stand ungerührt da, bis er ihm erklärte, was er so belustigend fand. Da richtete sich der ›Töter‹ hoch auf, holte tief Luft und ließ ein schnarrendes Lachen erschallen.

»Zu komisch!« rief Menzel, »wenn ich mir vorstelle, daß da mal ein Irrtum passieren könnte – – es wäre vielleicht nicht wieder gutzumachen!«

Wir lachten alle und griffen in seine Zigarettenschachtel. Nun waren wir einander nicht mehr so fremd, obwohl wir uns noch keine Stunde kannten. Die Spannung, unsere Furcht vor dem Ungewissen mußte instinktiv das Verlangen in uns ausgelöst haben, ihnen so schnell wie möglich näherzukommen; denn sehr bald – vielleicht schon morgen – konnten wir diesen beiden auf Gedeih und Verderb ausgeliefert sein. Niemand würde sie zur Rechenschaft ziehen, wenn sie ohne uns zurückkehrten. Im Niemandsland besaß Menzel mehr Macht als zehn Kriegsgerichtsräte! Und schon meine Mutter hatte mir geraten: Menschen, die dir gefährlich werden könnten – mache sie zu deinen Freunden!

Noch in derselben Nacht fuhren wir mit Menzel und Wladimir zu ihrer geheimnisvollen Einheit. Wir hatten nur gerade noch schnell unsere Kameras und ein paar Filme aus dem Quartier holen können, und schon hatten wir im Jeep gesessen und wurden im Höllentempo durch die Dunkelheit gekarrt.

Kurz vor Mitternacht hielten wir in einem Dorf dicht hinter der Front, das die Bevölkerung verlassen hatte.

Menzel und Wladimir – die beiden schienen unzertrennlich zu sein – gingen auf ein großes Gehöft zu. Ein Posten in deutscher Uniform trat aus dem Dunkel und meldete, daß alles in Ordnung sei.

Erst jetzt winkte uns Menzel, ihm zu folgen.

Er führte uns zu einer Baumgruppe, abseits hinter einer Mauer. Überraschend griff er in das Buschwerk, hob einige Zweige hoch: ein Kanonenrohr wurde sichtbar, breite Raupenketten – ein T 34!

Menzel schlenderte weiter, hob hier und da Äste hoch

– ein russischer Panzer neben dem anderen war hier versteckt.

»Gut getarnt – wie?« rief er stolz.

Das ganze ›Wäldchen‹ bestand nur aus Panzern. Die ›Bäume‹ hatten seine Leute danebengestellt.

Wir waren beeindruckt von der geballten Kraft, die da unter Grünzeug zusammengedrängt bereitstand.

Als wir zum Hause hinübergingen, begann Menzel auf einmal von selbst zu sprechen.

»Sie haben gesehen, was da steht! Wenn es mal schief gehen sollte, dann haben wir mit vierzehn Panzern eine enorme Kampfkraft! Und bedenken Sie: Jeder einzelne Mann ist zusätzlich bis an die Zähne bewaffnet. Jeder hat mindestens eine russische Maschinenpistole, und Sie wissen, die Dinger schießen bekanntlich gut! Wir sind besser ausgerüstet als die Russen selbst! Wenn es also gar nicht anders geht, dann werden wir alles aus den Rohren jagen, einen Feuerzauber hinlegen, wie ihn die Russen noch nicht erlebt haben. Auf alle Fälle werden wir unser Leben so teuer wie möglich verkaufen!«

Er steigerte sich immer mehr in Kampfstimmung, und fast fürchtete ich, er könnte einmal dem Wahn verfallen, die Feuerkraft seiner Panzer zu erproben.

Aber schon bremste er sich selber ab, sprach wieder leiser, kaltschnäuziger.

Seine Augen hatten mich bei der ersten Begegnung nicht getäuscht!

»Nein, nein«, sagte er wieder fast tonlos, »geschossen wird nur im äußersten Notfall. Es wäre das Ende unserer Einheit, wir könnten nie wieder hinüberfahren – –.«

Gott sei Dank, dachte ich, – er läßt sich also doch vom Verstand leiten und nicht von Gefühlen. Natürlich, – so ein Unternehmen ist nur mit eiserner Disziplin und klarem Kopf durchführbar.

Doch ich mußte gründlich umdenken – noch in dieser Nacht!

Am Ende des Hofes betraten wir die Unterkunft. Es war ein Gebäude, in dem früher Tabakblätter fermentiert und bearbeitet wurden.

Alkoholdunst und Schwaden von Machorkaqualm schlugen uns entgegen.

Mehr als hundert betrunkene Russen tanzten, sangen, schrien durcheinander. Wodkaflaschen flogen durch die Luft. Ein paar Kerle sielten sich auf der Erde. Andere schnarchten bereits volltrunken im Stroh. In einer Ecke, auf einem Holzgestell, saßen fünf Musikanten und spielten hingebungsvoll auf ihren Balalaikas.

Und das alles im Schein flackernder Kerzen, die zwischen Strohballen auf Kisten standen.

Stanislaus sah mich erschrocken an.

»Unsere neuen Kameraden –!« sagte er bitter.

Allein schon der Anblick dieser ungezähmten Horde war beängstigend.

Das in uns aufsteigende unheimliche Gefühl, wir stürzten geradezu unaufhaltsam und vollkommen sinnlos in ein Abenteuer auf Leben und Tod, wurde jedoch noch dadurch verstärkt, daß wir plötzlich nur noch russische Laute um uns hörten. Stanislaus, mit seinen polnischen Sprachkenntnissen, verstand noch hier und da etwas, aber auch er schüttelte den Kopf. »Mein Gott – wie soll das enden –?«

Nur Leutnant Menzel fand alles in bester Ordnung. Lachend warf er uns eine geöffnete Flasche Wodka zu. »Nasdarowje!« – Seit Nadja, – seit dem Gelage mit der schönen, klugen und trinkfesten Sekretärin Wlassows an der Erika-Schneise hatte ich dieses Wort nicht mehr gehört.

Wir tranken. Ein paar wilde, ausgelassene Kerle forderten uns auf, mitzutanzen. Wir tanzten. Ein dicker Alter animierte uns zum Singen. Wir sangen.

»Mitmachen!« sagte Stanislaus zu mir, »es bleibt uns nichts weiter übrig. Immer mitmachen. Sie müssen das Gefühl haben, daß wir zu ihnen gehören. Dann werden sie treu sein wie Gold. Ich weiß es. Russen sind so!«

Wir machten alles mit, so gut wir konnten.

Mich muß der Wodka umgeworfen haben. – Als ich erwachte, lag ich sorgfältig mit einer Decke zugedeckt im Stroh.

Stanislaus hatte für mich gesorgt. Und er war es, der mich nun wachrüttelte.

»Schorschi! Auf, auf! Stellungswechsel!«

»Wie spät ist es denn –?«

»Gleich drei Uhr!«

Meine Glieder waren schwer wie Blei.

Er zog mich gewaltsam hoch. »Schnell! Schnell! Die Panzer laufen schon warm!«

Jetzt begriff ich erst, wo ich war. Ich faßte nach meiner Leica, die ich mir auch dann, wenn ich restlos betrunken war, noch unter den Kopf zu legen pflegte, und erhob mich taumelnd.

Minuten später saßen wir wieder bei Menzel im Jeep und fuhren hinter den Panzern her.

Die Russen rasten wie die Teufel. Sie hatten Alkohol im Blut. Harten Wodka. Und sie rissen die schweren Ungetüme durch die Kurven, daß das Pflaster aufriß und die Steine flogen – –.

Im Morgengrauen hatten wir den neuen Platz erreicht, ein stilles Wäldchen, und wenige Minuten später standen sämtliche Panzer getarnt als Wäldchen da. Die Russen lagen daneben und schnarchten – –.

»Mitmachen –!« rief Stanislaus.

Mittags kam Leutnant Menzel. »Na, wie gefällt es Ihnen bei uns?«

Wir antworteten nur mit einem müden Lächeln.

»Sehen Sie, Stellungswechsel lasse ich sehr oft machen. Es ist schließlich nicht so einfach, vierzehn T 34 geheimzuhalten. Immer geht es bei Nacht los. Ganz überraschend. Und niemand weiß, wohin!«

Erst am Nachmittag war ich wieder einigermaßen klar im Kopf. Hunger meldete sich.

»Du kannst wenigstens Polnisch«, sagte ich zu Stanislaus, »sieh doch mal zu, ob du einen Küchenbullen findest –.«

Stanislaus machte sich auf die Suche.

Nach einer Weile kam er mit Palatschintas zurück. »Hier – aus Wasser und Mehl gebacken – einfach im Freien, auf ein paar Steinen – vom russischen Koch!«

Ich verschlang die zähen, trockenen Dinger, dann ging ich selber mal hinüber zum Koch .

Die jüngeren Russen tanzten um ihn herum, heiße Palatschintas in der einen Hand, die Wodkaflasche in der anderen. Irgendetwas schrien sie dabei.

»Wasser ist knapp!« übersetzte Stanislaus.

Zwei flinke Burschen kletterten auf einen Apfelbaum, hielten die leeren Flaschen wie Fernrohre vor die Augen und schrien denen unten etwas zu, und alle juhuten und lachten darüber.

»Was sagen sie?« fragte ich Stanislaus.

Der lachte auch mit. »Land in Sicht! schreien sie.«

Sie waren wie Kinder. Das harmloseste Vergnügen war das köstlichste.

Nachts lagen wir wieder im Freien.

Und am nächsten Tage spielte sich fast genau das gleiche ab.

So ging es drei Tage lang.

Am vierten kam Leutnant Menzel zu uns. Er hatte sein Domizil ein paar Minuten entfernt in einem Gehöft aufgeschlagen.

Es sei nun soweit, sagte er nur. In der kommenden Nacht könnte es losgehen. Wir sollten uns schon umkleiden. Ein deutscher Feldwebel sei da in einem Zelt, der halte die russischen Uniformen bereit.

Wir gingen hinüber zur russischen ›Kleiderkammer‹.

Ein älterer kleiner Feldwebel mit einem Spitzbauch kam heraus und empfing uns grinsend. Erst dachte ich, er sei vielleicht ein ganz gemütlicher Mensch, weil er uns so angrinste. Aber das war ein großer Irrtum.

»Na, dann ziehen Sie mal alles aus!« sagte er, und es klang eher schadenfroh als freundlich.

Während wir uns entkleideten, sah er uns fortgesetzt zu, bis wir schließlich beide, Stanislaus und ich, vollkommen nackt vor ihm standen. Meine Leica hatte ich neben mir ins Gras gelegt.

»Die Erkennungsmarke her!« sagte er barsch und musterte uns von oben bis unten.

»Was denn – die Erkennungsmarke auch –?«

»Alles!« rief er ungeduldig.

Wir übergaben sie ihm. Er trug alles ins Zelt.

Stanislaus klatschte sich auf die Oberschenkel und auf die Hinterbacken und sah mich bibbernd an. Wir standen völlig im Freien.

»– – und das alles nur, ›damit später einmal auch über derartige Einsätze‹ – – wie hatte der Major gesagt?«

»– damit später einmal auch über derartige Unternehmen Dokumente vorhanden sind!«

»Richtig! ›Damit spätere Generationen einmal lückenlos in Film und Bild sehen können, was ihre Väter‹ –.«

»Väter!« sagte ich bitter. »Wie sollen wir denn hier Väter werden!«

Mit einem Arm voll Kleidungsstücke kam der Feldwebel zurück.

»Paßt!« rief er ironisch und drückte jedem ein Häufchen in den Arm.

Wir zogen uns an. Die Sachen waren nicht neu, einige sogar zerrissen.

»Alles echte Ware – von russischen Gefallenen!« erklärte der kleine Dicke. »Läuse sind nicht drin, ist alles gewaschen. Von Hiwis.« Wieder sah er uns auffällig zu, als wir uns nun mit den ungewohnten Uniformstücken abmühten.

Und dann standen wir uns gegenüber, Stanislaus und ich, – als Russen! Eine Weile sah er mich ernst und nachdenklich an, plötzlich aber lachte er heiser auf, klopfte mir auf die Schulter und rief: »Towarisch! Towarisch Schmidt-Scheeder!«

Und ich betrachtete ihn. Mit seinem Bärtchen sah er sicherlich noch echter aus als ich. Wirklich! Die Verwandlung war vollkommen! Wenn er mir unverhofft so begegnet wäre – mit dem flachen russischen Stahlhelm – ich hätte ihn für einen Sowjetsoldaten gehalten.

Schade, daß wir keinen Spiegel hatten. Aber Stanislaus nahm meine Kamera aus dem Gras und machte eine Aufnahme von mir. Das Bild würde Seltenheitswert haben, meinte er.

Tatsächlich, – ich hatte nur wenige Fotos von mir selber. Und nun steckte ich in meiner Leica – in russischer Uniform! – Ich hängte sie mir wieder um. Sie war jetzt das einzige, was mich noch an mein altes Ich erinnerte.

Der Spitzbauch räusperte sich hinter mir. Mit feierlicher Geste und wichtiger Miene überreichte er uns russische Streichhölzer und Papyrossys und bemerkte zynisch: »Von nun an: Nicht mehr rasieren! Und Vorsicht vor Deutschen!«

»Brrr –!« machte Stanislaus. »An was man alles denken soll!«

»Am besten ist es, wir lassen uns nicht mehr sehen«, sagte ich, »da hinten, nahe beim Haus, wo der Menzel residiert, sind ein paar Erdlöcher ausgeschaufelt, als Deckung wohl – –.«

Wir liefen hinüber und verkrochen uns.

Gelegentlich, wenn wir den Kopf hinausstreckten, sahen wir, daß die anderen jetzt ebenfalls in russischen Uniformen herumliefen.

Nachts lagen wir frierend in unserem Deckungsloch.

Die Angst ließ uns nicht schlafen.

Nur eines beruhigte uns: an der Front war es still. Viel zu still für das notwendige Durcheinander, das Menzel für sein Unternehmen brauchte.

Endlich graute der Morgen. Wieder ein Tag gerettet!

Unsere Glieder waren steif. Mein Rücken schmerzte. Ischias!

Ich bat Stanislaus: »Sieh doch mal zu, ob wir wo anders unterkommen können. Und bring etwas zu trinken mit –.«

Der ewige Alkohol hatte unsere Kehlen ausgedörrt.

Stanislaus schlich sich davon. Als er zurückkam, brachte er eine Flasche voll Tee mit. Aber es war wieder Wodka mit drin.

»Hier, das ist alles – Wasser ist knapp!«

Und eine Neuigkeit hatte er. Nächste Nacht sollte es ganz bestimmt losgehen! Wir könnten aber bis dahin noch umsiedeln in eine Scheune, die er entdeckt hatte. Da wäre es wärmer.

Gegen Abend gingen wir hin, stiegen eine steile Leiter empor, verkrochen uns im Heu.

An der Front begann es zu rumoren.

Artilleriefeuer dröhnte herüber.

»Wenn man uns schnappt«, sagte ich, »dann nützen uns selbst die russischen Streichhölzer nichts. Unsere Kameras verraten viel mehr! Und Russisch können wir auch nicht –.«

»Meinst du nicht«, sagte Stanislaus überlegend, »daß Menzel längst Anweisung gegeben hat, uns nötigenfalls zum Schweigen zu bringen, wenn wir auffallen?«

»Auf welchem Panzer sollen wir überhaupt liegen? Wer hält einen Verband für unseren Mund bereit? Menzel hat doch gesagt – –.«

Stanislaus faßte mich bei der Hand. »Schorschi, du kannst es mir glauben, – den ganzen Krieg über habe ich nicht so viel Angst gehabt, wie vor diesem verdammten Unternehmen. Mir ist das alles so unheimlich. Dieser Kerl, der Menzel, hat doch nichts vorbereitet für uns. Nichts!«

»Hm«, machte ich, »wir wissen nur, daß er über Leichen geht –.«

»Hoffentlich ist die Front zu ruhig – jeder Tag ist Gewinn!«

Wir lauschten auf das ferne Dröhnen des Geschützdonners. Es schwoll langsam an. Nicht weit von uns entfernt begann eine Batterie zu schießen, eine deutsche.

Und während wir lauschten, hörten wir leise eine Kirchturmuhr schlagen. Der Wind hatte sich gedreht. Es mußte also in der Nähe eine Ortschaft geben.

Die Stunden vergingen.

Die Uhr schlug eins. Schlug zwei.

»Diese Ungewißheit halte ich nicht mehr aus!« sagte ich zu Stanislaus. »Jetzt gehe ich hinüber zu Menzel. Ich will wissen, ob es diese Nacht losgeht oder nicht.«

Nervös, den Kopf voller Gedanken, stieg ich die Leiter hinunter, lief hinüber zum Haus, in dem sich Menzel aufhielt.

Auf mein wiederholtes Klopfen an die Tür anwortete niemand.

Kurz entschlossen trat ich ein.

446

Der Anblick, der sich mir bot, war so überraschend, daß ich kein Wort sagen konnte.

Im Schein einer blakenden Petroleumlampe tanzten der massige Wladimir und der Leutnant zwischen herumrollenden Schnapsflaschen umher, umarmten sich gröhlend, torkelten von einer Ecke in die andere. Sie waren sinnlos betrunken.

Als Menzel mich endlich wahrnahm, zeigte er auf den Feldfernsprecher, der zwischen Wodkaflaschen auf der Erde stand: »Wenn das Ding da klingelt – mein Lieber – dann geht's los!« – Er rülpste laut »Oaaks!«

Entsetzt stürzte ich hinaus – zurück zu Stanislaus und erzählte ihm, was ich gesehen hatte.

»Unmöglich!« rief er, »Und mit *dem* sollen wir zum Einsatz? Zu solch einem Unternehmen?!«

»Müssen wir unter solchen Umständen überhaupt noch zu unserer Verpflichtung stehen?«

Stanislaus überlegte.

»Was meinst du, was passiert, wenn der Major erfährt, daß wir uns einfach verdrückt haben?!«

»Der stellt uns glatt vor ein Kriegsgericht!«

»Und die sind heute schnell mit dem Aufhängen bei der Hand, – Fahnenflucht – Schnellgericht – aus!«

»Fahnenflucht?! Kann man das etwa Fahnenflucht nennen, wenn man von diesem Wahnsinnsunternehmen weg will?«

Plötzlich nahmen wir draußen ein aufgeregtes Geschrei wahr. Die Motoren der Panzer brummten auf – Befehle waren zu hören –.

Stanislaus hielt meinen Arm fest: »Schorsch, es geht los! Aber ohne uns, verstehst du? Ohne uns!!«

Ich zischte ihn an: »Still jetzt! Keinen Laut mehr! Vielleicht vergessen sie uns in dem Durcheinander.«

Da drang die Stimme des Feldwebels mit dem Spitzbauch über den Lärm hinweg bis zu unserem Versteck herauf:

»Die Kriegsberichter! Alarm! Es geht los!«

Wir rührten uns nicht.

Noch ein paarmal drang die schrille Stimme zu uns

447

herauf, und als wir vorsichtig durch die Latten spähten, sahen wir im fahlen Licht den Feldwebel unten stehen, die Fäuste in die Hüften gestemmt, ärgerlich nach uns Ausschau haltend. Schließlich entfernte er sich.

Es war ein ungeheures Gedröhn, als die Motoren der vierzehn Panzer auf vollen Touren liefen. Russische Kommandorufe hallten durch die Nacht. Schwache Lichter huschten dahin, verschwanden gespenstisch in der Dunkelheit – –.

Und eine Viertelstunde später war alles still.

Wir atmeten erleichtert auf. Stanislaus wischte sich den Schweiß von der Stirn. »Gott sei Dank«, murmelte er, »Gott sei Dank!«

Vorsorglich warteten wir noch, bis es völlig hell geworden war, dann kletterten wir die Leiter hinunter.

Was nun? Wie sollte es jetzt weitergehen?

Wie aus dem Boden gewachsen stand der spitzbauchige Feldwebel vor uns.

»So, so – die Herren Kriegsberichter! Haben Sie gut geschlafen, meine Herren?«

Verdattert blieben wir stehen.

Stanislaus griff sofort seine Worte auf. Verschlafen hatten wir, einfach verschlafen!

Der Spitzbauch aber winkte ab. »Drücken wollten Sie sich! Angst bekommen haben Sie! Angst vor der eigenen Courage!«

Er kam drohend einen Schritt auf uns zu. »Das nennt man Entfernung von der Truppe, meine Herren! Aussteigen geht hier nicht! Sie unterstehen einem Sonderkommando – und Leutnant Menzel macht in solchen Fällen kurzen Prozeß!«

Stanislaus starrte ihn an. Und ich dachte: Das ganze verteufelte Unternehmen soll der Satan holen!

Aber der Feldwebel war noch nicht fertig mit seiner Rede. »Ich muß natürlich Meldung machen«, fuhr er fort, »und zwar beim Armee-Oberkommando. Bin gespannt, was der Herr Major dazu sagt, daß Sie nicht mitgefahren sind. Glaube kaum, daß er Ihnen das abnehmen wird – ›verschlafen!‹ – bei dem Radau – –!«

Mit diesen Worten wandte er sich ab und stolzierte davon.

»Scheißkerl!« brabbelte Stanislaus wütend vor sich hin.

Zähneknirschend zogen wir uns in die Scheune zurück, um erst mal zu beraten, was wir tun könnten.

»Wer weiß, wie er es auslegen wird – in der Meldung an den Major –« sagte ich entmutigt.

Stanislaus grübelte weiter herum. »Und wenn wir einfach abhauen? Verschwinden? Irgendwo untertauchen –?«

Ich zupfte an meiner Russenbluse. »So? In dem Zeug –?«

Er biß die Zähne aufeinander, ballte seine Hände zu Fäusten. »Eine saumäßige Situation ist das. Ich sehe uns schon nebeneinander am Baum hängen, Schorschi – –.«

Niedergeschlagen ließen wir uns ins Heu sinken.

»Einen Durst habe ich –« stöhnte Stanislaus. »Das kommt von dem ewigen Wodka!«

»Ich werde dir Wasser besorgen«, rief ich und sprang auf.

»Woher willst du Wasser holen? Die meisten Brunnen sind doch schon verseucht! Und Typhus, das fehlte uns grade noch – –.«

»Nein, Stanislaus, keine Sorge! Ich werde ins Dorf gehen –.«

»Am Zelt vorbei?«

»Um Gottes willen – darum mache ich einen großen Bogen!«

Mit unseren zwei Feldflaschen stieg ich die Leiter hinunter, schlug die Richtung zum vermuteten Dorf ein.

Immer wieder überlegte ich: Es mußte doch einen Ausweg geben! Wir konnten doch nicht einfach alles völlig untätig auf uns zukommen lassen!

Und ich faßte einen gewagten Entschluß: Noch einmal umkehren, zum Zelt gehen und mit dem Spitzbauch in Ruhe über alles sprechen, bevor er die Meldung weitergegeben hat. Ihm vielleicht sogar erzählen, in welchem Zustand ich Menzel und seinen ›Töter‹ Wladimir in der Nacht gesehen hatte.

Plötzlich schaute ich auf: Drüben, beim ersten Haus, liefen zwei deutsche Landser. Hatten sie mich etwa bemerkt? Wenn sie mich in meiner russischen Uniform für einen versprengten Sowjetsoldaten hielten – – nicht auszudenken! – Ich schlich durch die Büsche davon, – zurück zum Zelt.

Der Unteroffizier kam heraus. »Nanu, wat willst du denn hier?«

Ich sagte, daß ich den Feldwebel sprechen wollte.

»Bloß nich!« rief er. »Der is janz durcheinander – –.«

»Immer noch unseretwegen –?«

»Quatsch!«

»Na und –?«

»Vertraulich: Da scheint was schiefgegangen zu sein! Keiner weiß was Genaues! Das Armee-Oberkommando, – der Major, – der hat zuletzt nur einen verstümmelten Funkspruch aufgefangen, soviel ich weiß, – wahrscheinlich ist der Menzel mit seinem ganzen Haufen aufgeflogen, – den Russen in die Hände gefallen – –. Wenn's stimmt, lebt von denen keiner mehr!«

Ich schreckte zusammen. Auf eine derartige Nachricht war ich nicht gefaßt.

Der Unteroffizier rüttelte mich am Arm und sprach in ausgeprägtem Berliner Dialekt weiter:

»Mensch, wat machste für'n dußliges Jesicht! Freu dir lieber! Wenn de mitjefahren wärst, würdest du jetzt schon anfangen zu stinken!«

Er hatte mich tatsächlich zum Lachen gebracht.

»Geh jetzt lieber nich zum Dicken rein!« riet er.

Aber ich ging doch in das Zelt.

Der Feldwebel saß vor seinem Tisch und schrieb.

»Sie haben mir gerade noch gefehlt!« brüllte er. »Euch bringe ich sowieso vors Kriegsgericht! Darauf könnt ihr euch verlassen!«

In dem Moment schnarrte der Feldfernsprecher.

Der Dicke nahm den Hörer ab, meldete sich und sagte nur immer »Jawoll, Herr Major, – jawoll!« und zwischendurch zu mir: »Raus!!«

Ich machte mich aus dem Staube. Meine Gedanken

kreisten wieder um Menzel und den ›Töter‹! So schnell
sollte es also zu Ende gegangen sein – –?

Am Dorfrand traf ich auf einen Brunnen. Freudig schritt
ich darauf zu, denn auch mich plagte der Durst zum Ver-
rücktwerden.

Als ich die Kurbel zu drehen begann, um den Eimer hin-
abzulassen, entdeckte ich ein kleines Schild. Darauf
stand in deutscher Sprache: Kein Trinkwasser! Typhus-
Gefahr!

Stanislaus hatte mich ja gleich gewarnt.

Ich mußte etwas anderes finden und ging weiter in die
Ortschaft hinein. Vor jeder Ecke blieb ich stehen, um
Ausschau zu halten nach – Deutschen!

Die kleinen, bunt angestrichenen Häuser machten
einen sauberen Eindruck. Die Bevölkerung war, wie
überall in den Kampfgebieten, geflüchtet.

Nicht sehr weit entfernt tackerten Maschinengewehre.
Aufkommender Wind trug den Gefechtslärm von der
Front herüber.

An einem Haus pendelte knarrend eine offene Tür hin
und her. Es schien eine Drogerie zu sein oder eine Apotheke. Vielleicht ließ sich da Wasser oder sonst etwas
Brauchbares finden.

Nach allen Seiten lauschend und beobachtend, wie bei
einem Spähtruppunternehmen, trat ich ein. Schränke mit
allerlei Salbentöpfen und Medikamenten bedeckten die
Wände. Vorbei an Mörsern, einer blankgeputzten Waage,
einem Schrank mit einem Totenkopf – dem Giftschrank –,
gelangte ich in das Halbdunkel der dahinter liegenden
Lagerräume.

Ein großes Regal mit Flaschen erinnerte mich an den
Chemiesaal in der Schule.

»HCl –« sagte ich laut vor mich hin, »aha, Salzsäure!
HNO_3 – Salpetersäure! CH_3–COOH – Essigsäure!« Und
dann stand ich vor einem großen Glasballon mit der Aufschrift ›Aqua dest‹ – destilliertes Wasser!

Endlich!

Ich suchte nach einem Topf, einem Gefäß zum Umfül-
len in meine Feldflaschen, fand ein Wasserglas, goß es

451

schnell voll und ließ das köstliche Naß durch meine aus-
gedörrte Kehle rinnen. Da sah ich neben dem Regal an
der Wand einen schmalen, hohen Spiegel. Und in dem
Spiegel – mich!

Ich erschrak.

Das sollte *ich* sein?

Seit Tagen nicht rasiert, verdreckt, in zerschlissener
russischer Uniform, die Haut grau und verschrumpelt von
Durst, Übermüdung und Erschöpfung.

War es wirklich mein Antlitz? Oder war es das eines
gehetzten russischen Gefangenen vom Anfang des Rußlandfeldzuges? So wie es vor Jahren die Zeitungen
brachten mit der Unterschrift »Gesicht eines gefangenen
Bolschewisten«?

Verstört versuchte ich, mich anzulächeln, um irgend
etwas von meinem alten Ich wiederzuerkennen – aber
eine befremdende Fratze grinste mich an.

Der Gedanke überkam mich, eine Aufnahme von mir
selbst zu machen, diese Visage festzuhalten, für später –.

Langsam nahm ich die Kamera hoch, visierte den Spiegel an. Und nun sah ich den Ausschnitt im Sucher. Mir
war, als hinge da ein Bild an der Wand, das ich 1942
machte: Einer aus dem Wolchow-Kessel! – Allerdings mit
einer Leica im Anschlag!

Klick!

Welche Bildunterschrift würde wohl eines Tages unter
dieser Aufnahme stehen –?

Ich beeilte mich, meine Flaschen mit ›aqua dest.‹ zu
füllen und schlich mich davon. Am Zelt lief ich dem Dikken in die Arme.

»Haben Sie etwa was Trinkbares –? Wasser?«

Ich streckte ihm spontan eine Flasche entgegen.

»Bitte! Reinstes destilliertes Wasser!«

Er sah mich ungläubig an, und erst, als ich ihm erzählt
hatte, daß es aus einer Apotheke stammte, schraubte er
den Verschluß ab, setzte die Flasche an und trank und
trank – –.

Fast leer gab er sie mir zurück und griente.

»Ihr habt mehr Schwein als Verstand!« rief er, und ich bezog das auf mein Wasser-Finden. Um so größer war mein Erstaunen über das, was er nun sagte:

Er habe der Armee Bericht erstattet und dabei selbstverständlich auch unseren Fall melden müssen, aber er hätte sich bemüht, alles so darzustellen, als wären wir nachts ohne eigenes Verschulden zurückgeblieben. (Offenbar war ihm bewußt geworden, daß auf diese Weise auch er selber am bequemsten und ohne große Schererein aus der Sache herauskäme!) Der Major habe daraufhin befohlen, wir sollten wieder unsere deutschen Uniformen anziehen und uns zum Armeestab in Marsch setzen. Vor allem aber wären wir zu strengster Geheimhaltung alles dessen verpflichtet, was wir hier gehört und gesehen hätten. Niemals dürfe das geringste von diesem Unternehmen bekannt werden!

Stanislaus fiel fast von der Leiter herunter, als ich ihm die neuesten Nachrichten hinaufrief.

Sofort holten wir unsere Sachen aus dem Zelt des ›Dikken‹, zogen wieder unsere deutschen Uniformen an und hängten uns unsere Erkennungsmarken um.

Erleichtert atmeten wir auf.

Wir waren wieder Deutsche!

Noch nie haben wir uns in unseren alten, verdreckten Uniformen so wohl gefühlt wie in diesem Augenblick! Und mit jedem folgenden Tage wurde uns mehr bewußt: Dieses Wahnsinnsunternehmen hätte uns noch kurz vor Toresschluß zum Verhängnis werden können.

Der Krieg ging mit Riesenschritten dem Ende entgegen. Wir erreichten den Armeestab nicht mehr – –.

Stanislaus Proszowski, Österreicher und ältester Filmberichter der deutschen Wehrmacht, hatte für seine Familie vorgesorgt und als Unterschlupf für die ersten Tage nach der Kapitulation eine Höhle ausgebaut – hoch oben über der Donau in der Wachau, auf dem Jauerling bei Schwallenbach. Bis dorthin hat er sich durchgeschlagen.

Für mich endete der Krieg am 8. Mai 1945 an der Donau in amerikanischer Gefangenschaft, und ich landete im ›Hungerlager‹ Wegscheid.

Ein Sergeant nahm mir die Fotoausrüstung ab, die Leica mit der Eingravierung ›Wehrmacht‹, das Weitwinkelobjektiv, das Tele. Und die Patronen mit den belichteten Filmen, – darauf auch die Aufnahmen von einem gewissen ›Towarisch‹ Schmidt-Scheeder.

Was aus ›Leutnant Menzel‹ und seinem Unternehmen ›Jaguar‹ geworden ist, wurde niemals bekannt.

Fünfter Teil

DAS GROSSE STERBEN DER PK AN DER ODER
EIN FOTO MIT STALINS SOHN WIRD ZUM
VERHÄNGNIS
NEW YORK: KLUBHAUS ZUM ANDENKEN . . .

›Das große Sterben der PK an der Oder‹ könnte man den Einsatz der 64 Fahnenjunker der PK nennen, die vor den Toren Berlins sinnlos in den Kampf geworfen und verheizt wurden, um die Reichshauptstadt zu verteidigen. Sie hatten auf der Kriegsschule in Potsdam noch zu Offizieren gemacht werden sollen, um dem ›Sonderführer-Unwesen‹ ein Ende zu bereiten. Die militärische Organisation vom grünen Tisch aus klappte bis zur letzten Stunde des Krieges mit preußischer Perfektion!

Es hatte für die Fahnenjunker sogar noch ›Sonntagsausgang‹ gegeben. Doch als sie zurückkamen auf ihre Stuben, waren diese angefüllt mit aufgeregten Zivilisten, alten Männern zwischen 60 und 69 Jahren, die man aus Rathenow und Brandenburg zusammengetrommelt hatte. Jeweils ein oder zwei Fahnenjunker hatten eine Gruppe dieser militärisch nicht ausgebildeten ›Volkssturmmänner‹ zu übernehmen. Man nannte das die ›neue Kombination‹!

Zwei Tage später waren sie im Oderbruch. Befehl: Der Ort Reitwein muß um jeden Preis gehalten werden.

In einem Keller harrte noch eine kleine Infanterie-Einheit aus, die das Dorf bereits tage- und nächtelang gegen die sowjetische Übermacht verteidigt hatte. »Vor dem Kellereingang lagen in Haufen ihre Toten aufgestapelt, – niemand hatte Zeit, sie der Erde zu übergeben«, schreibt später ein Überlebender, der dem Chaos entkam.

In der Nacht, während Schnee in dichten Flocken fiel, sicherten Fahnenjunker-Kriegsberichter das Dorf durch MG-Spähtrupps. Trotzdem sickerten immer wieder Russen ein.

»Schießen konnten wir nicht. Kameraden und Feinde waren nicht voneinander zu unterscheiden.

Über das Oder-Knie strömten immer mehr Russen, aber es kamen auch Deutsche und Russen in deutschen Wehrmachtsuniformen: Männer vom ›Nationalkomitee Freies Deutschland‹. Am Ausgang des Dorfes erteilte uns ein Mann in der Uniform eines deutschen Infanteriehauptmanns einen Absetzbefehl, – er war auch von ›drüben‹!«

Die Volkssturmmänner, den Strapazen nicht gewachsen und ohne jede Fronterfahrung, wurden eine leichte Beute sowjetischer Scharfschützen. Nun ganz auf sich allein gestellt, kämpften die Fähnriche weiter.

Major Olms von der Kriegsschule Potsdam, der die PK-Männer in Taktik zu unterrichten gehabt hatte und jetzt als Bataillonskommandeur den restlichen Haufen führte, stellte fest, daß hier alle Taktik nichts nutzte, daß der Ort Reitwein ohne schwere Waffen gegen die Übermacht des Feindes nicht mehr zu halten war.

Das Dorf wurde kurz darauf von den Russen eingenommen. Major Olms – von den PK-Männern wegen seiner menschlichen und vernünftigen Einstellung als Freund und Kamerad geschätzt – fiel zusammen mit einem Fähnrich in russische Hände. Niemals hat jemand wieder etwas von ihnen gehört.

Das Schicksal des ›letzten Aufgebots‹ erfüllte sich bald darauf am Bahndamm der Strecke Frankfurt – Küstrin.

Fahnenjunker Heinz Klassen: »Einen Tag und eine Nacht haben wir ihn gehalten. Gehalten gegen eine

Übermacht von Feinden, ohne Flankensicherung von links und rechts. Hinter uns, auf einem Wiesenhügel, lag ein toter Fähnrich, in eine Decke gehüllt. War es Ladda? Ich weiß es nicht! Wir waren schon so fertig, daß wir für Namen kein Gedächtnis mehr hatten – –.«

Die Nacht brachte das Ende, als die Russen von den Seiten her die restlichen Stellungen aufrollten.

Fünf Jahre danach begegneten sich Überlebende vom Bahndamm.

Wieder trugen sie Uniformen, – aber diesmal waren es blaue mit grünen Streifen: Die Zuchthauskluft von Waldheim. Ihre Köpfe waren kahlgeschoren, ihre Körper abgemagert und eingefallen.

Nach der Entlassung aus russischer Gefangenschaft waren sie in der DDR durch ›Benjamin -Urteile‹ (›Volksrichter‹) wegen ihrer PK-Zugehörigkeit zu Kriegsverbrechern erklärt und zu durchschnittlich 15 Jahren Zuchthaus verurteilt worden. Bis zu 11 Jahre dauerte es für manchen von ihnen, ehe er heimkehren konnte.

Bei Kriegsende brachen die meisten PK-Einheiten auseinander, einzelne Trupps und Züge kamen in Gefangenschaft, wo sie zuletzt eingesetzt waren.

Mancher hatte Glück und war schon 1945 wieder zu Hause. Viele aber landeten in DDR-Zuchthäusern, in Gefangenenlagern am Polarkreis, in Sibirien oder wurden zu Zwangsarbeit in tschechischen Uranbergwerken verurteilt – zu 7 Jahren, 10 Jahren, 11 Jahren! – Viertausend Tage!

Woran lag es, daß ihre Schicksale so unterschiedlich waren?

Nachträglich kann man feststellen: Alles hing fast ausschließlich von Zufälligkeiten ab, von Militärs, von Richtern – –.

Der Gefangene selbst konnte nichts, aber auch gar nichts dagegen tun. Er war wehrlos und – was noch schlimmer war – rechtlos. Der Willkür des jeweiligen Vorgesetzten ausgesetzt. Jedes Einzelschicksal ergäbe ein Buch für sich.

Der Wortberichter Erich F. (vor dem Kriege Redakteur in Breslau), der sich nach der Kapitulation bis zur Moldau durchgeschlagen hatte, wurde von den Amerikanern gefangengenommen und eine Woche später an die Russen ausgeliefert. Als er im Lager Krasnopolje im Juni 1953 bereits auf der Heimkehrerliste stand, wurde er im letzten Augenblick wieder gestrichen und für weitere zwei Jahre nach Sibirien geschickt. Grund: Den Sowjets war zu Ohren gekommen, daß er für die Bundestagswahl eine Mandatsverteilung aufgestellt hatte, die dann zu fast 100 Prozent eingetroffen war.

Die Amerikaner stuften zwar im allgemeinen weder Kriegsberichter noch Kampfpropagandisten als Kriegsverbrecher ein, lieferten jedoch viele an die Sowjetunion und andere Staaten aus.

Sie ahnten damals sicherlich nicht, welches Schicksal sie oft für den einzelnen damit heraufbeschworen.

Tragisch ist in diesem Zusammenhang der Weg des Majors Walter Reuschle: Über die Lubljanka in Moskau bis ins Zuchthaus Wladimir – für zehn Jahre.

Angefangen hatte alles mit einer besonders gut gelungenen PK-Aufnahme: sie zeigte Reuschle zusammen mit Stalins Sohn! Jakob Stalin-Dschugaschwili, Oberleutnant und Batteriechef der Roten Armee, war am 16. Juli 1941 in der Nähe von Witebsk gefangengenommen worden. Nun sieht man ihn bei Kerzenlicht neben Reuschle sitzen, damals Chef der Luftwaffen-Kriegsberichter-Kompanie 3. Jakob Stalin lächelte – das Blitzlicht des Fotografen zuckte auf und hielt den Moment fest – es wurde das netteste Bild des prominenten Gefangenen – und damit nahm das Schicksal seinen Lauf. Das Foto wurde für ein Flugblatt verwendet, das in Millionenauflage über den russischen Linien abgeworfen wurde. Und Reuschle war mit drauf – eigentlich rein zufällig!

Nach der Kapitulation fahndeten die Sowjets nach ihm, weil er zu den Augenzeugen gehörte, die Stalins Sohn unverletzt (!) in deutscher Gefangenschaft gesehen hatten. Die Amerikaner entdeckten ihn Ende 1946 im Diakonissenhaus Schwäbisch Hall, wo er mit einer schweren

Gallenkolik, Leberschwellung und Gelbsucht zur Behandlung lag, verhafteten ihn und transportierten ihn trotz Fieber im Krankenwagen ab. 7½ Jahre lang konnte seine Frau weder bei deutschen noch bei amerikanischen Dienststellen etwas über ihn in Erfahrung bringen.

Das einzige, was man feststellen konnte, war dies: Die Amerikaner hatten Reuschle in Hof/Saale auf Anforderung an die Russen ausgeliefert, obwohl keinerlei Kriegsverbrechen vorlagen und Reuschle selbst auch mit der Gefangennahme des Stalin-Sohnes nicht das geringste zu tun hatte.

Günther Heysing, der Herausgeber des PK-Informationsblattes DIE WILDENTE, nahm sich der Sache an und publizierte die rätselhafte Geschichte. Andere Zeitungen griffen die Story auf, und schließlich gelang es Heysing sogar, höchste US-Dienststellen dafür zu interessieren.

Er hatte mit seinen Aktionen offenbar Erfolg!

Reuschle durfte zunächst aus der russischen Gefangenschaft Briefe schreiben und Pakete empfangen. Und am 14. Oktober 1955 traf er nach einer zehnjährigen Odyssee endlich im Lager Friedland ein.

Die sowjetische Gefangenschaft wurde von jedem Soldaten gefürchtet, ganz besonders aber von den Angehörigen der PK. Einzelne versuchten daher, sich in ›Räuberzivil‹ der Gefangennahme zu entziehen. Nur ganz wenigen ist es gelungen.

Ein Versuch, sich aus Kurland bis nach Deutschland durchzuschlagen, mußte allerdings von vornherein als aussichtslos bezeichnet werden. Die ›Festung Kurland‹, in der sich bis zuletzt noch zwei deutsche Armeen befanden, war von den Russen umgangen und ›stehen gelassen‹ worden.

Dennoch unternahm ein PK-Leutnant auf Grund seiner lettischen Sprachkenntnisse das Wagnis. Nach elf Tagen aber wurde er völlig entkräftet aufgegriffen, durchlief die Gefängnisse von Libau und Riga und wurde schließlich in

Petschora, jenseits des Polarkreises, für 10 Jahre inhaftiert.

Um nicht in sowjetische Gefangenschaft gehen zu müssen, erschoß sich in Kurland der Kompaniechef der PK 621 (der ich lange Zeit selbst angehört hatte), Oberleutnant Reinhard Sunkel. Die 18. Armee hatte ihm zwar befohlen, auszufliegen und ihm dafür einen der wenigen Flugscheine ausgestellt, aber Sunkel hatte darauf verzichtet, ›weil er seine Kompanie nicht mitnehmen konnte‹ (PK 621, in St. Pölten bei Wien aufgestellt). Er drängte dem Leutnant Wilhelm Nicolai, als Vater von fünf Kindern, seinen Flugschein auf. Aber auch der wollte nicht ohne seine Männer ›abhauen‹. Er beerdigte Sunkel im Garten der Frontzeitungsdruckerei, während die ersten sowjetischen Vorauskommandos eintrafen. Am Grabe ihres Kompanieführers vorbei rückten die PK-Männer, größtenteils Österreicher, in die Gefangenschaft.

In der Todesstunde der PK schied auch ein Mann aus dem Leben, für den die Erschaffung der neuen Truppe aus dem Nichts heraus zur Lebensaufgabe geworden war, der ihre Geburtsstunde miterlebt hatte: Oberst Hans Krause, der einstige Hauptmann von der Alexander-Kaserne in Berlin, der 1939 kurz vor dem Kriege den ersten Lehrgang für Propaganda-Kompanien geleitet hatte – den ersten der Welt! – und der uns damals so verzweifelt gebeten hatte, diese sechs Wochen durchzustehen »um der Sache willen« –.

Kurz bevor die sowjetischen Truppen Potsdam erreichten, erschoß er seine Enkelin, seine Tochter, seine Frau und dann sich selbst –.

Und welche Stellung bezog Goebbels? Mit welchen Worten verabschiedete er sich von seinen engsten Mitarbeitern, als die russische Artillerie bereits den Wilhelmplatz, die Reichskanzlei und sein Ministerium beschoß?

Höhnische Worte waren es, die er ihnen als letztes Geleit mit auf den Weg gab: ». . . Geben Sie sich keinen Illusionen hin. Ich habe ja niemanden gezwungen, mein Mitarbeiter zu sein, so wie wir auch das deutsche Volk nicht gezwungen haben. Es hat uns ja selbst beauftragt. Warum haben Sie mit mir gearbeitet! Jetzt wird Ihnen das Hälschen durchgeschnitten.«

Warum sprach er diese grausamen Worte zu seinen langjährigen getreuesten Untergebenen?

Goebbels, Propagandist bis zur letzten Stunde seines Lebens, verfolgte mit allem, was er sagte, eine propagandistische Absicht.

Es ging ihm um den guten Ruf, den das ›Dritte Reich‹ bei der Nachwelt genießen sollte. Keiner der Mitarbeiter seines Ministeriums sollte in letzter Minute auf die Idee kommen, sich bei dem Feind anzubiedern, um sein Leben zu retten, – denn niemand könne es ja ableugnen, freiwillig und aus voller Überzeugung für ihn gearbeitet zu haben. Nun müsse man auch dafür ›anständig‹ in den Tod gehen, damit dereinst spätere Generationen ...

Als der Gefechtslärm verhallt war, glaubte man in ganz Deutschland, Goebbels habe sich rechtzeitig in Sicherheit gebracht, sei im letzten Augenblick nach Bayern geflohen oder nach Spanien, oder habe sich in einem eigens für ihn konstruierten U-Boot nach Argentinien abgesetzt. Eine Zeitlang behauptete sich sogar hartnäckig das Gerücht, er lebe zurückgezogen und abgeschieden als Katholik in einem Kloster.

Man hielt ihn einfach für zu klug, als daß er nicht doch noch einen Ausweg gefunden haben sollte, aus dem Flammenmeer der brennenden Reichshauptstadt zu entkommen.

Niemand kam auf den Gedanken, daß er ganz bewußt in den Tod gegangen sein könnte.

Noch zwölf Stunden vor seinem Tode hatte ihm General Krebs angeboten, ihn und seine Familie in einem mit Panzerplatten versehenen Wagen aus der Gefahrenzone der Reichskanzlei zu bringen.

Goebbels hatte abgelehnt, so wie auch schon seine Frau Magda vier Tage vorher das Angebot des Chefs des Deutschen Roten Kreuzes, Professor Karl Franz Gebhardt, wenigstens sie und die Kinder in Rote-Kreuz-Fahrzeugen aus Berlin herauszubringen, zurückgewiesen hatte. Er wollte mit seiner gesamten Familie in der Reichskanzlei sterben.

Und er hatte sogar Hitler überwacht. Der ›Führer‹ durfte nicht in letzter Minute schwach werden und sich doch noch von Bormann und Ribbentrop beschwatzen lassen, nach Berchtesgaden, in die ›Alpenfestung‹, zu fliehen. Hitler mußte sterben, und zwar in Berlin! Nur so – glaubt Goebbels – kann einst das ›Dritte Reich‹ und die Führer-Legende zum Mythos werden.

Für Goebbels ist alles klar und geordnet.

Nachdem er angesichts der brennenden Leichen von Hitler und Eva Braun den Arm zum Deutschen Gruß erhoben hatte, denkt er nur noch an die Wirkung, die sein eigener Freitod einmal auslösen soll.

Seine Frau Magda steht ganz unter seinem Einfluß.

Es ist unfaßbar, was diese Mutter tut:

Zusammen mit einem Arzt betritt sie den Raum im Bunker, wo ihre sechs Kinder sich aufhalten. Der Mediziner verabreicht ihnen Blausäureinjektionen. Sie sieht ihre Kinder der Reihe nach sterben. Dann bringt man die zusammengebrochene Frau zu ihrem Mann.

Goebbels sagt nur: »Alles ist vorüber!«

Nachdem er sich noch einmal vergewissert hat, daß die Vorbereitungen für die Verbrennung nach dem Tode getroffen sind, tritt er wortlos mit seiner Frau auf den engen Gang hinaus, steigt die schmale Treppe hinauf – vorbei an bereitstehenden Benzinkanistern –, begibt sich in den Garten.

Kurz darauf fällt ein Schuß.

Sein Adjutant Schwägermann geht hinauf, sieht beide am Boden liegen. Magda hat Gift genommen, Goebbels hat sich erschossen.

Die Leichen werden mit vier Kannen Benzin übergossen und angezündet.

Zu dieser Stunde sitzen in ganz Berlin die Menschen zitternd in den Kellern und warten auf das Ende der Kämpfe.

Es gibt keinen Rundfunk, keine Zeitungen, die den Tod

des Mannes melden könnten, der sie einst so skrupellos beherrschte.

Der Kanonendonner verstummt. Stille verbreitet sich über den Ruinen. Gerüchte gehen um, die NS-Führungsspitze habe Berlin verlassen. Niemand jedoch weiß etwas Genaues.

Russische Kriegsberichter sind es, die beweisen, daß Goebbels tot ist.

Kriegsberichter!

Sie haben Goebbels' halb verkohlte Leiche fotografiert.

Das Bild zerstört alle Illusionen. Es wird keine Goebbels-Legende geben.

Da sieht man ihn liegen, auf dem Rücken – deutlich ist sein Profil zu erkennen, sein Mund weit geöffnet, wie man ihn von tausend Rednerfotos her kennt, die rechte Hand, mit der er die Pistole gehalten haben mußte, leicht aufgerichtet, die Finger verkrampft.

Ein Dokument!

So, wie auch die mehr als eine Million Fotos der deutschen Kriegsberichter zu Dokumenten wurden –.

Schon während des Krieges waren bei den Sowjetrussen wie bei den Amerikanern die ersten Einheiten von Kriegsberichtern und Kampfpropagandisten entstanden.

Der Overseas Press Club in New York hat Anfang der fünfziger Jahre sogar unter seinem berühmten Präsidenten Louis P. Lochner zum Andenken an die 83 Presseleute, die in Erfüllung ihrer journalistischen Pflicht während des Zweiten Weltkrieges gefallen sind, ein Clubhaus errichtet[1].

Die deutsche PK war zum Muster für die Welt geworden, zum Modell für alle Armeen, in denen militärische Einheiten für die psychologische Kampfführung eingesetzt werden.

---

[1] Louis P. Lochner, langjähriger amerikanischer Deutschland-Korrespondent, schrieb ein Buch über seine Erinnerungen aus Deutschland über die Jahre 1921–1952: »Stets das Unerwartete«.

Im Nürnberger Hauptkriegsverbrecher-Prozeß saß Hans Fritzsche, Goebbels' Ministerialdirigent und bestes Pferd im Stall, stellvertretend für alle PK-Männer und für alle, die mit Kriegspropaganda zu tun gehabt hatten, auf der Anklagebank. Seine Ankläger waren Sowjetrussen, Amerikaner, Engländer und Franzosen.

Er wurde freigesprochen.

Literatur und Quellen

Boelcke, Willi A.: Kriegspropaganda 1939–1941, Geheime Ministerkonferenzen im Propaganda-Ministerium, Stuttgart 1966

Buchbender, Ortwin und Horst Schuh: Heil Beil! Flugblattpropaganda im II. Weltkrieg. Dokumentation und Analyse. Militärpolitische Schriftenreihe, Nr. 10, Stuttgart

Dahms, Hellmuth Günther: Der Zweite Weltkrieg, Frankfurt 1966

Goebbels, Dr. Joseph: Vom Kaiserhof zur Reichskanzlei, München 1944

Goebbels, Dr. Joseph: Das eherne Herz, München 1943

Heiber, Helmut: Joseph Goebbels, München 1965

Hofer, Walther: Der Nationalsozialismus. Dokumente 1933–45. Frankfurt 1957

Jacobsen, H. A.: 1939/1945. Der Zweite Weltkrieg in Chronik und Dokumenten, Darmstadt 1959

Manstein, Erich von: Verlorene Siege, Bonn 1955

Martens, Hans: General v. Seydlitz 1942–1945. Berlin 1971

Ploetz, Karl: Die Geschichte des Zweiten Weltkrieges, Würzburg 1960

Riess, Curt: Joseph Goebbels, Der Advokat des Teufels, Zürich 1949

Ruge, Friedrich: Der Seekrieg 1939–1945, Stuttgart 1956

Scheurig, Bodo: Verrat hinter Stacheldraht, München 1965

Scheurig, Bodo: Freies Deutschland. Das Nationalkomitee und der Bund Deutscher Offiziere in der Sowjetunion, München 1965

Schramm, Percy Ernst: Die Niederlage 1945. Aus dem Kriegstagebuch des Oberkommandos der Wehrmacht, München 1962

Steenberg, Sven: Wlassow, Verräter oder Patriot? Köln 1968

Tugwell, Maurice: Aus der Luft ins Gefecht, Stuttgart 1974

Wedel, Hasso von: Die Propagandatruppen der Deutschen Wehrmacht, Neckargemünd 1962

Wieder, Joachim: Stalingrad und die Verantwortung des Soldaten, München 1962

Wucher, Albert: Seit 5 Uhr 45 wird zurückgeschossen, München 1959

Young, Desmond: Rommel, Wiesbaden 1952

Zentner, Dr. Kurt: Illustrierte Geschichte des Zweiten Weltkrieges, München 1963

Zentner, Dr. Kurt: Illustrierte Geschichte des Widerstandes in Deutschland und Europa 1933–1945, München 1966

Zipfel, Friedrich: Krieg und Zusammenbruch, Hannover 1962

PK-KRIEGSBERICHTE:

Südlich des Ladogasees, Winter 1943
    Herausgegeben von der Armee vor Leningrad
Schlacht am Wolchow
    Herausgegeben von der Propaganda-Kompanie einer Armee (18. Armee, PK 621)
Leixner, Leo: Von Lemberg bis Bordeaux
    Fronterlebnisse eines Kriegsberichters, München 1941

TAGESZEITUNGEN UND ZEITSCHRIFTEN:

»Bremer Nachrichten« 1938–43
»Das Reich« 1939–45
»Der Stern« 2.5.1965
»Völkischer Beobachter« 1938–45
Sowjetische Flugblätter 1942–45
DIE WILDENTE, Informationen, PK-Mitteilungsblatt, Hamburg 1952–66

Ganz besonderer Dank gilt *Günther Heysing,* dem Herausgeber der WILDENTE, in der so viele Schicksale von PK-Angehörigen aufgeklärt werden konnten.

Dazu Material aus dem Archiv des Verfassers und aus anderen Privatarchiven.

Zeittafel

26. 10. 1926:	Dr. Joseph Goebbels wird Gauleiter der NSDAP von Berlin
30. 1. 1933:	Hitler wird Reichskanzler (Machtübernahme)
7. 3. 1936:	Remilitarisierung des Rheinlandes
13. 3. 1938:	Anschluß Österreichs
29. 9. 1938:	Anschluß der sudetendeutschen Gebiete
15. 3. 1939:	Einmarsch deutscher Truppen in die Tschechoslowakei
Mai/Juni 1939:	1. Lehrgang für Propaganda-Kompanien, Berlin
1. 9. 1939:	Beginn des Polenfeldzuges
9. 4. 1940:	Besetzung Dänemarks, Landung in Norwegen
10. 5. 1940:	Beginn des Westfeldzuges (Holland, Belgien, Frankreich)
14. 6. 1940:	Einmarsch in Paris
6. 4. 1941:	Beginn des Feldzuges gegen Jugoslawien und Griechenland
20. 5. bis 1. 6. 1941:	Eroberung von Kreta
31. 3. 1941 bis 12. 5. 1943:	Die Kämpfe in Afrika
22. 6. 1941:	Beginn des Ostfeldzuges. Deutscher Angriff auf die Sowjetunion
31. 1. 1943:	Ende der Schlacht um Stalingrad
18. 2. 1943:	Goebbels proklamiert den ›totalen Krieg‹
8. 5. 1945:	Ende des Zweiten Weltkrieges in Europa

Zeitgeschichtliche Dokumentationen